Published in 2002 by Laurence King Publishing Ltd
71 Great Russell Street
London WC1B 3BP
Tel: +44 20 7430 8850
Fax: +44 20 7430 8880
e-mail: enquiries@laurenceking.co.uk
www.laurenceking.co.uk

eBoy: Steffen Sauerteig, Svend Smital, Peter Stemmler, Kai Vermehr
e-mail: eboy@eboy.com
www.eboy.com

A catalogue record for this book is available from the British Library.

ISBN 1 85669 303 1

Printed in Hong Kong

DIV_logo_hello_eboy.tif

DIV_peop_govor_cards.TIF

DIV_typo_tierplower_cards.TIF

DIV_peop_elk_cards.TIF

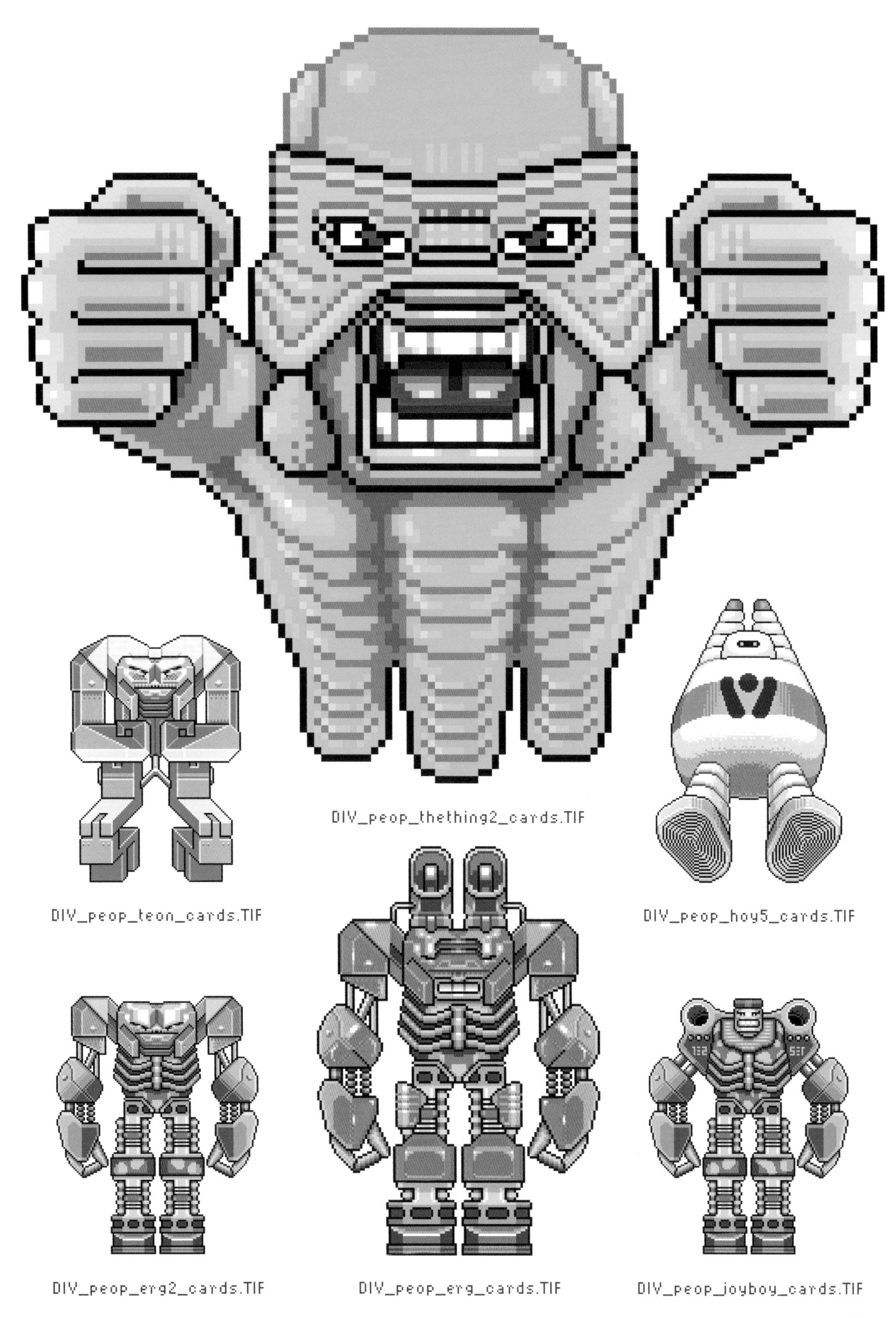

DIV_peop_thething2_cards.TIF

DIV_peop_teon_cards.TIF

DIV_peop_hoy5_cards.TIF

DIV_peop_erg2_cards.TIF

DIV_peop_erg_cards.TIF

DIV_peop_joyboy_cards.TIF

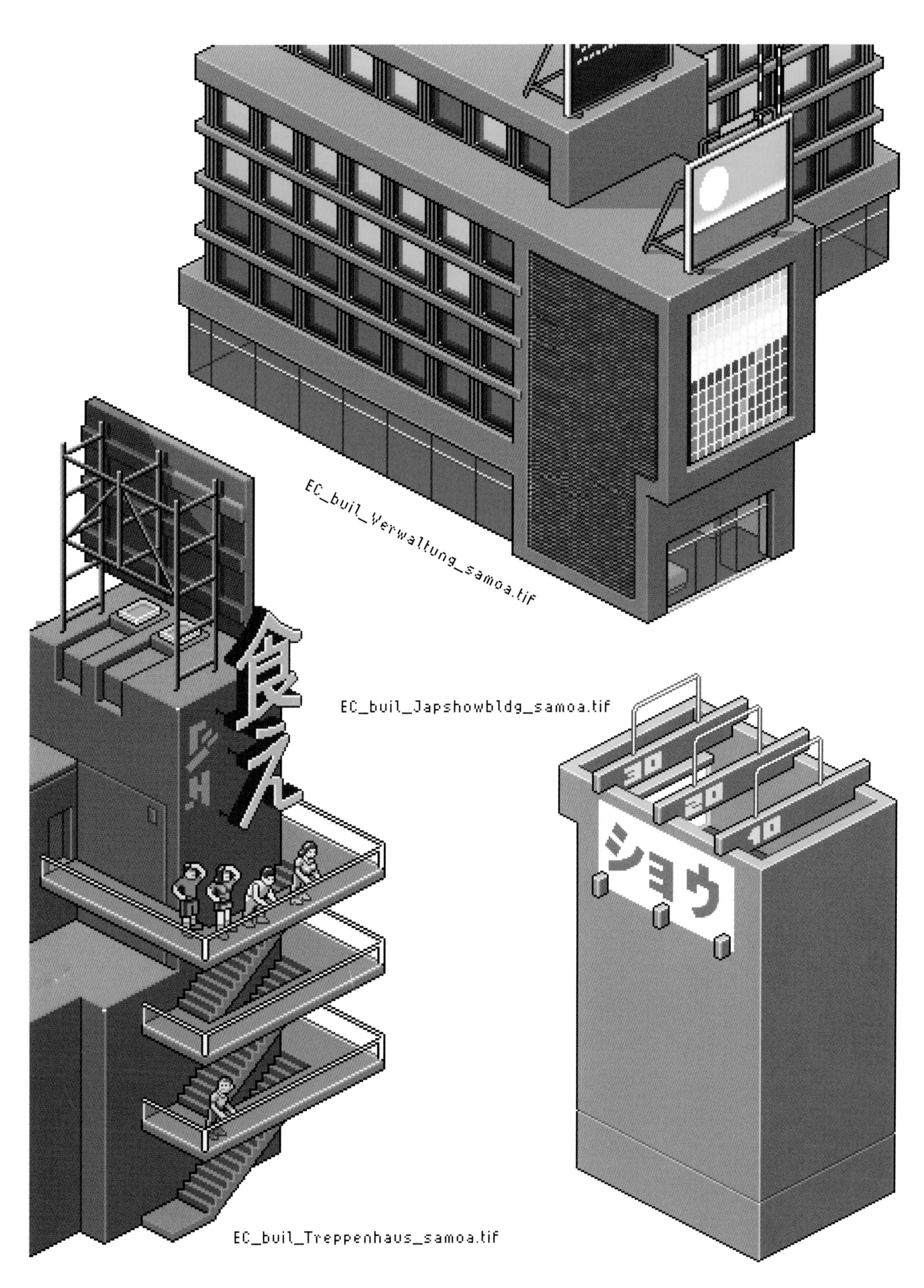

EC_buil_Verwaltung_samoa.tif

EC_buil_Japshowbldg_samoa.tif

EC_buil_Treppenhaus_samoa.tif

EXIT
<peter a

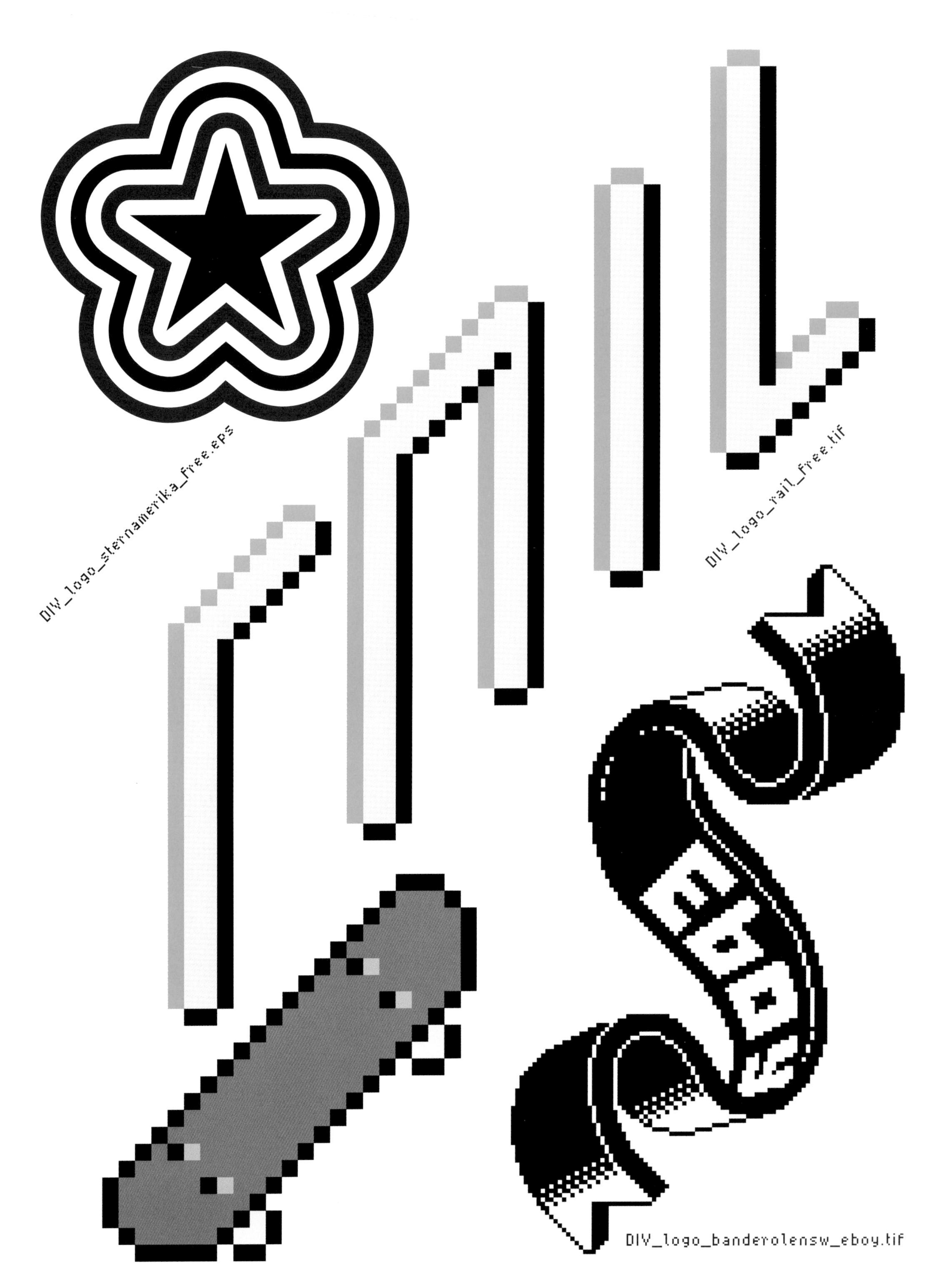
DIV_logo_sternamerika_free.eps
DIV_logo_rail_free.tif
DIV_logo_banderolensw_eboy.tif

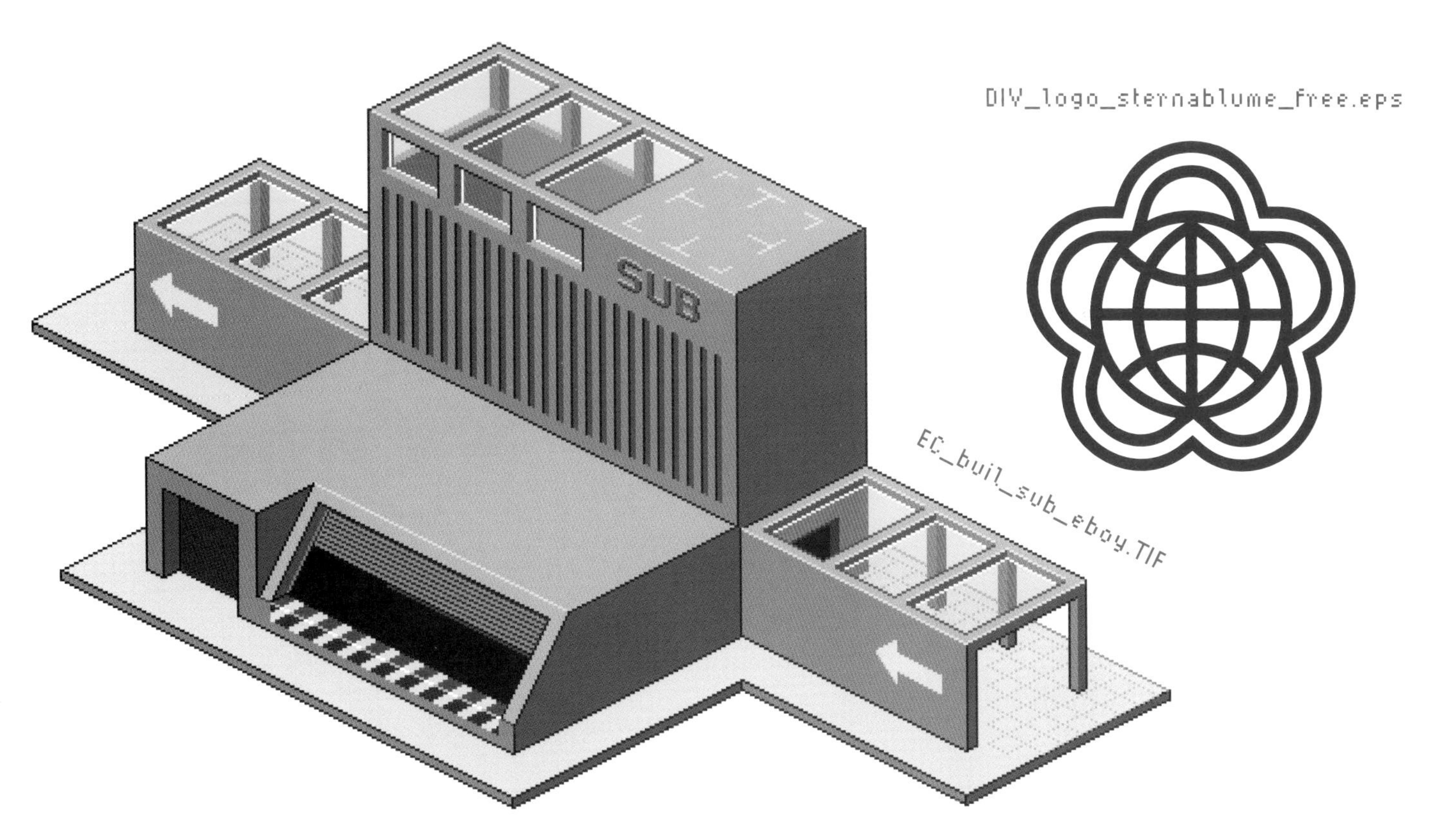

DIV_logo_sternablume_free.eps

EC_buil_sub_eboy.TIF

Stadtteil_A3_s16.tif

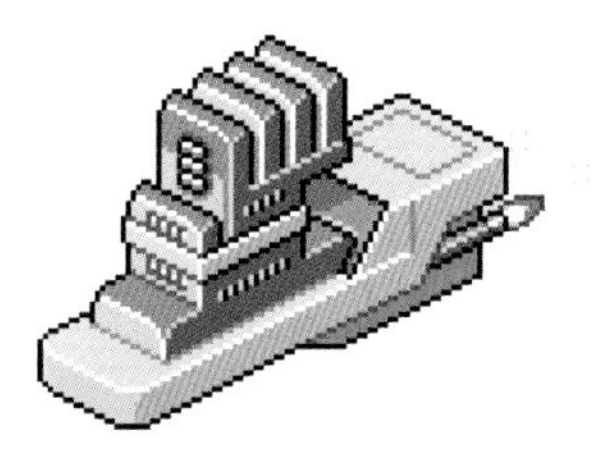

EC_vehi_bubbleracer2_pchome.TIF

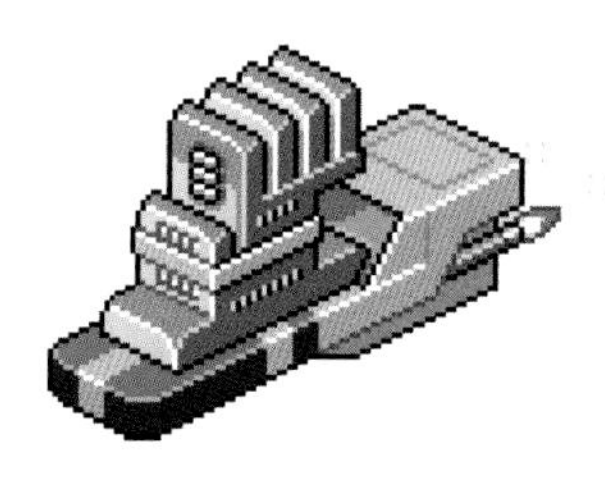

EC_vehi_bubbleracer1_pchome.TIF

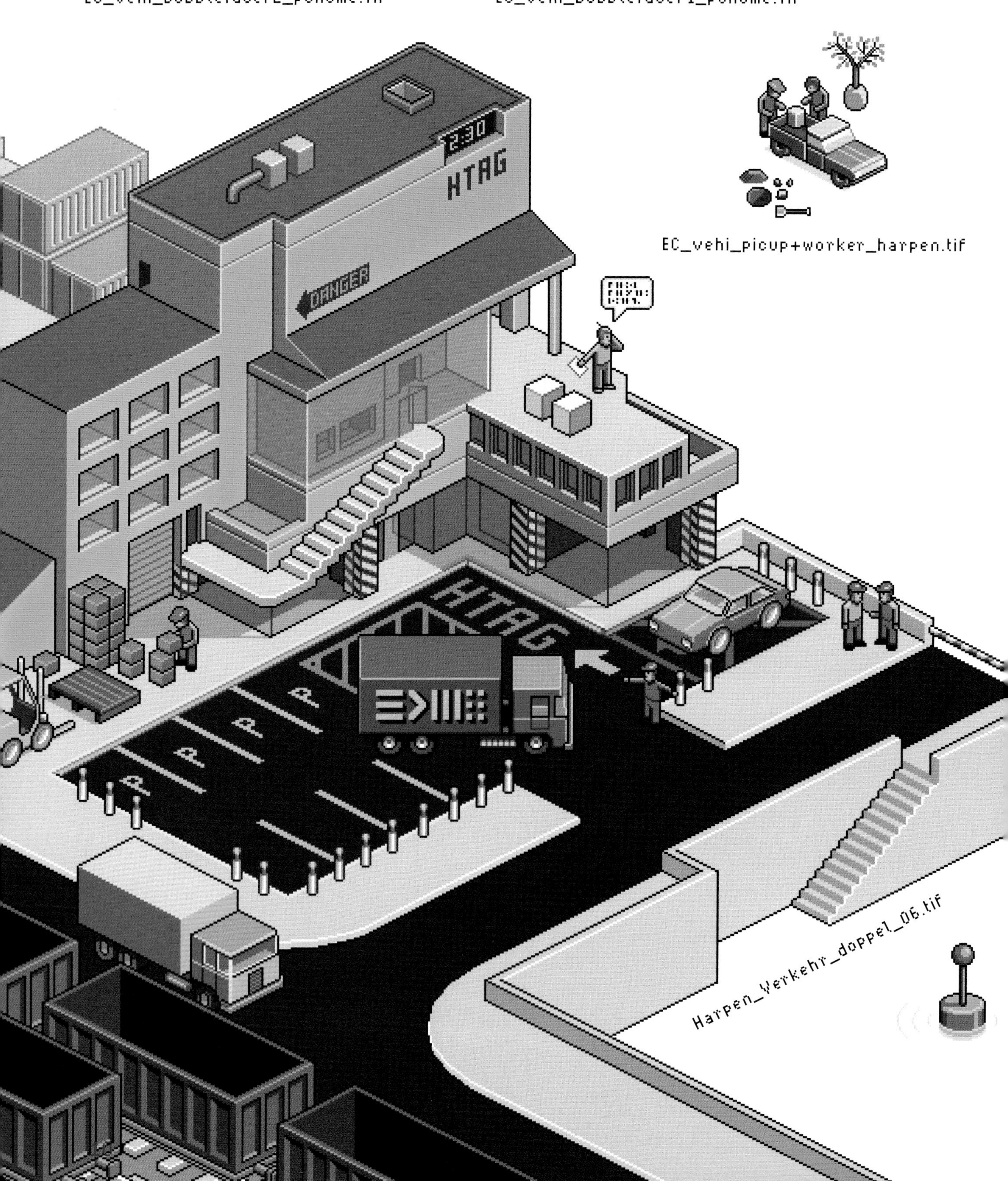

EC_vehi_picup+worker_harpen.tif

Harpen_Verkehr_doppel_06.tif

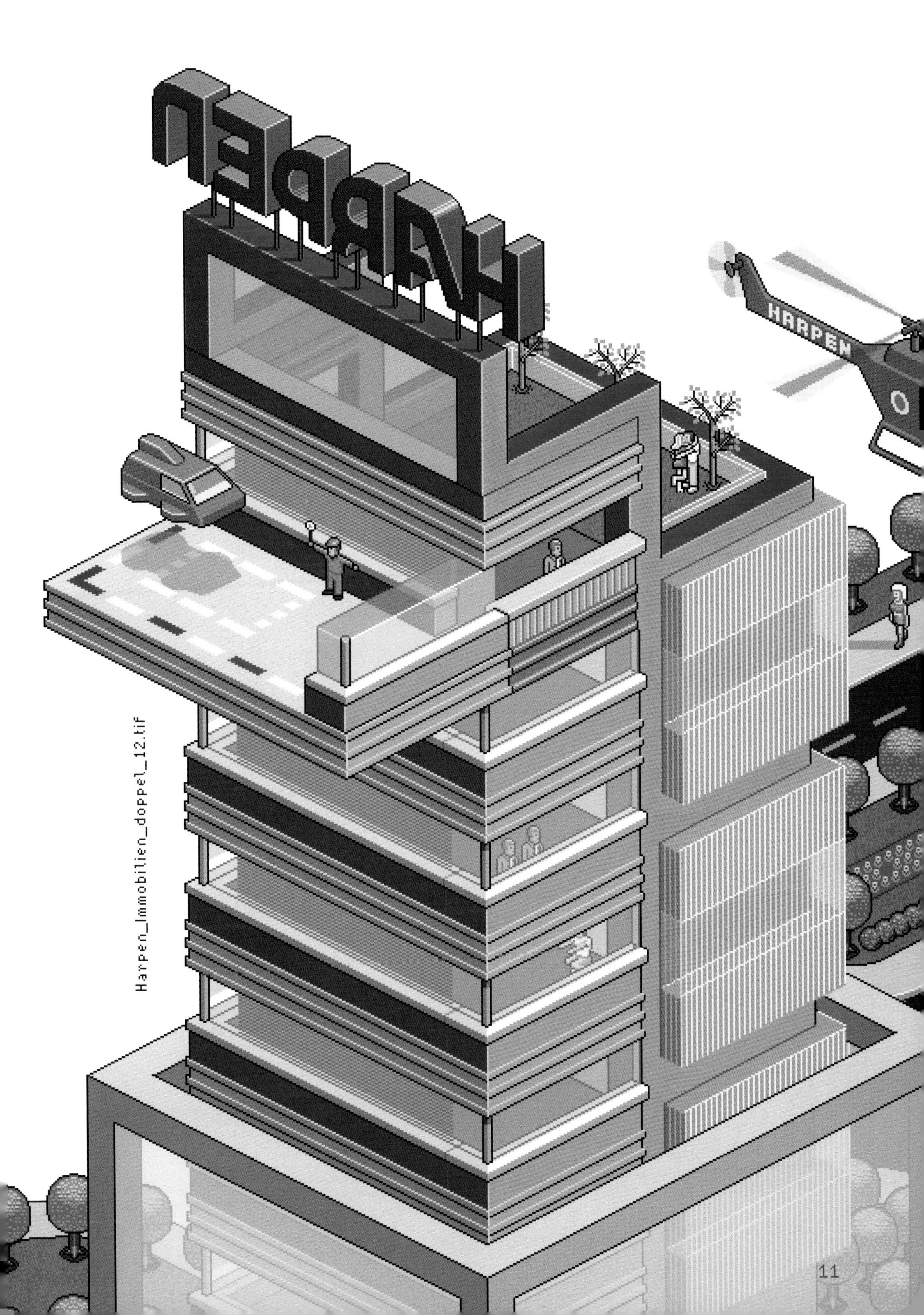

Harpen_Immobilien_doppel_12.tif

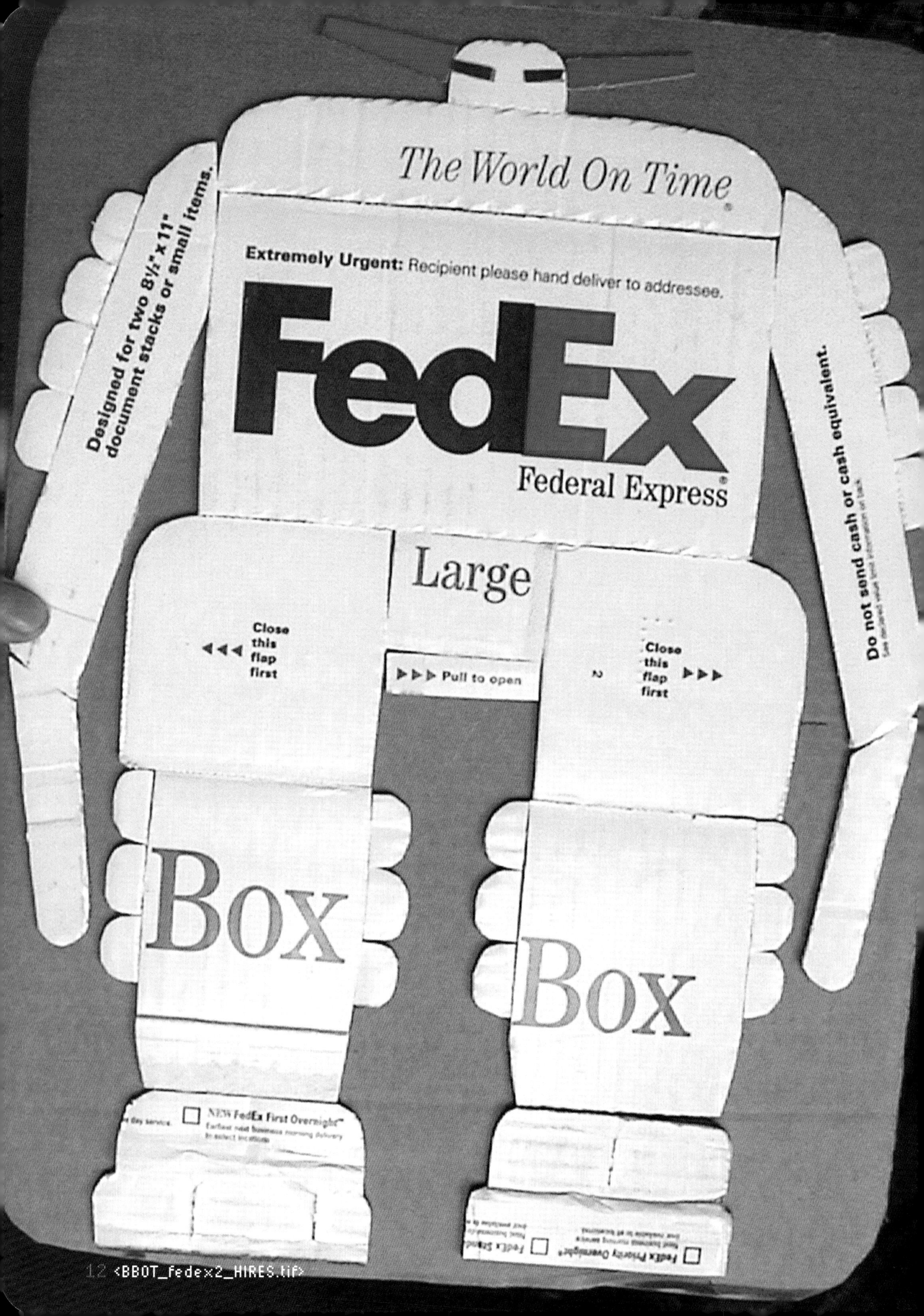
The World On Time
Extremely Urgent: Recipient please hand deliver to addressee.
FedEx
Federal Express
Designed for two 8½" x 11" document stacks or small items.
Do not send cash or cash equivalent.
Large
Close this flap first
Pull to open
Close this flap first
Box
Box
NEW FedEx First Overnight
FedEx Priority Overnight

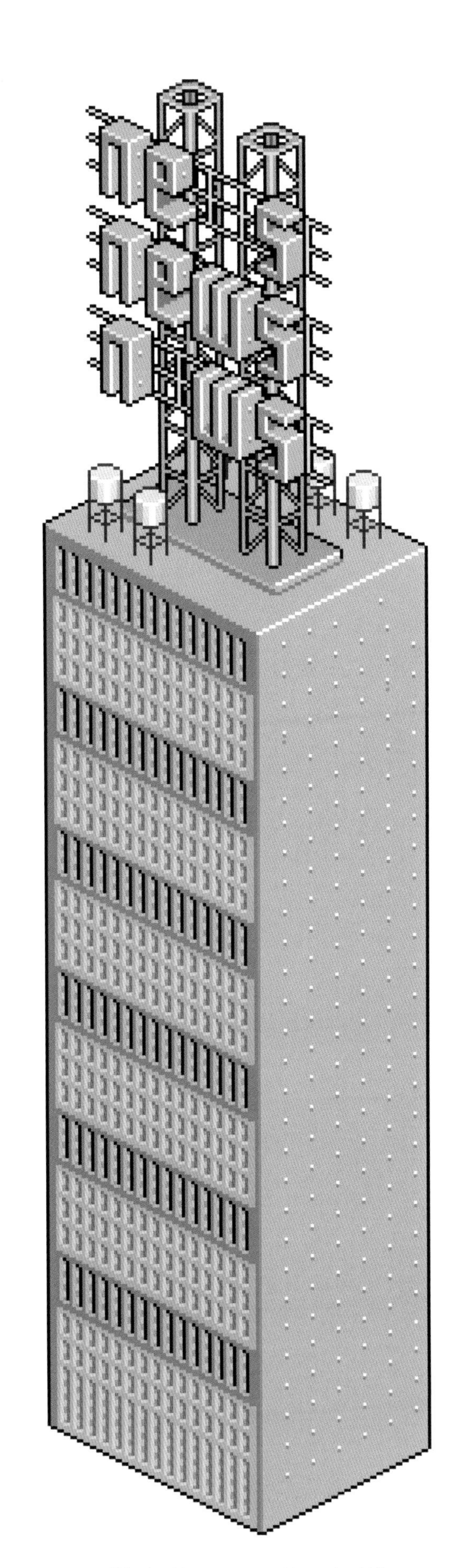

EC_buil_news_attenda.tif

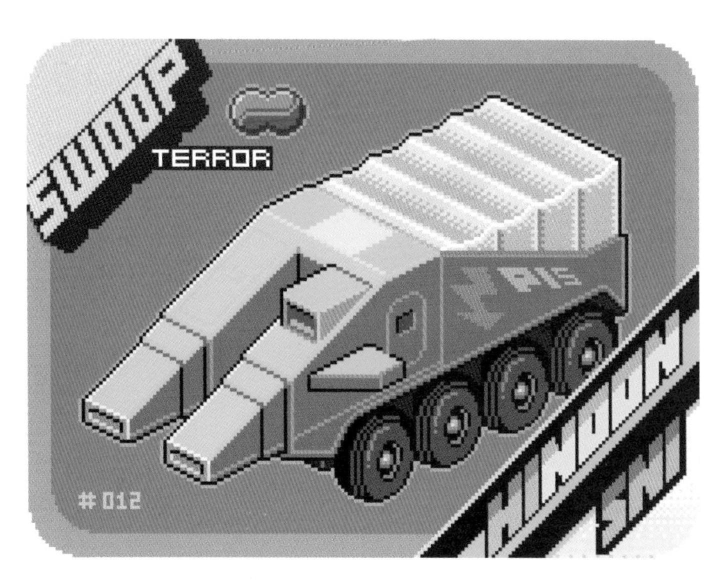

SWOOP_Terror_01.tif

swoop_storer_006.tif

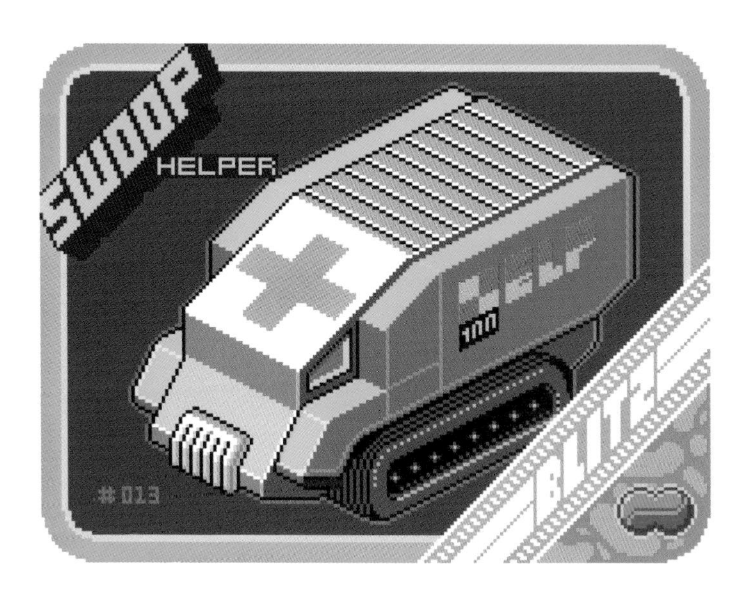

swoop_helper_10.tif

ANI_part_zapping17_mtv.TIF

ANI_part_zapping10_mtv.TIF

ANI_part_zapping26_mtv.TIF

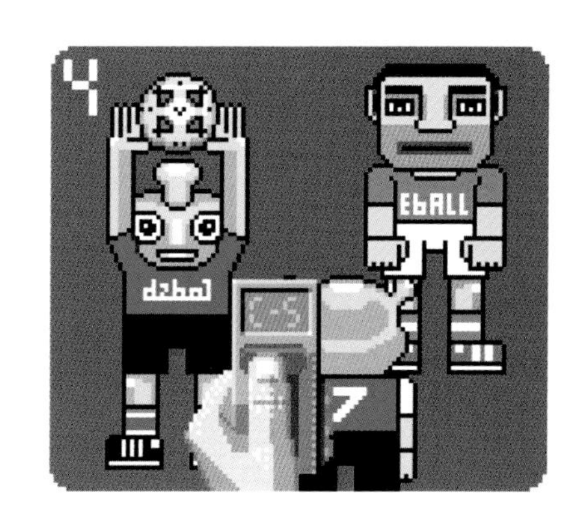

ANI_part_zapping4_mtv.TIF

ECV_vehi_beachsucker_diesel.tif

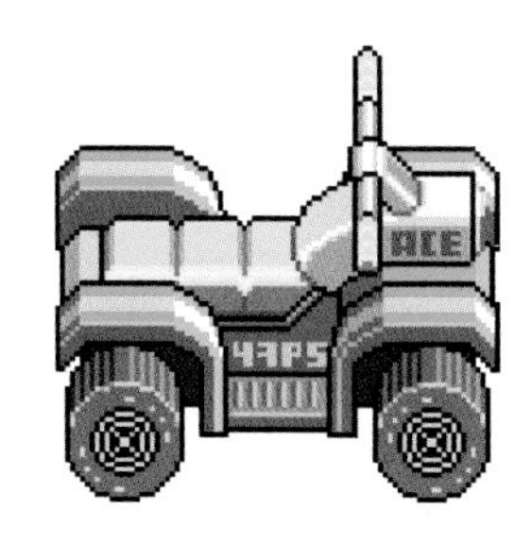

ECV_vehi_beachace_diesel.tif

ECV_vehi_policecar01_diesel.tif

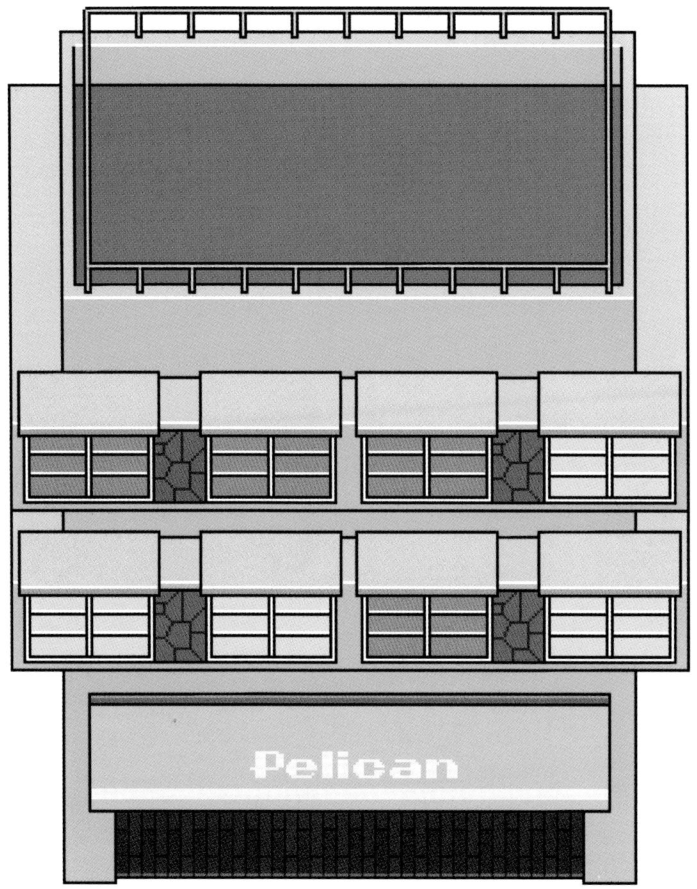

ECV_buil_hotel_diesel.tif

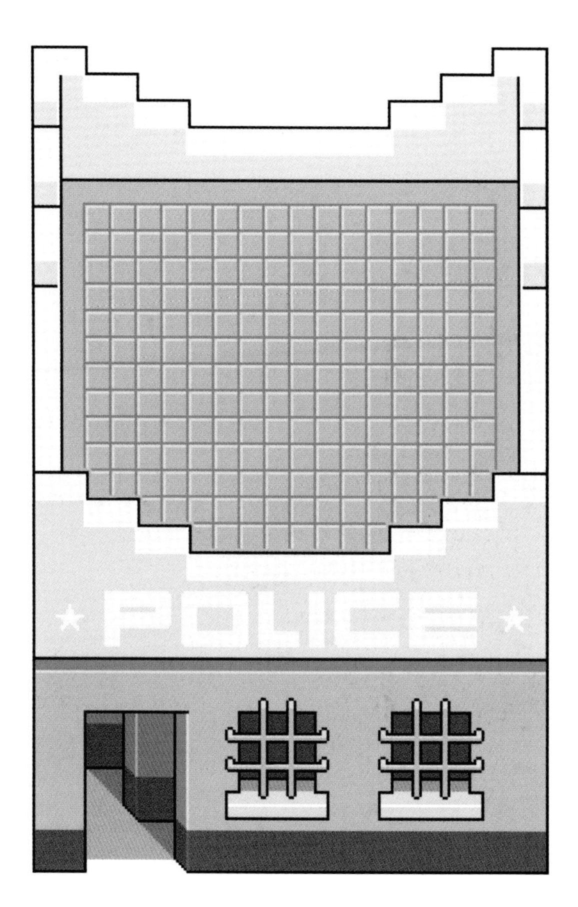

ECV_buil_police_diesel.tif

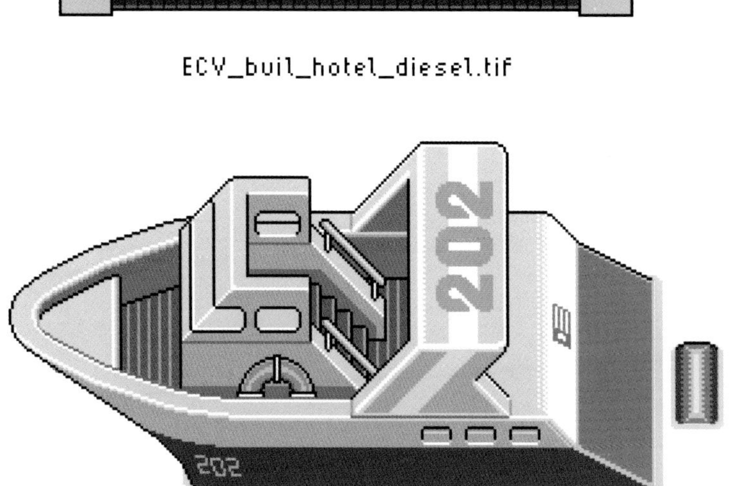

ECV_vehi_yacht_diesel.tif

ECV_vehi_262_diesel.tif

s 2.1

ECV_buil_hoo_diesel.tif

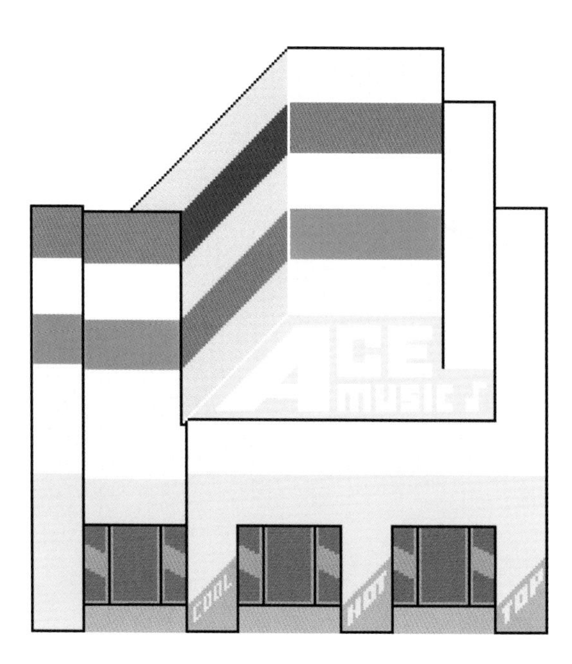

ECV_buil_ace_diesel.tif

ECV_part_palme+_diesel.tif

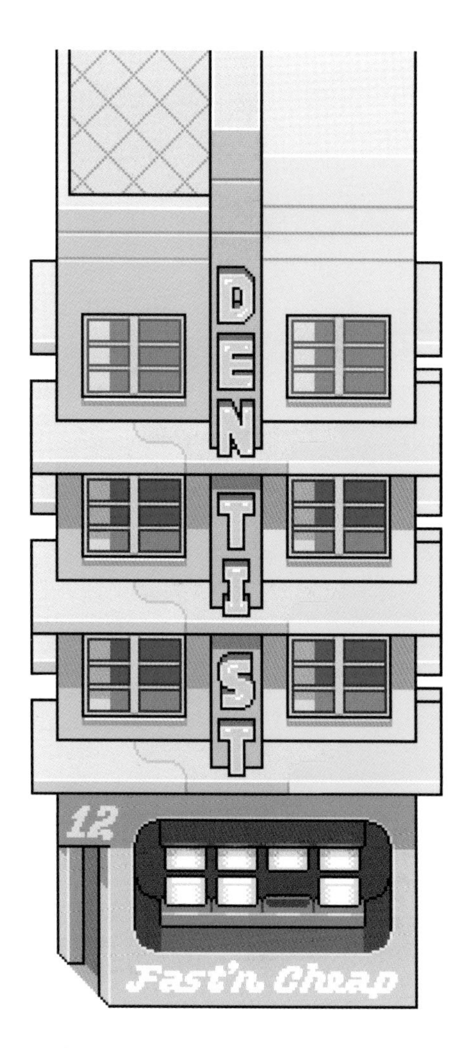

ECV_buil_dentist_diesel.tif

ECV_buil_fabrik_diesel.tif

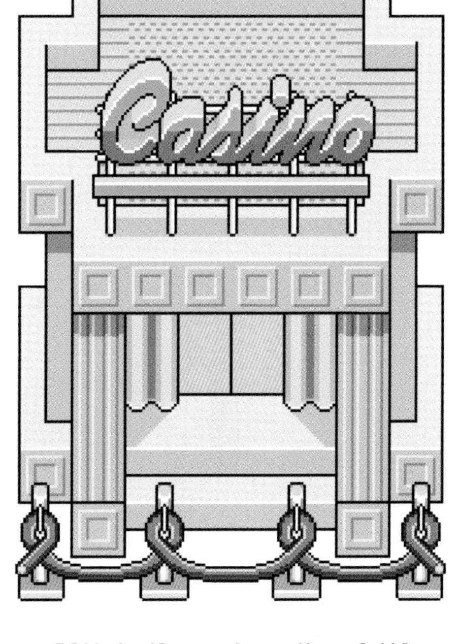

ECV_buil_casino_diesel.tif

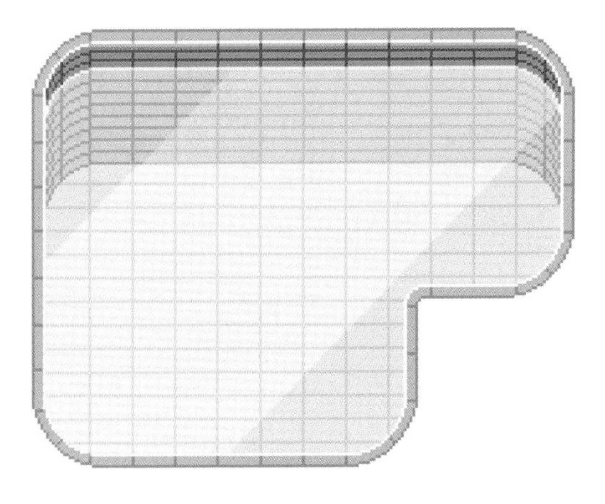

ECV_part_pool_diesel.tif

ECV_vehi_policecar02_diesel.tif

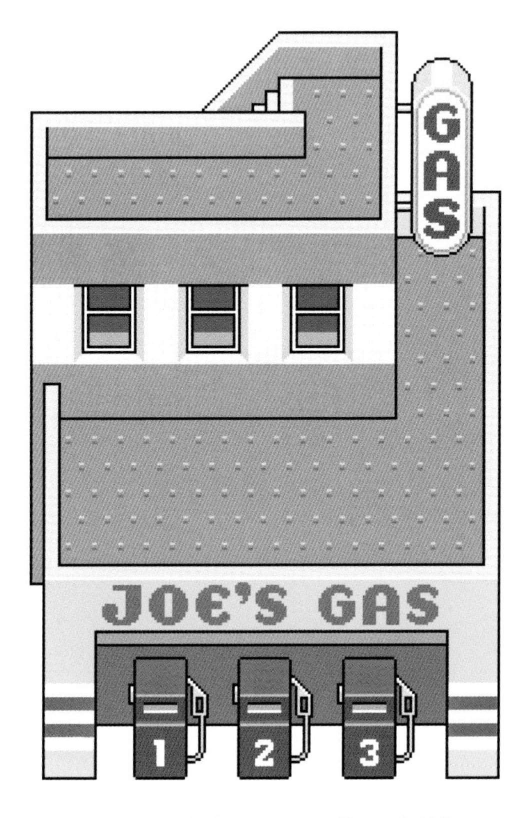

ECV_buil_joesgas_diesel.tif

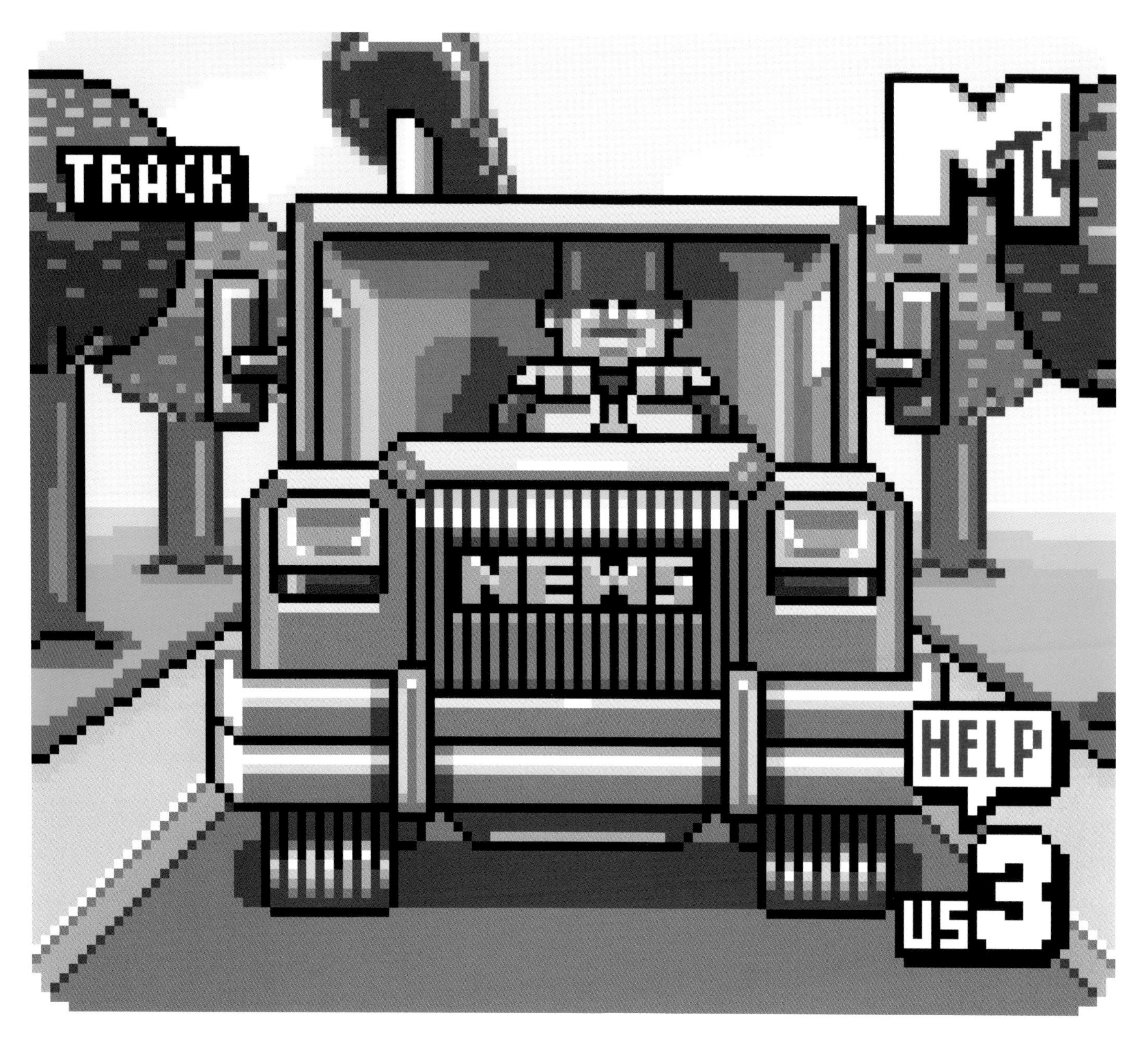

ANI_pict_driver_05_mtv.tif

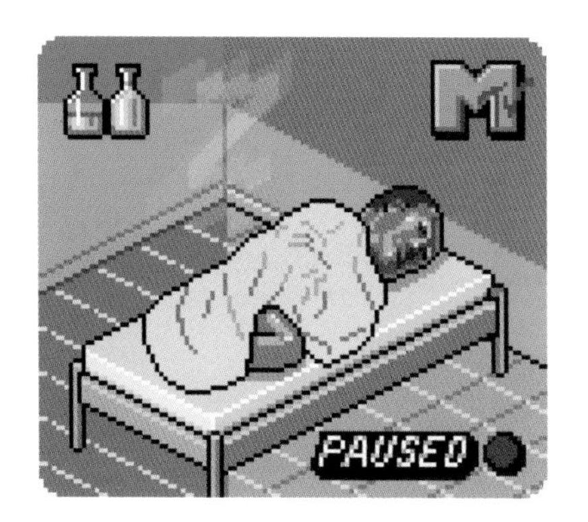

ANI_peop_sleeper30_mtv.TIF

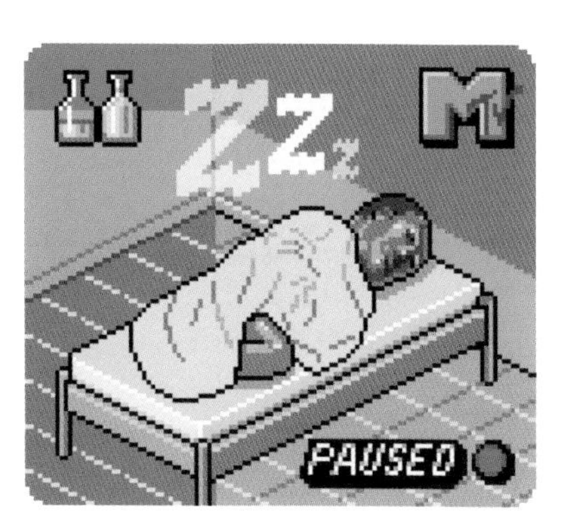

ANI_peop_sleeper40_mtv.TIF

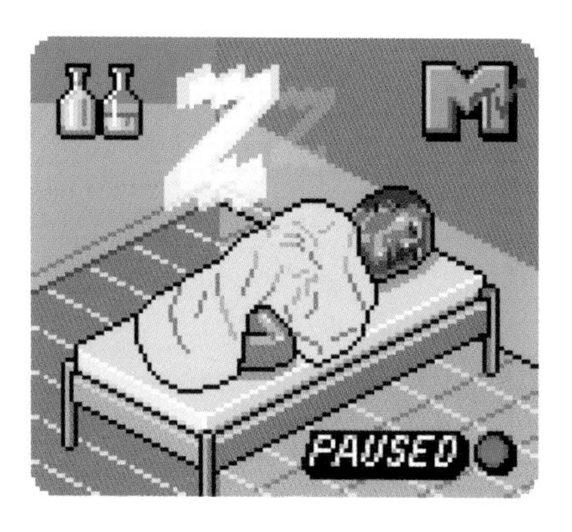

ANI_peop_sleeper36_mtv.TIF

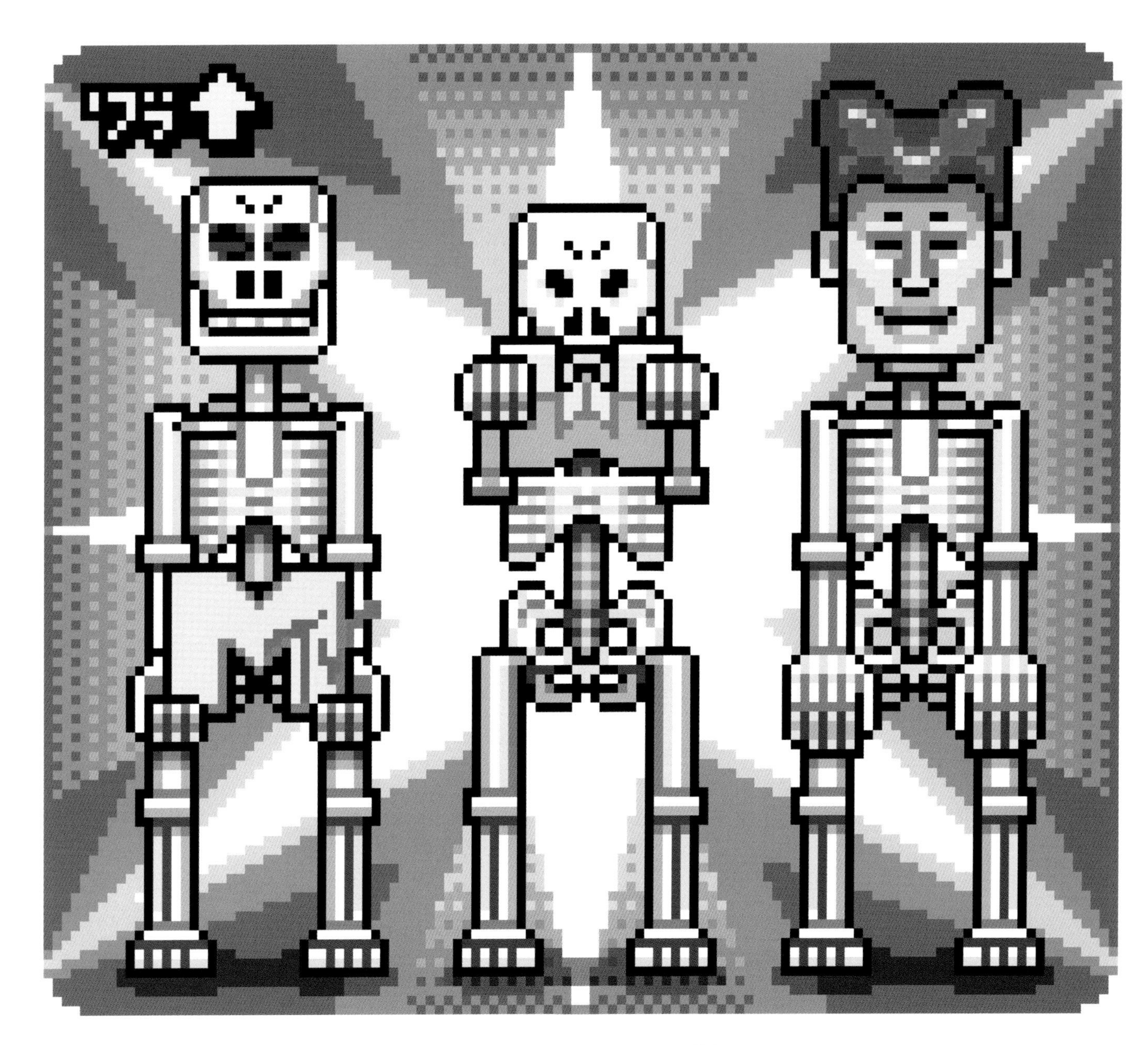

ANI_peop_skellet5_mtv.TIF

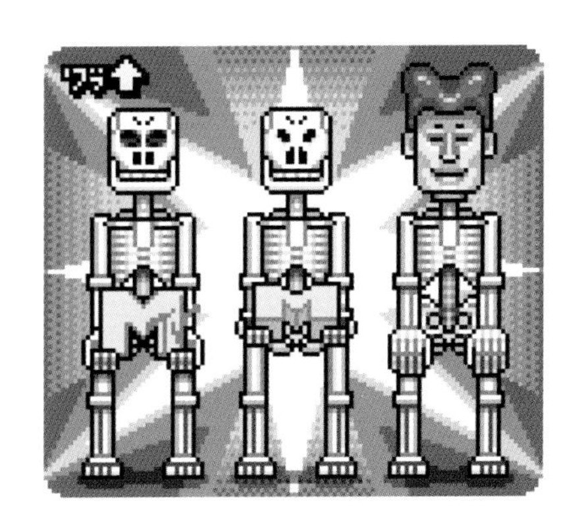

ANI_peop_skellet2_mtv.TIF

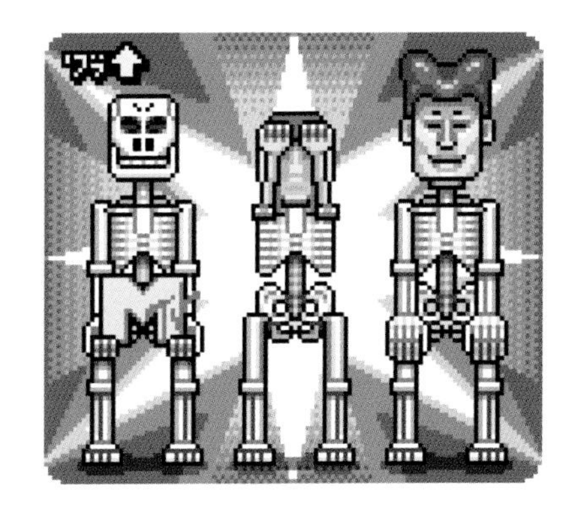

ANI_peop_skellet8_mtv.TIF

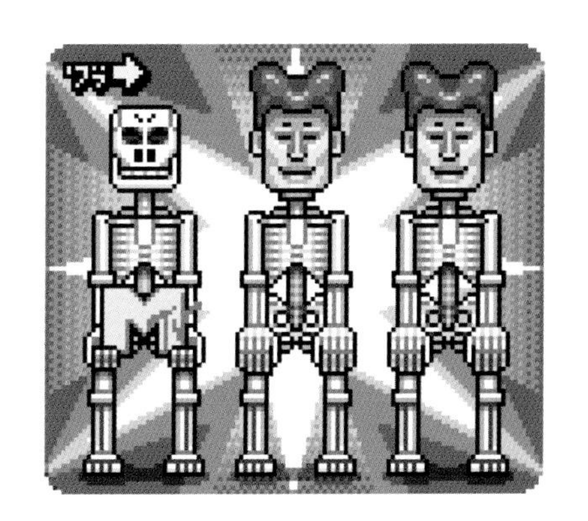

ANI_peop_skellet14_mtv.TIF

ANI_peop_diver13_mtv.TIF

ANI_peop_diver25_mtv.TIF

ANI_peop_diver36_mtv.TIF

ANI_peop_worker6_mtv.TIF

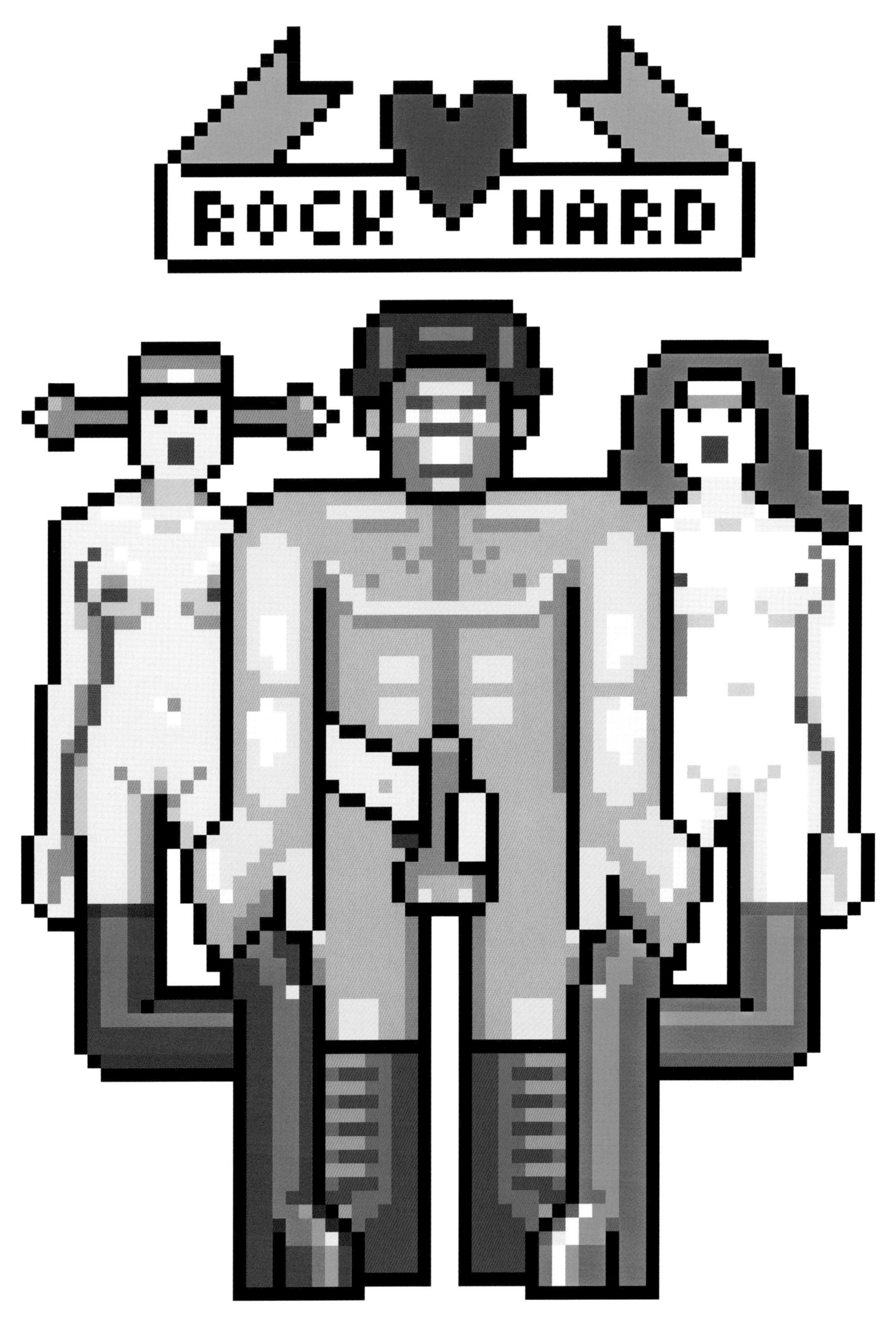

PEE_pornowappen03_diewoche.tif

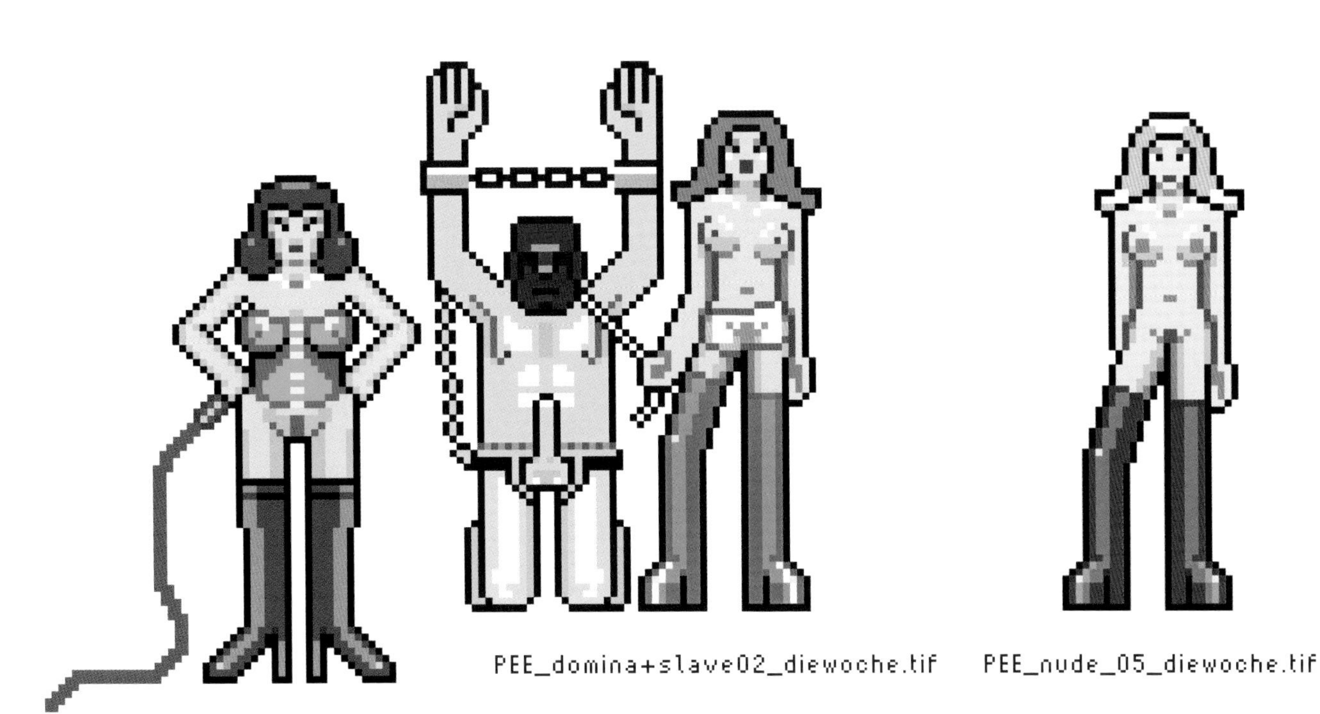

PEE_domina+slave02_diewoche.tif

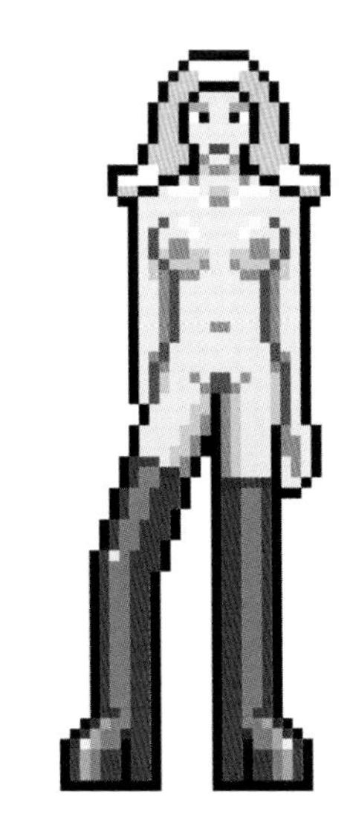

PEE_nude_05_diewoche.tif

PEE_nude_01_diewoche.tif

PEE_2nudes_diewoche.tif

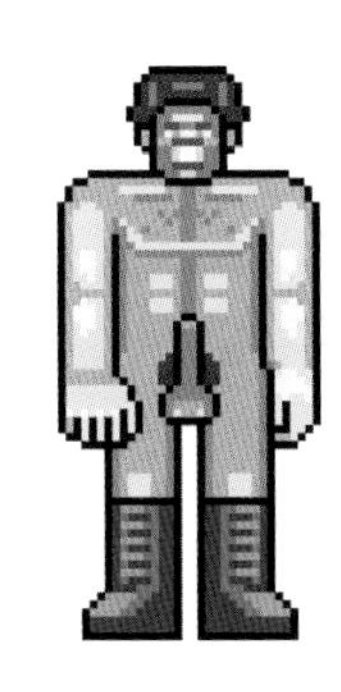

PEE_guy_handjob_diewoche.tif

PEE_nude_04_diewoche.tif

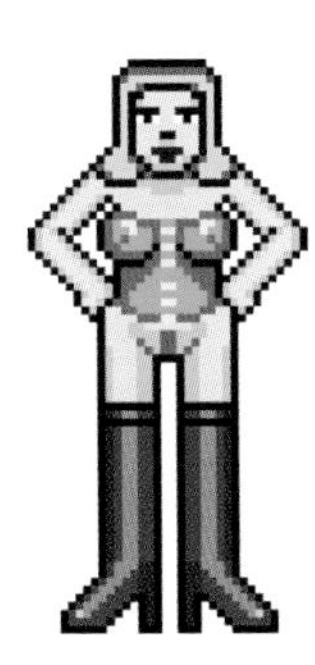

PEE_domina01_diewoche.tif

PEE_nude_02_diewoche.tif

DIV_banderole_hurt_diewoche.tif

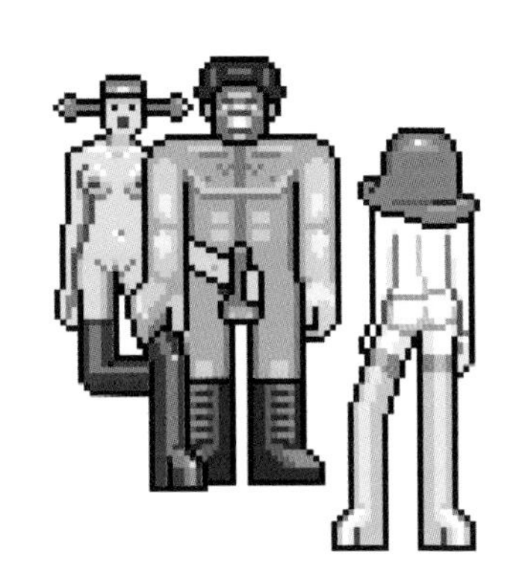

PEE_nude_handjob05_diewoche.tif

DIV_banderole_suck_diewoche.tif

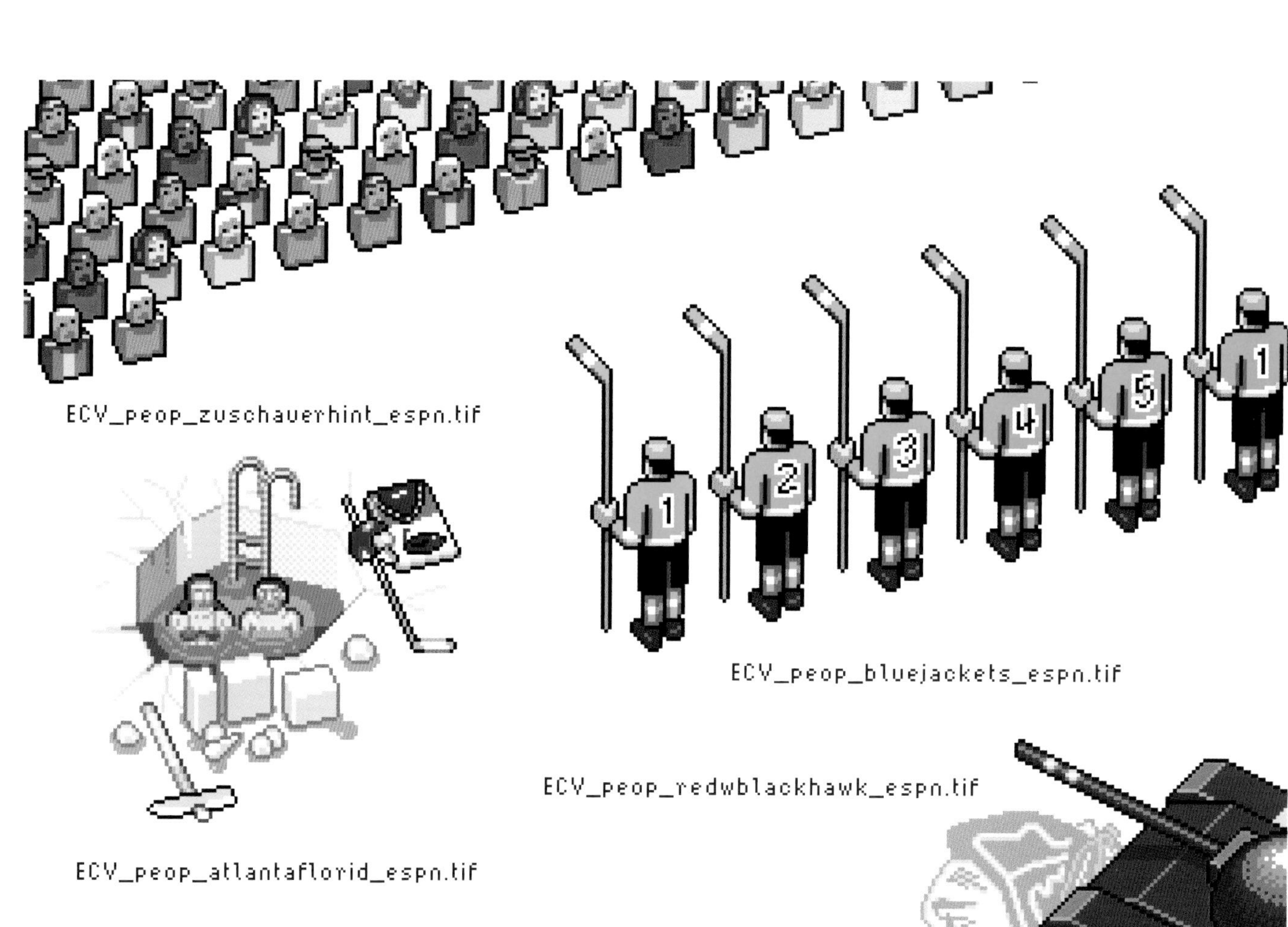

ECV_peop_zuschauerhint_espn.tif

ECV_peop_bluejackets_espn.tif

ECV_peop_redwblackhawk_espn.tif

ECV_peop_atlantaflorid_espn.tif

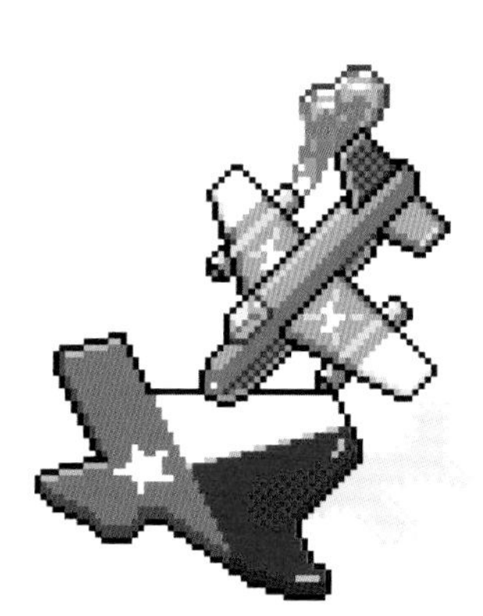

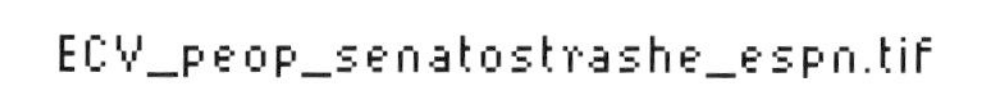

ECV_peop_senatostrashe_espn.tif

ECV_part_dugsstars_espn.tif

ECV_peop_maplecanadian_espn.tif

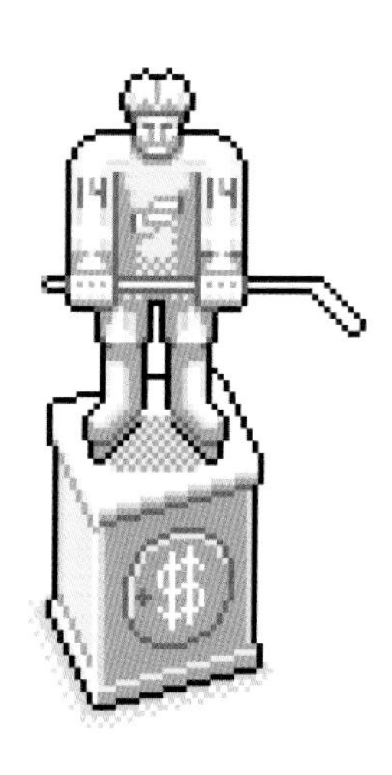

ECV_peop_flamesrangers_espn.tif

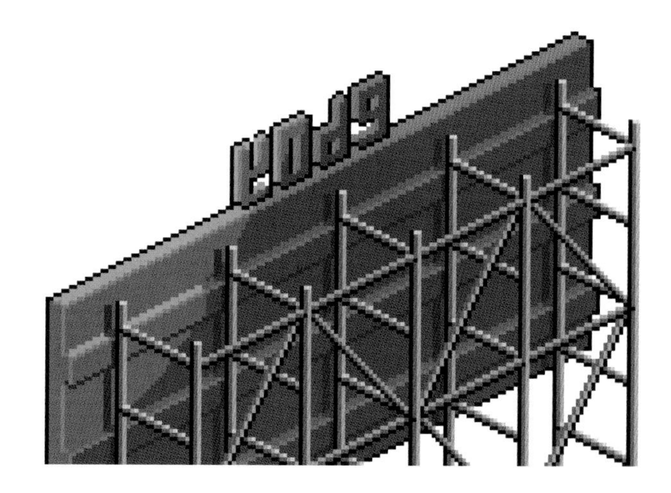

EC_part_billboard_wired.TIF

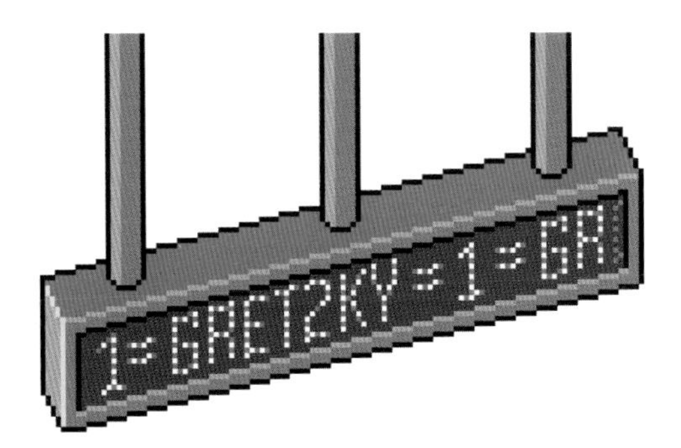

ECV_part_display_espn.tif

ECV_part_4banner_espn.tif

ECV_part_tradingdeadli_espn.tif

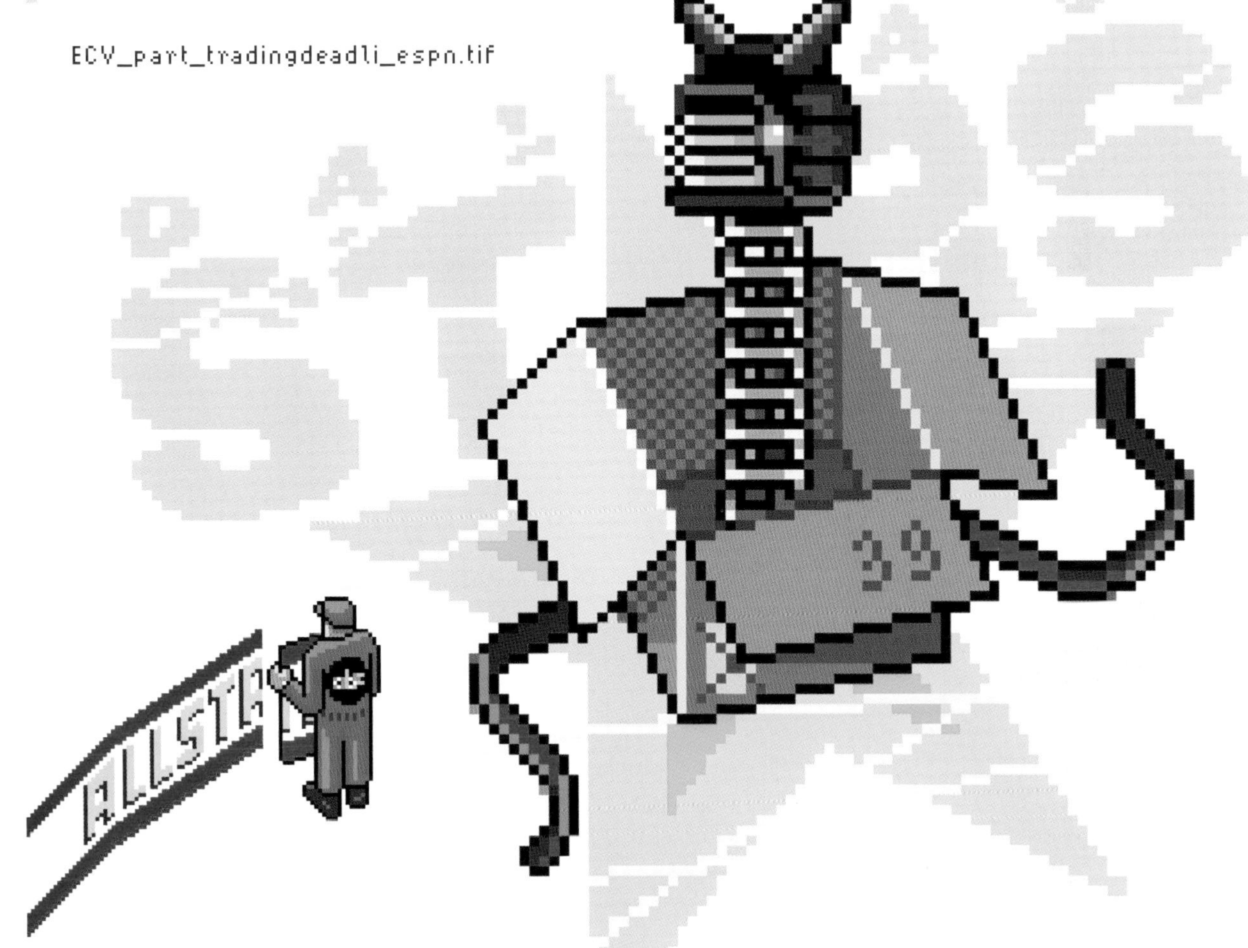

ECV_peop_allstar_espn.tif

ECV_peop_sabresstars_espn.tif

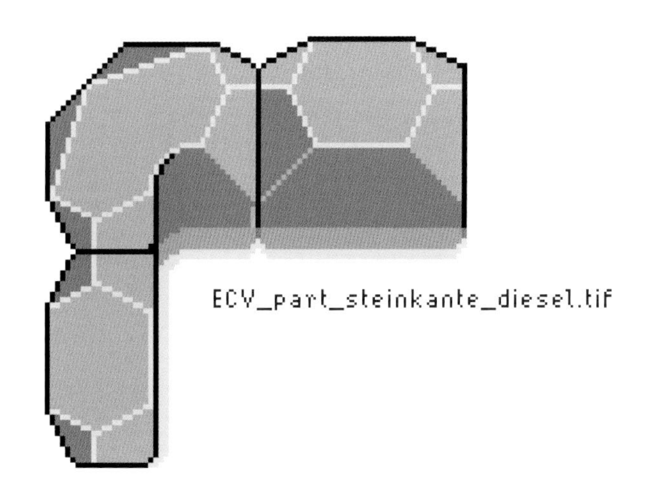

ECV_part_steinkante_diesel.tif

ECV_typo_casino_diesel.tif

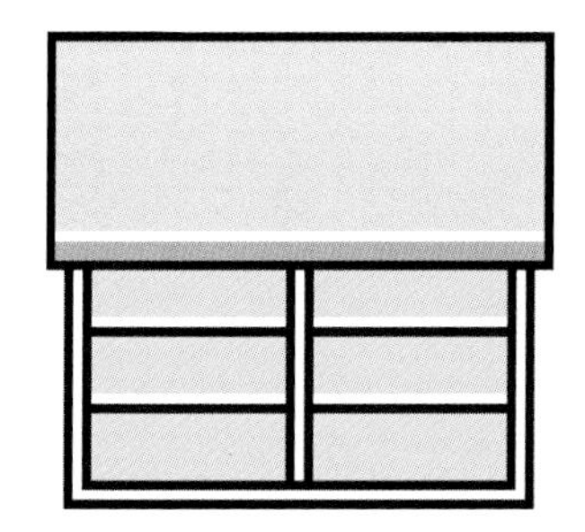

ECV_rudi_fenster_diesel.tif

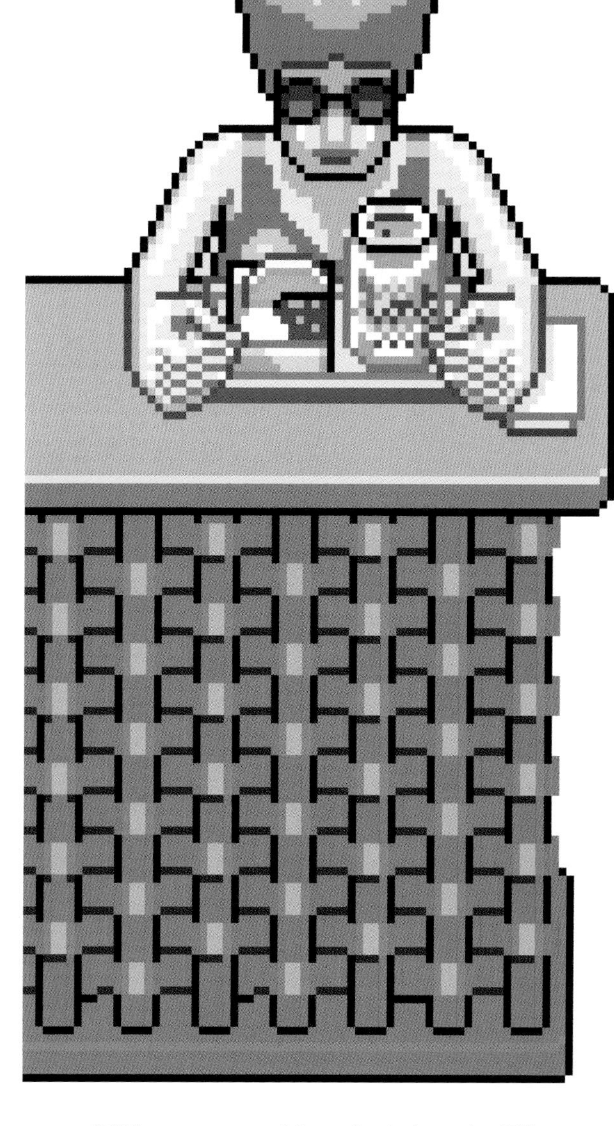

ECV_peop_custfemaledrin_mtv.TIF

ECV_buil_telefonbox_diesel.tif

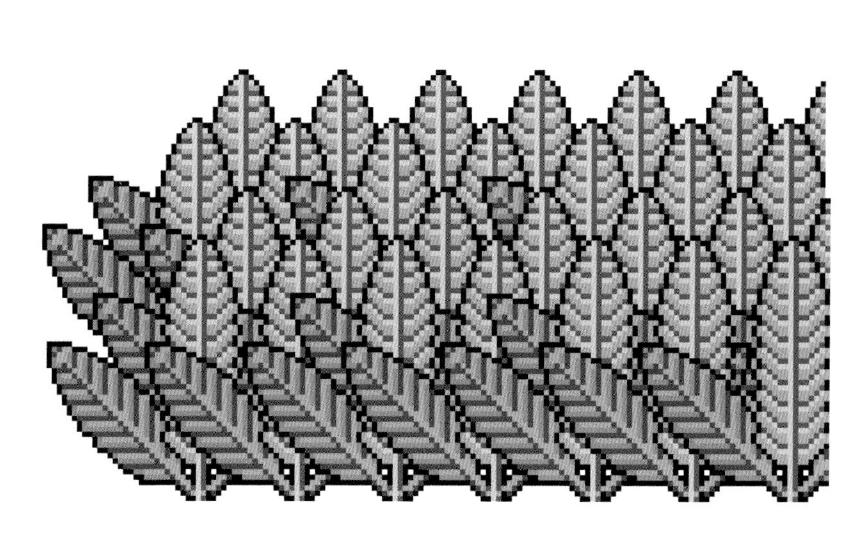

ECV_part_pflanzen02_diesel.tif

DIV_pkid_protokids_diesel.tif

ECV_peop_buddygreen_mtv.TIF

ECV_part_liege_diesel.tif

ECV_peop_buddyyellow_mtv.TIF

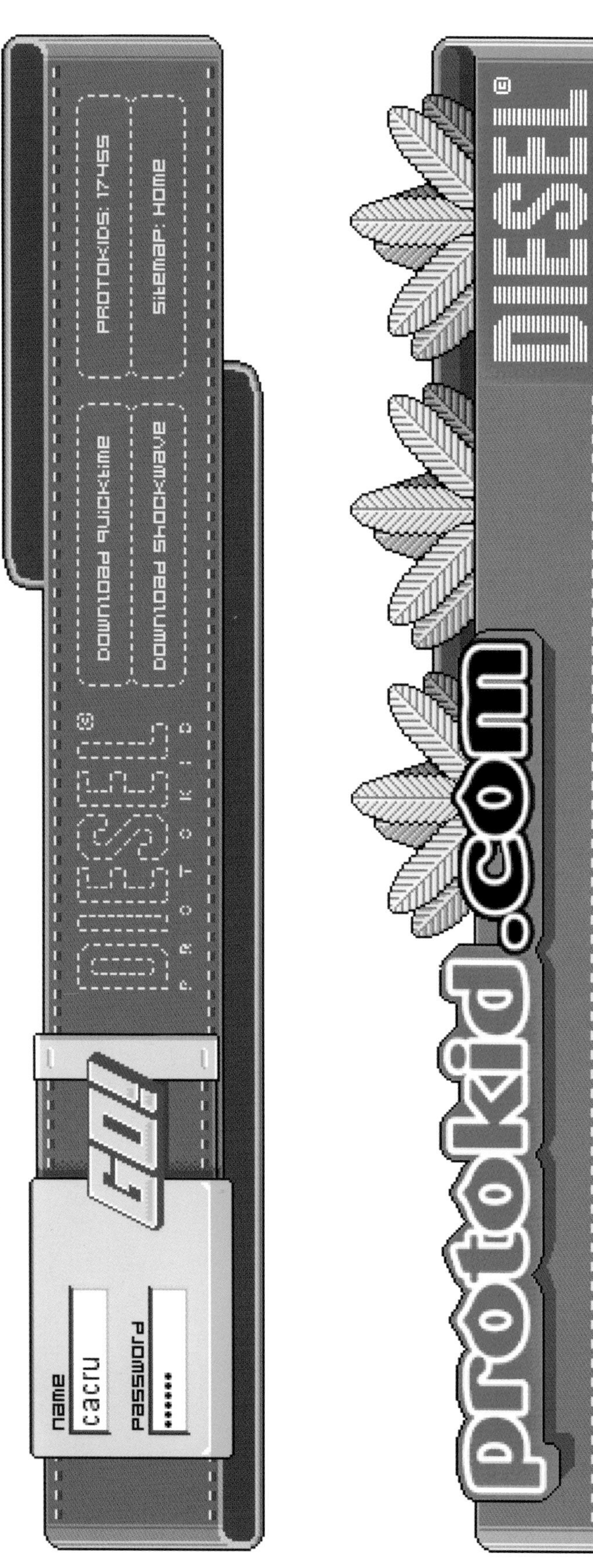

DIV_part_belt+_diesel.tif

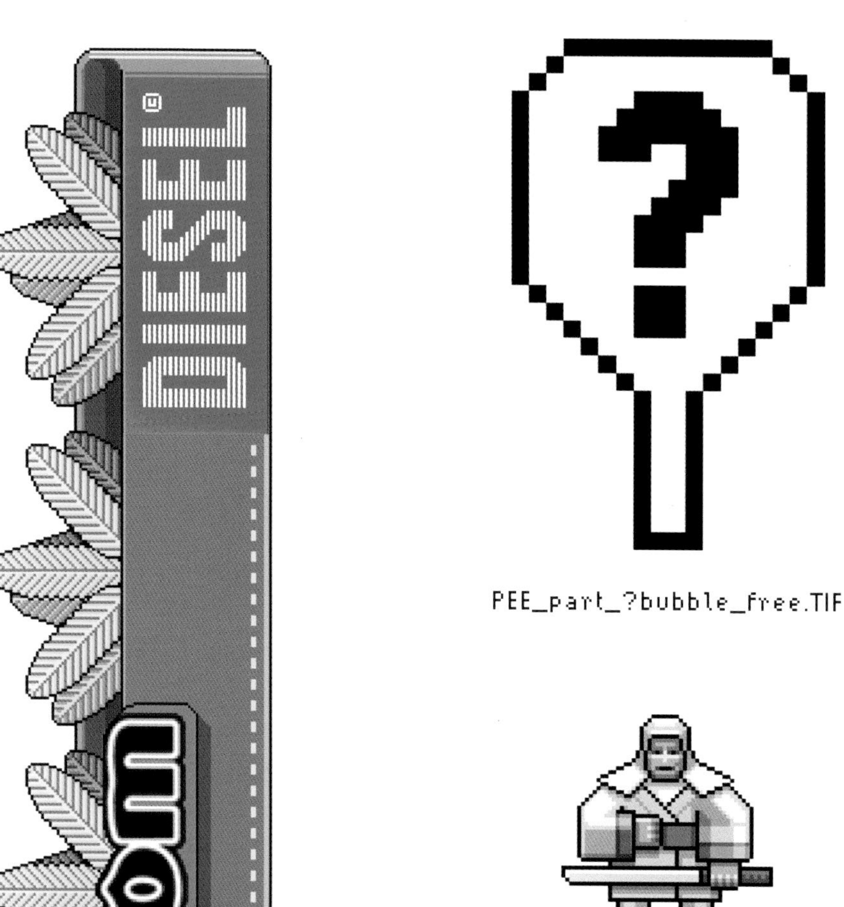

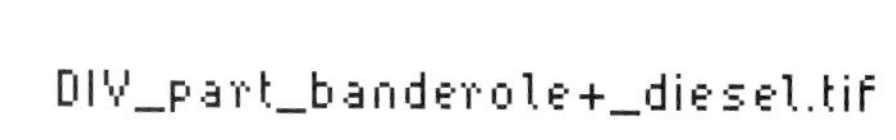

DIV_part_banderole+_diesel.tif

PEE_part_?bubble_free.TIF

DIV_peop_samuraismall_mc.tif

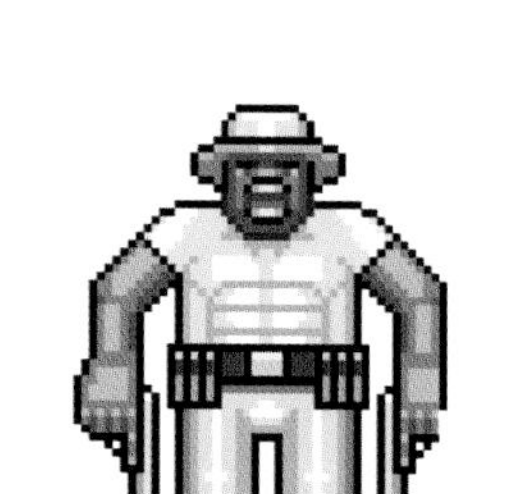

DIV_peop_cowboysmall_mc.tif

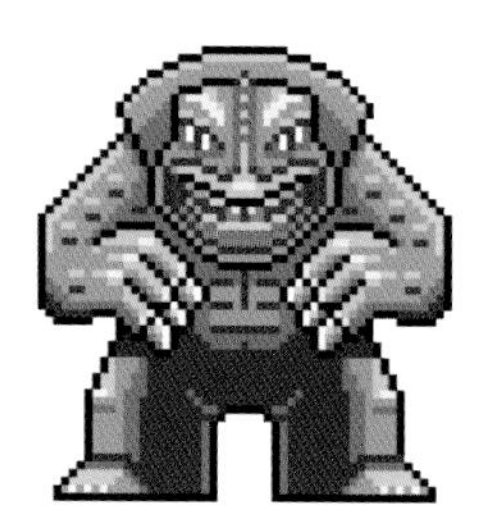

DIV_peop_godzillasmall_mc.tif

<bradley +new fore head EP copy> <Ms. Snider EPS +NEW earrings> <backstage>

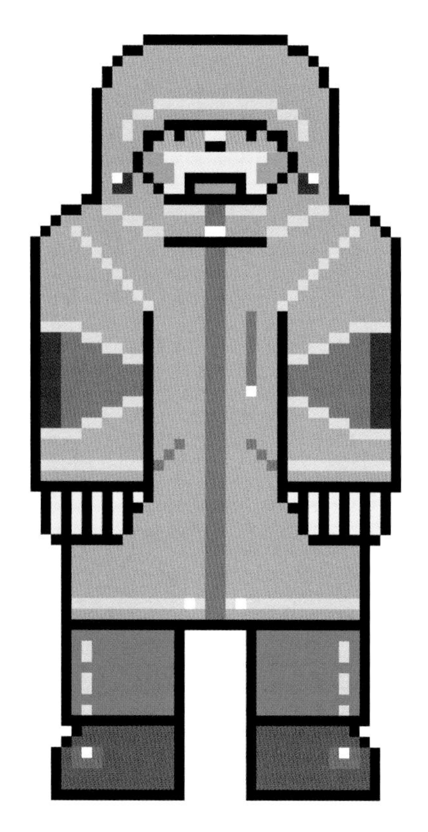

PEE_peop_body_klikk.TIF

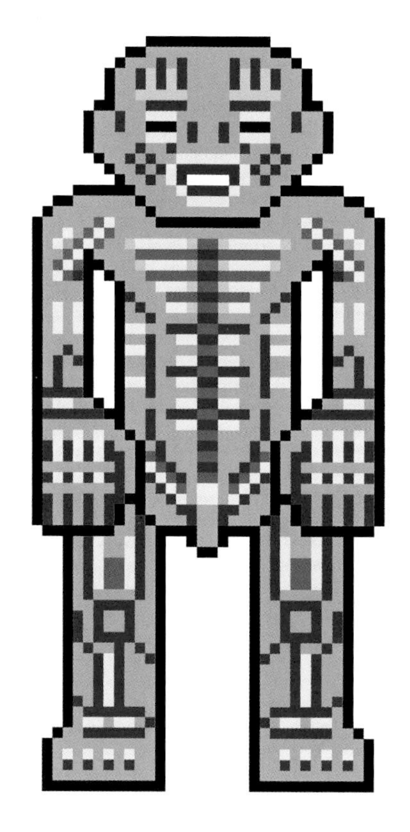

PEE_peop_body05_klikk.TIF

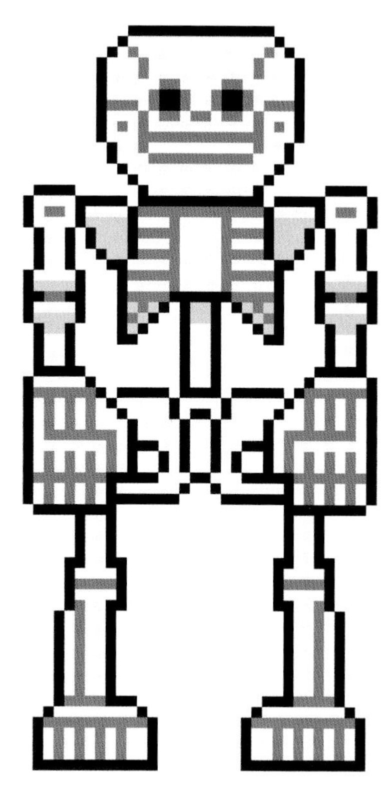

PEE_peop_body06_klikk.TIF

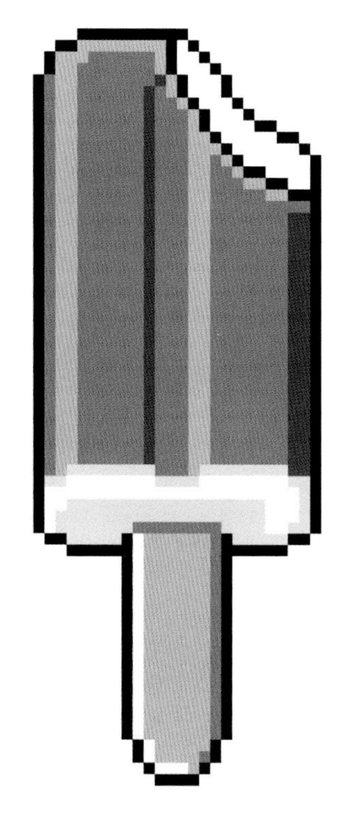

PEE_part_ice03_klikk.TIF

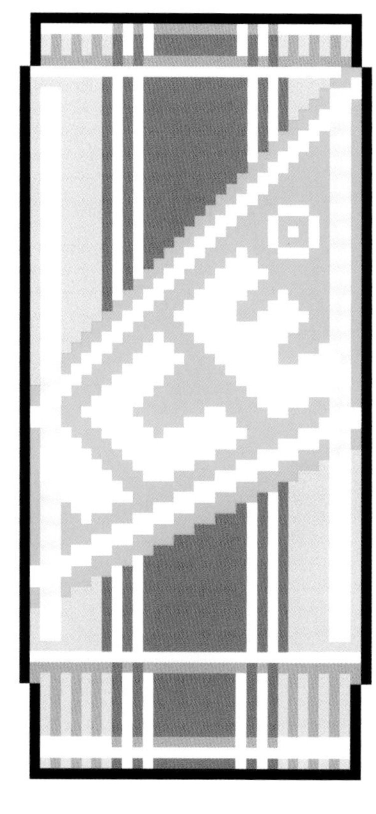

PEE_part_ice01_klikk.TIF

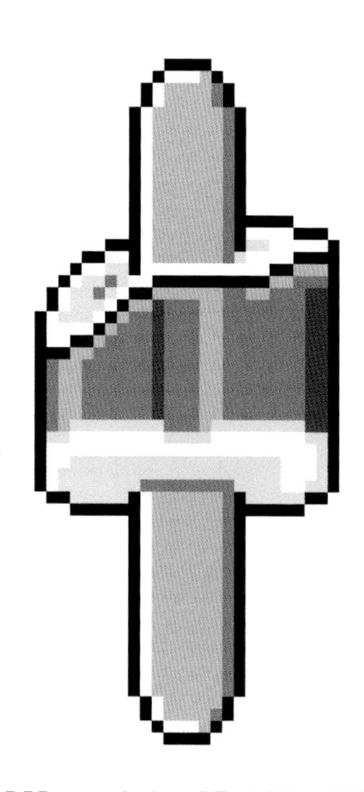

PEE_part_ice07_klikk.TIF

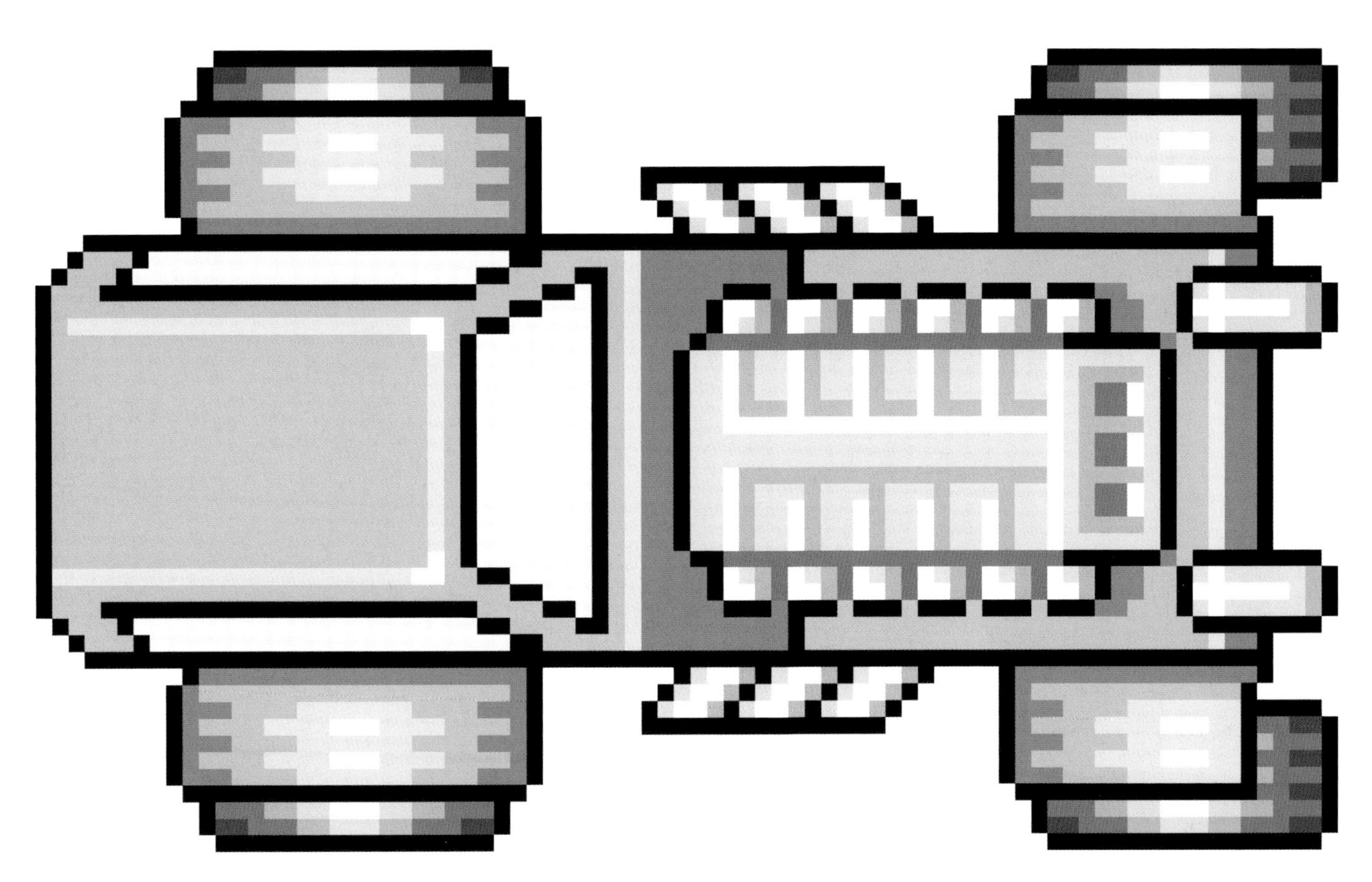

PEE_vehi_car05_klikk.TIF

PEE_typo_©_klikk.TIF

JOOLA

<Repeat Offender14.ai<pEboy 7.0>

 <ANI_part_kallibration3_mtv.tif>

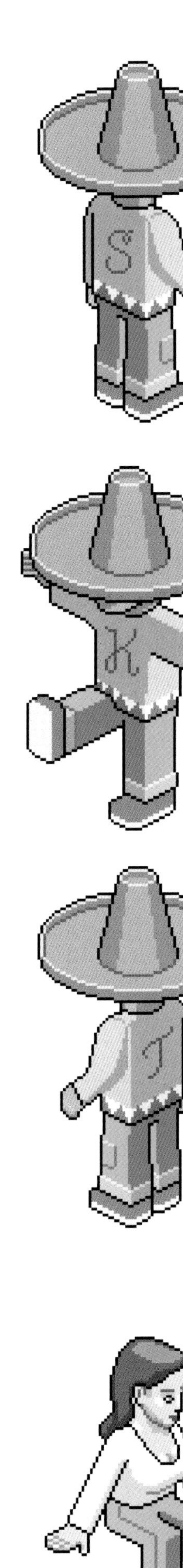

EC_peop_mex02_bizz.tif

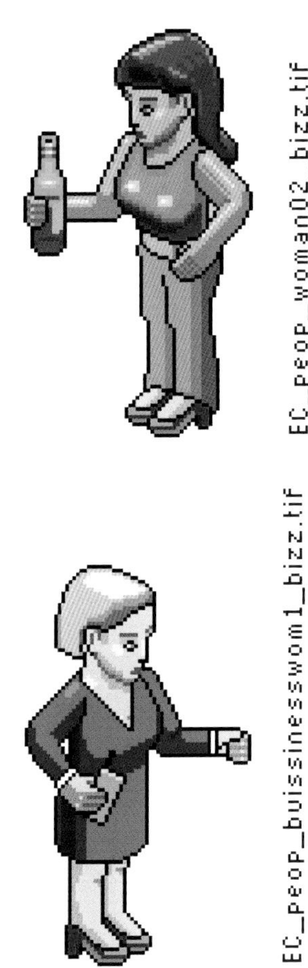

EC_peop_woman02_bizz.tif

EC_peop_fellow06_bizz.tif

EC_peop_fellow02_bizz.tif

EC_peop_mex03_bizz.tif

EC_peop_buissinesswom1_bizz.tif

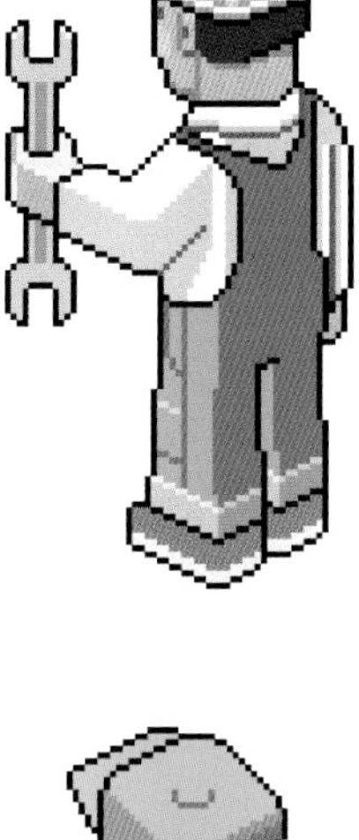

EC_peop_worker01_bizz.tif

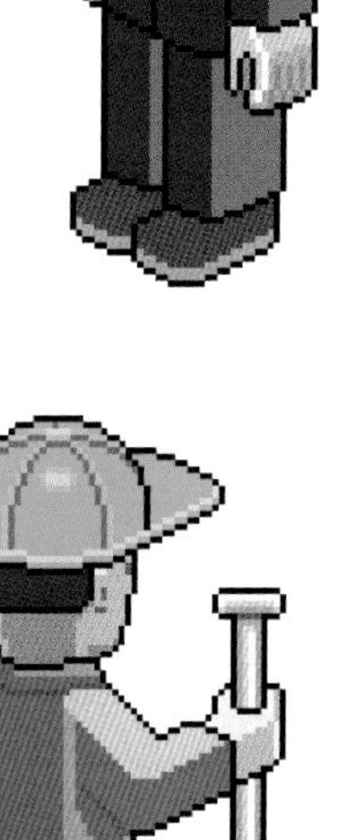

EC_peop_buissinessman3_bizz.tif

EC_peop_mex01_bizz.tif

EC_peop_rcguy_bizz.tif

EC_peop_gardener01_bizz.tif

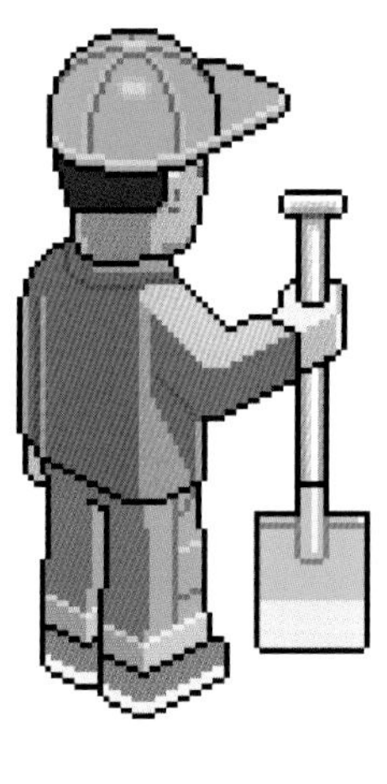

EC_peop_gardener02_bizz.tif

EC_peop_woman03_bizz.tif

EC_peop_mafioso01_bizz.tif

EC_peop_mafioso03_bizz.tif

EC_peop_mafioso02_bizz.tif

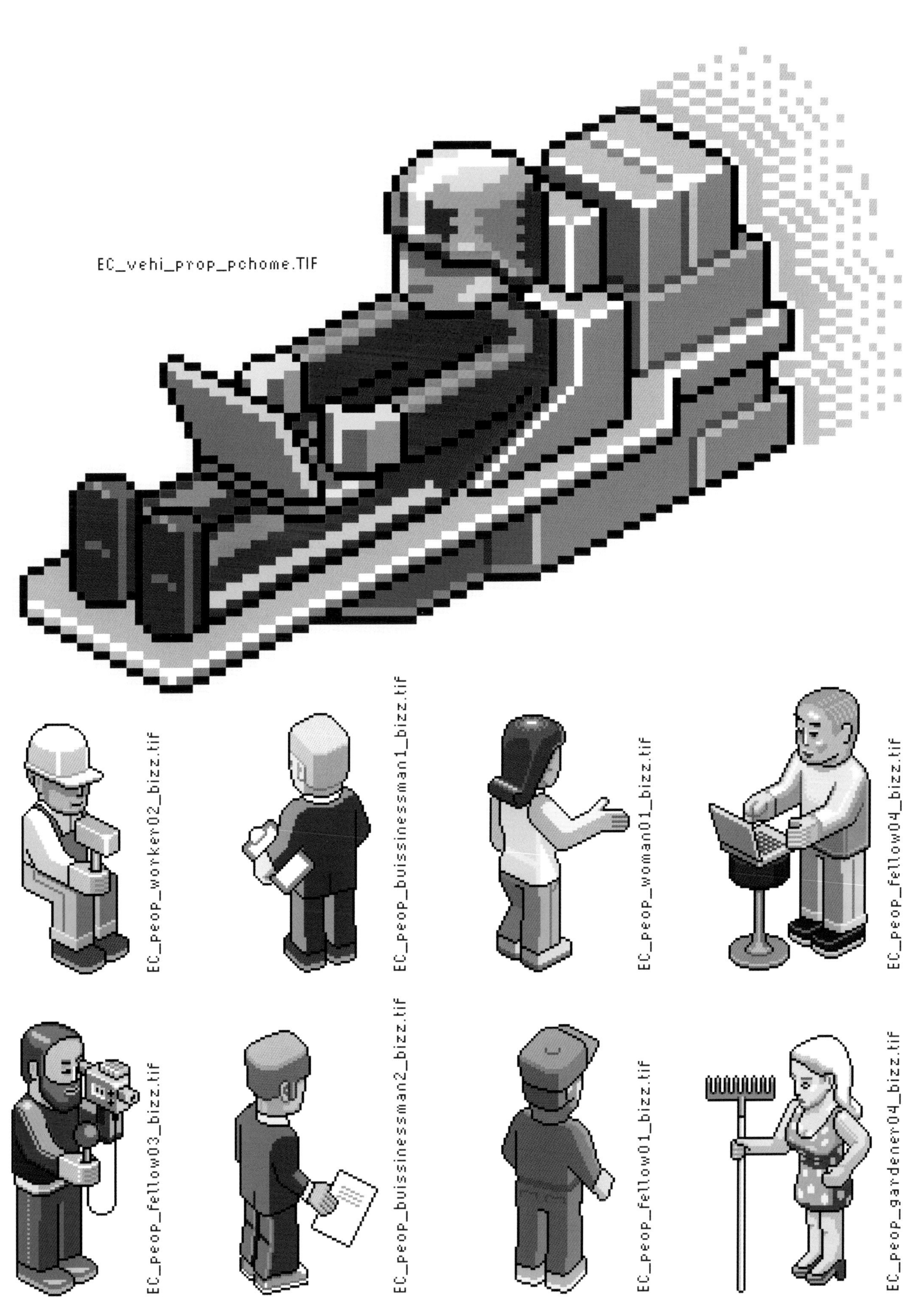
EC_vehi_prop_pchome.TIF
EC_peop_worker02_bizz.tif
EC_peop_buissinessman1_bizz.tif
EC_peop_woman01_bizz.tif
EC_peop_fellow04_bizz.tif
EC_peop_fellow03_bizz.tif
EC_peop_buissinessman2_bizz.tif
EC_peop_fellow01_bizz.tif
EC_peop_gardener04_bizz.tif

EC_typo_funnyblaster_arena.tif

EC_part_sign12_blender.tif

EC_part_palmtree_blender.tif

EC_part_sign01_blender.tif

EC_part_sign08_blender.tif

EC_part_sign05_blender.tif

EC_part_sign06_blender.tif

EC_part_sign03_blender.tif

EC_part_sign11_blender.tif

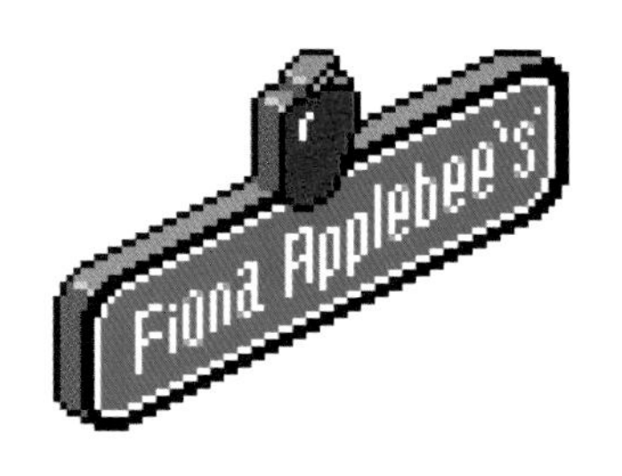

EC_part_sign07_blender.tif

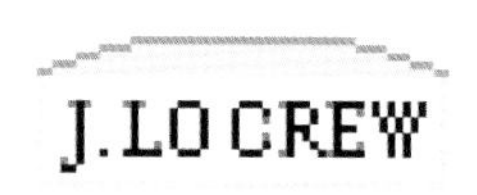

EC_part_sign13_blender.tif

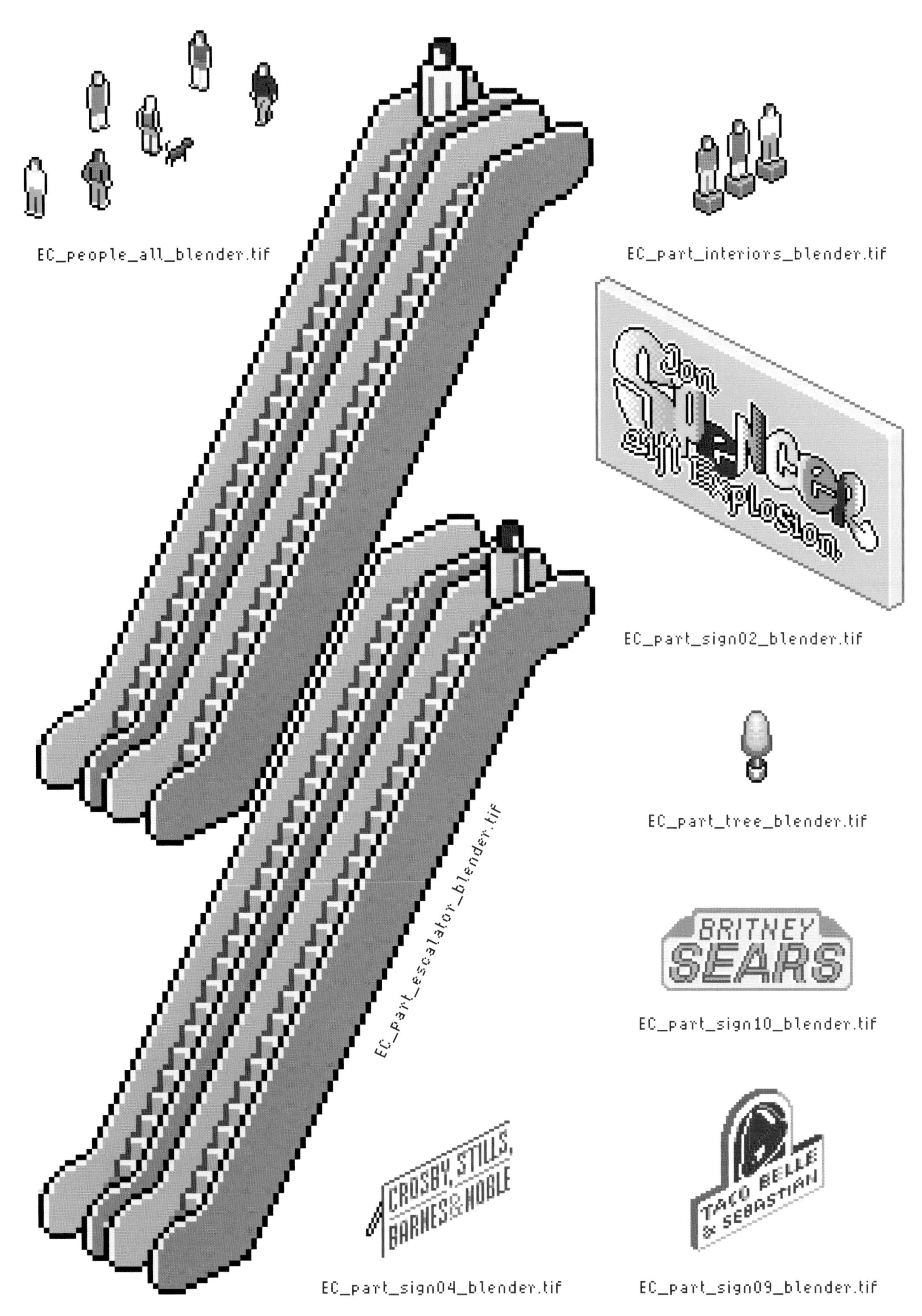

EC_people_all_blender.tif

EC_part_interiors_blender.tif

EC_part_sign02_blender.tif

EC_part_tree_blender.tif

EC_part_escalator_blender.tif

EC_part_sign10_blender.tif

EC_part_sign04_blender.tif

EC_part_sign09_blender.tif

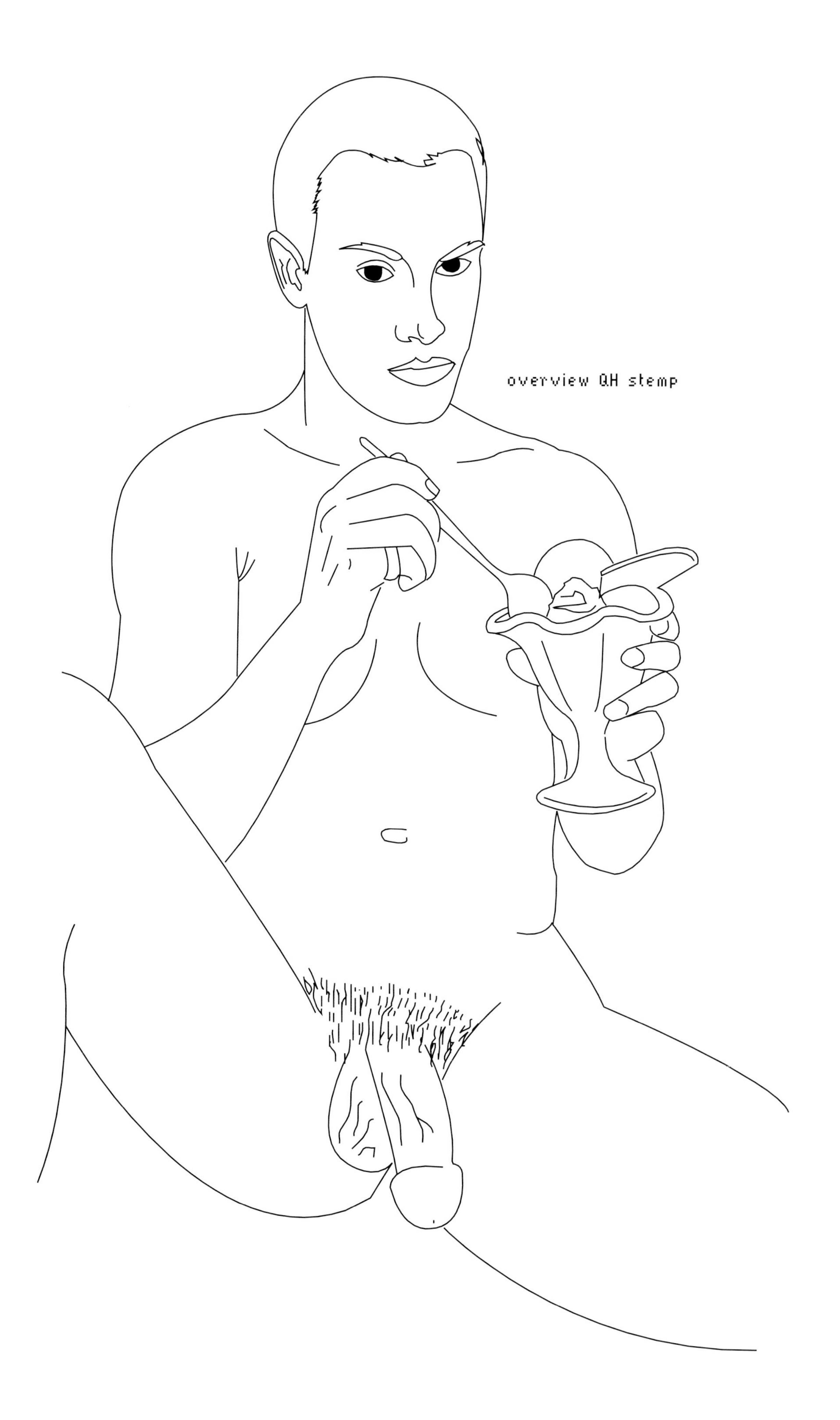
overview QH stemp

<grooves_eboy_cover.tif>

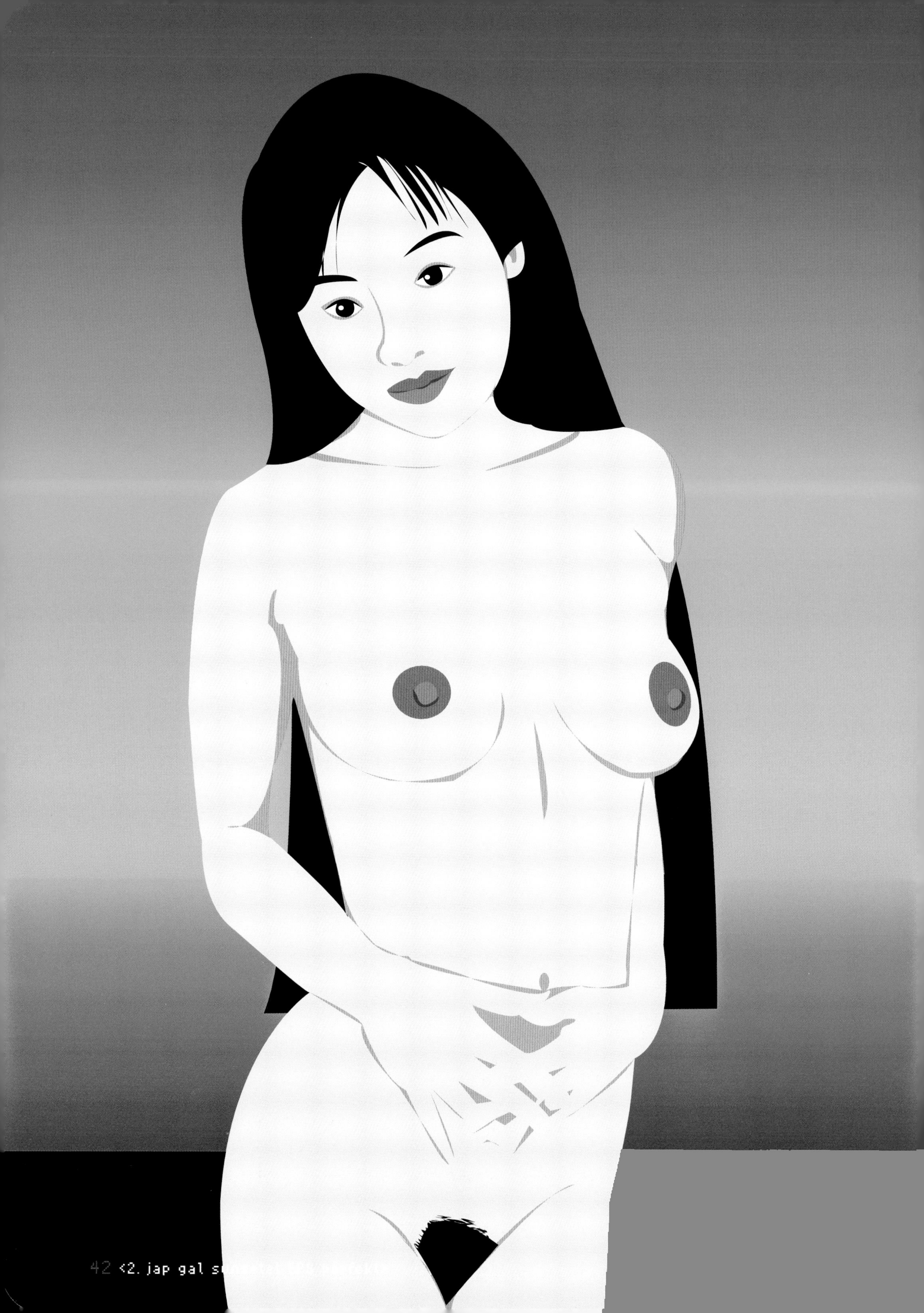

EC_vehi_jappolicecar_samoa.tif

EC_vehi_japancar_samoa.tif

EC_vehi_jappolicecar2_samoa.tif

EC_peop_Fernsehdieb_samoa.tif

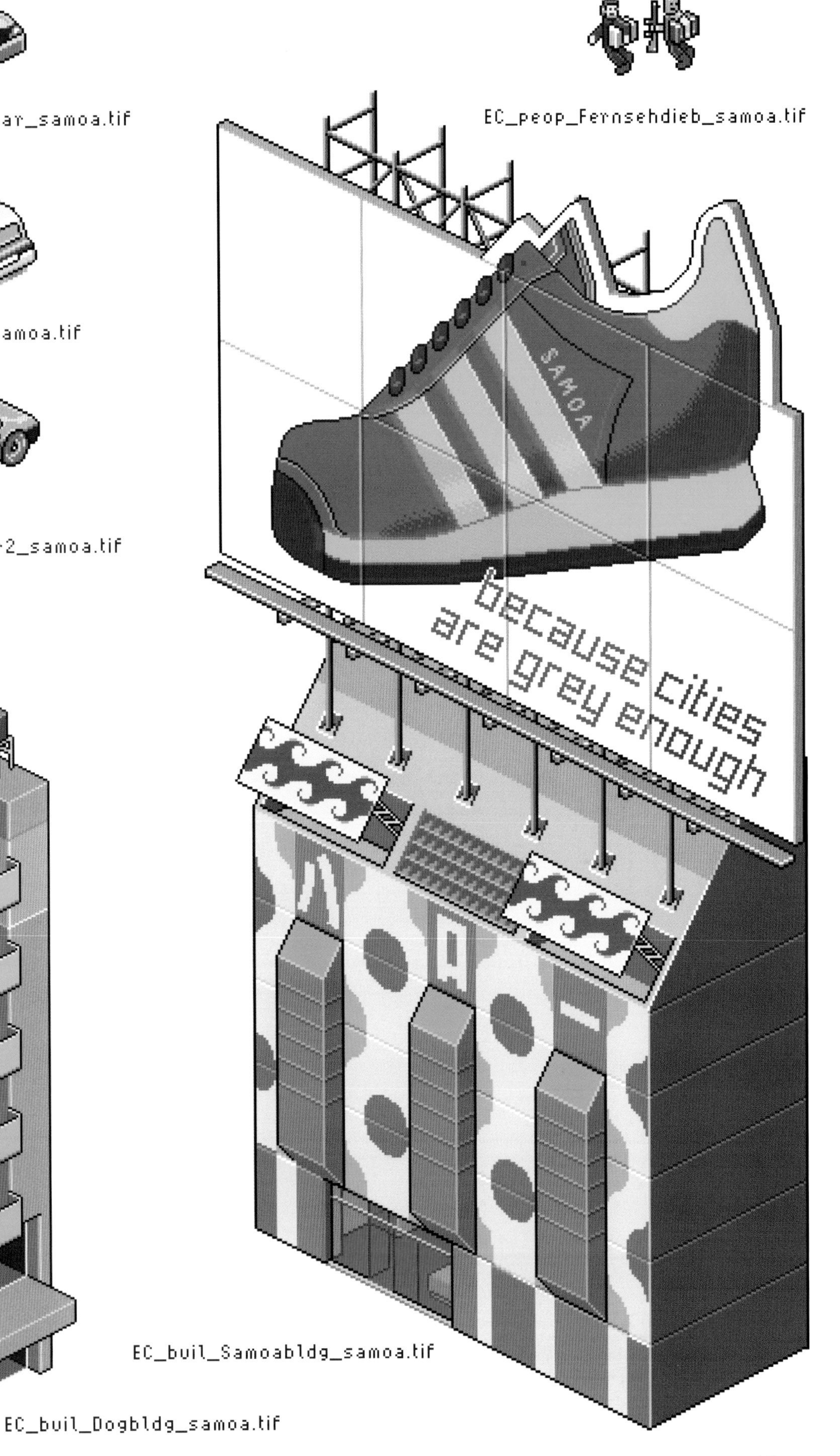

EC_buil_Samoabldg_samoa.tif

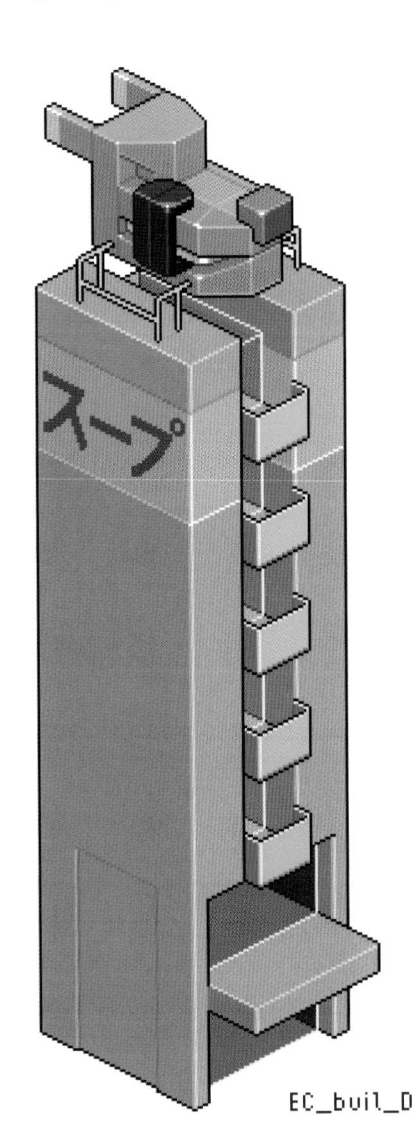

EC_buil_Dogbldg_samoa.tif

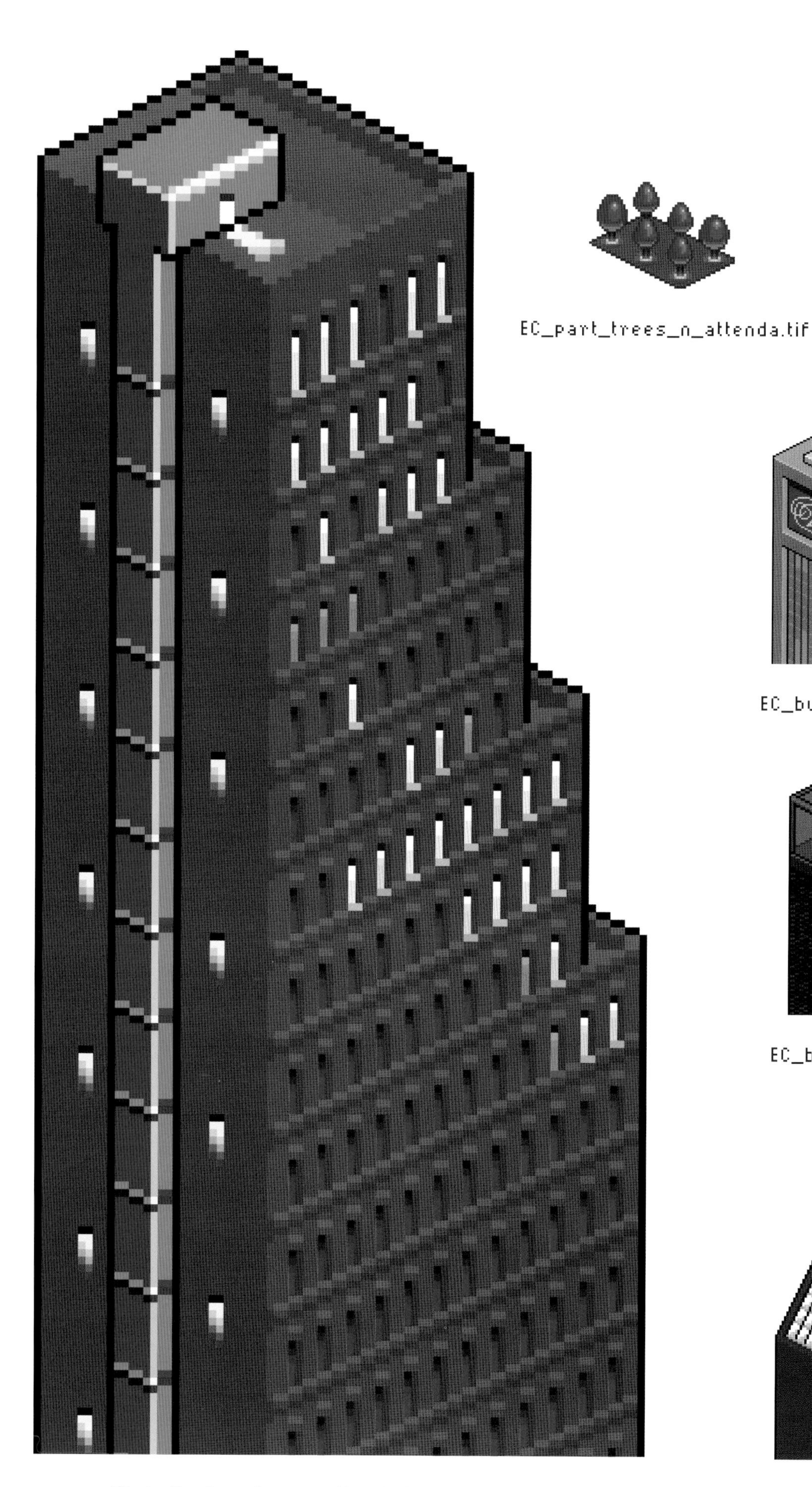

EC_buil_elavator_n_attenda.tif

EC_part_trees_n_attenda.tif

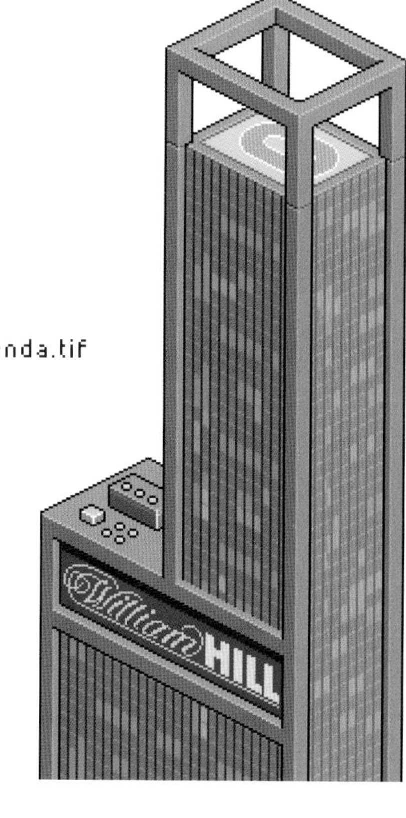

EC_buil_williamhill_attenda.tif

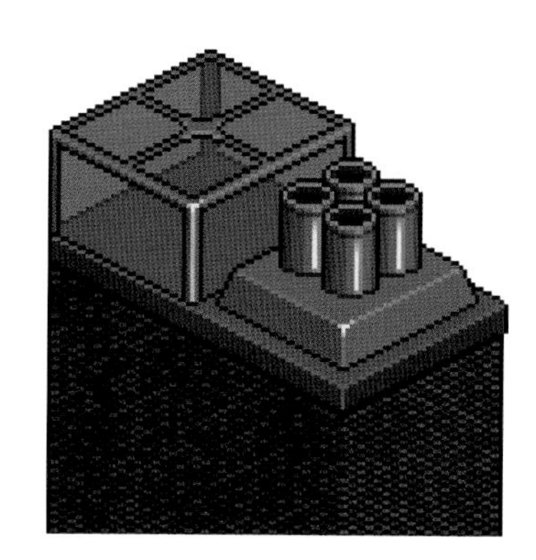

EC_buil_blue5_n_attenda.tif

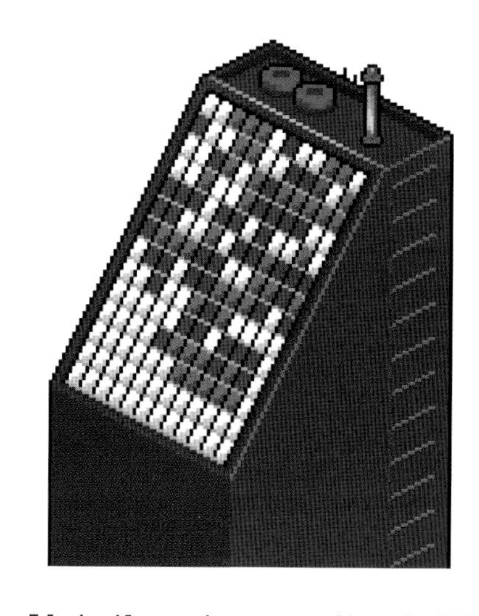

EC_buil_modern_n_attenda.tif

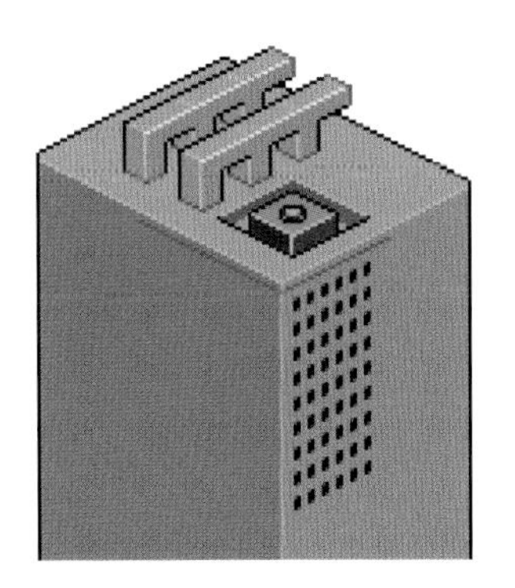

EC_buil_6_attenda.tif

EC_part_compaq02_n_attenda.tif

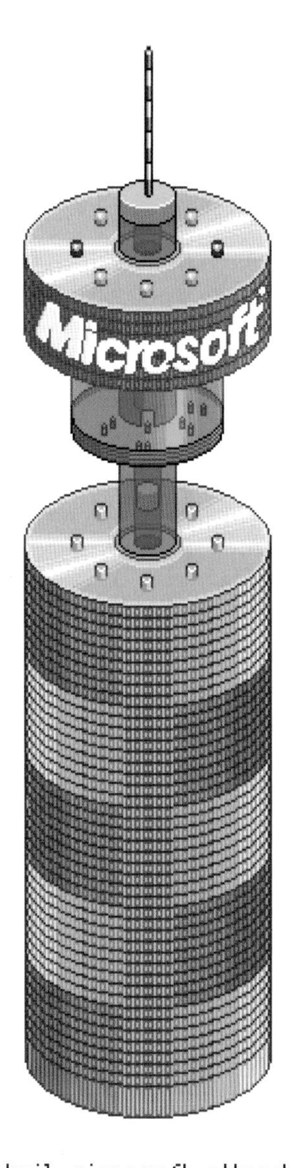

EC_buil_microsoft_attenda.tif

EC_buil_seafoot_attenda.tif

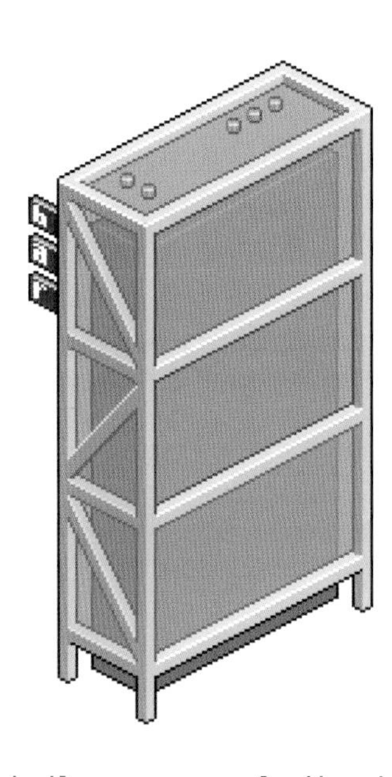

EC_buil_orangeroof_attenda.tif

DIV_logo_rock01_eboy.tif

firstaid_256dpi.tif

grenade_256dpi.tif

DIV_part_seitenteil_arena.tif

SBB_Wonderland.tif

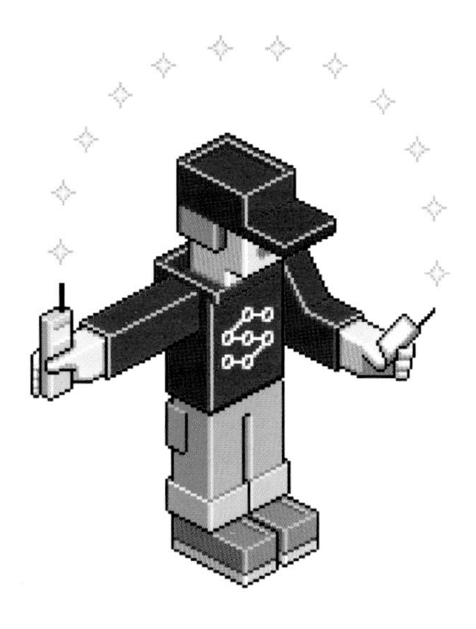

EC_peop_sevenman_seven.psd

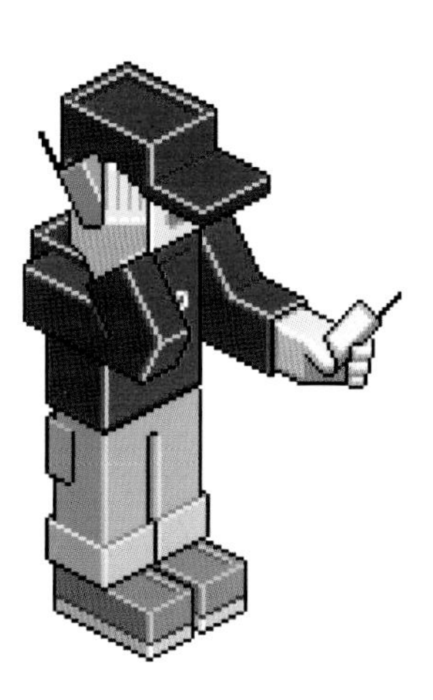

EC_peop_sevenman_seven.psd

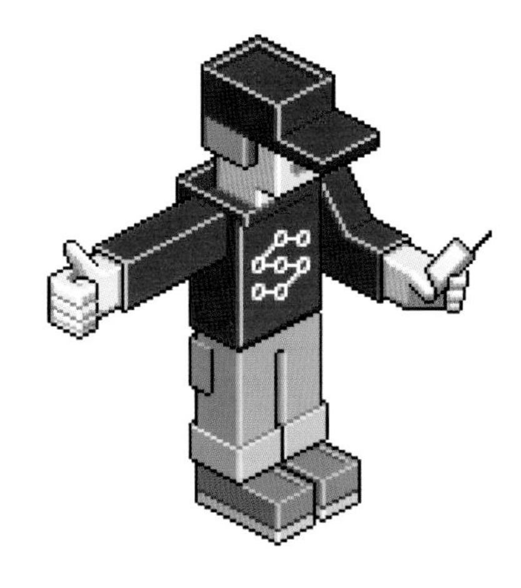

EC_peop_sevenman_seven.psd

Germany 12049 Berlin
font: Xcreen
copyright
vermehr

ECV_peop_chrismasday_espn.tif

ECV_peop_redwingsavala_espn.tif

ECV_peop_bruinsavalanc_espn.tif

ECV_peop_rangersdevil_espn.tif

ECV_peop_sabresavalan_espn.tif

ECV_peop_redwingsblack_espn.tif

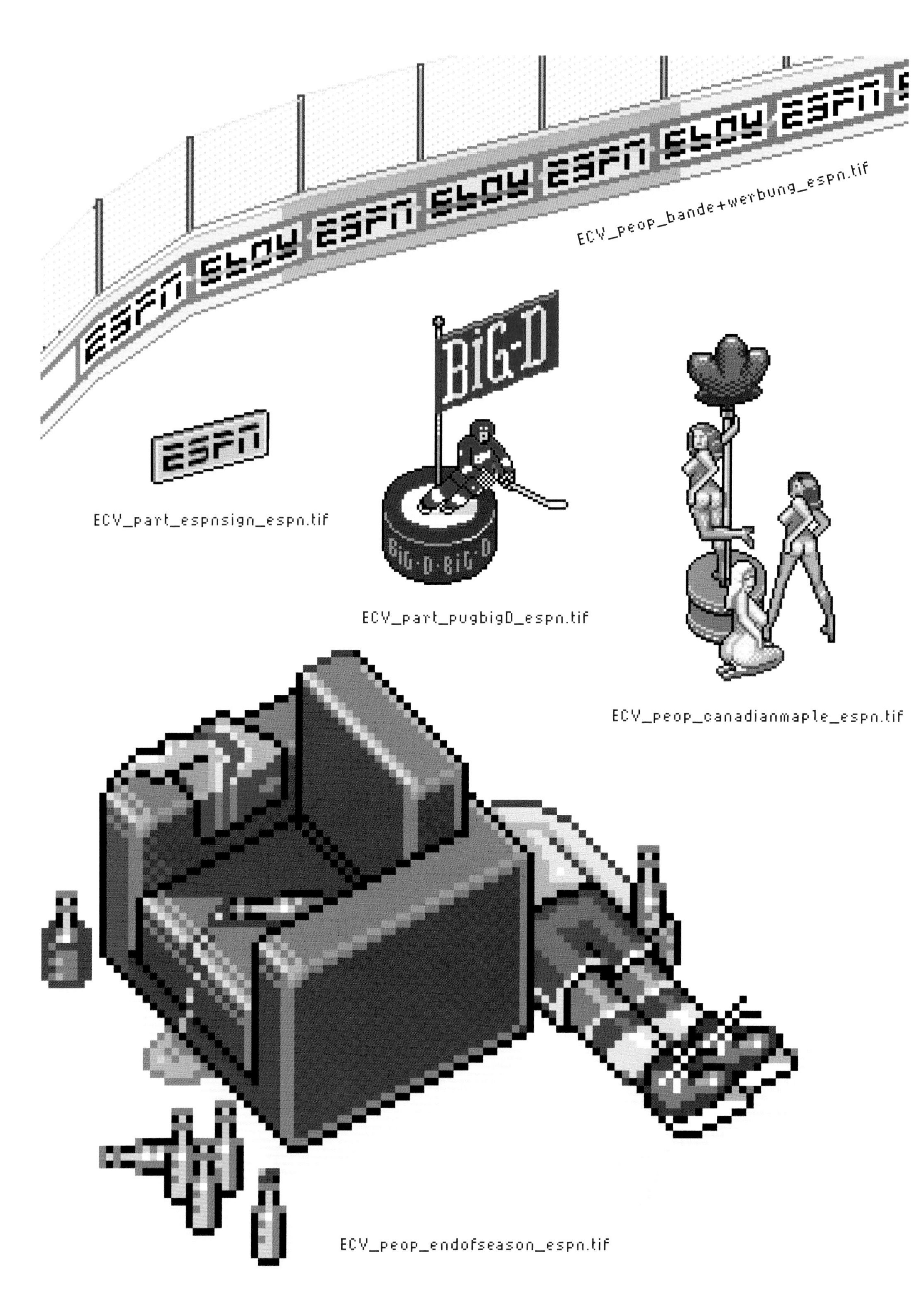

ECV_peop_bande+werbung_espn.tif

ECV_part_espnsign_espn.tif

ECV_part_pugbigD_espn.tif

ECV_peop_canadianmaple_espn.tif

ECV_peop_endofseason_espn.tif

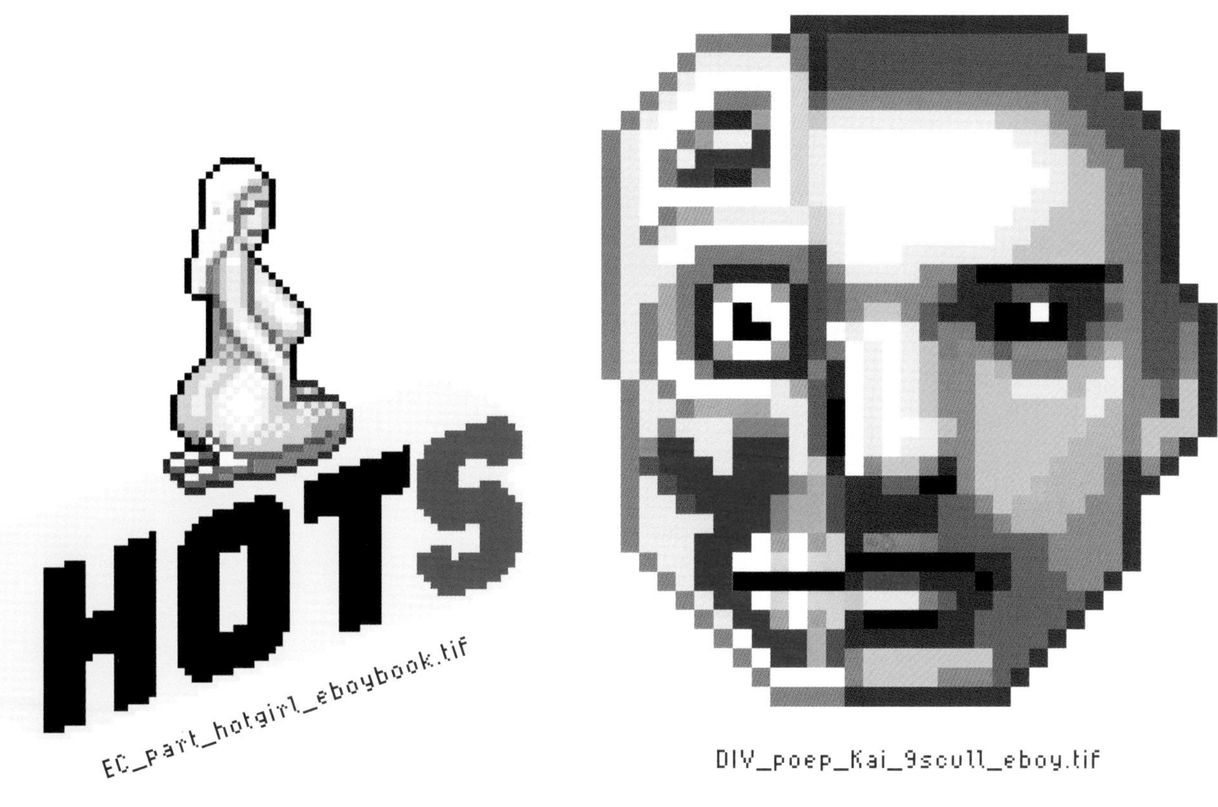

EC_part_hotgirl_eboybook.tif

DIV_poep_Kai_9scull_eboy.tif

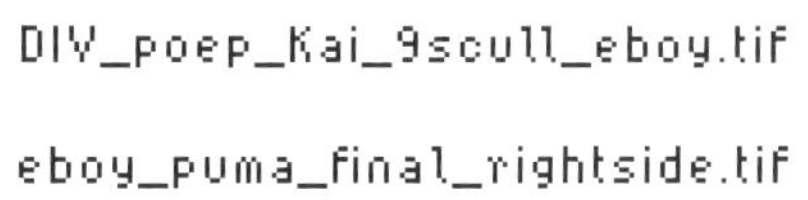

eboy_puma_final_rightside.tif

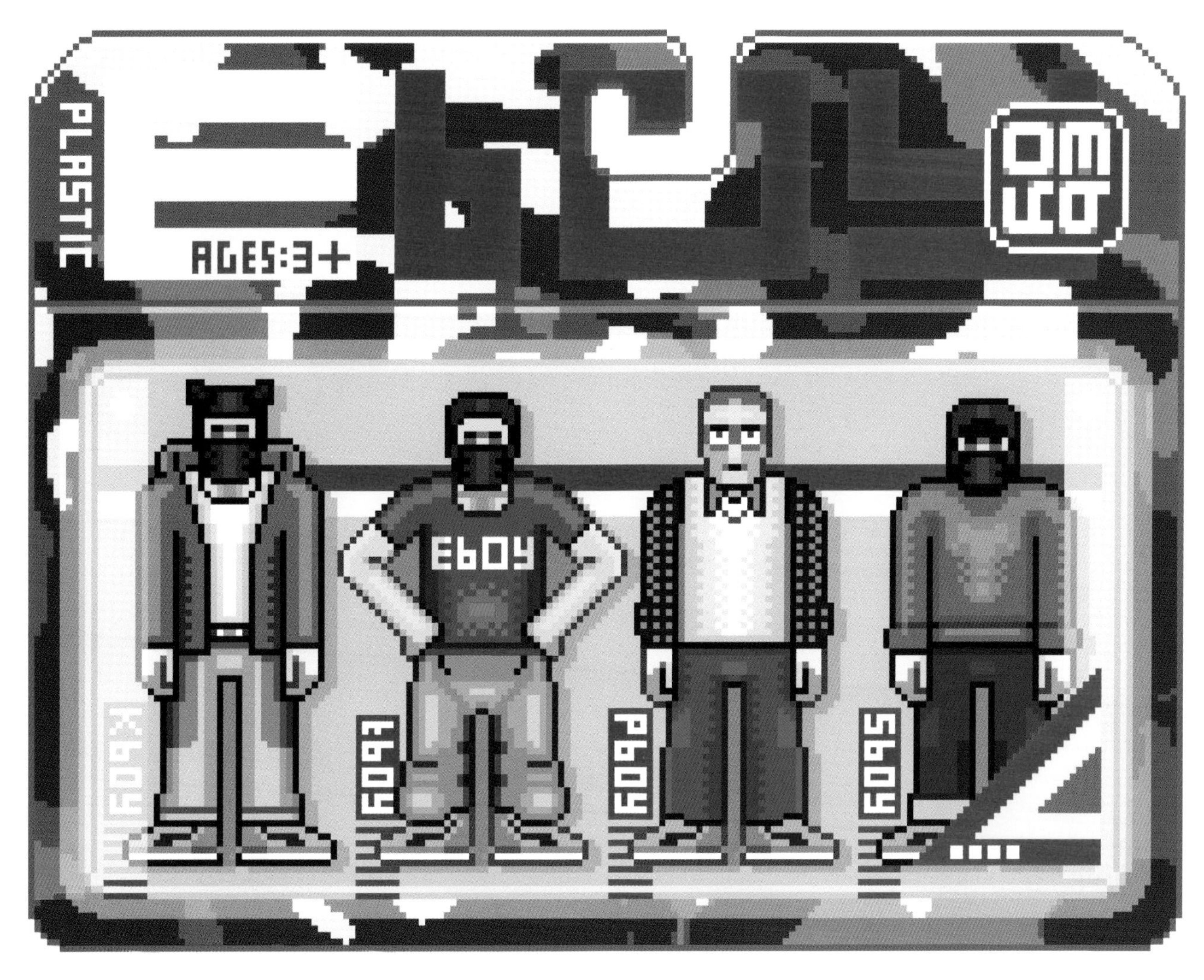

PARENTAL ADVISORY EXPLICIT PICTURES

 <DIY_pict_cone1_ogdig.TIF>

EBOY CARD
FAST
TIERPLOWER
GUNNER
TIER PLOWER
#031

GUNNER_Tierplower_04.tif

GUNNER_ili_t7.tif

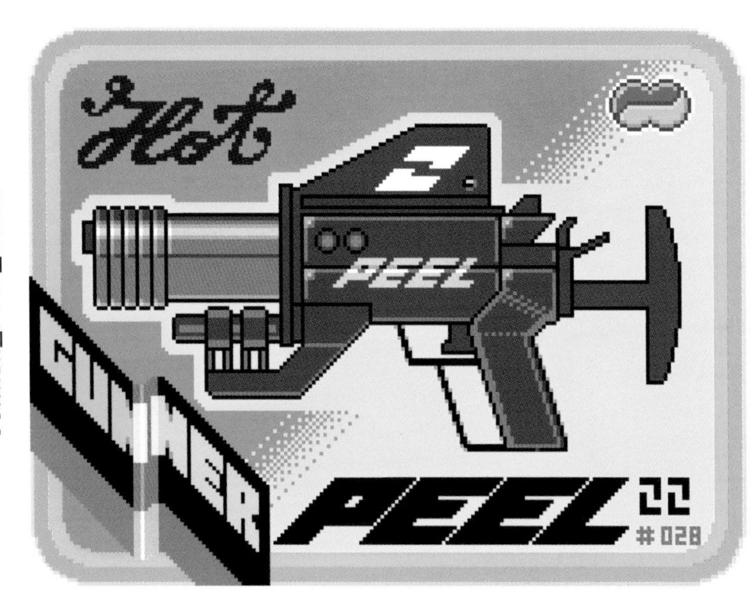

GUNNER_Peel_k5.tif

ANI_peop_robodriver28_mtv.TIF

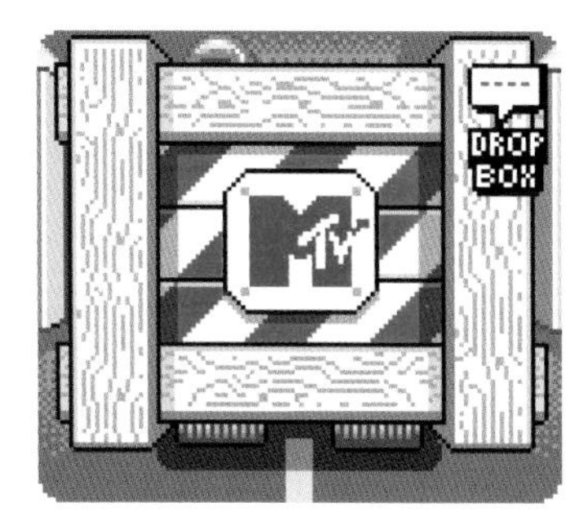

ANI_peop_robodriver3_mtv.TIF

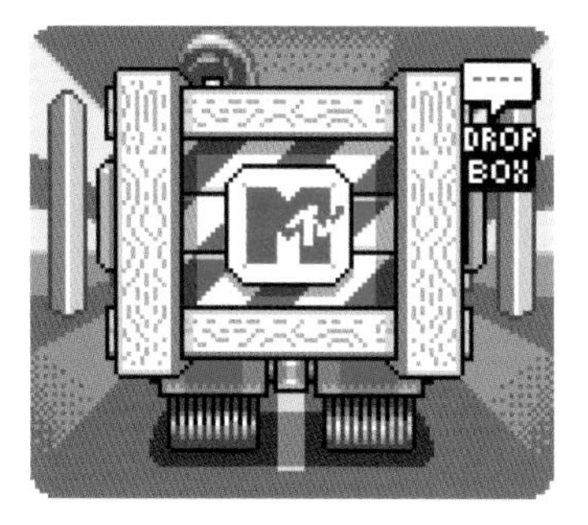

ANI_peop_robodriver4_mtv.TIF

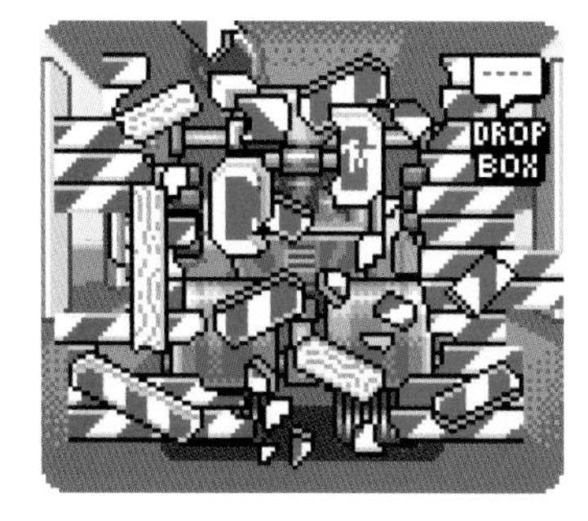

ANI_peop_robodriver6_mtv.TIF

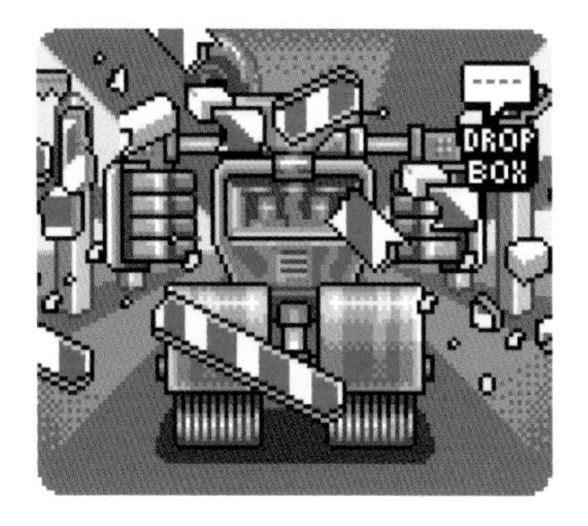

ANI_peop_robodriver7_mtv.TIF

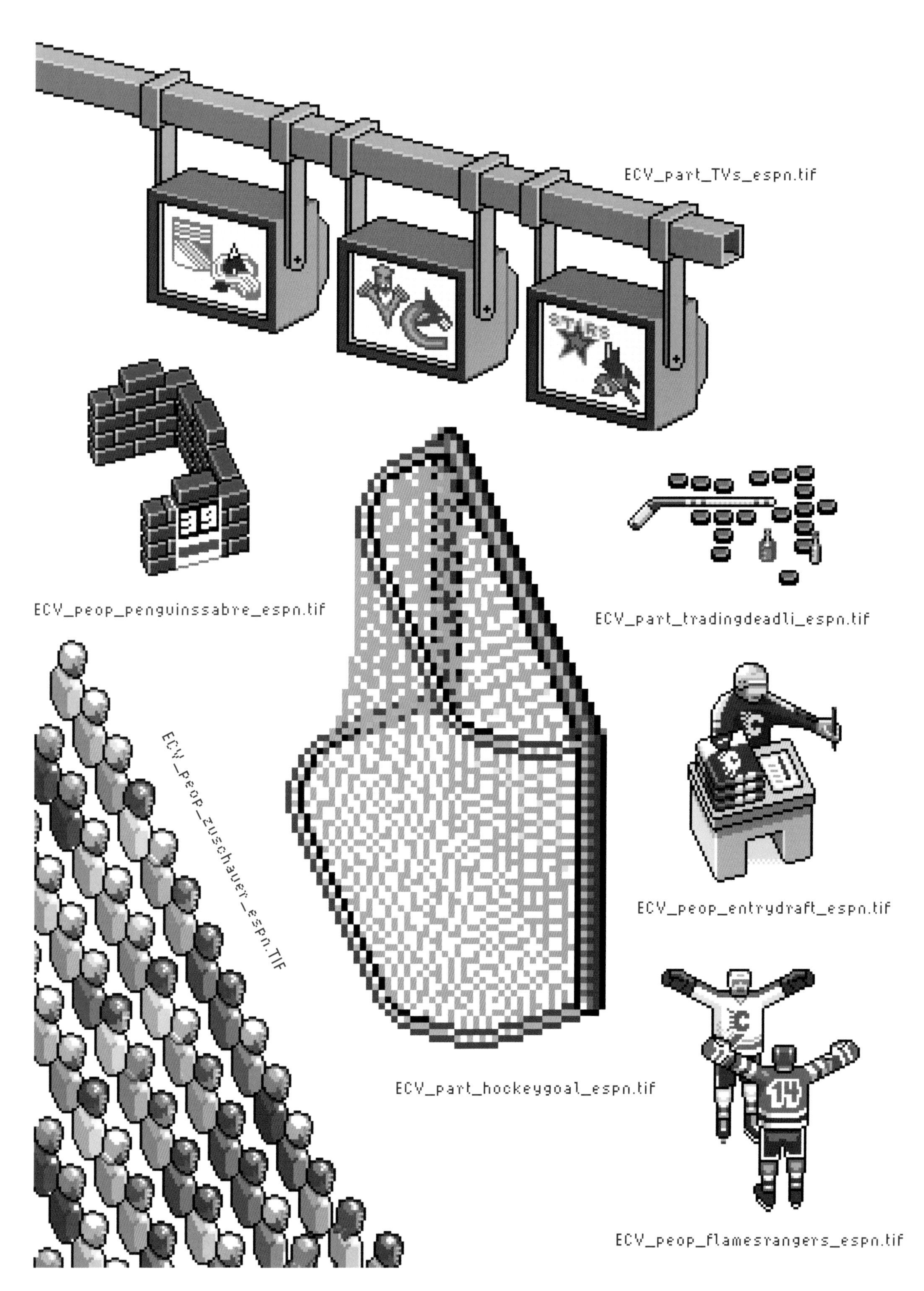

ECV_part_TVs_espn.tif

ECV_peop_penguinssabre_espn.tif

ECV_part_tradingdeadli_espn.tif

ECV_peop_zuschauer_espn.TIF

ECV_peop_entrydraft_espn.tif

ECV_part_hockeygoal_espn.tif

ECV_peop_flamesrangers_espn.tif

Los Angeles Times
WEDNESDAY, SEPTEMBER 12, 2001
TERRORISTS ATTACK NEW YORK, PENTAGON
Thousands Dead, Injured as Hijacked U.S. Airliners
World Trade Towers Brought Down
BRANDY
PRESIDENTE
PRESIDENTE
BRANDY
PRESIDENTE
PRESIDENTE
PRESIDENTE

<backstage>

<16-17_garagefull_print.tif>

<marchFirst_ab>

 <ECV_pict_taqueriaall_mtv.TIF> <Stadtteil_B2_k35.tif>

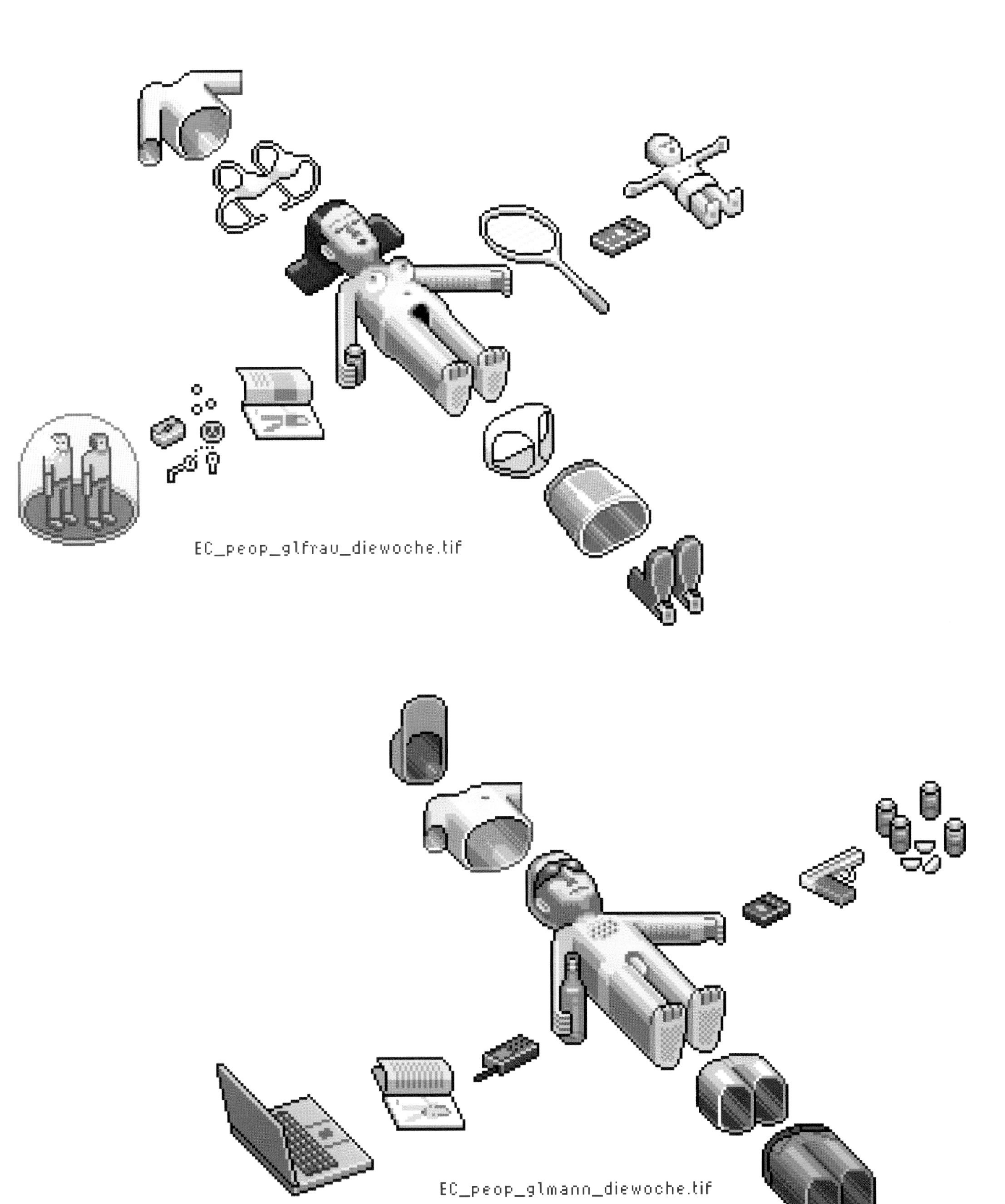

EC_peop_glfrau_diewoche.tif

EC_peop_glmann_diewoche.tif

EC_vehi_stealth_phunk.tif
adidas
k 2.1

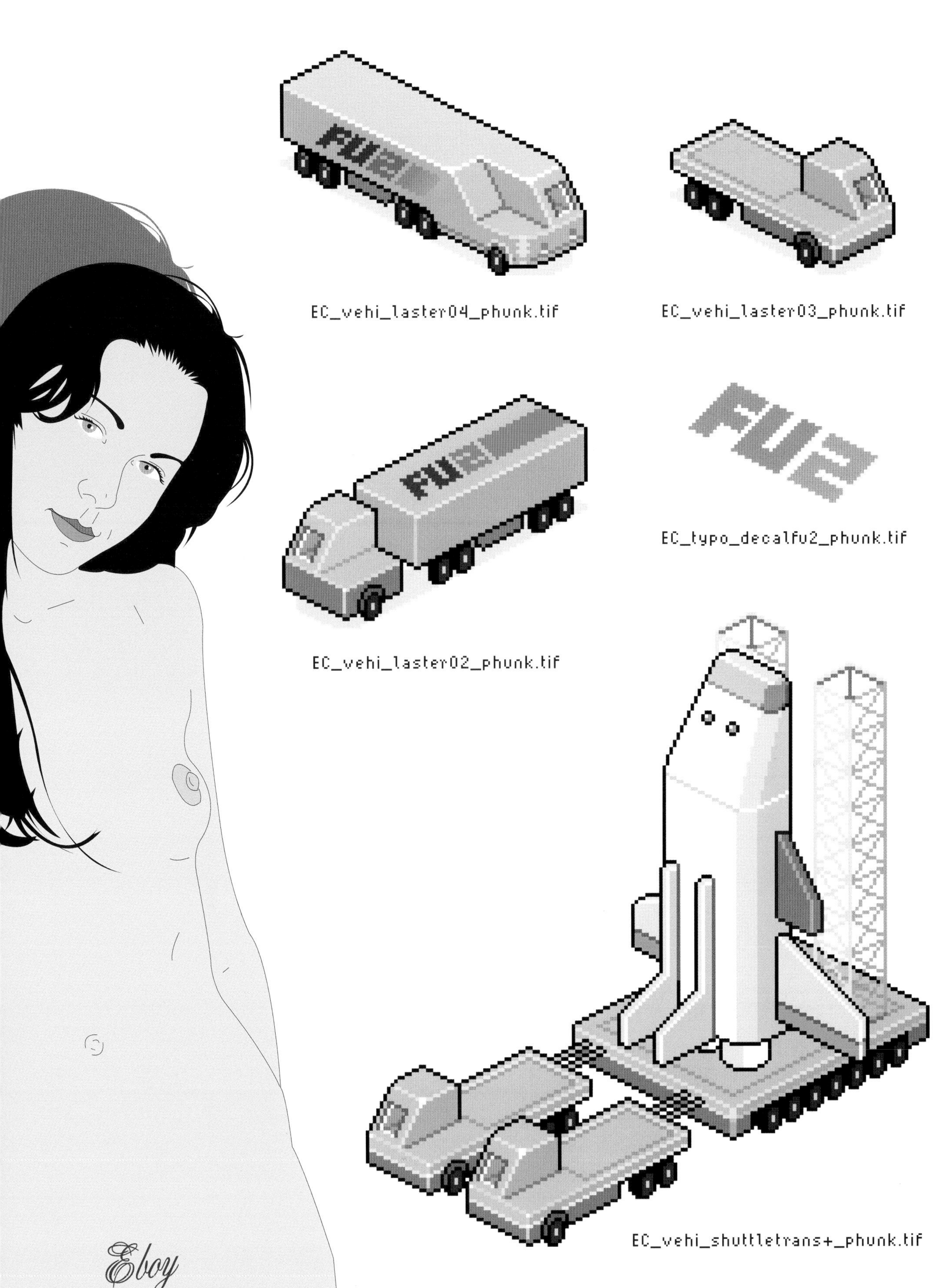
EC_vehi_laster04_phunk.tif
EC_vehi_laster03_phunk.tif
EC_typo_decalfu2_phunk.tif
EC_vehi_laster02_phunk.tif
EC_vehi_shuttletrans+_phunk.tif
FU2
Eboy

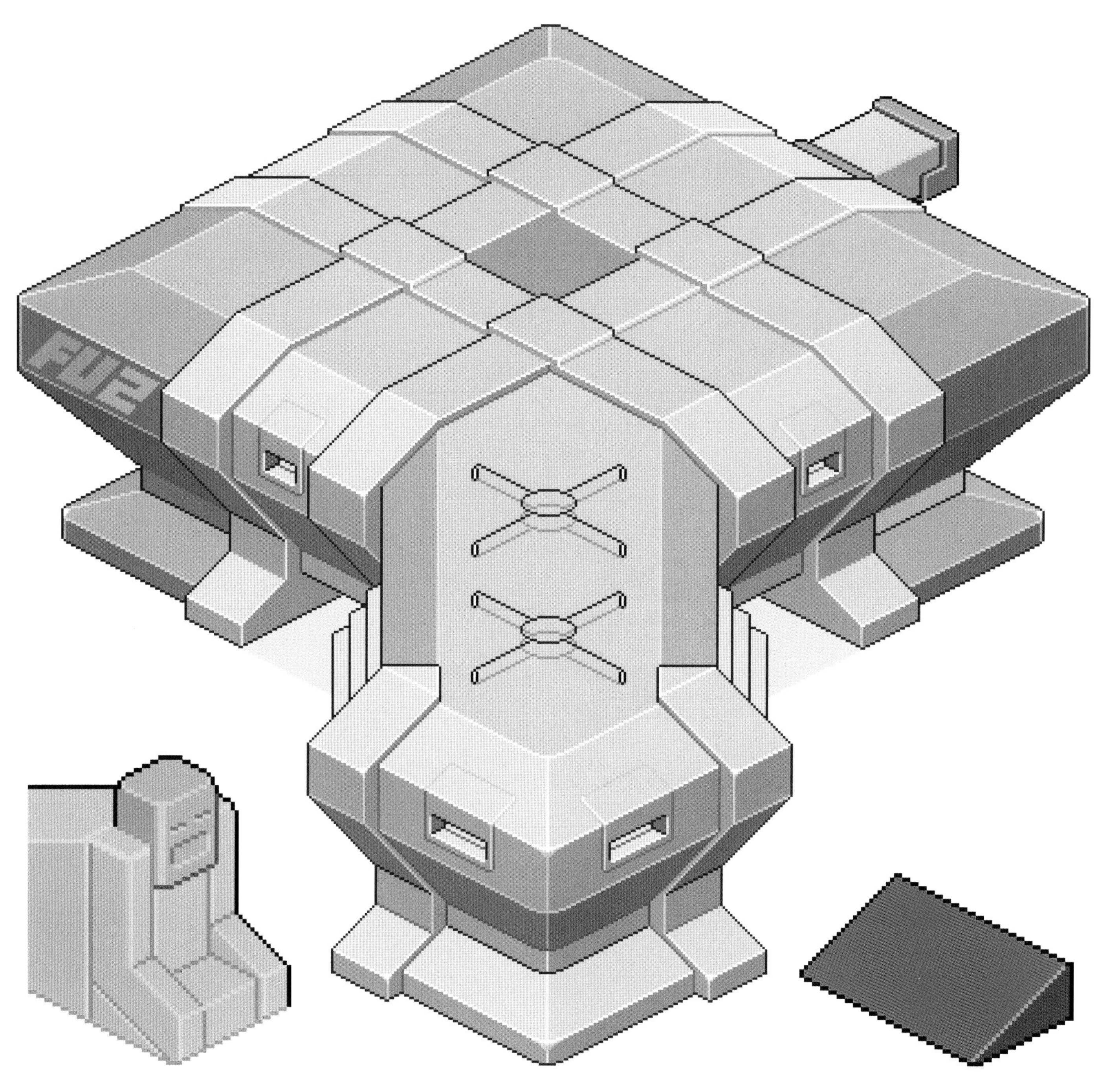

EC_part_statue_phunk.tif

EC_build_desertbunker_phunk.tif

EC_part_markise_chrysler.tif

DIV_logo_mute3x_free.tif

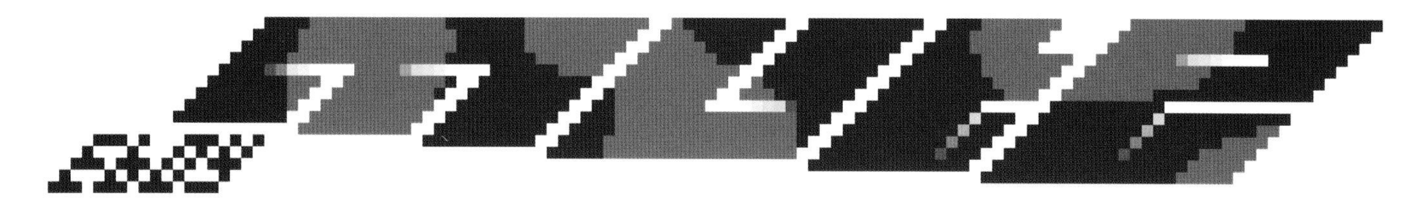

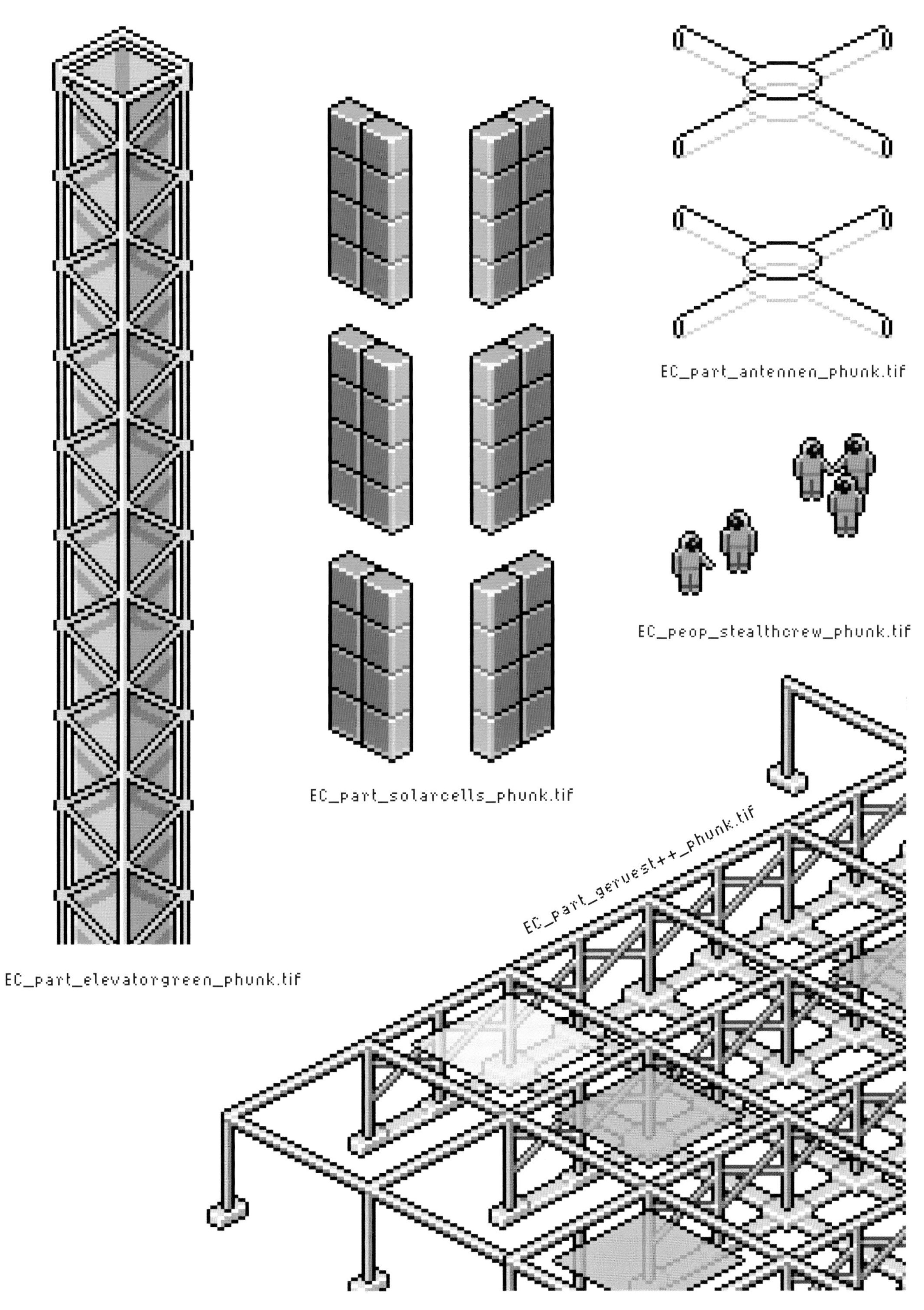
EC_part_antennen_phunk.tif
EC_peop_stealthcrew_phunk.tif
EC_part_solarcells_phunk.tif
EC_part_geruest++_phunk.tif
EC_part_elevatorgreen_phunk.tif

Coca-Cola
Coke

Coke
vote for
Coca-Cola
0,33 l
Coca-Cola
HUNTINGTON BEACH
Coke

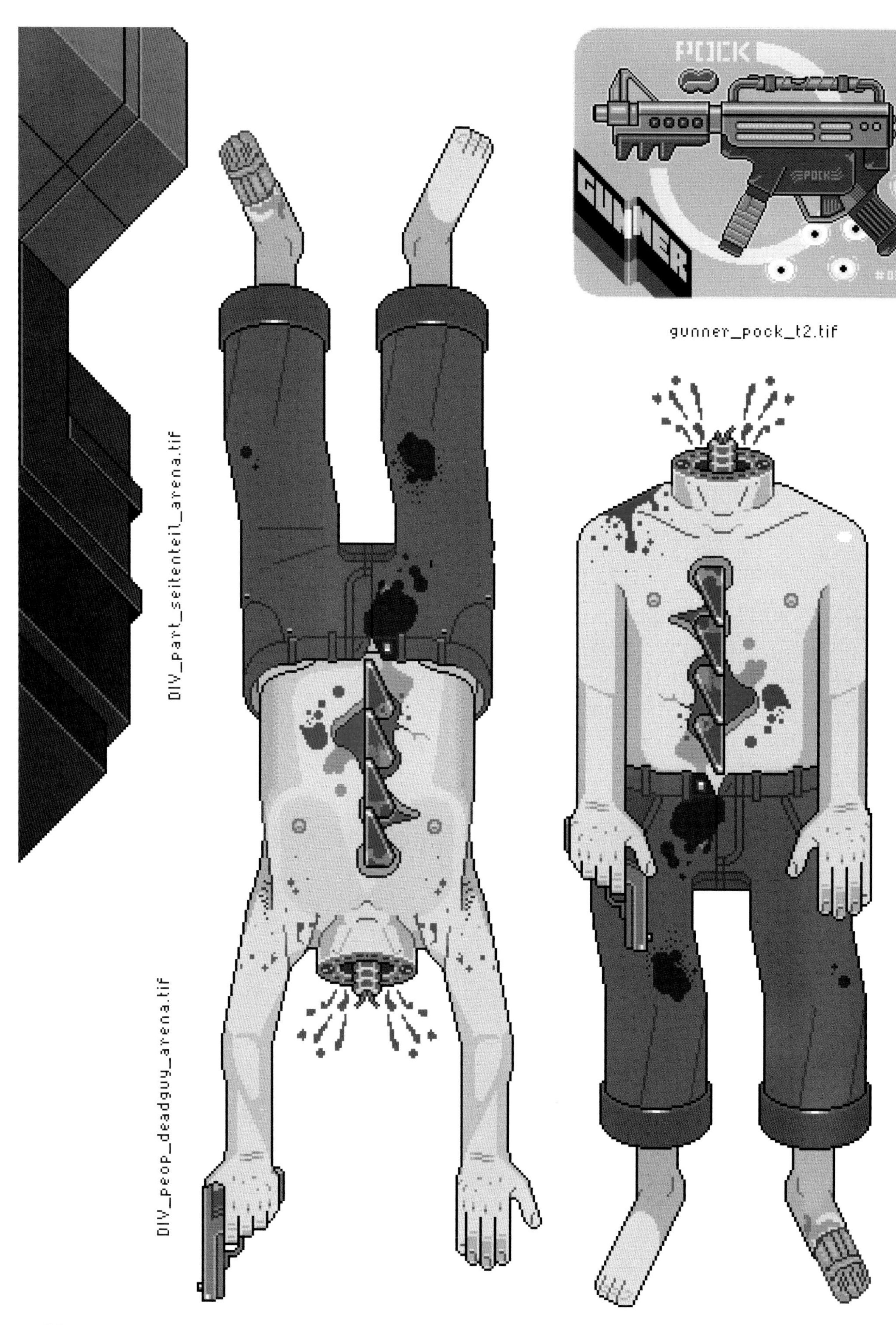

gunner_pock_t2.tif

DIV_part_seitenteil_arena.tif

DIV_peop_deadguy_arena.tif

DIV_peop_deadguy2_arena.tif

DIV_gun_force4_cards.TIF

DIV_typo_nudity_cards.TIF

DIV_gun_smasher7_cards.TIF

 <vironica 1>

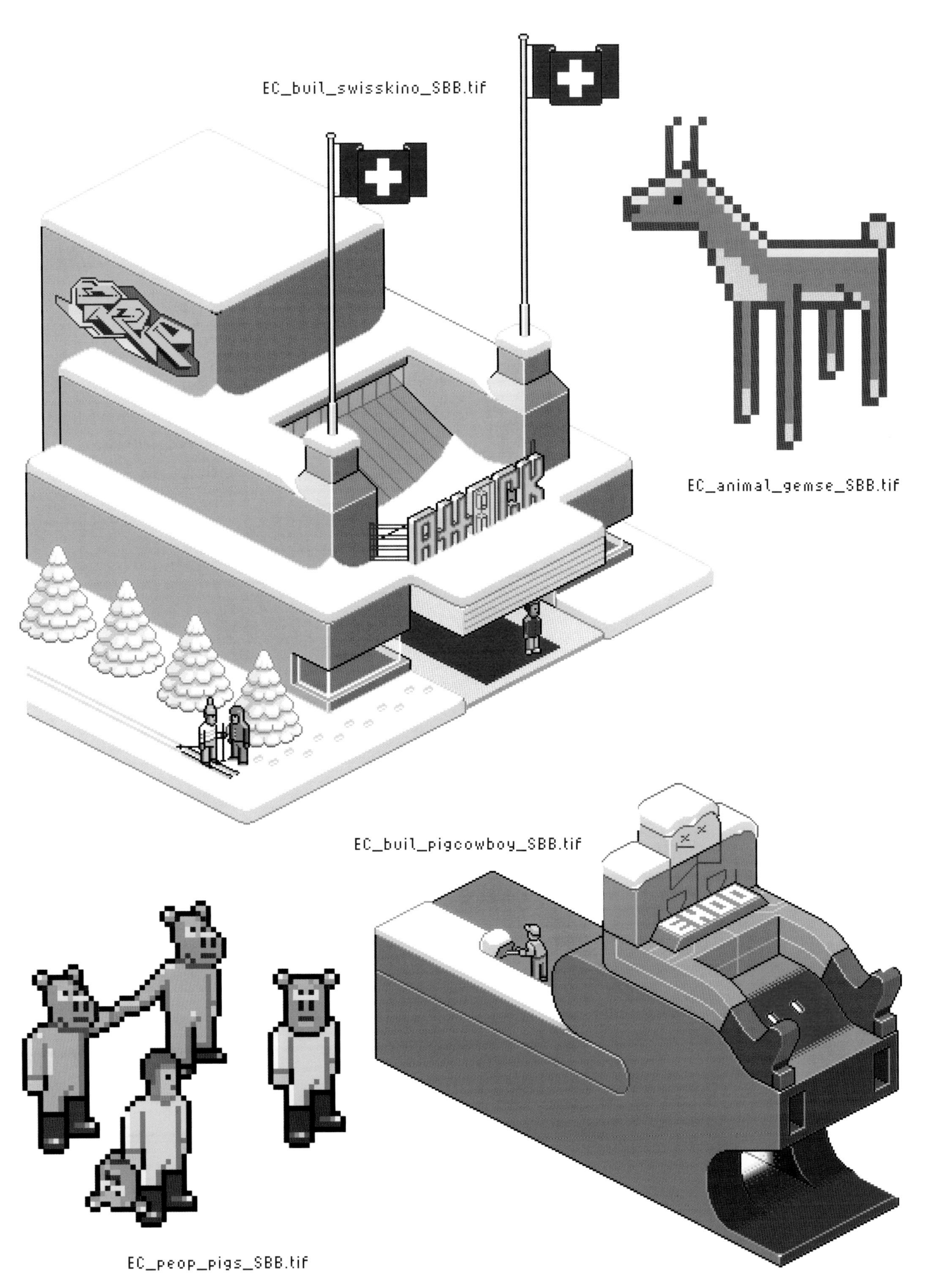
EC_buil_swisskino_SBB.tif
EC_animal_gemse_SBB.tif
EC_buil_pigcowboy_SBB.tif
EC_peop_pigs_SBB.tif

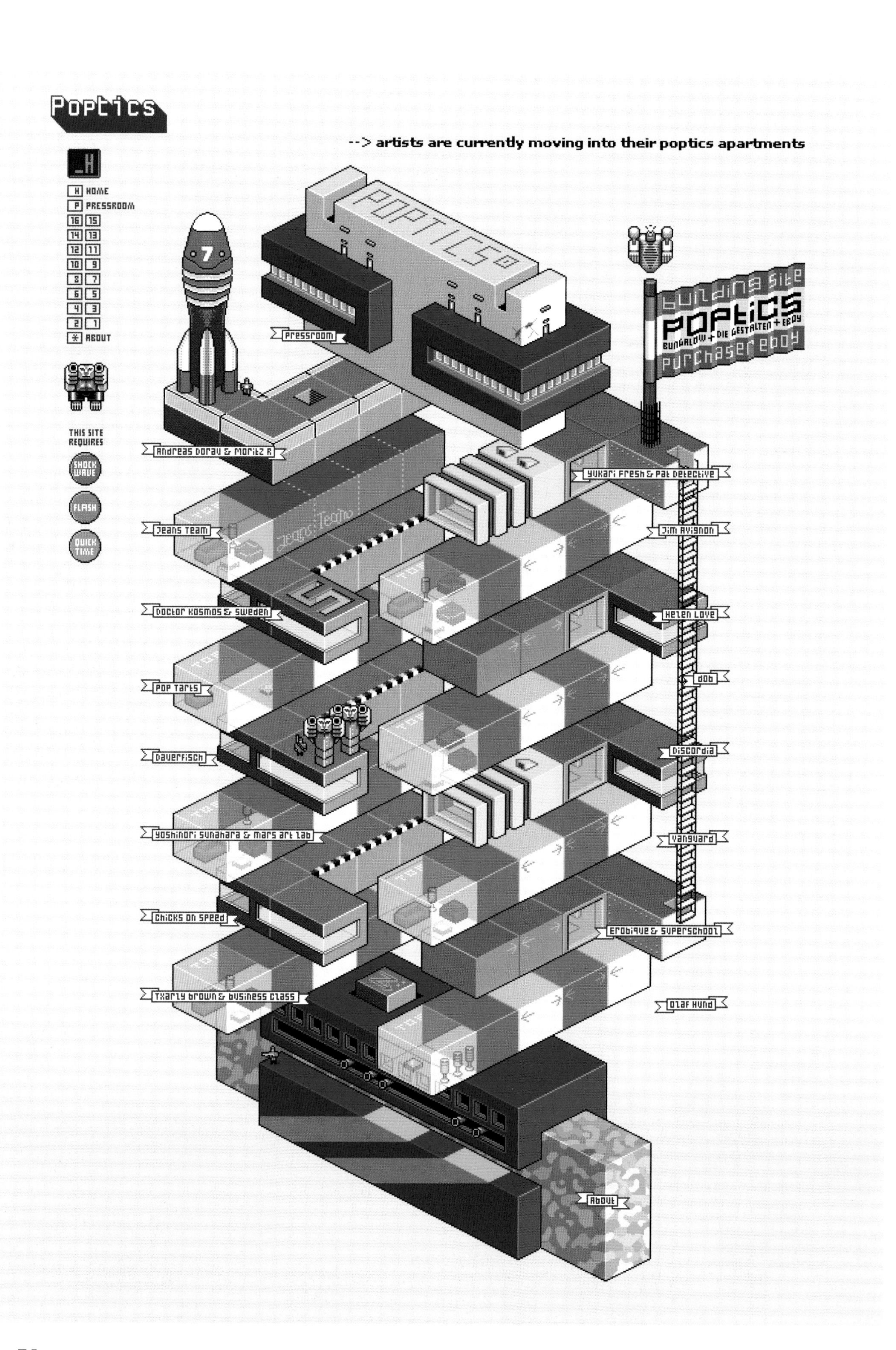

 <poptics_day.tif>

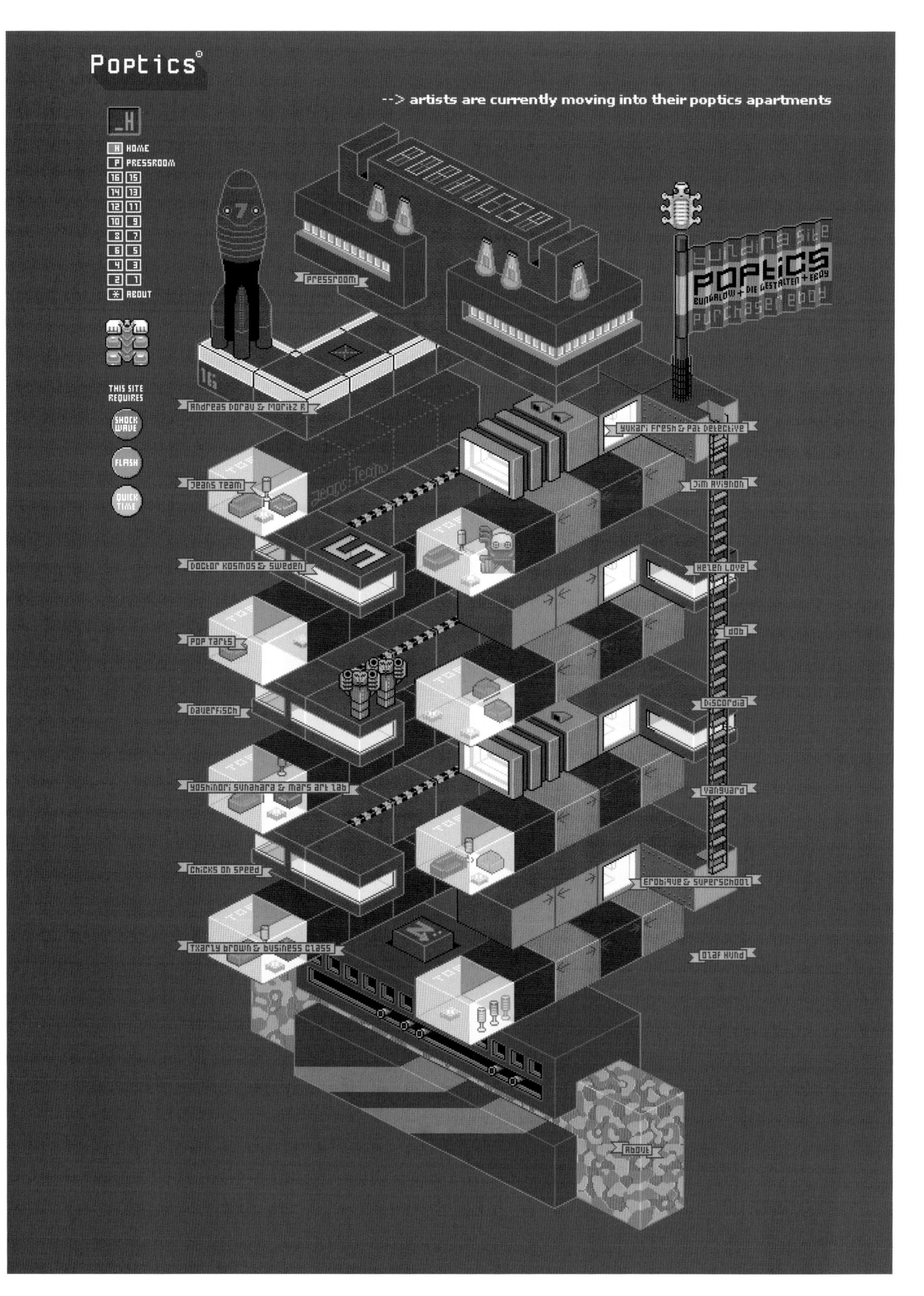

Poptics®
--> artists are currently moving into their poptics apartments
HOME
PRESSROOM
ABOUT
THIS SITE REQUIRES
SHOCK WAVE
FLASH
QUICK TIME
Pressroom
POPTICS
Andreas Dorau & Moritz R
Jeans Team
Doctor Kosmos & Sweden
Pop Tarts
Dauerfisch
Yoshinori Sunahara & Mars Art Lab
Chicks on Speed
Txarly Brown & Business Class
Yukari Fresh & Pat Detective
Jim Avignon
Helen Love
Discordia
Vanguard
Erobique & Superschool
Olaf Hund
About

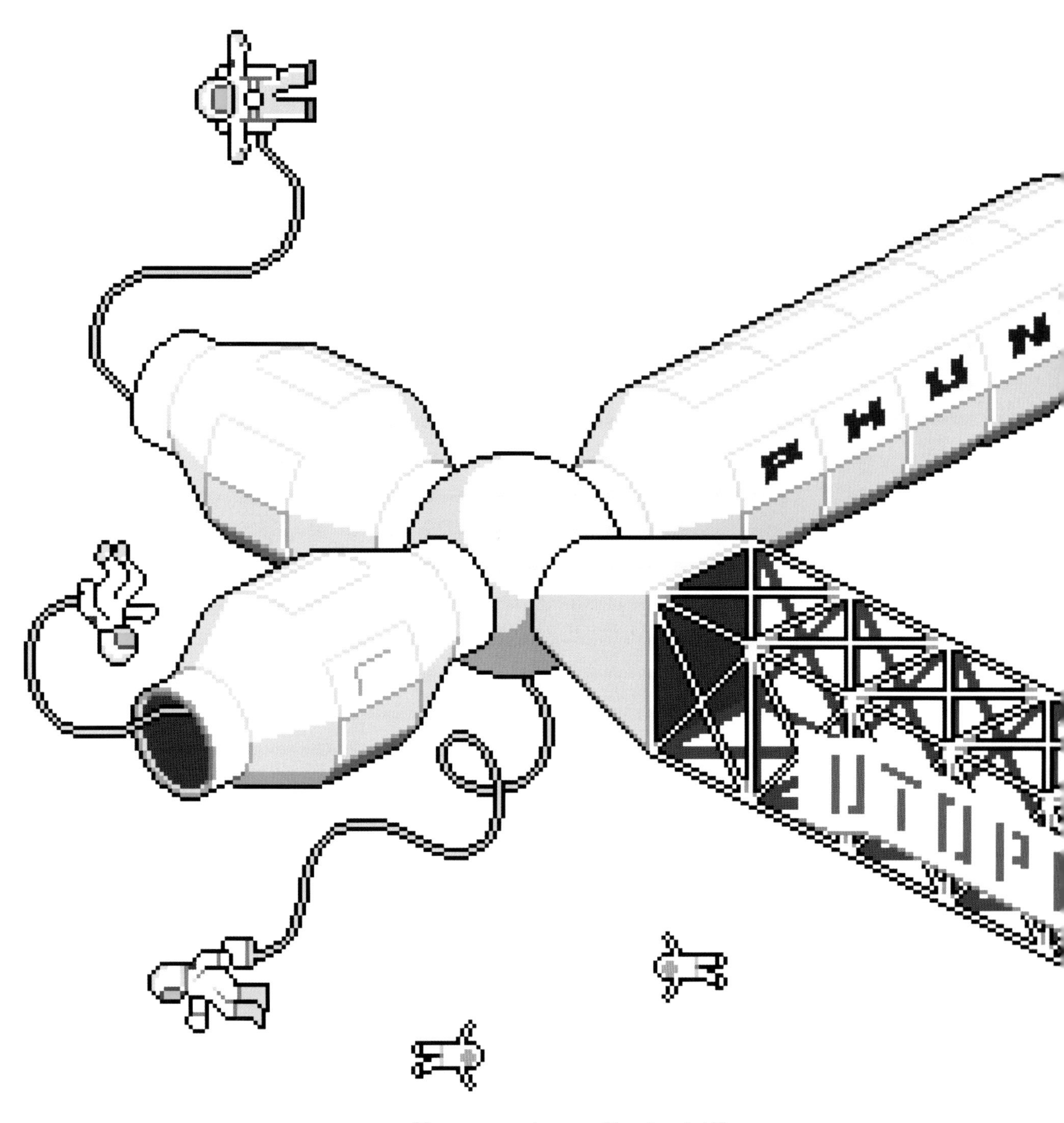

EC_peop_astrosmall_phunk.tif

EC_peop_small02_phunk.tif

EC_peop_small03_phunk.tif

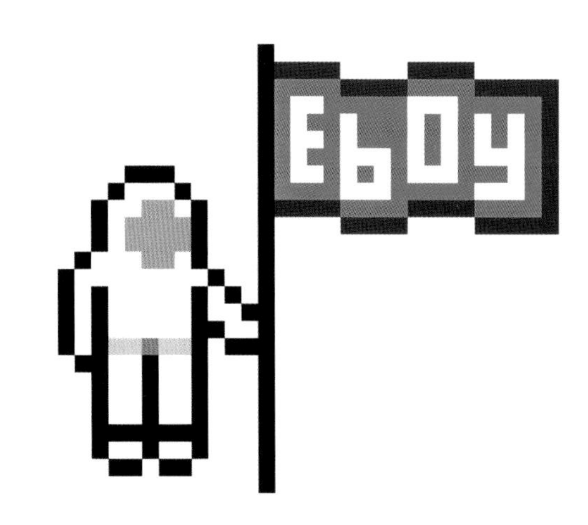

EC_peop_small01_phunk.tif

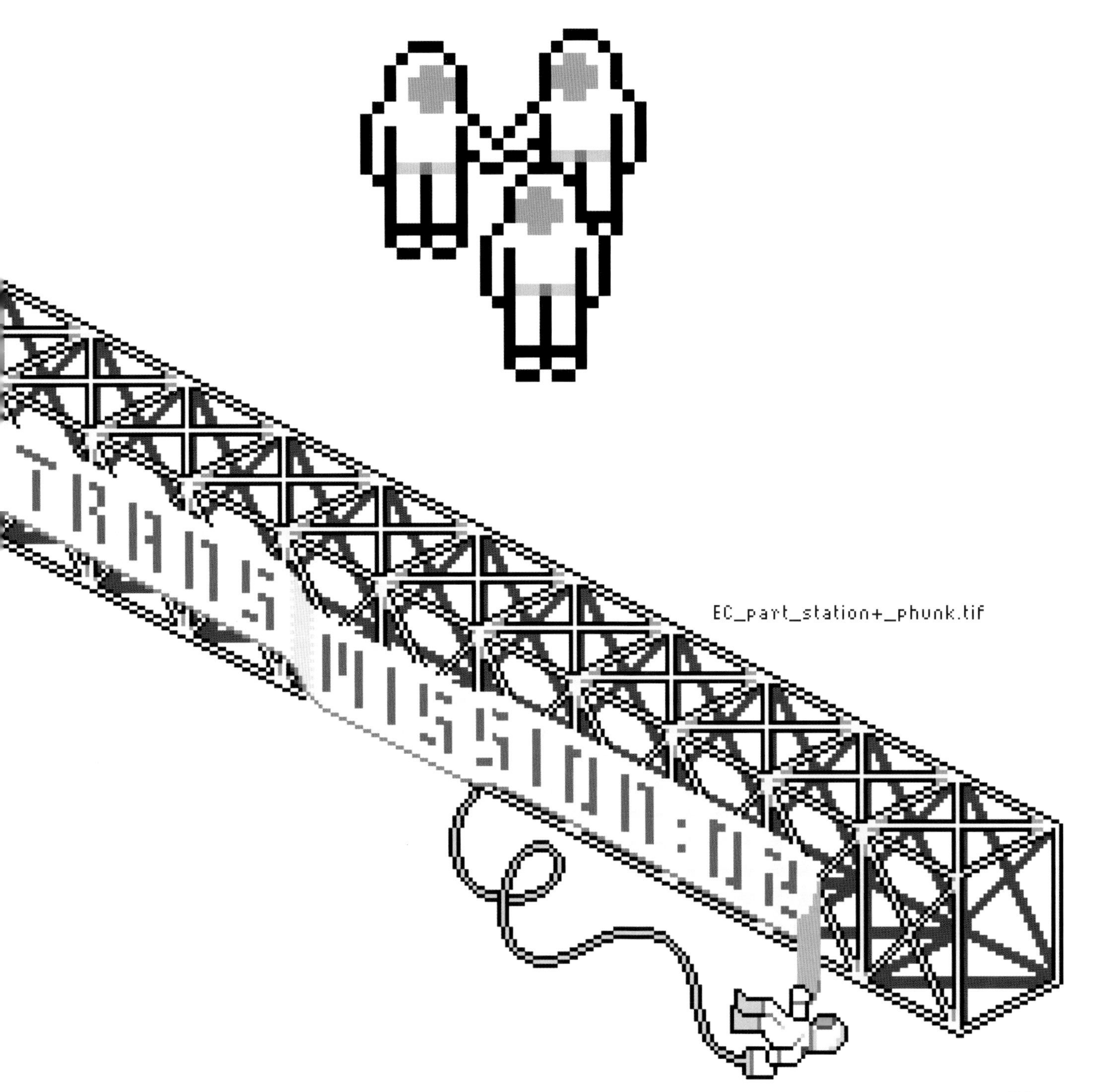

EC_part_station+_phunk.tif

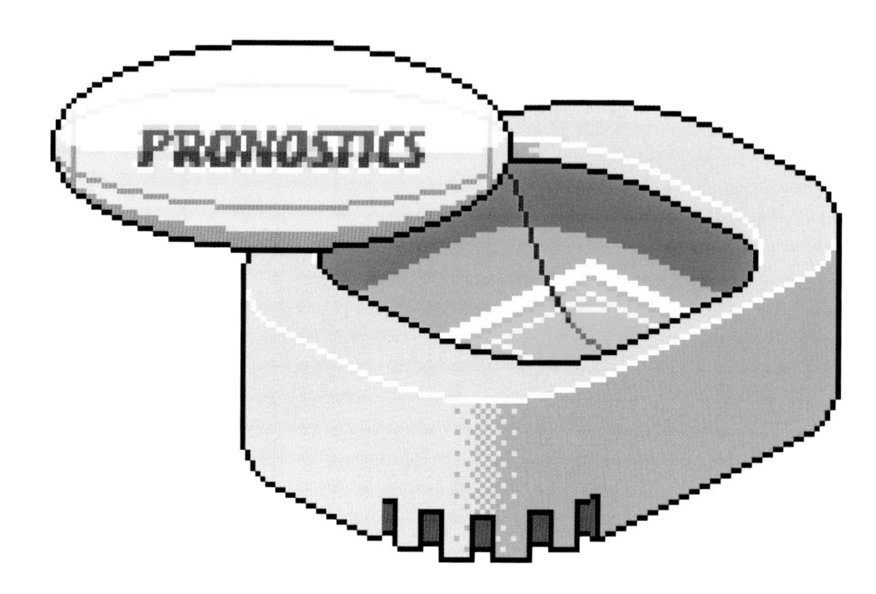

EC_buil_stadion+_gamecity.tif

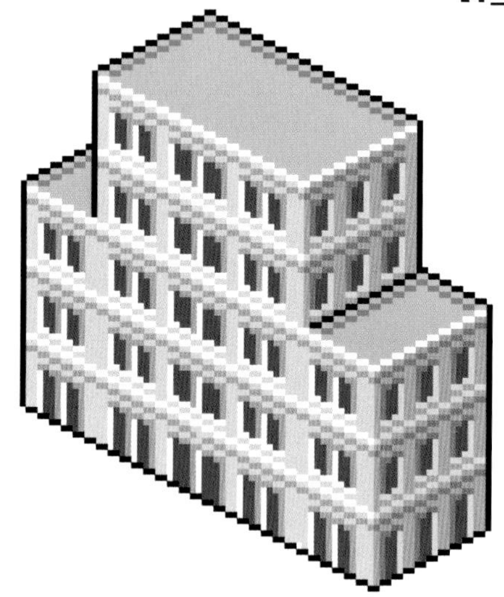

EC_buil_block02_gamecity.tif

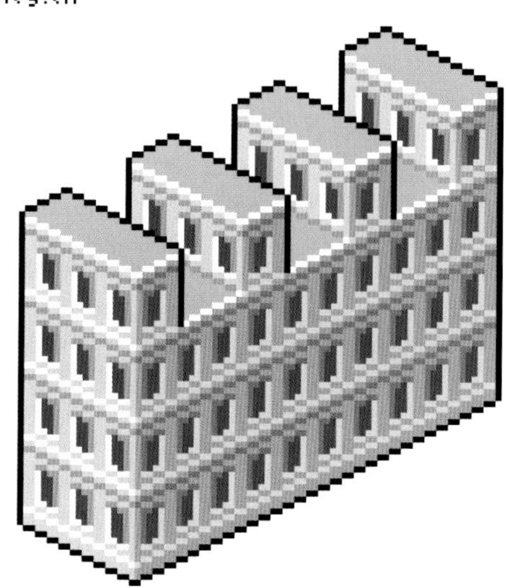

EC_buil_block_gamecity.tif

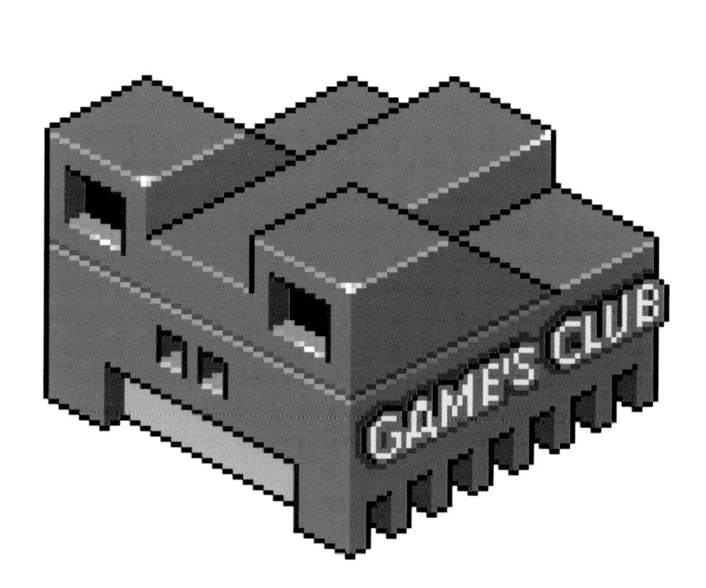

EC_buil_gameclub_gamecity.tif

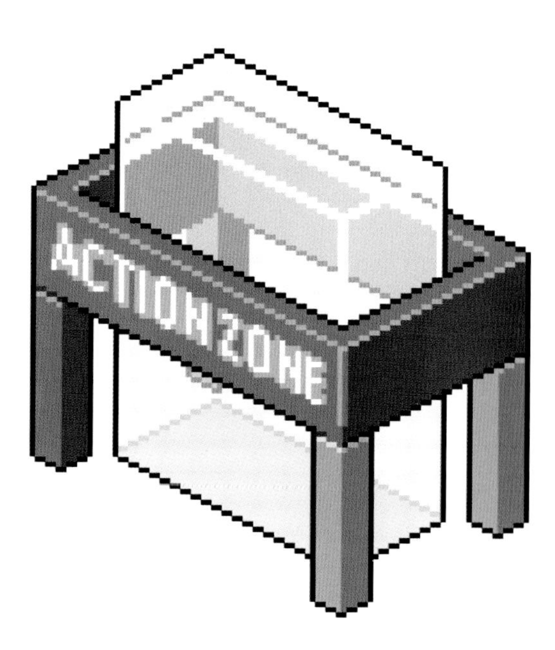

EC_buil_actionz2_gamecity.tif

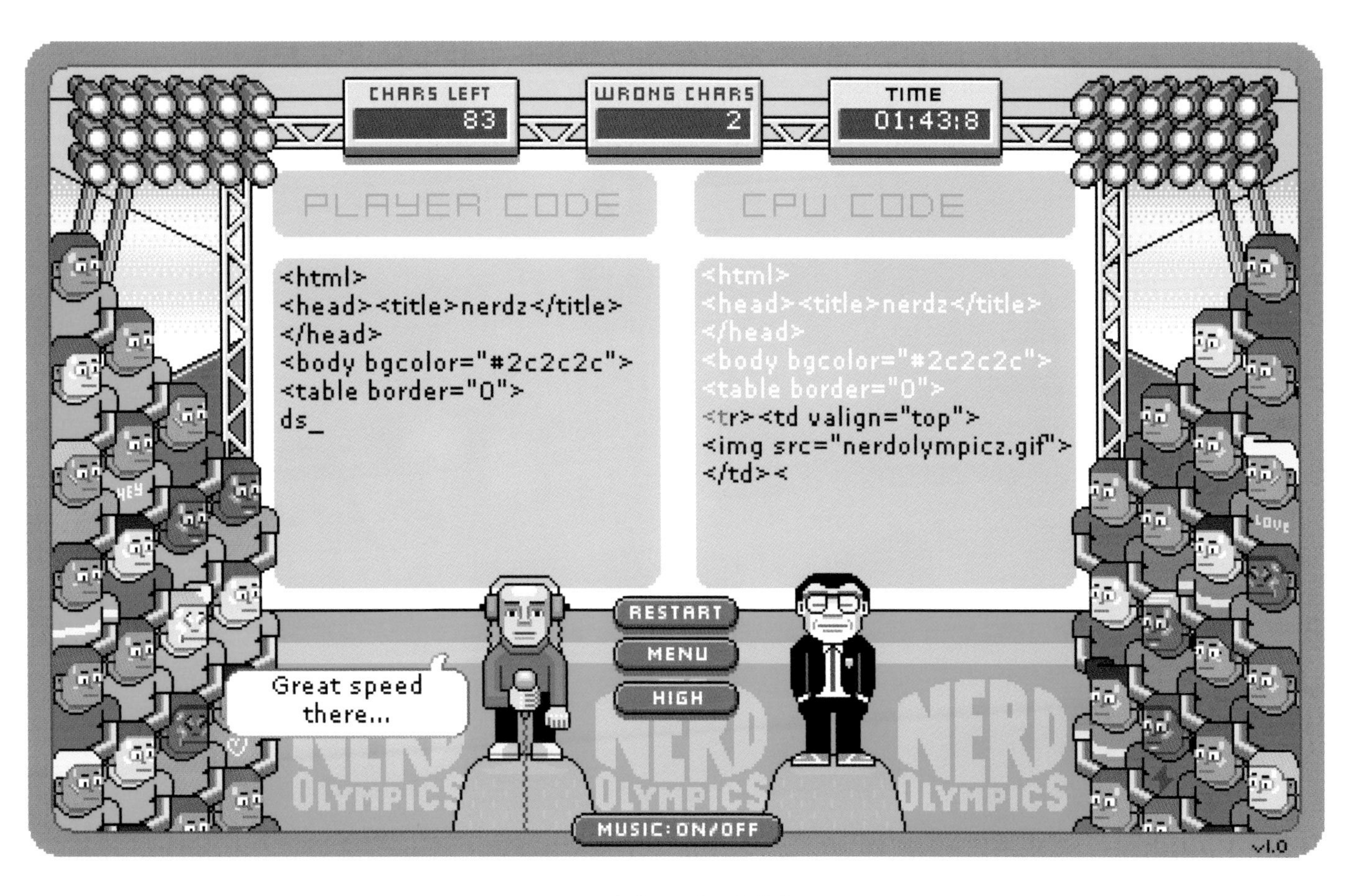

nerdolympics2.tif

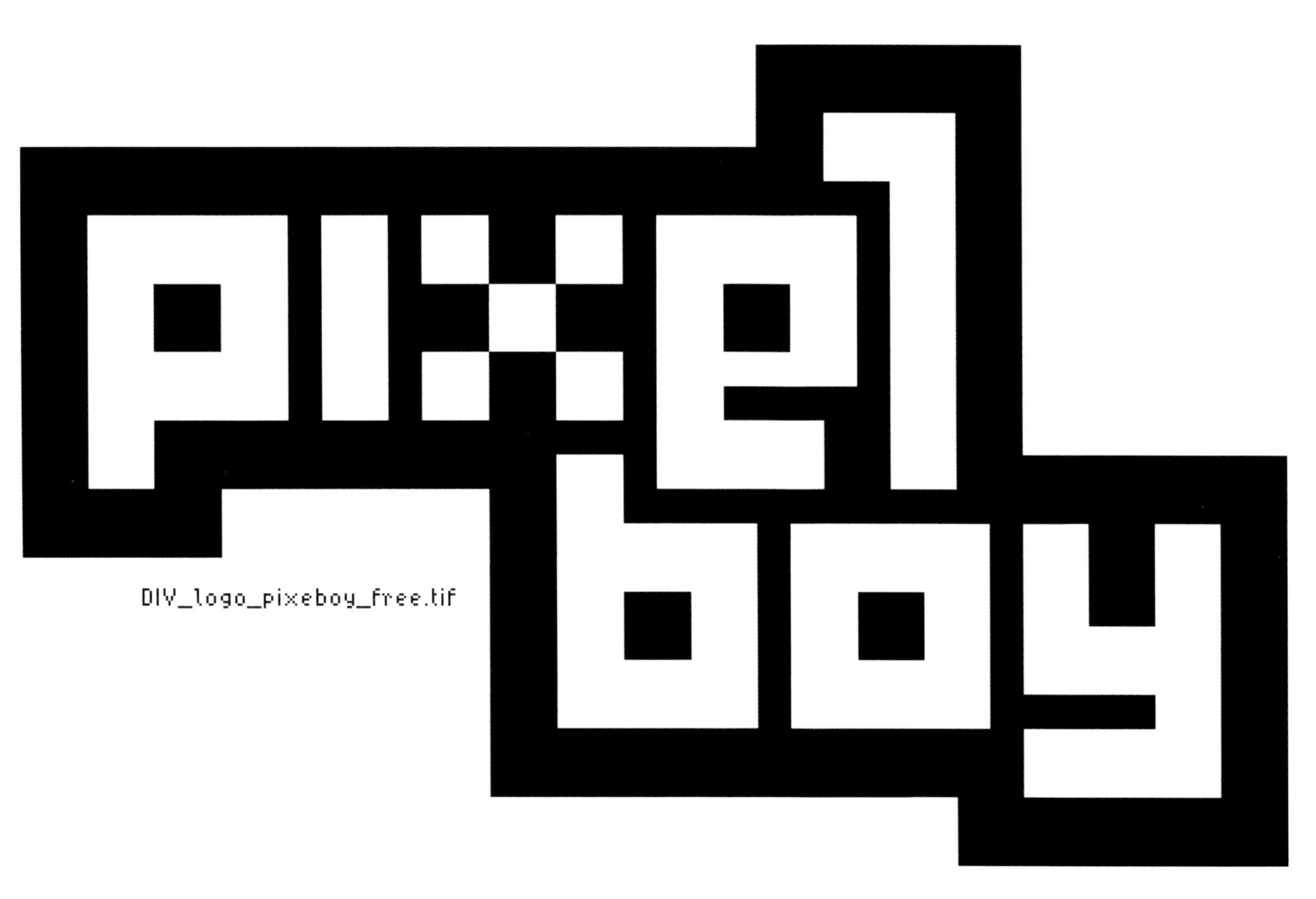

DIV_logo_pixeboy_free.tif

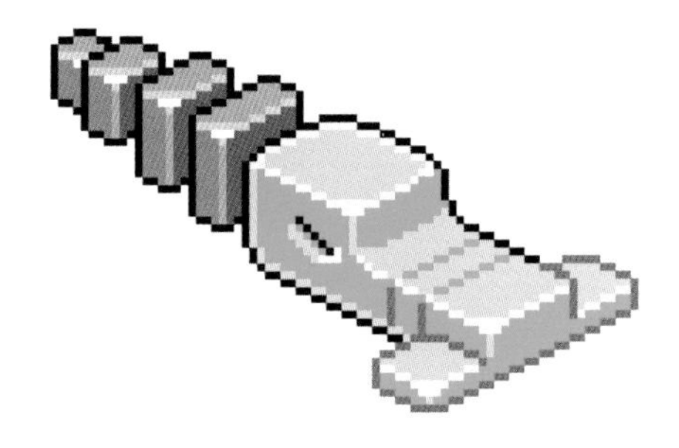
EC_virus_tzell2_diewoche.tif

EC_virus_redflopper_geo.tif

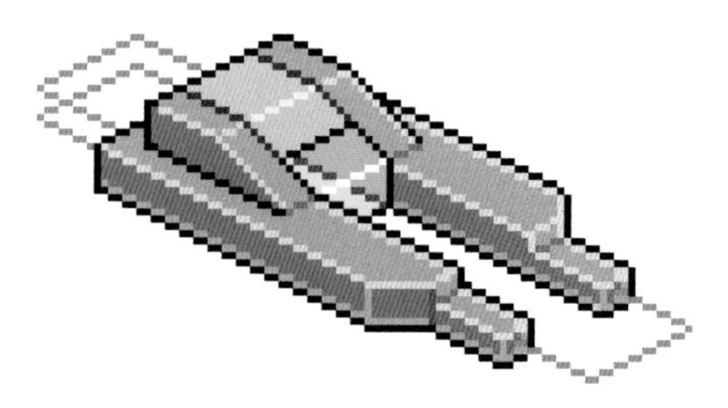
EC_virus_roak_geo.tif

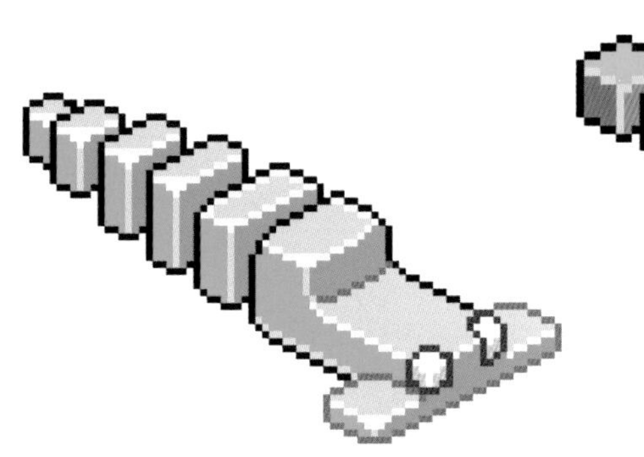
EC_virus_tzell3_diewoche.tif

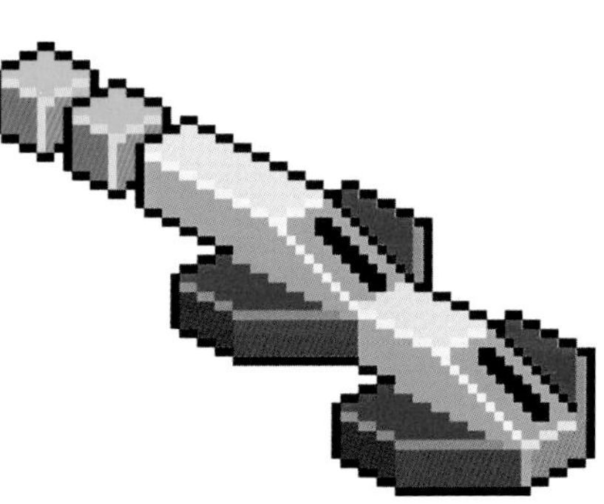
EC_virus_twinner_geo.tif

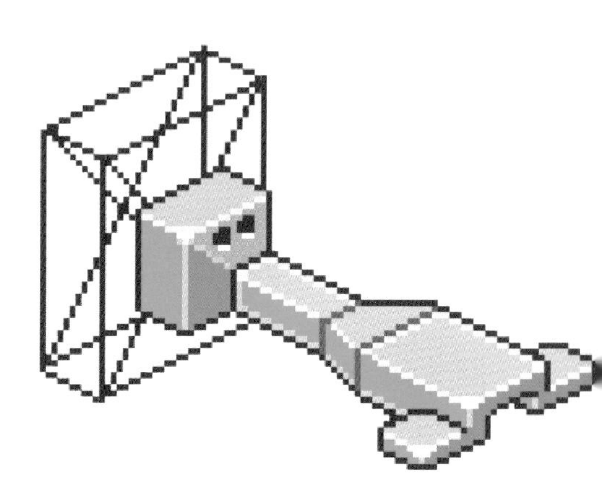
EC_virus_tzell8_diewoche.tif

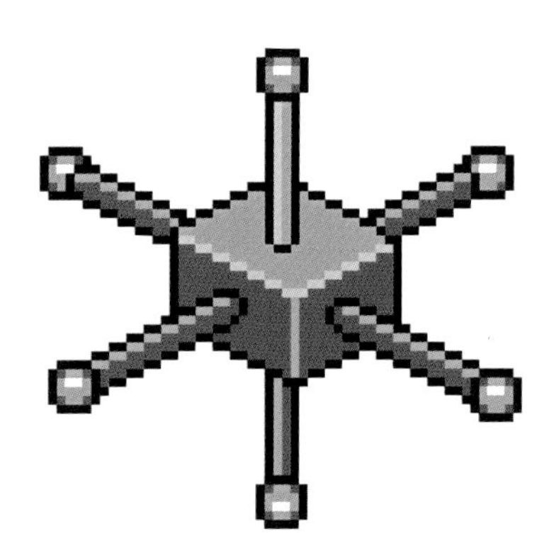
EC_virus_orange_geo.tif

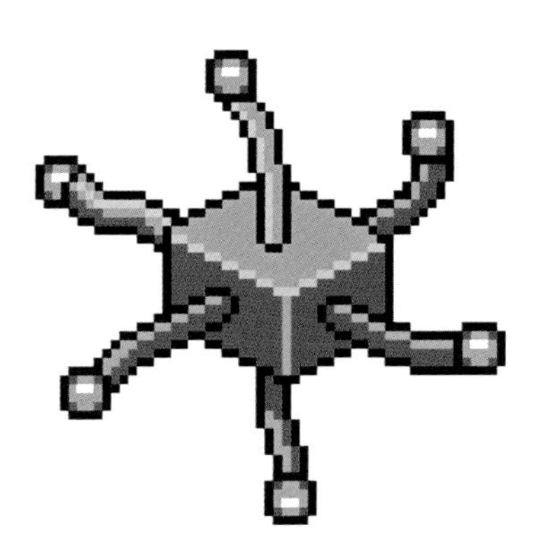
EC_virus_movingorange_geo.tif

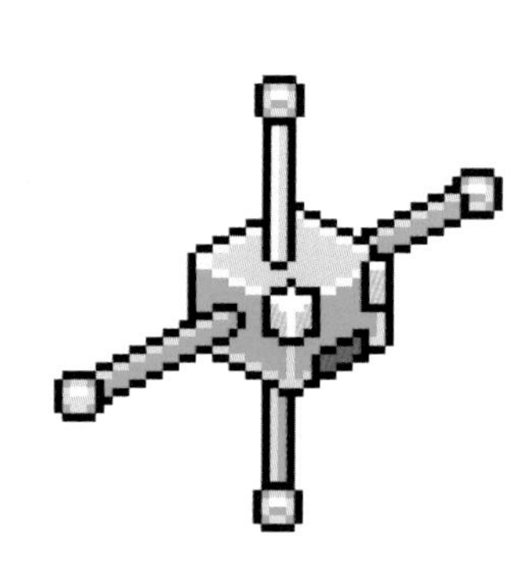
EC_virus_yellowflapper_geo.tif

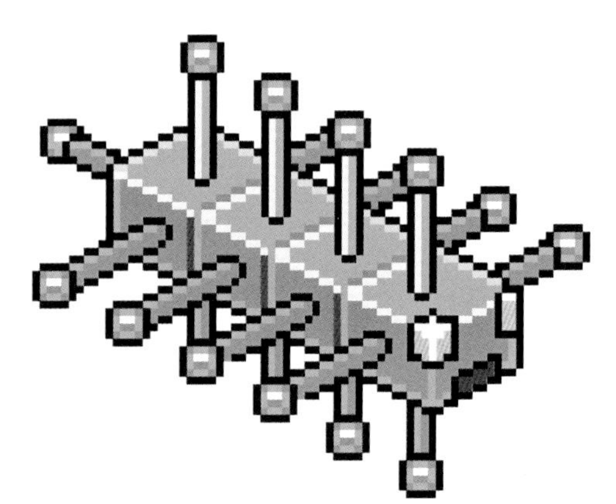
EC_virus_quadrippel_geo.tif

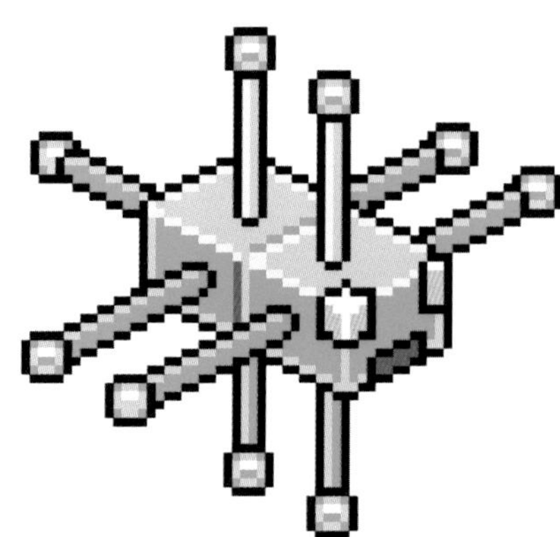
EC_virus_doubleslipper_geo.tif

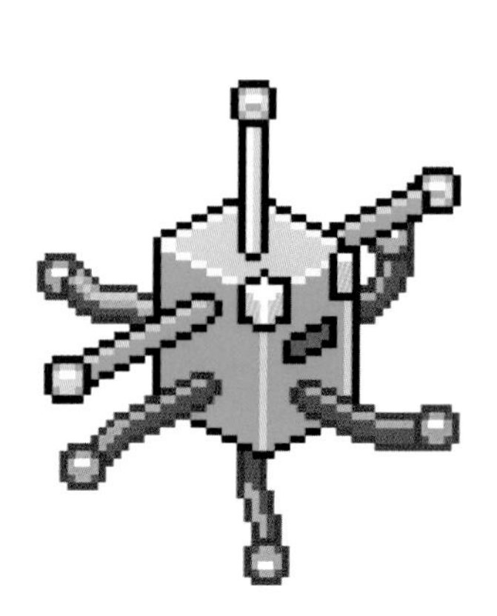
EC_virus_tzell4_diewoche.tif

Carlsberg

Carlsberg®

Beer

BY APPOINTMENT TO
THE ROYAL DANISH COURT

6/25 CL BOTELLAS

6/25 CL BOTTLES

8 410590 019559

6 BOTELLAS

6 BOTELLAS

<BBOT_carlsberg_eboy_HIRES.tif>

PHUNK
UTOPIA:TRANS MISSION:02
PHUNK
WWW.TRANSMISSION.COM.SG

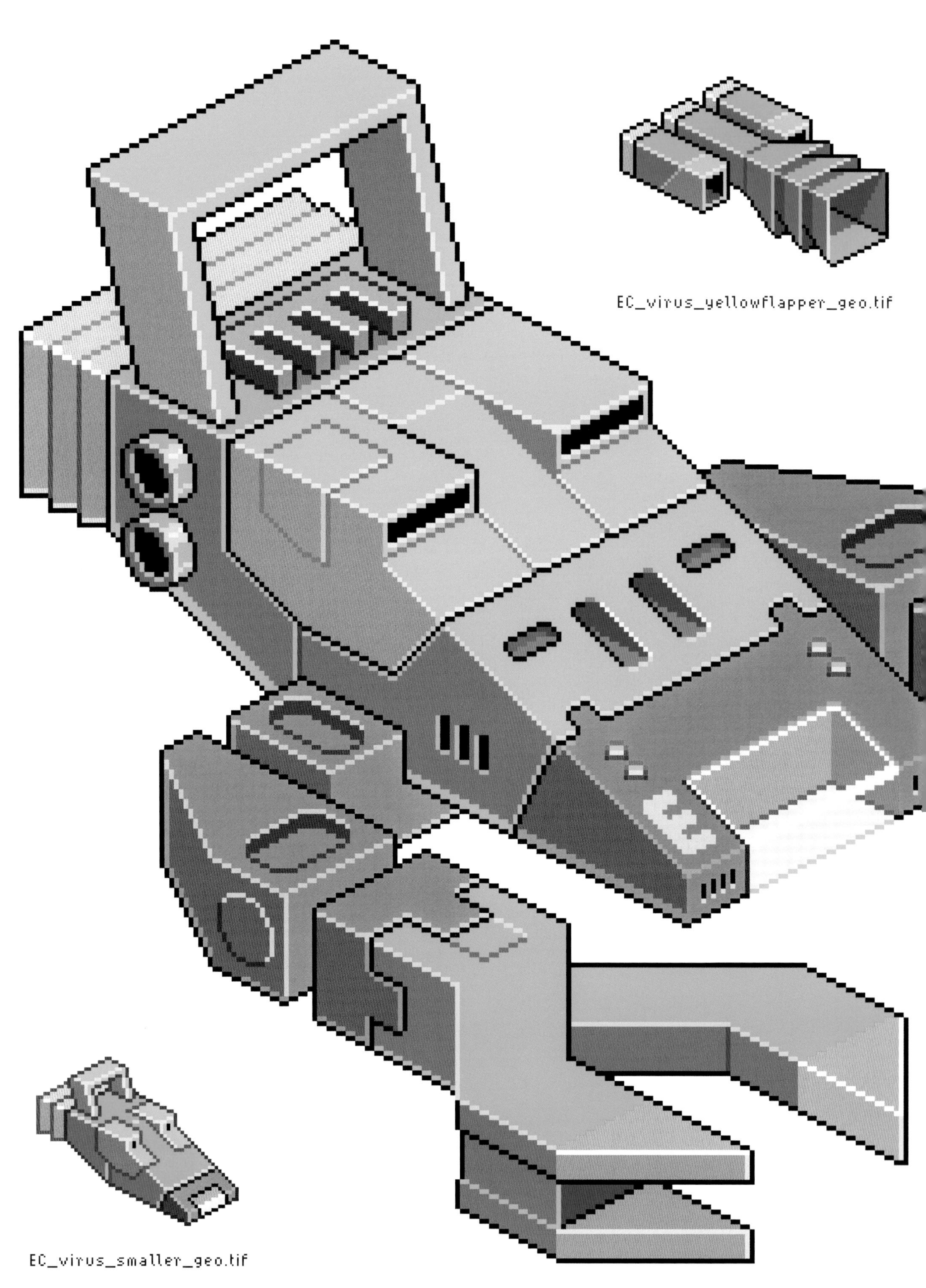

EC_virus_yellowflapper_geo.tif

EC_virus_smaller_geo.tif

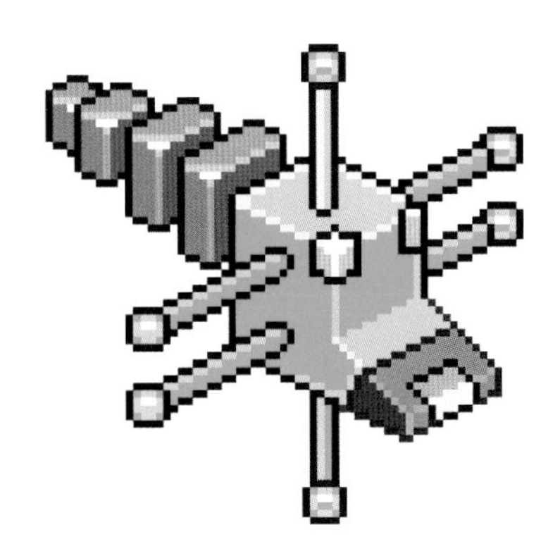

EC_virus_tzell7_diewoche.tif

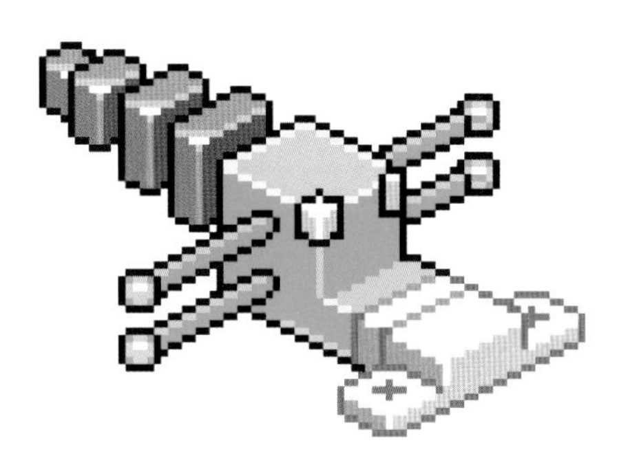

EC_virus_tzell1_diewoche.tif

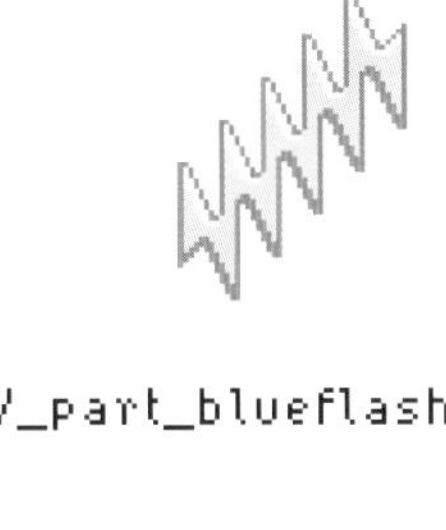

DIV_part_blueflash_geo.tif

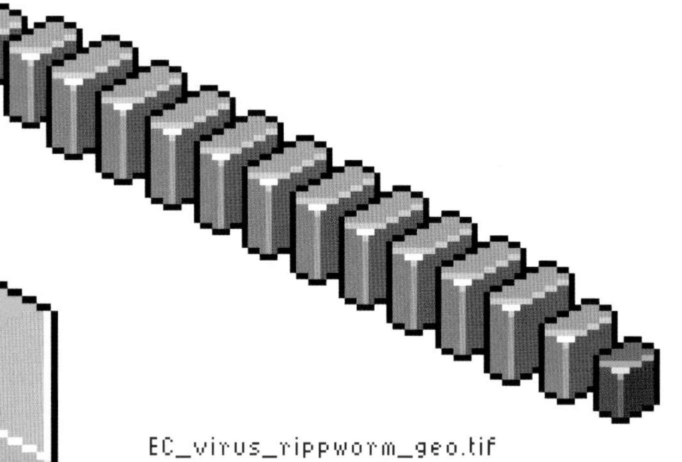

EC_virus_rippworm_geo.tif

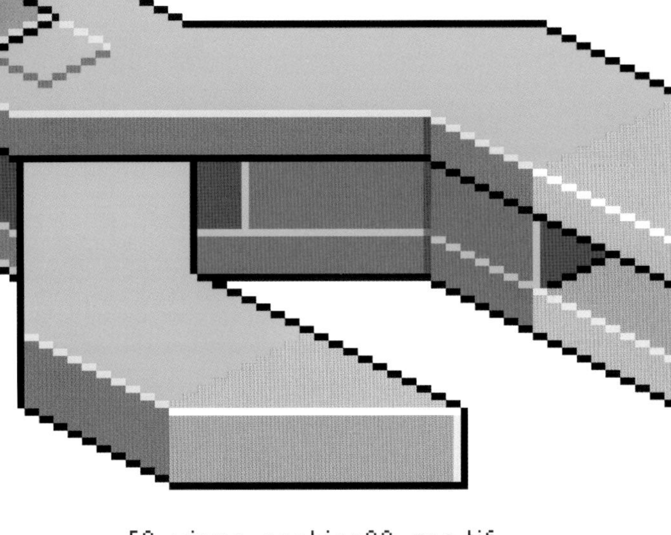

EC_virus_machine02_geo.tif

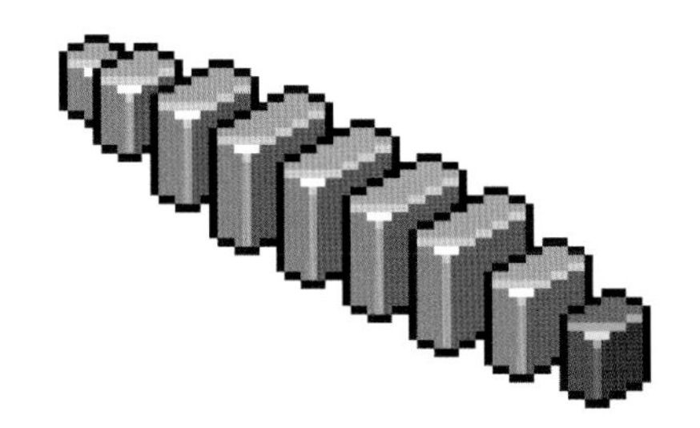

EC_virus_rippwormsmall_geo.tif

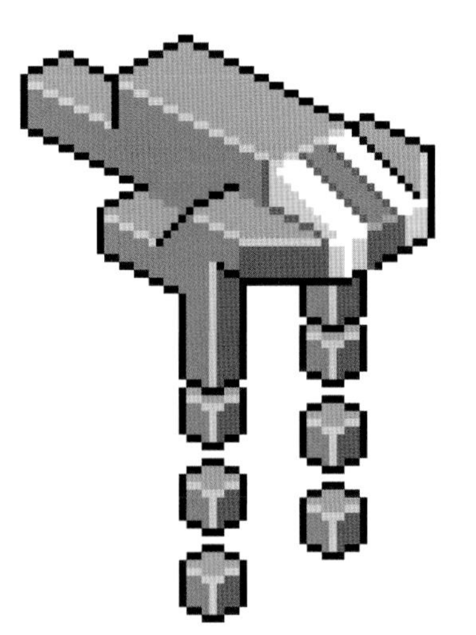

EC_virus_dropper_geo.tif

DIV_part_internet_seven.tif

ICO_peop_worker03_seven.tif

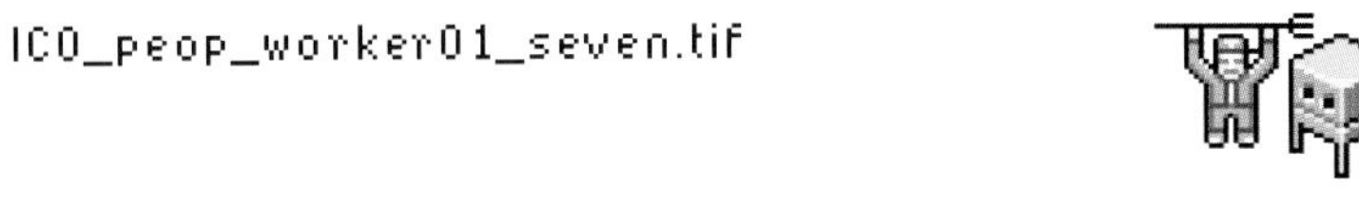

ICO_peop_worker01_seven.tif

ICO_peop_worker02_seven.tif

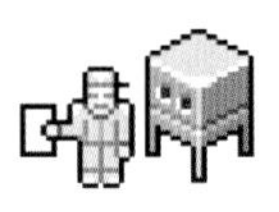

ICO_peop_worker04_seven.tif

ICO_peop_worker06_seven.tif

ICO_peop_worker05_seven.tif

ICO_peop_worker07_seven.tif

ICO_peop_worker09_seven.tif

ICO_peop_worker08_seven.tif

ICO_peop_worker10_seven.tif

ICO_peop_worker12_seven.tif

ICO_peop_worker11_seven.tif

ICO_peop_worker13_seven.tif

ICO_peop_worker15_seven.tif

ICO_peop_worker14_seven.tif

ICO_peop_worker16_seven.tif

ICO_peop_worker18_seven.tif

ICO_peop_worker17_seven.tif

ICO_peop_worker19_seven.tif

ICO_peop_worker21_seven.tif

ICO_peop_worker20_seven.tif

EC_peop_manufacteringma_bom.tif

EC_peop_mechanicaleng2_bom.tif

EC_peop_mechanicaleng3_bom.tif

EC_peop_accountrep_bom.tif

EC_peop_documentmanager_bom.tif

EC_peop_accountrep4_bom.tif

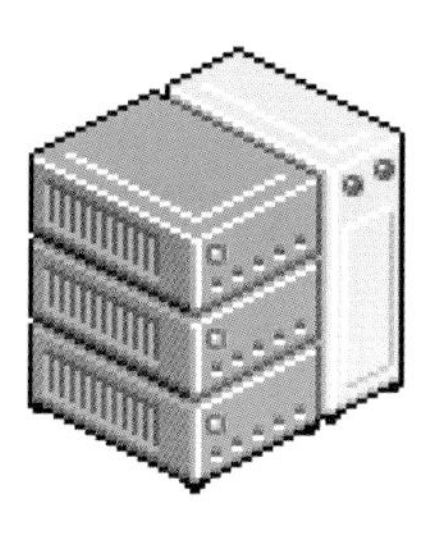

EC_icon_bomserver_bom.tif

EC_peop_accountrep2_bom.tif

EC_peop_mechanicaleng1_bom.tif

ECV_peop_canadianmaple_espn.tif

EC_peop_executiv_bom.tif

EC_peop_purchasingagent_bom.tif

EC_peop_manager_bom.tif

EC_peop_accountrep3_bom.tif

EC_peop_mechanicaleng4_bom.tif

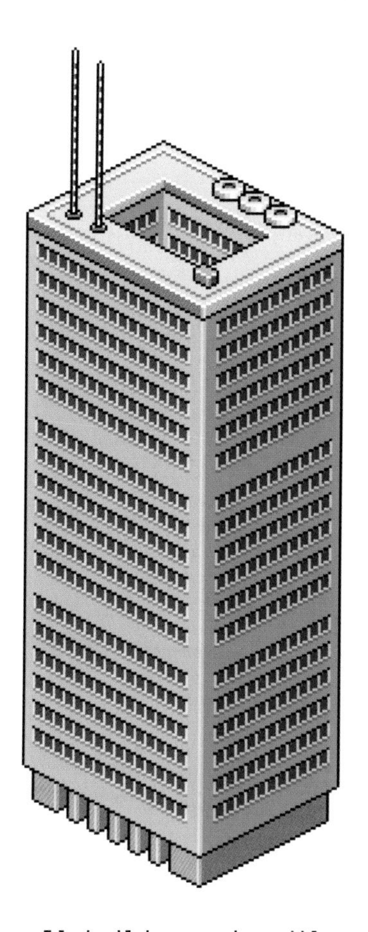

EC_build_oem_bom.tif

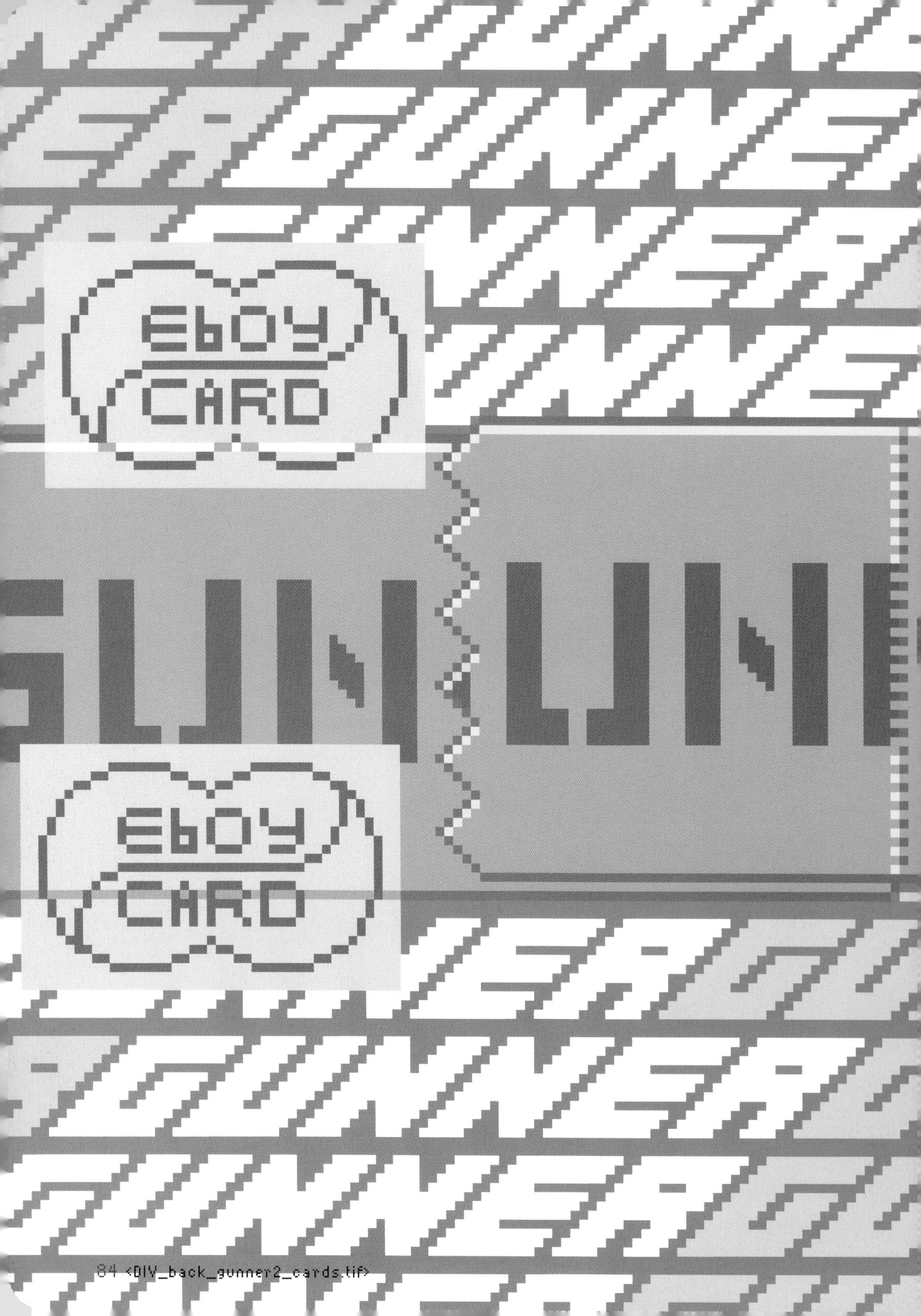

 <DIV_back_gunner2_cards.tif>

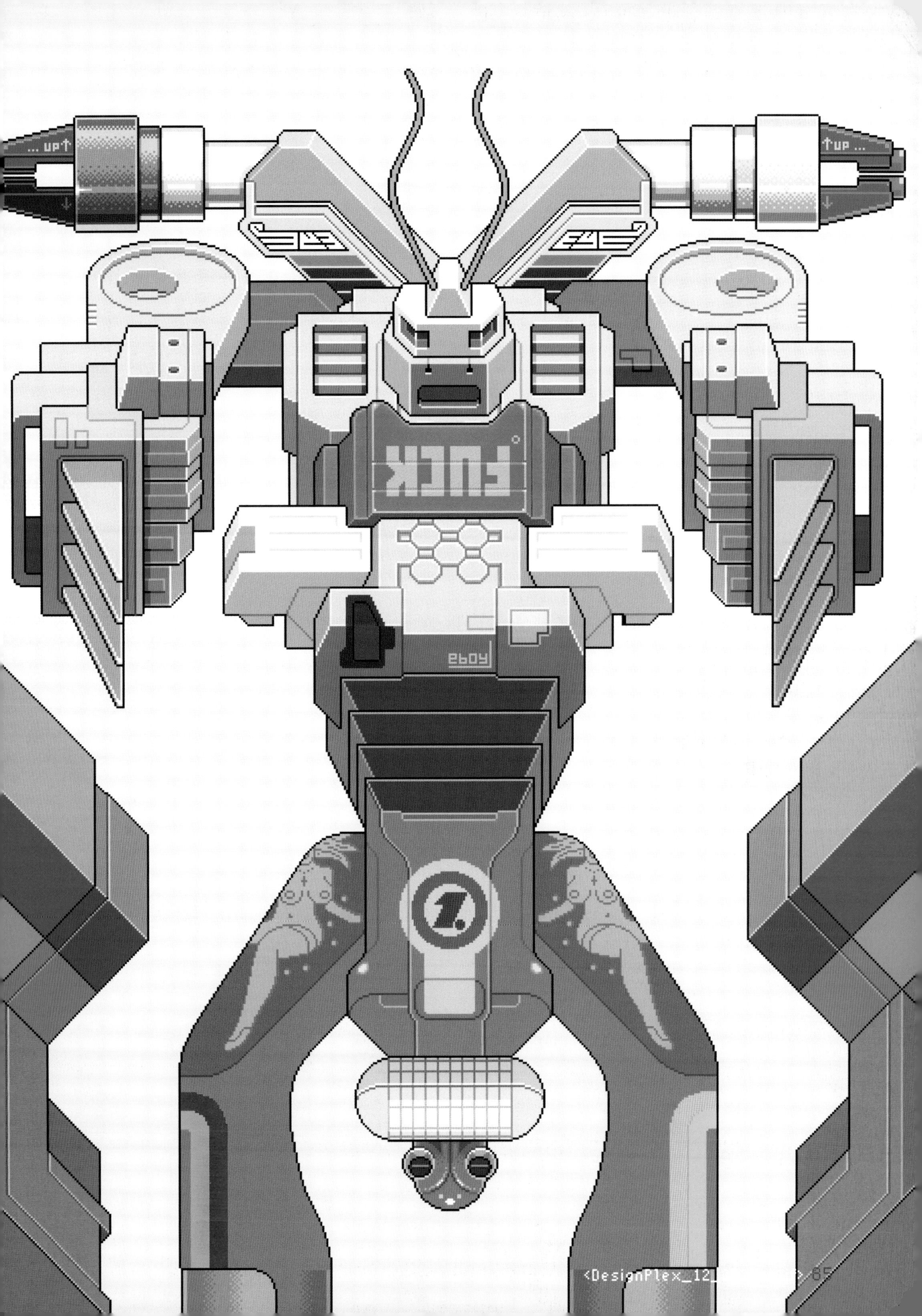
... up↑
↑up ...
FUCK
eboy
1.

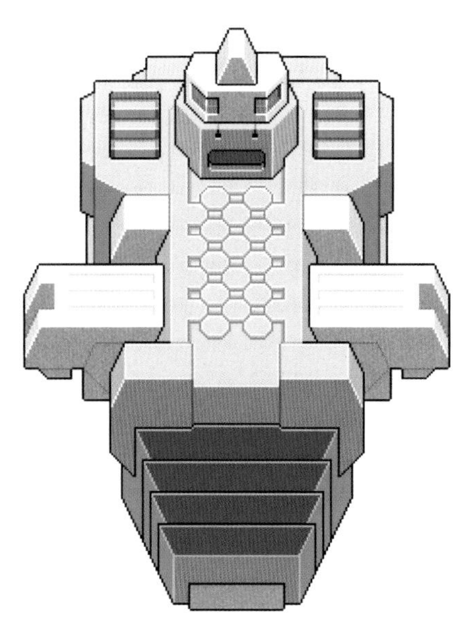

ECV_part_bodyeysdark_shift.tif

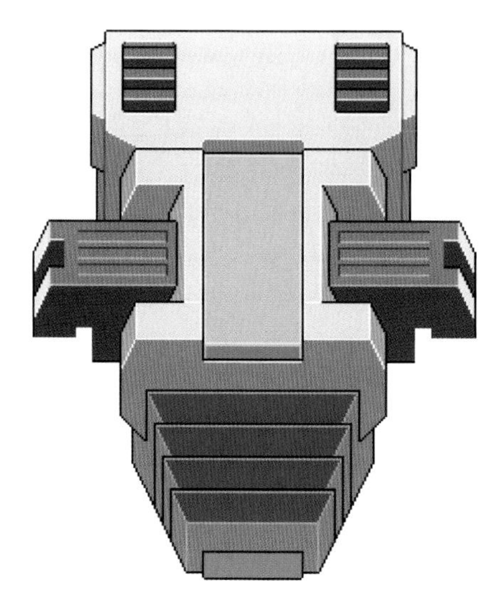

ECV_part_body2_shift.tif

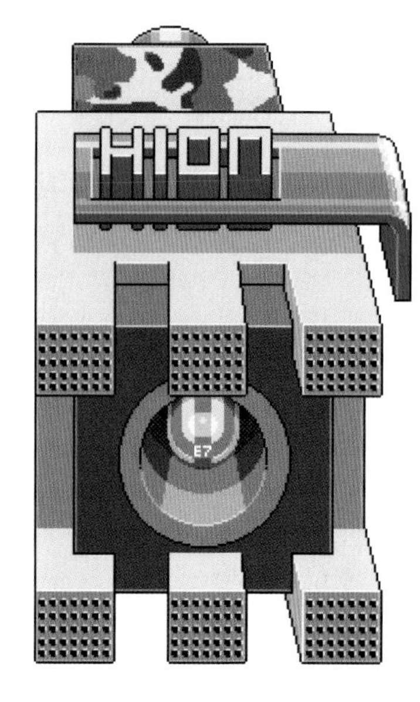

ECV_part_leg11_shift.tif

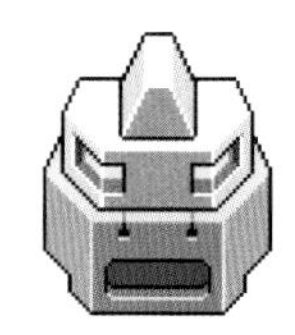

ECV_part_head_shift.tif

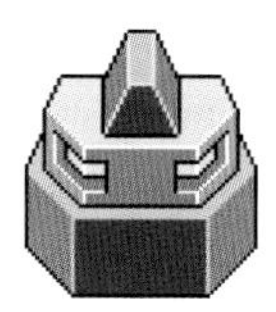

ECV_part_head2_shift.tif

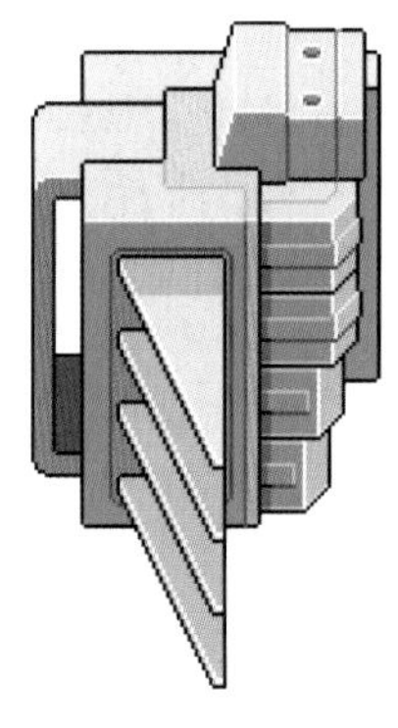

ECV_part_arms_shift.tif

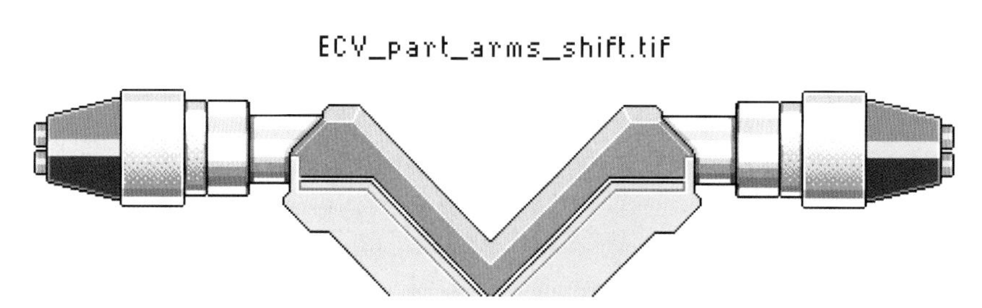

ECV_part_fist_shift.tif

DIV_part_robofaust_dplex.tif

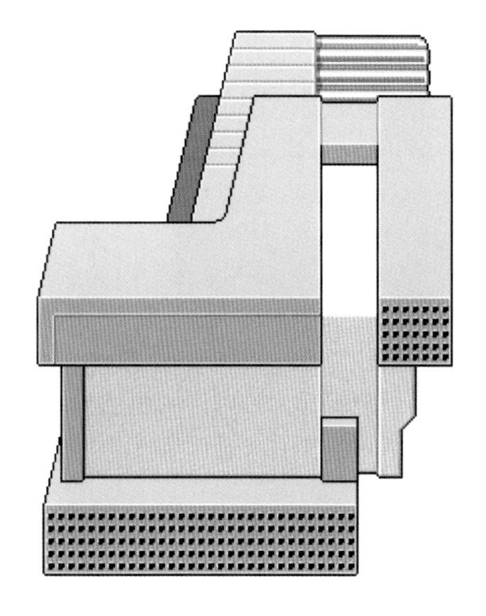

ECV_part_leg4_shift.tif

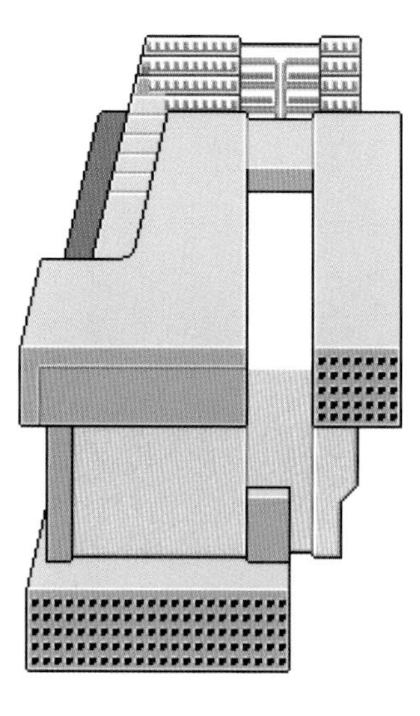

ECV_part_leg6_shift.tif

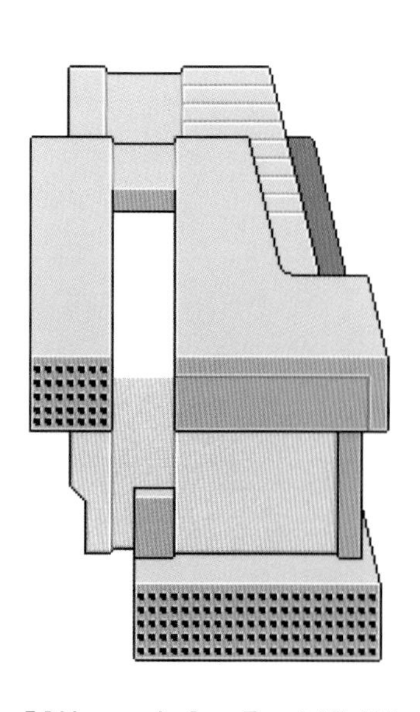

ECV_part_leg7_shift.tif

ASS
TCO
WHOP SHOP
WHOP SHOP
WHOP SHOP
I LOVE
FIN
iCE
Eat

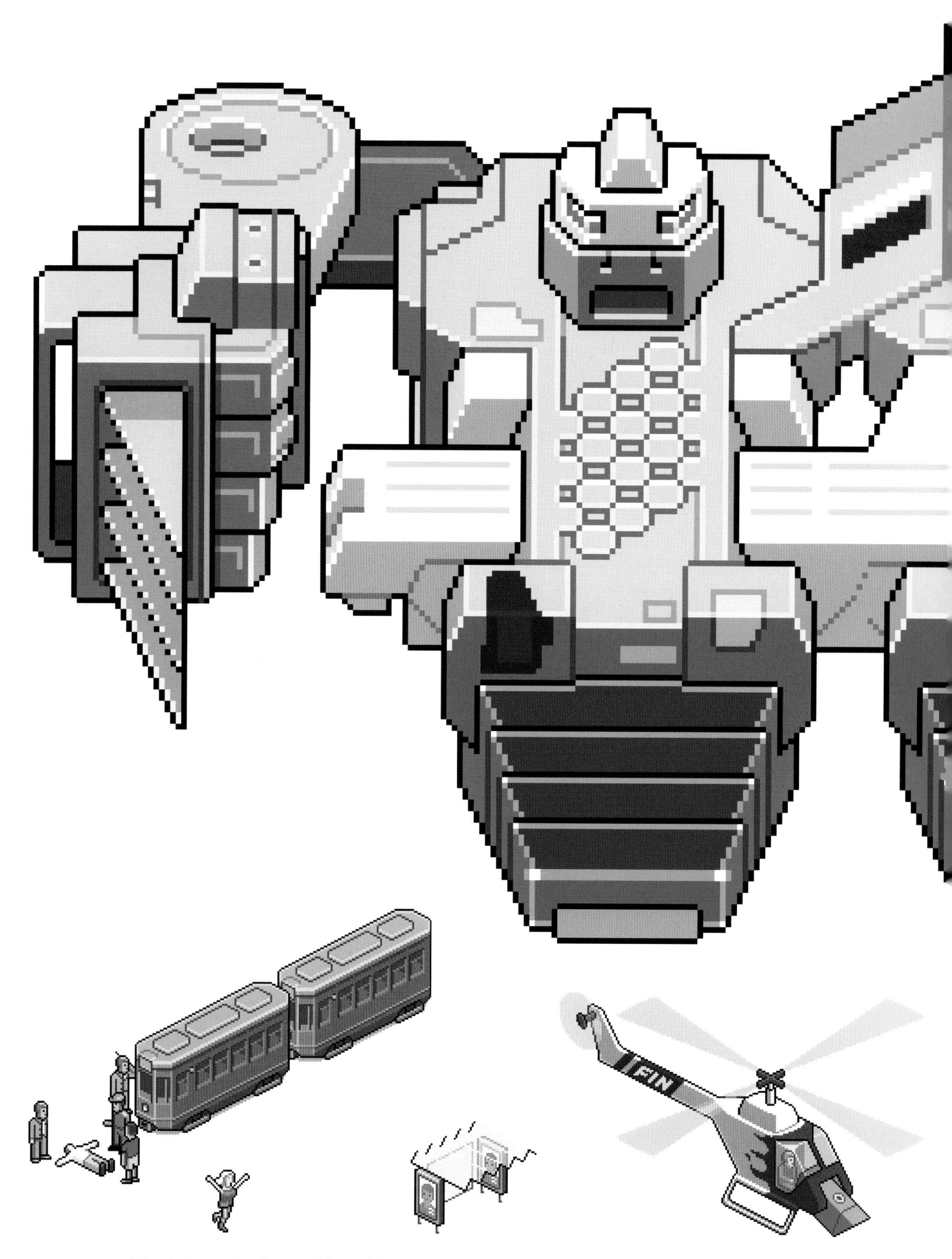

EC_pict_auflauf_ass.tif EC_part_busstop_ass.tif EC_vehi_helicopter_ass.tif

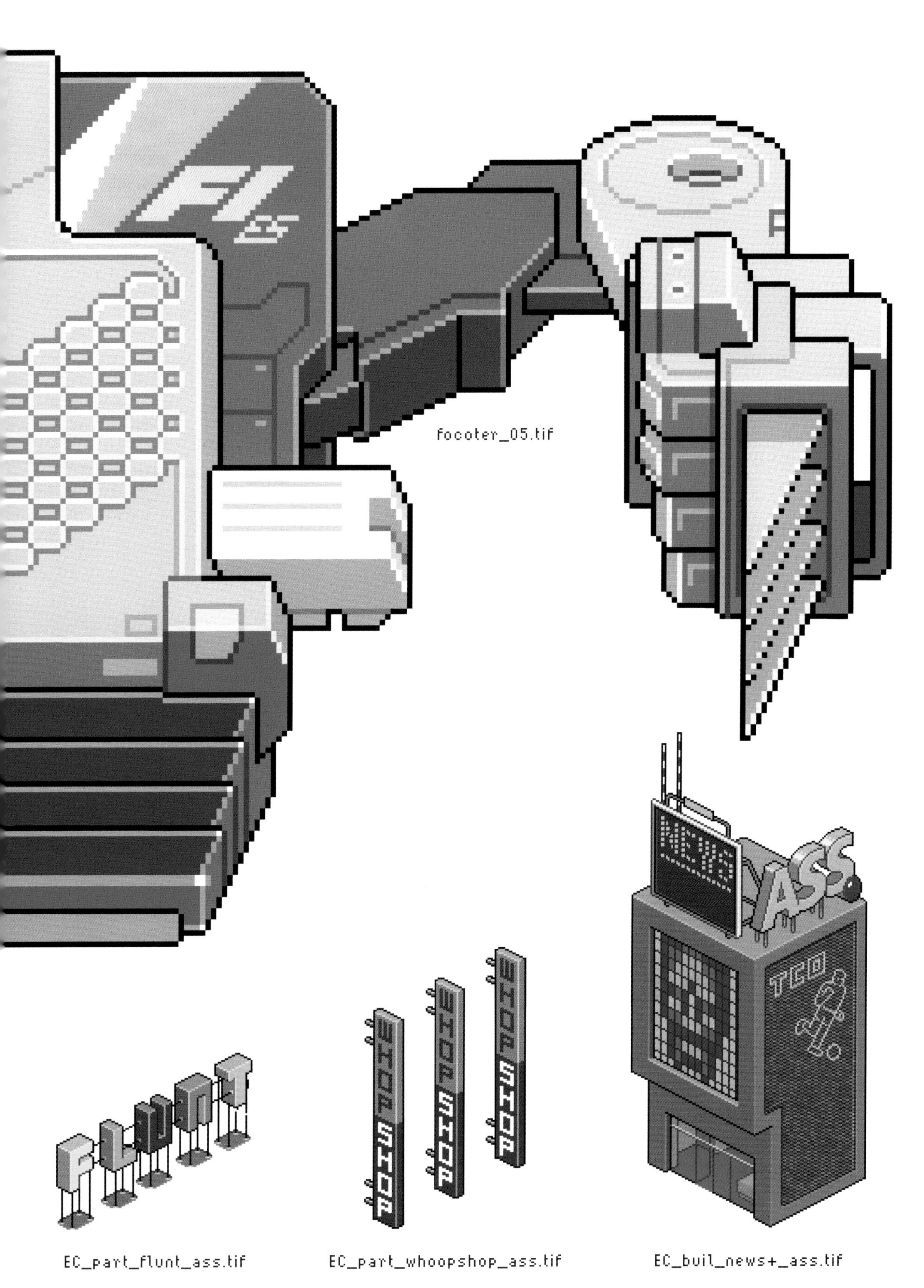

focoter_05.tif

EC_part_flunt_ass.tif

EC_part_whoopshop_ass.tif

EC_buil_news+_ass.tif

Eat!
99
SALE
SALE

Microsoft
COMPAQ
charcol
online
marchFIRST
ERICSSON
12:23
HOT

AVAILABILITY
SECURITY
MONITORING
SCALABILITY

<nightcity_landscape_blank.tif.tif>

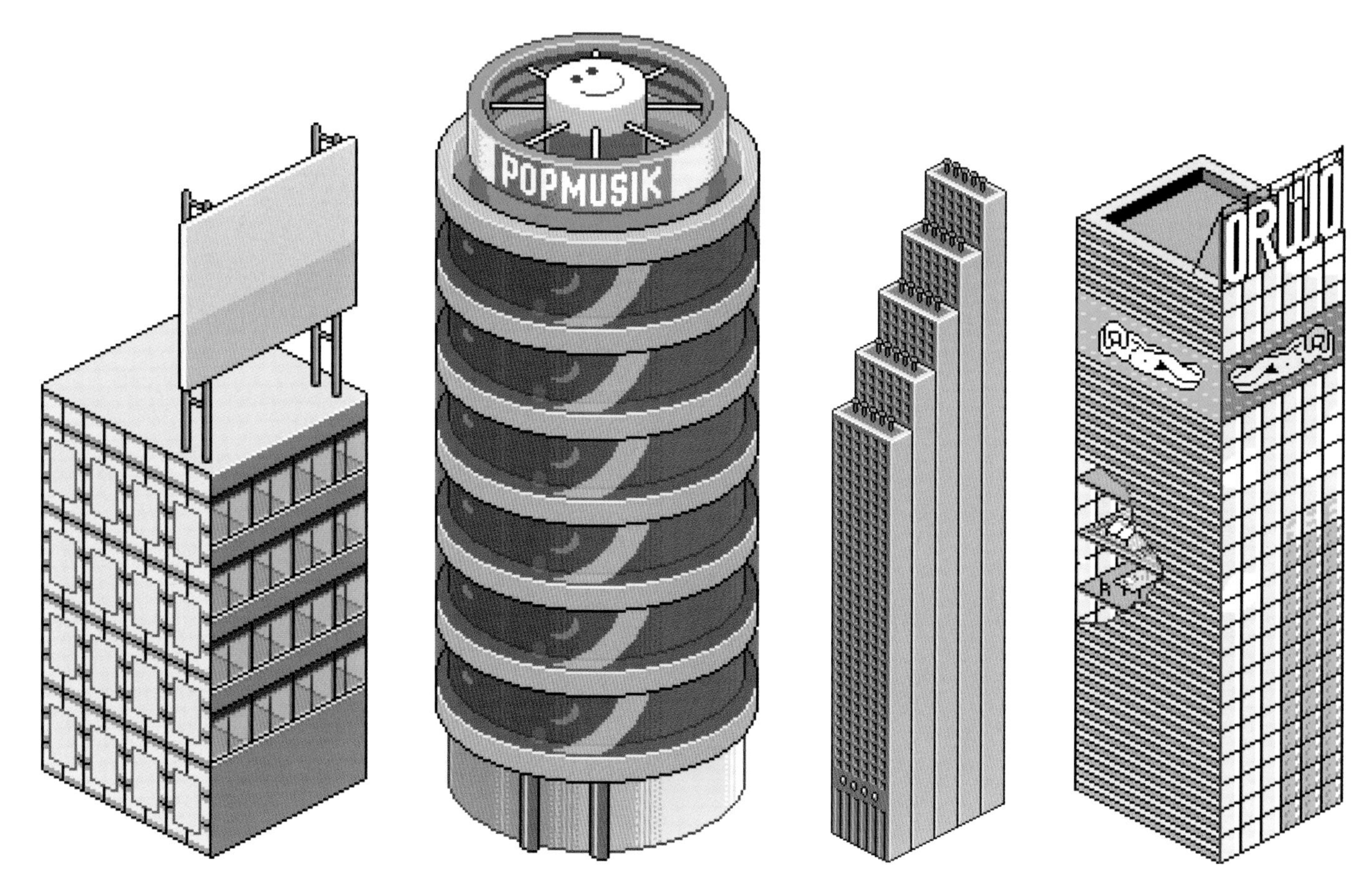

EC_buil_orange+ad_ass.tif EC_buil_smiley_ass.tif EC_buil_stairway_attenda.tif EC_buil_orwo_alex.tif

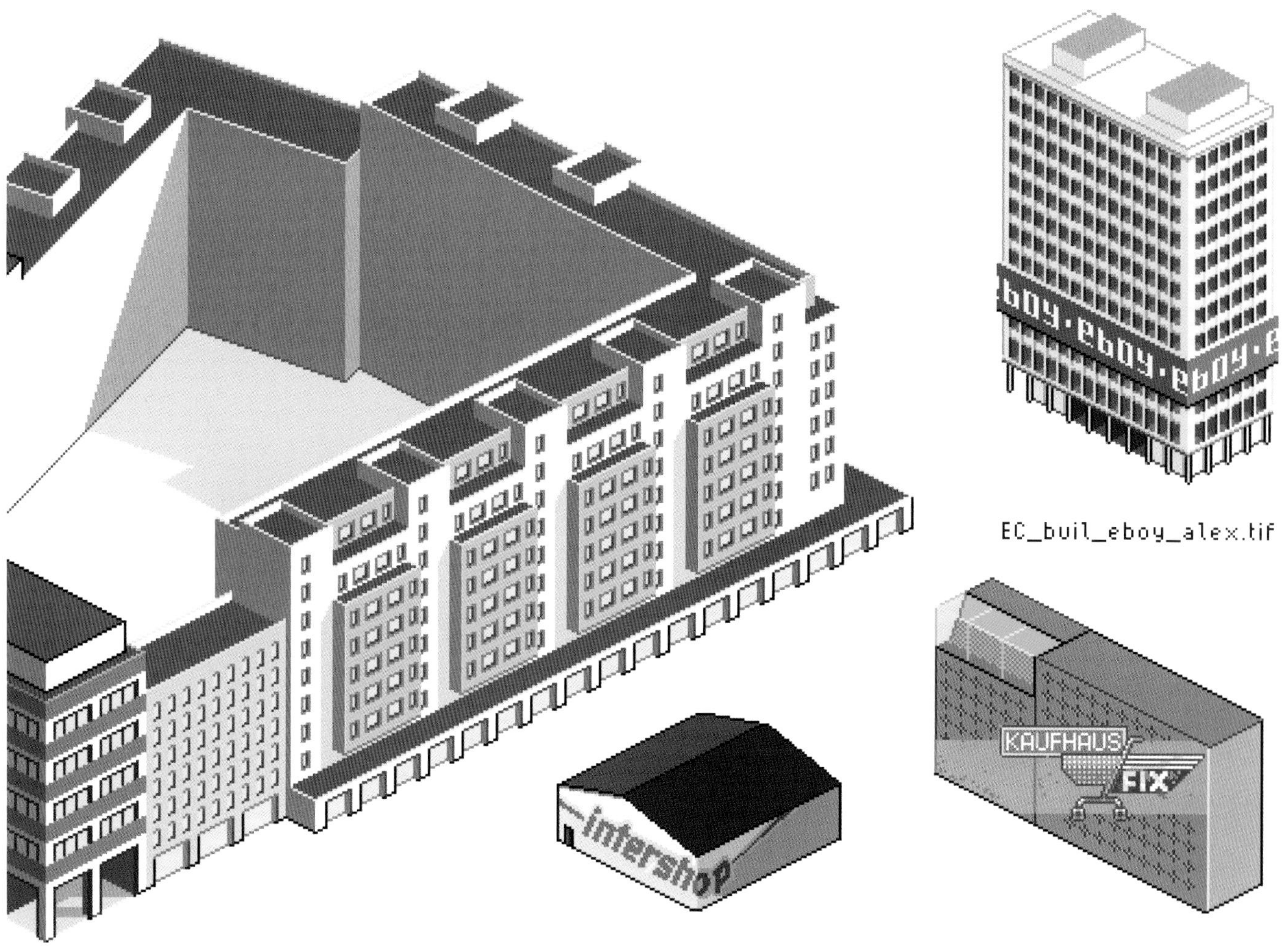

EC_buil_eboy_alex.tif

EC_buil_wohnblock_alex.tif EC_buil_intershop_alex.tif tEC_buil_kaufhausfix_alex.tif

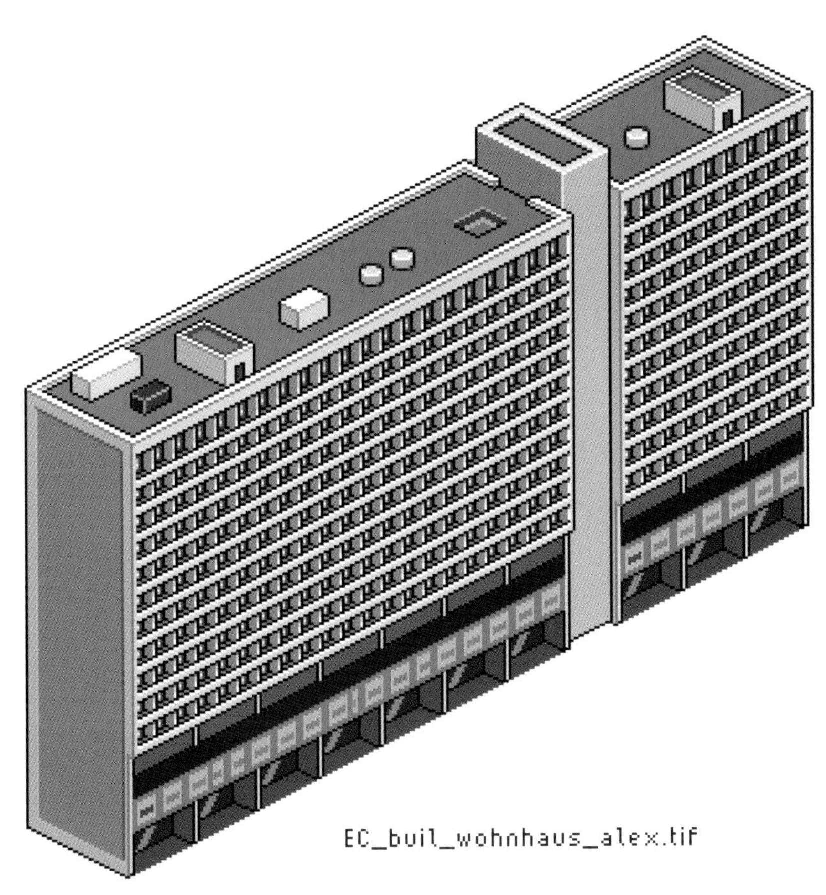

EC_buil_wohnhaus_alex.tif

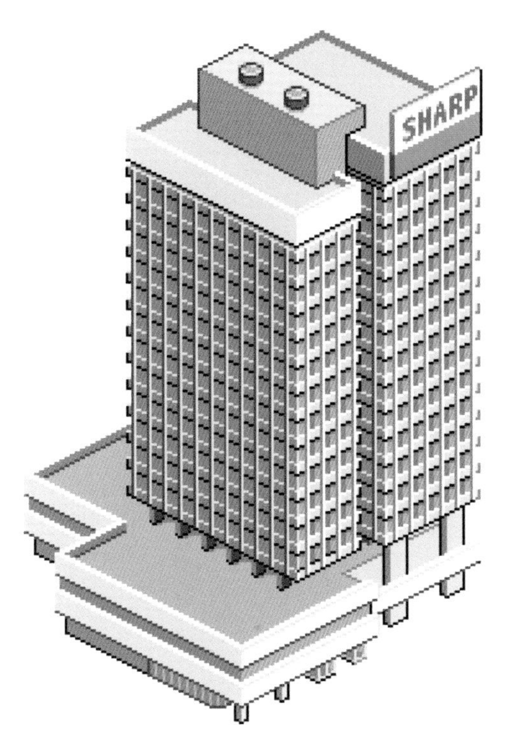

EC_buil_sharp_eboy.TIF

EC_buil_fanta_alex.tif

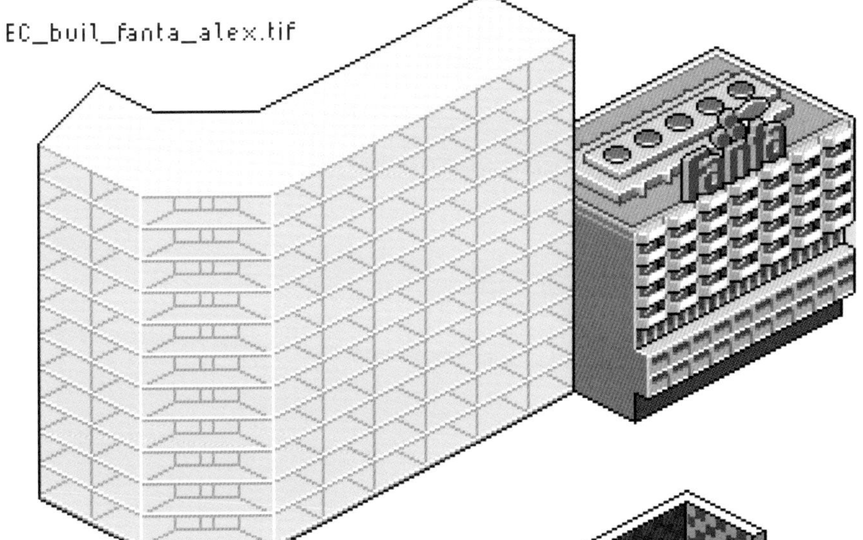

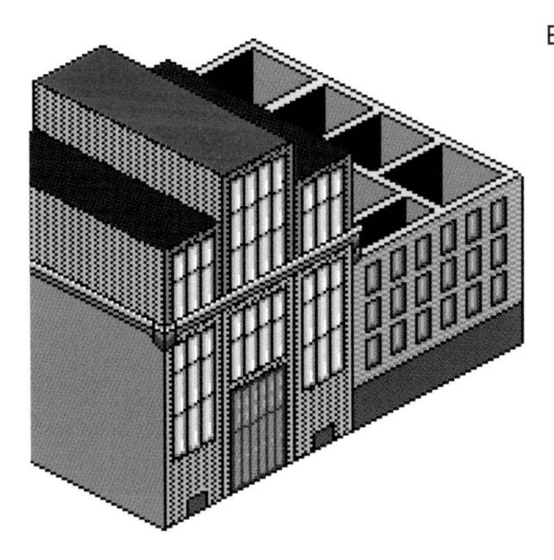

EC_buil_gericht_alex.tif

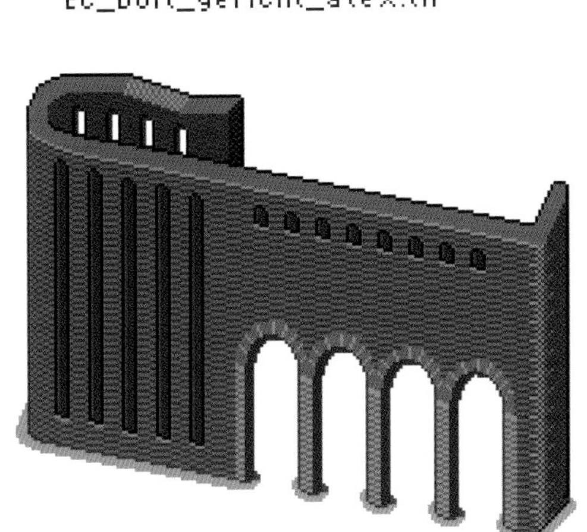

EC_buil_klosterruine_alex.tif

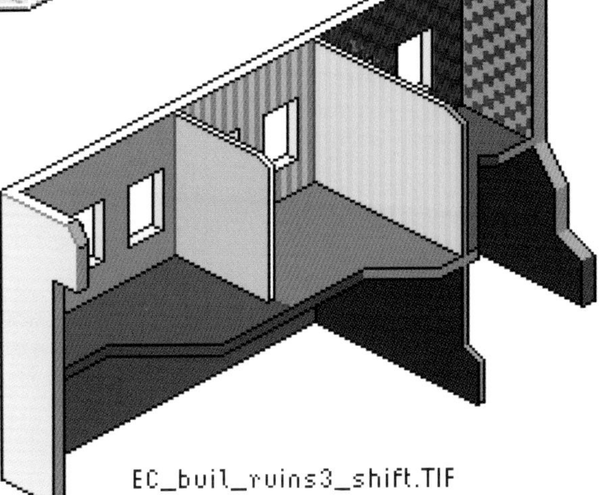

EC_buil_ruins3_shift.TIF

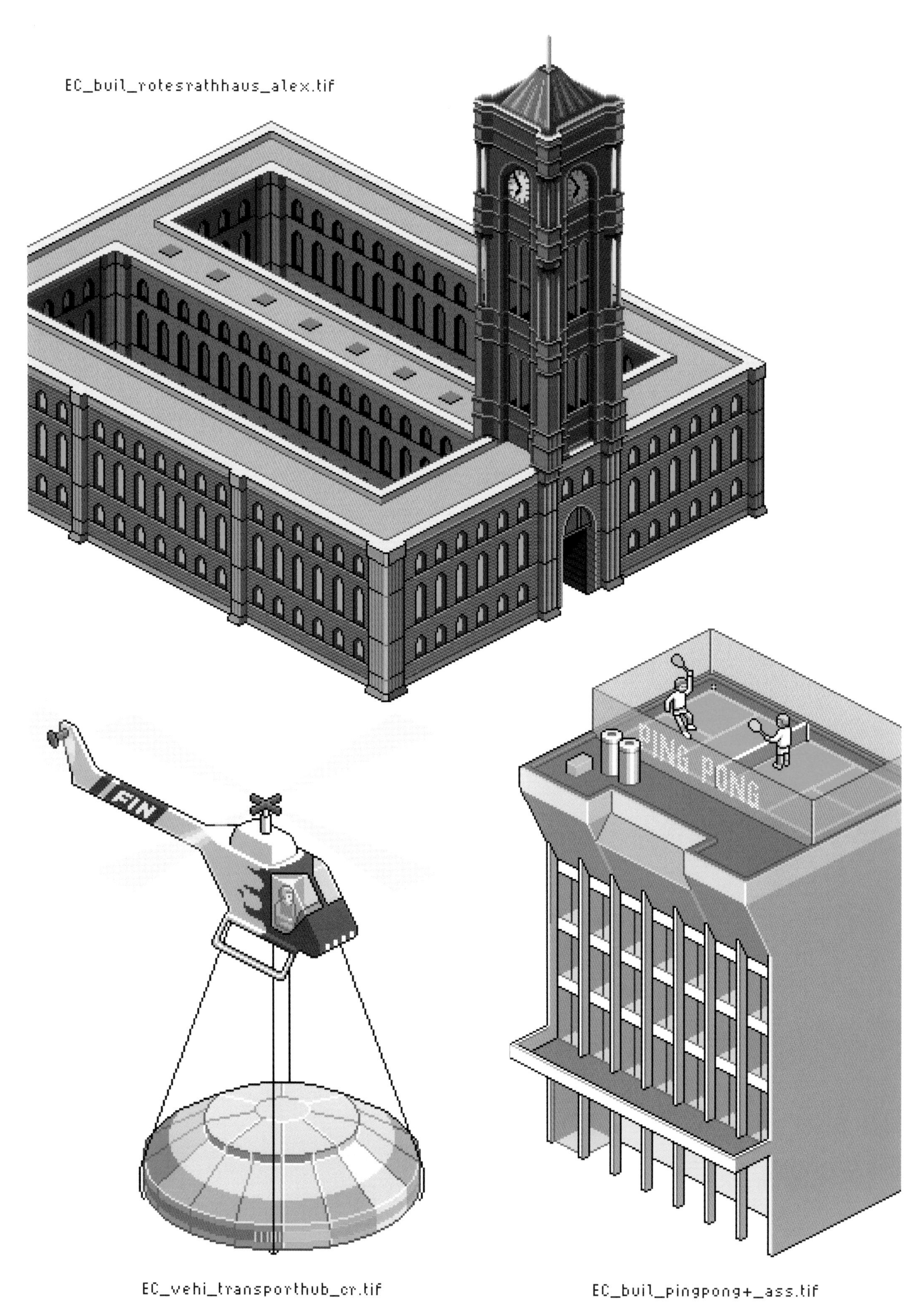

EC_buil_rotesrathhaus_alex.tif

EC_vehi_transporthub_cr.tif

EC_buil_pingpong+_ass.tif

EC_vehi_icelaster_ass.tif

EC_buil_kaufhof_alex.tif

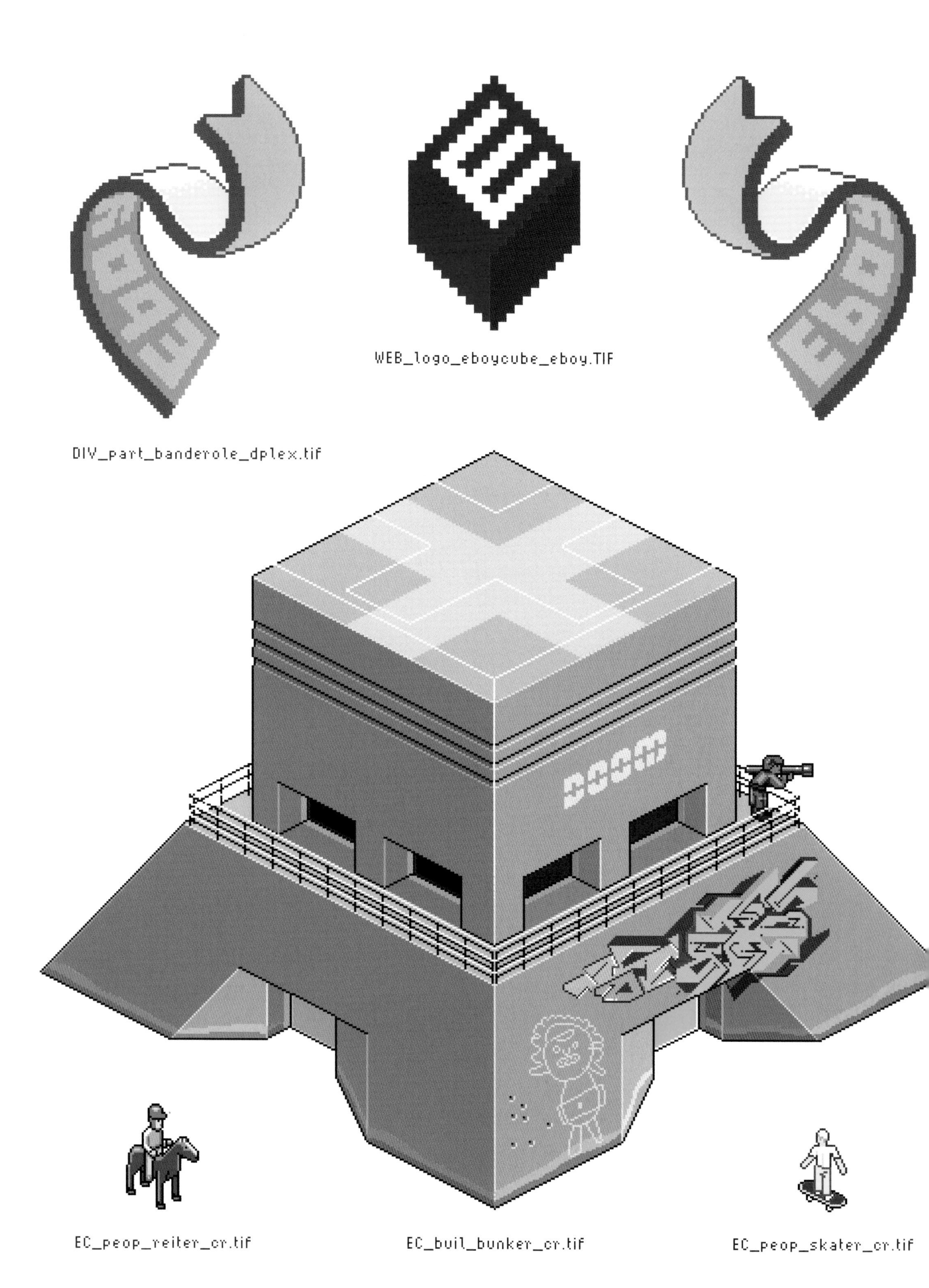

WEB_logo_eboycube_eboy.TIF

DIV_part_banderole_dplex.tif

EC_peop_reiter_cr.tif

EC_buil_bunker_cr.tif

EC_peop_skater_cr.tif

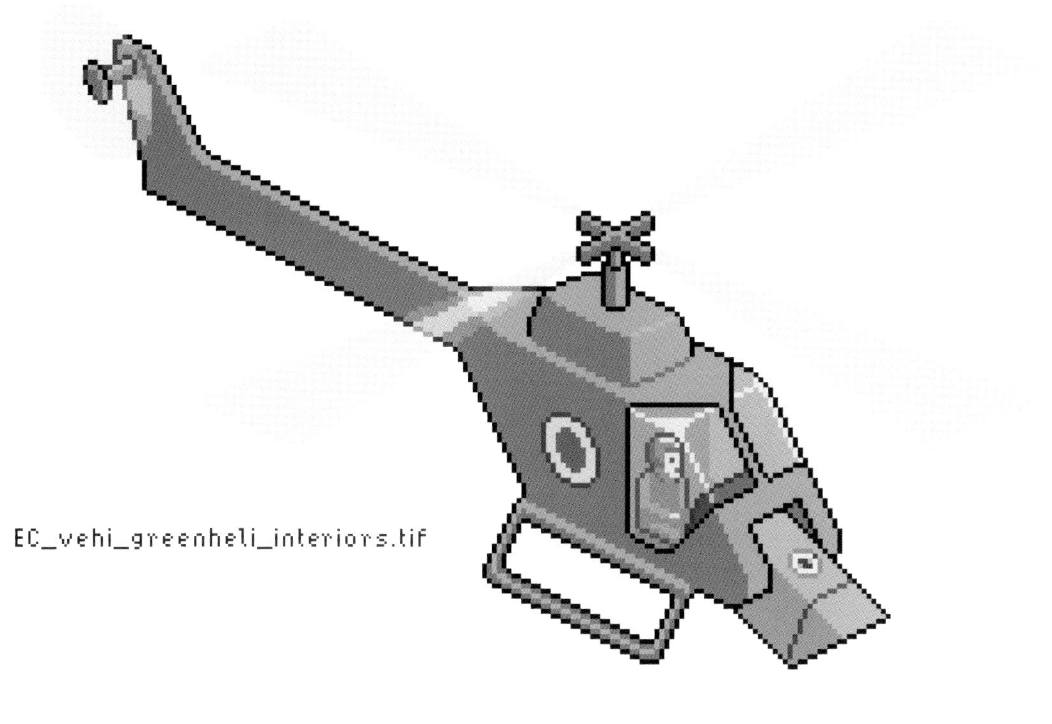

EC_vehi_greenheli_interiors.tif

EC_vehi_tank3_receiver.tif

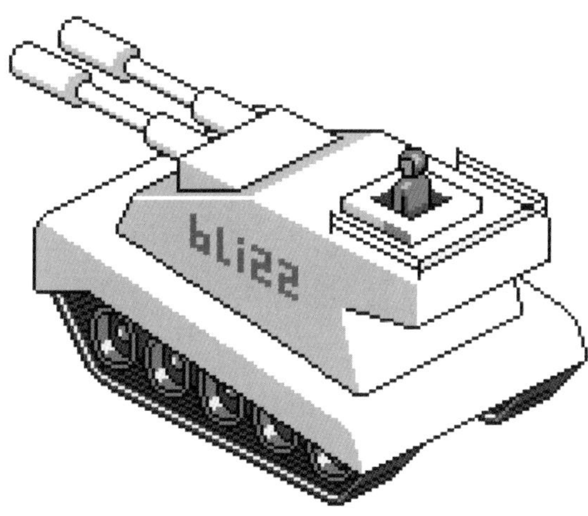

EC_vehi_tank4_receiver.tif

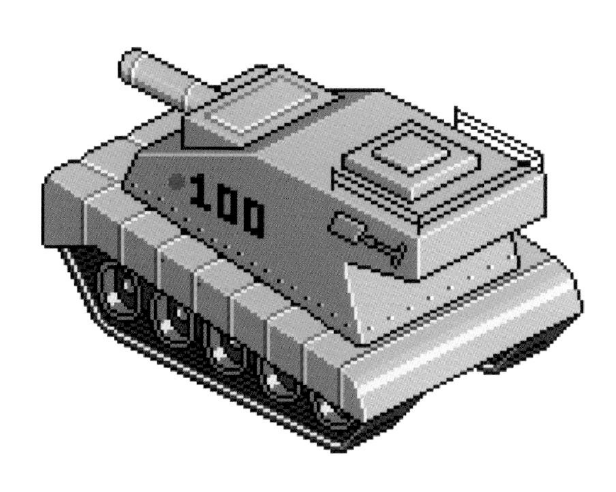

EC_vehi_tankgreen_cr.tif

EC_vehi_crtankcam_cr.tif

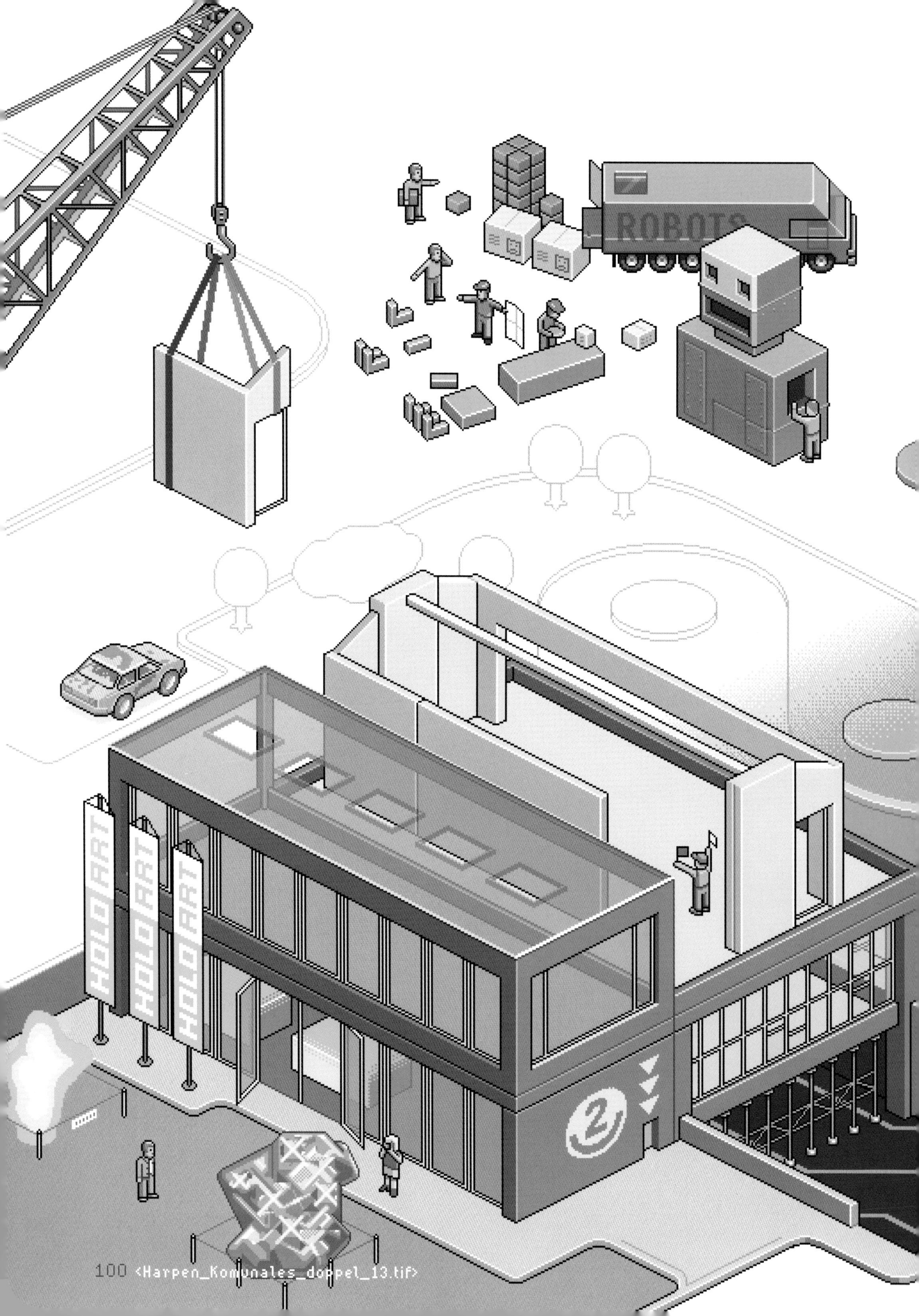

 <Harpen_Komunales_doppel_13.tif>

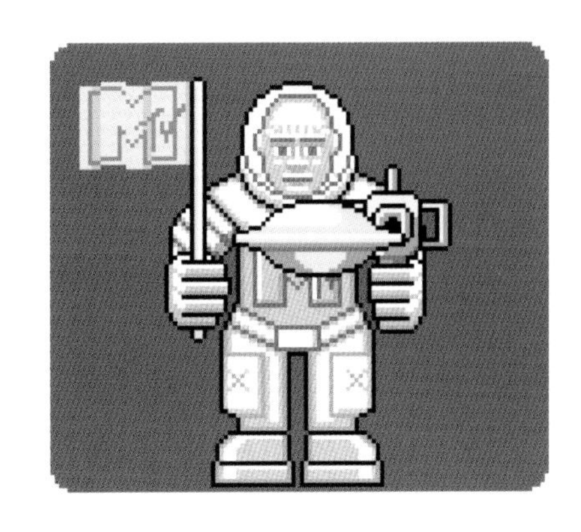

ANI_peop_astronaut45_mtv.TIF

ANI_peop_astronaut38_mtv.TIF

ANI_peop_astronaut69_mtv.TIF

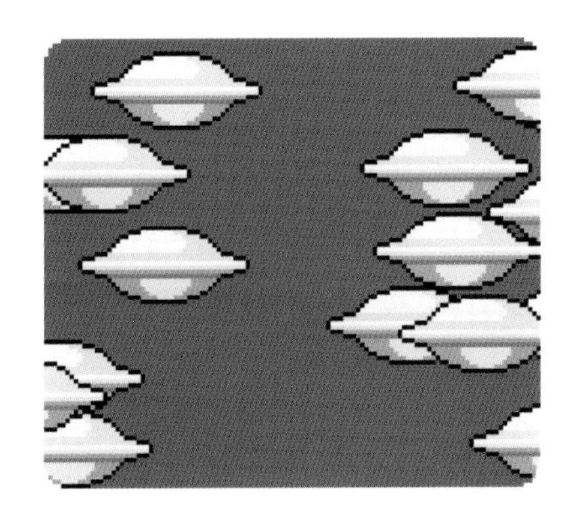

ANI_peop_astronaut77_mtv.TIF

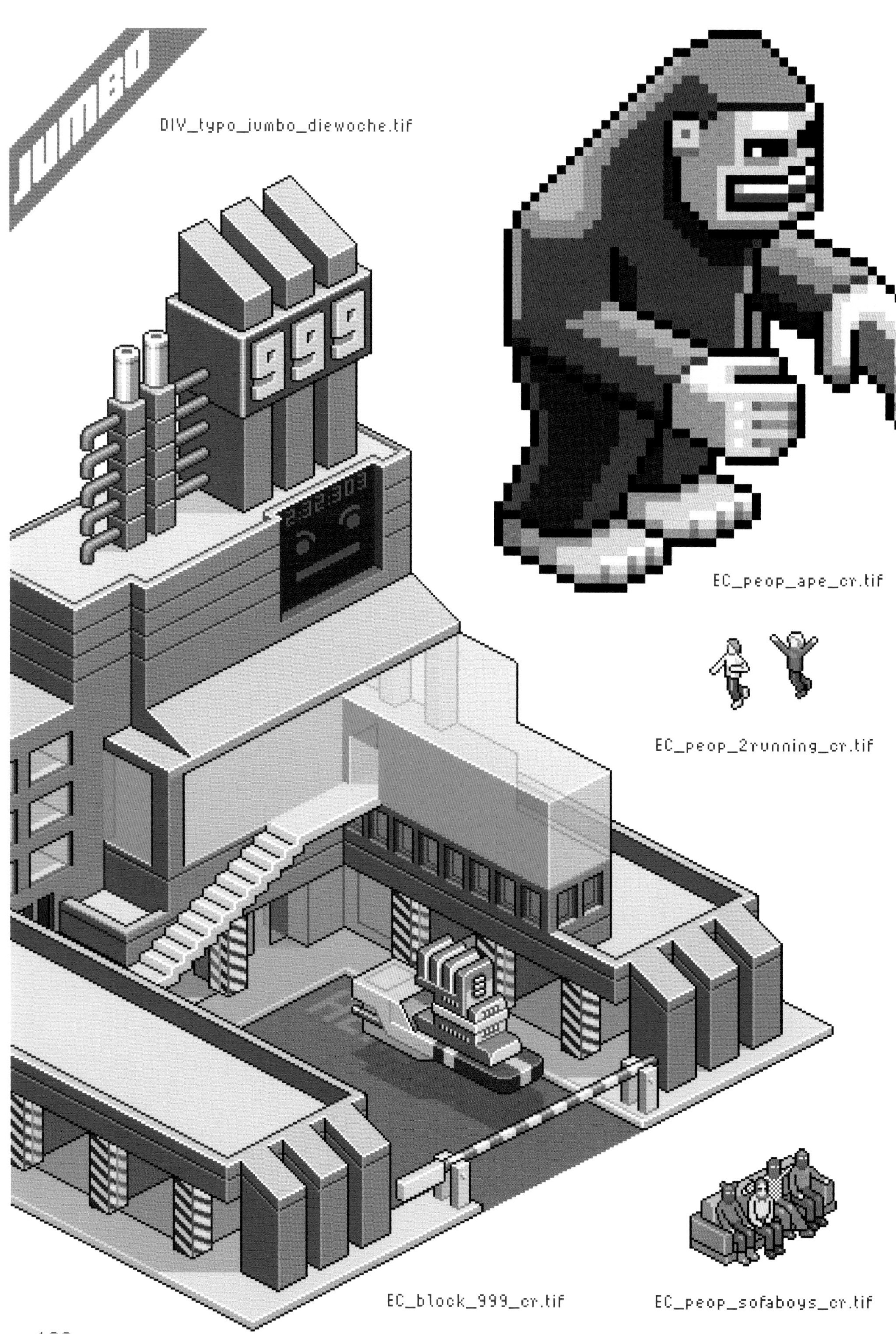

DIV_typo_jumbo_diewoche.tif

EC_peop_ape_cr.tif

EC_peop_2running_cr.tif

EC_block_999_cr.tif

EC_peop_sofaboys_cr.tif

DIV_peop_paar_samoa.tif
EC_peop_geiselnahme_cr.tif
PIMP2eps

EC_peop_2kissing_ass.tif

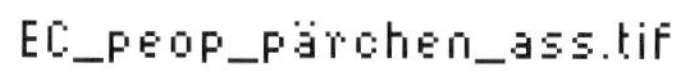
EC_peop_pärchen_ass.tif

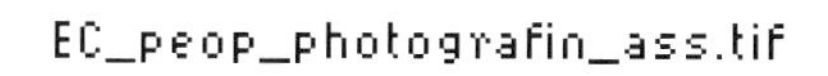
EC_peop_photografin_ass.tif

EC_peop_nutte_ass.tif

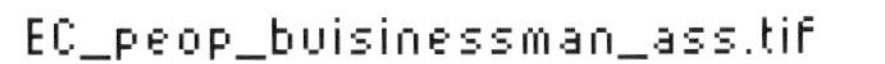

EC_peop_buisinessman_ass.tif

EC_peop_mitzeitung_ass.tif

EC_peop_paar_ass.tif

EC_peop_winkender_ass.tif

EC_peop_3_ass.tif

EC_peop_demo_cr.tif

EC_part_fensterputzer_ass.tif

EC_peop_handyman_ass.tif

EC_peop_handymanorange_ass.tif

DIV_part_iloveny_free.tif

EC_zoom_display_diewoch.tif

DIV_face_05_iturf.tif

DIV_face_02.3_iturf.tif

DIV_face_05.1_iturf.tif

DIV_face_16.1_iturf.tif

DIV_face_03.2_iturf.tif

DIV_face_06.1_iturf.tif

DIV_face_06_iturf.tif

DIV_face_11_iturf.tif

DIV_face_09.2_iturf.tif

DIV_face_07_iturf.tif

DIV_face_04.2_iturf.tif

DIV_face_10.1_scull_iturf.tif

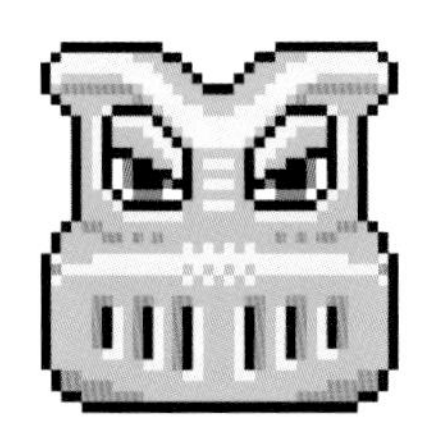

DIV_face_13_iturf.tif

DIV_face_malehappy_iturf.tif

DIV_face_14.1_iturf.tif

DIV_face_16.2_iturf.tif

DIV_face_20.1_iturf.tif

DIV_face_20_iturf.tif

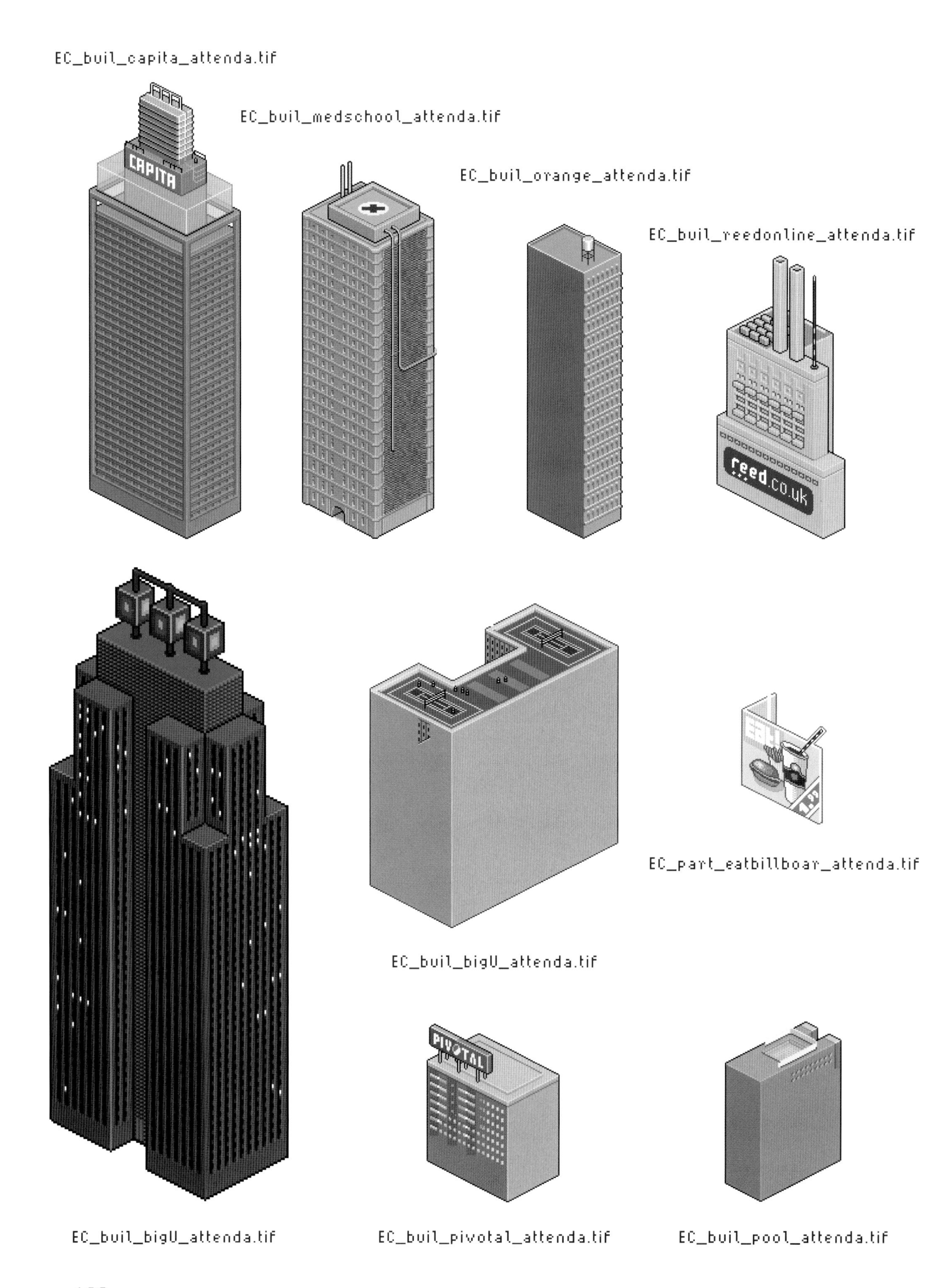
EC_buil_capita_attenda.tif
CAPITA
EC_buil_medschool_attenda.tif
EC_buil_orange_attenda.tif
EC_buil_reedonline_attenda.tif
reed.co.uk
EC_part_eatbillboar_attenda.tif
EC_buil_bigU_attenda.tif
PIVOTAL
EC_buil_bigU_attenda.tif
EC_buil_pivotal_attenda.tif
EC_buil_pool_attenda.tif

WEMBLEY
EC_buil_pool_attenda.tif
SPACE
TO LET
nana Boden eps 1
EC_part_spacetolet_attenda.tif
EC_buil_dirtyold_attenda.tif

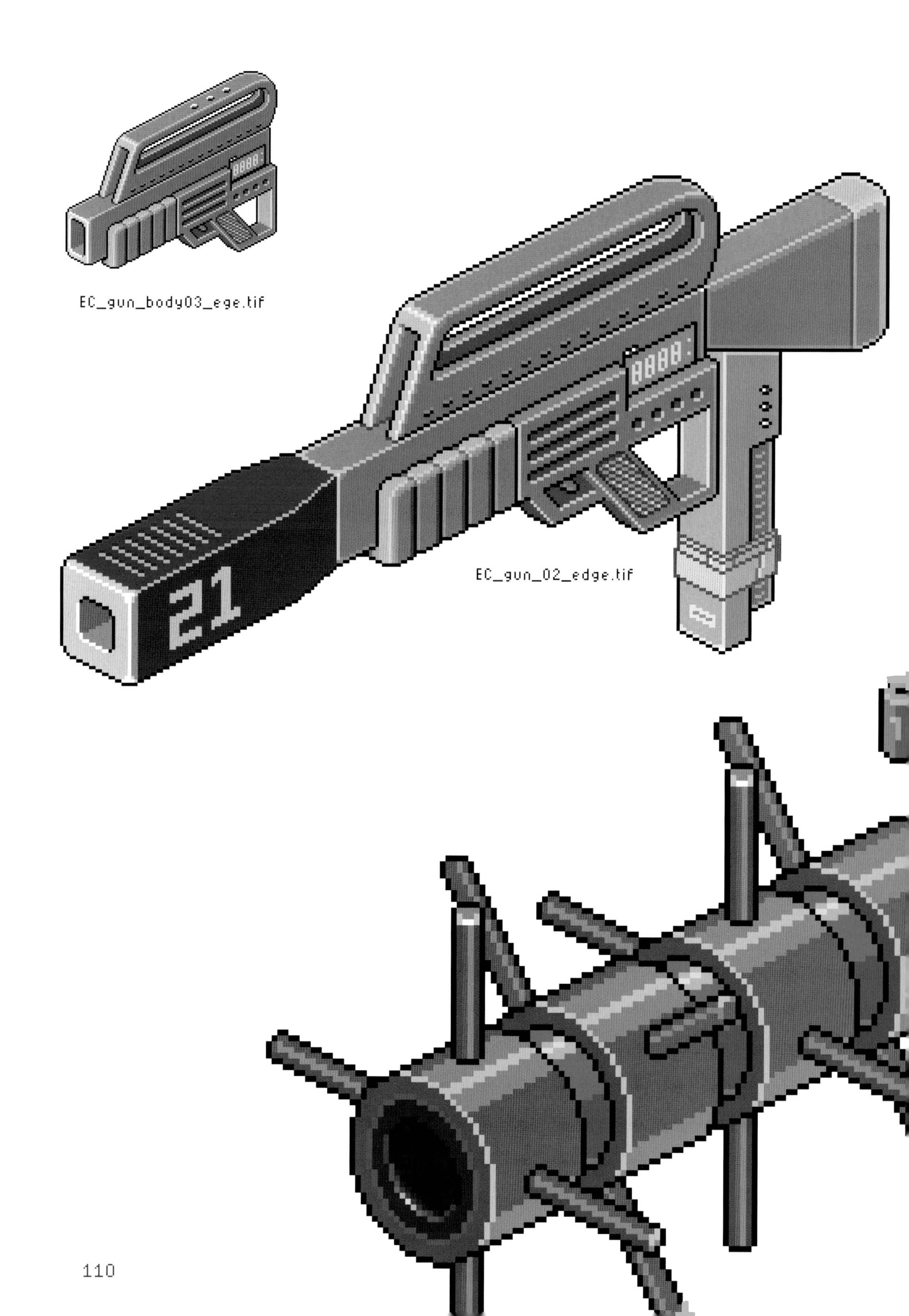

EC_gun_body03_ege.tif

EC_gun_02_edge.tif

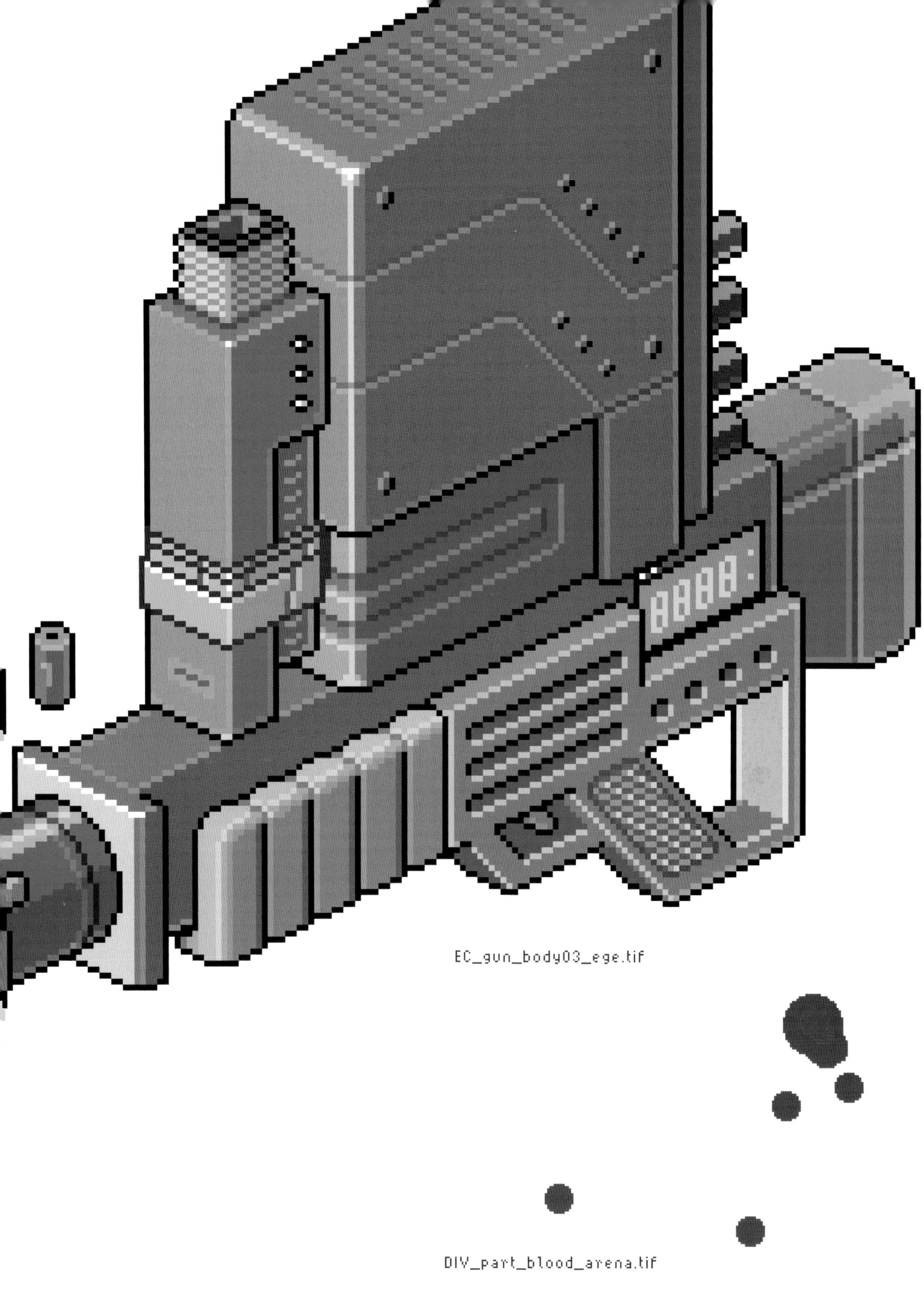

EC_gun_body03_ege.tif

DIV_part_blood_arena.tif

100% QUALITY CLOTHING
allright reserved 2001 eboy
FREE: Expression 2 LE • Airbrush in Photoshop • Design for Web TV
computer arts
Britain's biggest-selling creat
PIXELART
Icons, illos & the Web: all angles exposed
computer arts interactive
FREE! Full product
Expression 2 LE
IconBuilder Pro 3
Major new demos
IdN
INTERNET GAME PLAN
MAJOR FEATURE ON THE FUTURE OF COMPUTER GAMES
With input from ACNE International / Funny Garbage /
MOVE Design / Digit / Akimbo Design / Subnet New Me
FRESH: What will designers need to equip themselves for this mill
We talk to Imaginary Forces, The Attik, John Maeda and Donald
HOLLYWOOD HITS: Focus on filmland's favourite digital-production house, CFC, and an exclusive interview with yU+co
BONUS: "TOMATO THREE"
the Stranger
FAT MEN DIAPER
P. 17
R.I.P. SEATTLE
OUR DEATH-OBSESSED HALLOWEEN ISSUE!
NEWS
MUSIC
FILM

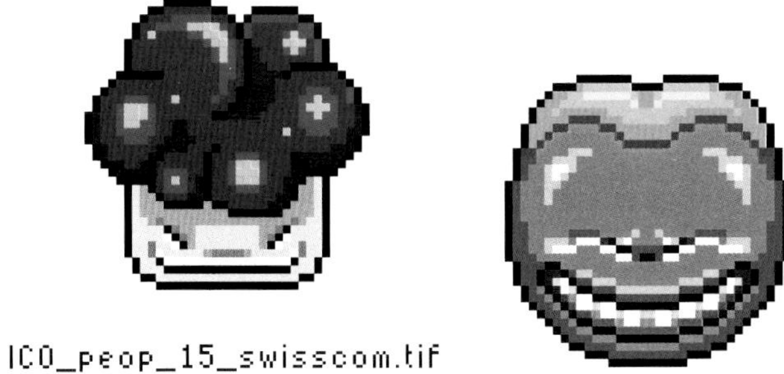

ICO_peop_15_swisscom.tif

ICO_peop_16_swisscom.tif

ICO_peop_17_swisscom.tif

ICO_peop_19_swisscom.tif

ICO_peop_02_swisscom.tif

ICO_peop_03_swisscom.tif

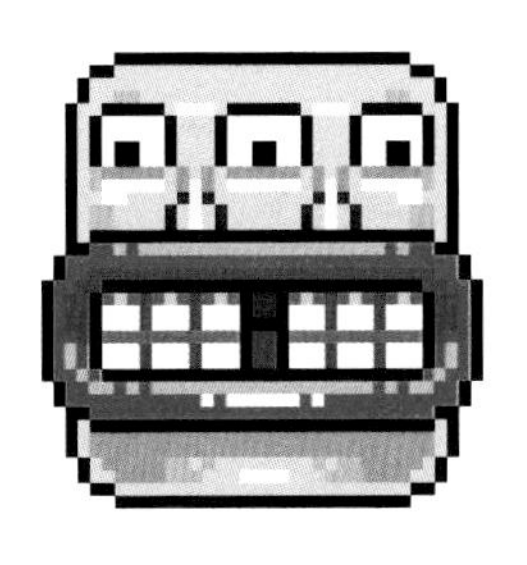

ICO_peop_04_swisscom.tif

ICO_peop_05_swisscom.tif

ICO_peop_21_swisscom.tif

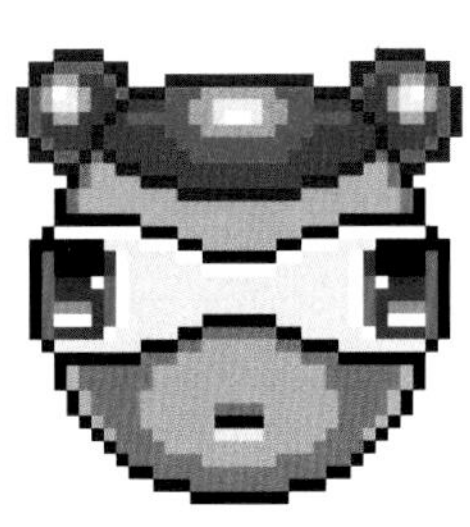

ICO_peop_06_swisscom.tif

ICO_peop_08_swisscom.tif

ICO_peop_07_swisscom.tif

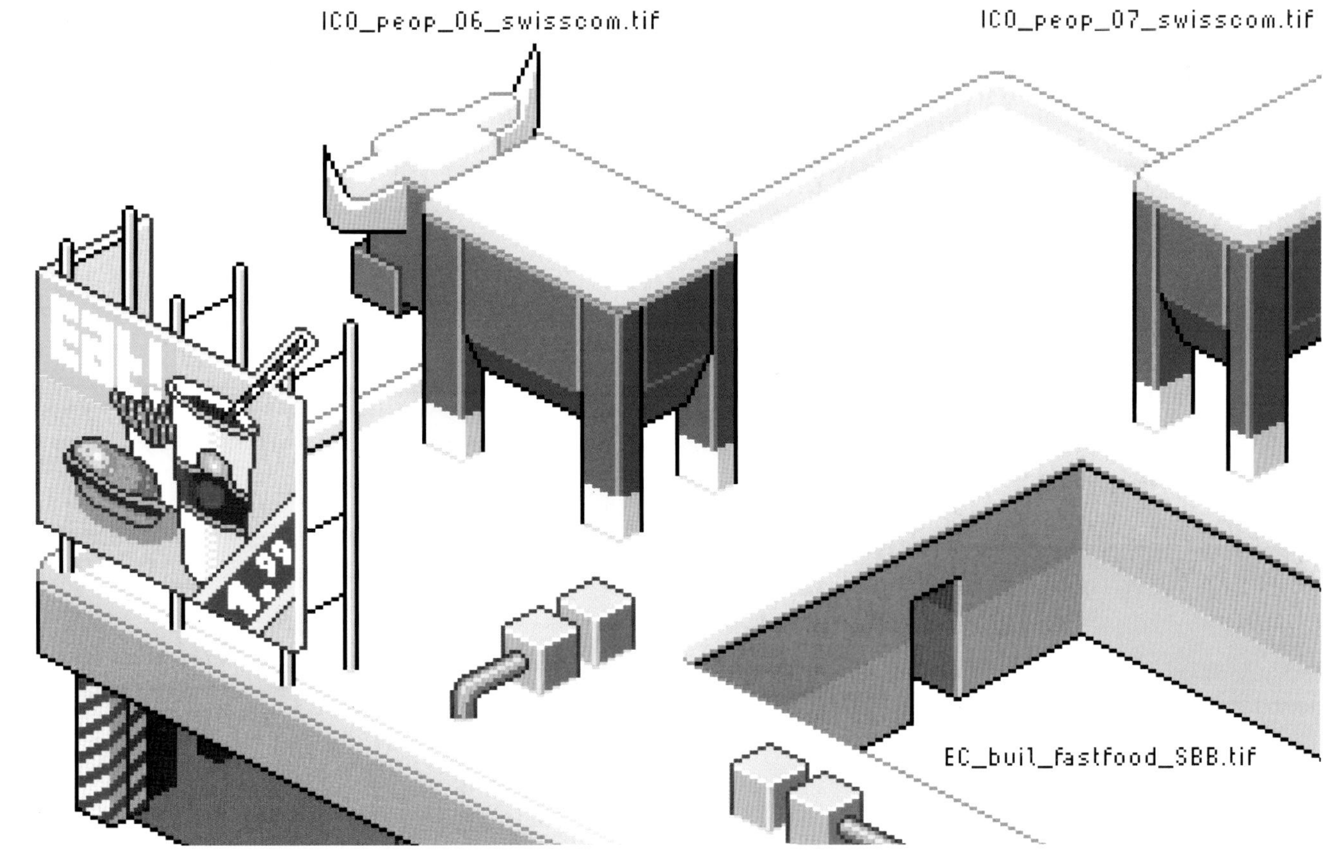

EC_buil_fastfood_SBB.tif

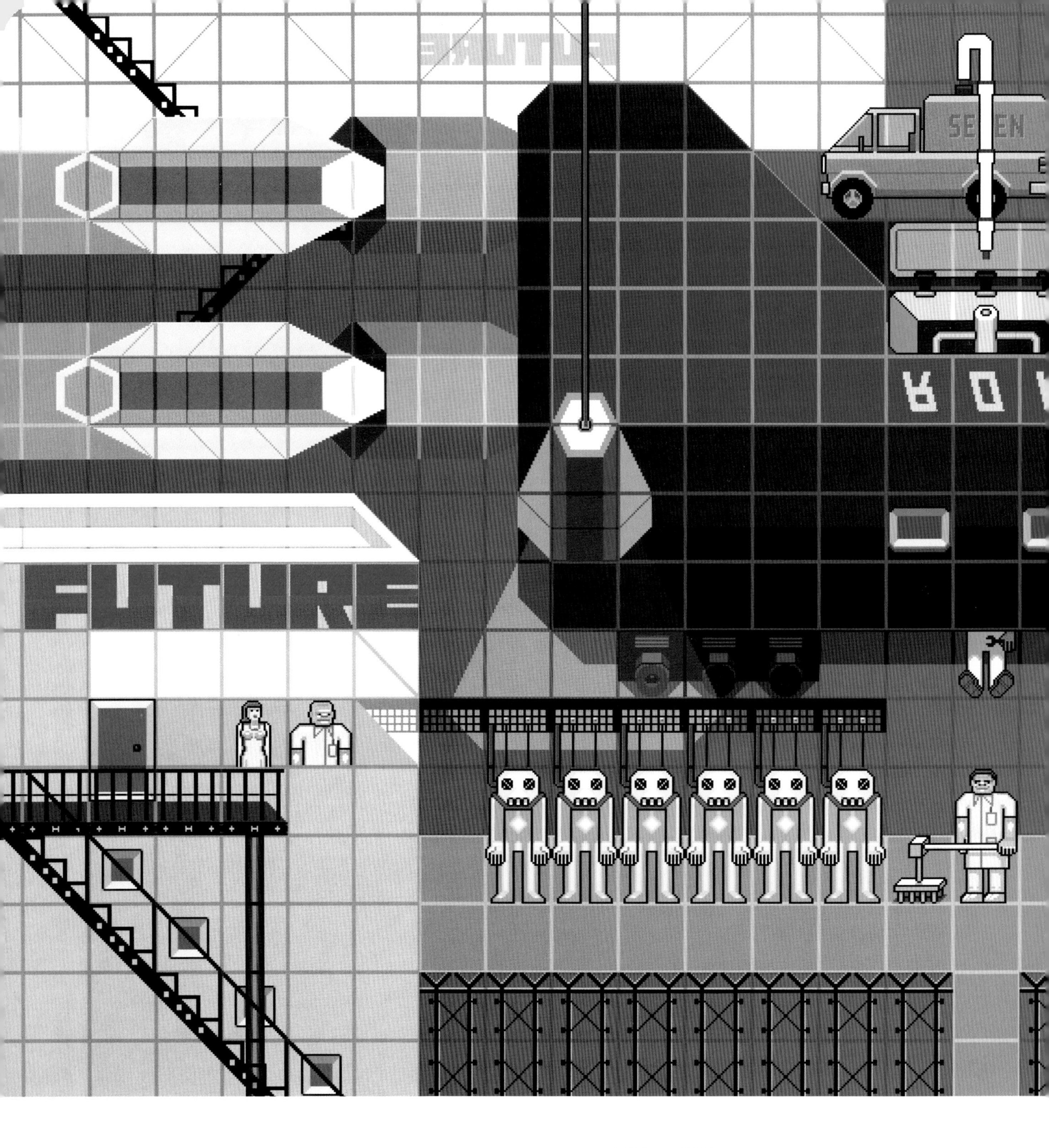

ICO_peop_18_swisscom.tif

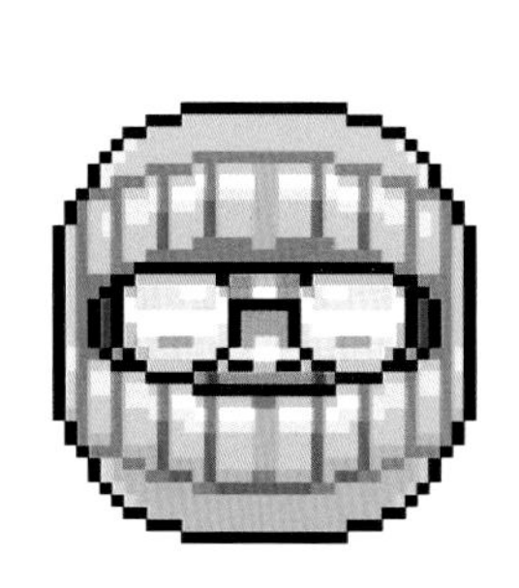

ICO_peop_09_swisscom.tif

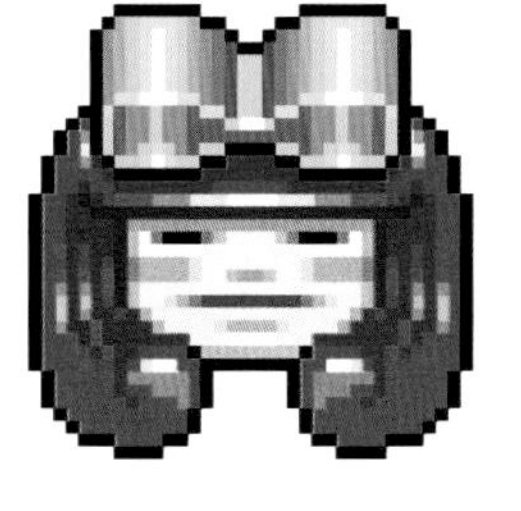

ICO_peop_20_swisscom.tif

ICO_peop_01_swisscom.tif

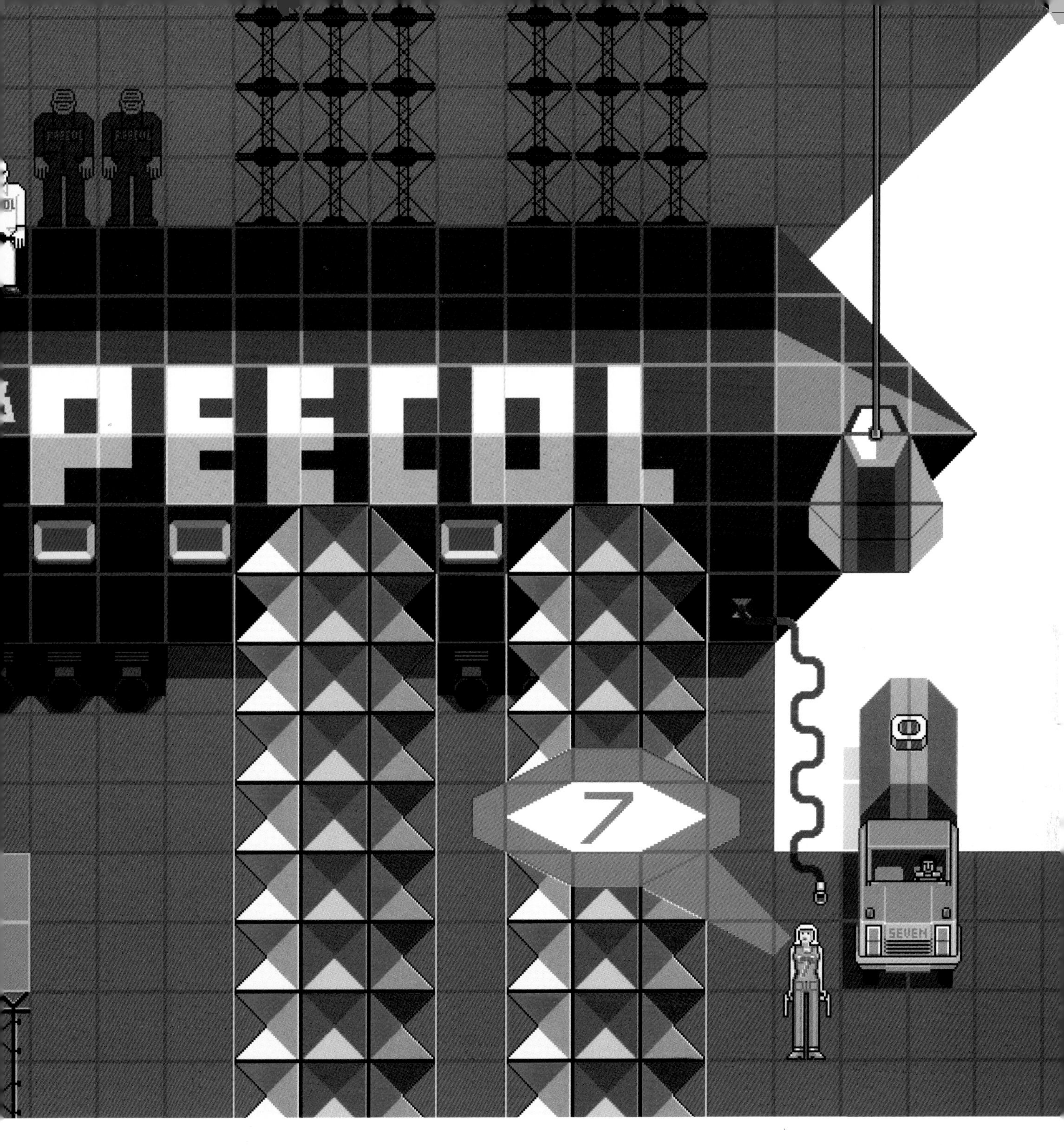

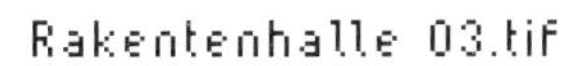
Rakentenhalle 03.tif

ICO_peop_10_swisscom.tif

ICO_peop_12_swisscom.tif

ICO_peop_13_swisscom.tif

ICO_peop_14_swisscom.tif

 WARREN_merryxmas.tif

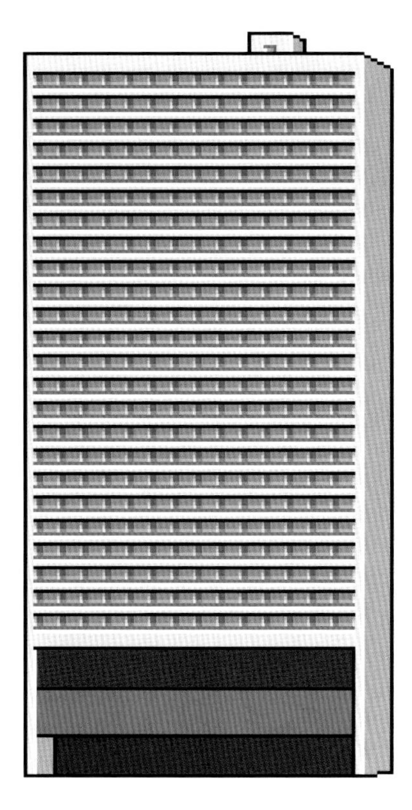

ECV_buil_alex_vp_attenda.tif

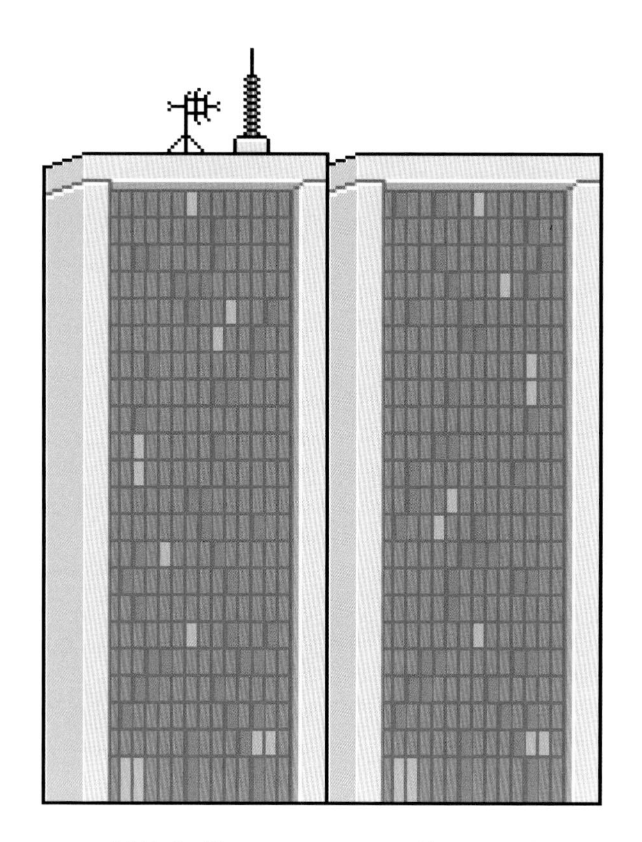

ECV_buil_greeny_vp_attenda.tif

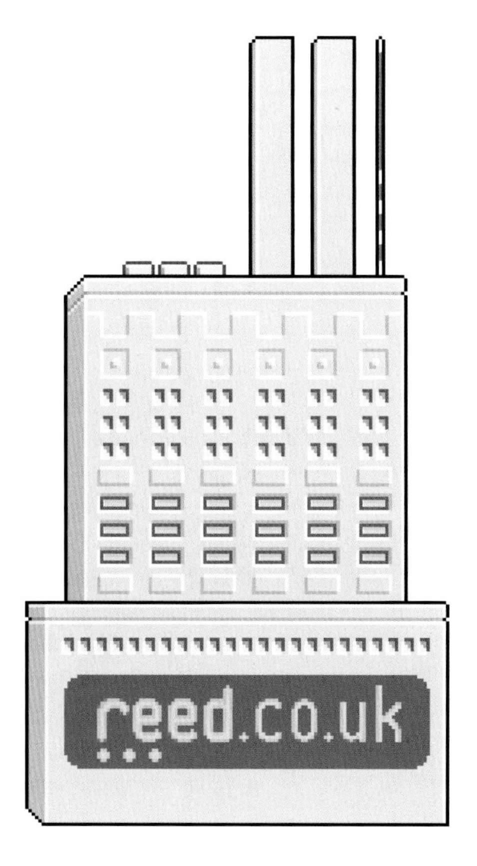

ECV_buil_reedo_vp_attenda.tif

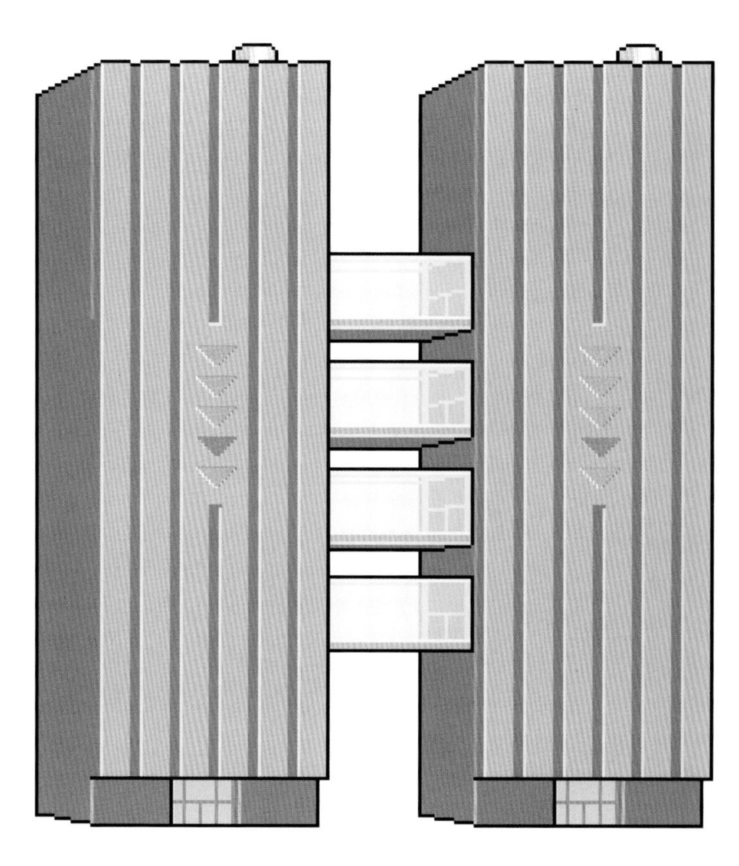

ECV_buil_153_vp_attenda.tif

DIV_logo_hion2_eboy.TIF

ECV_part_skyline_sportlife.TIF

DIV_typo_go_diesel.tif

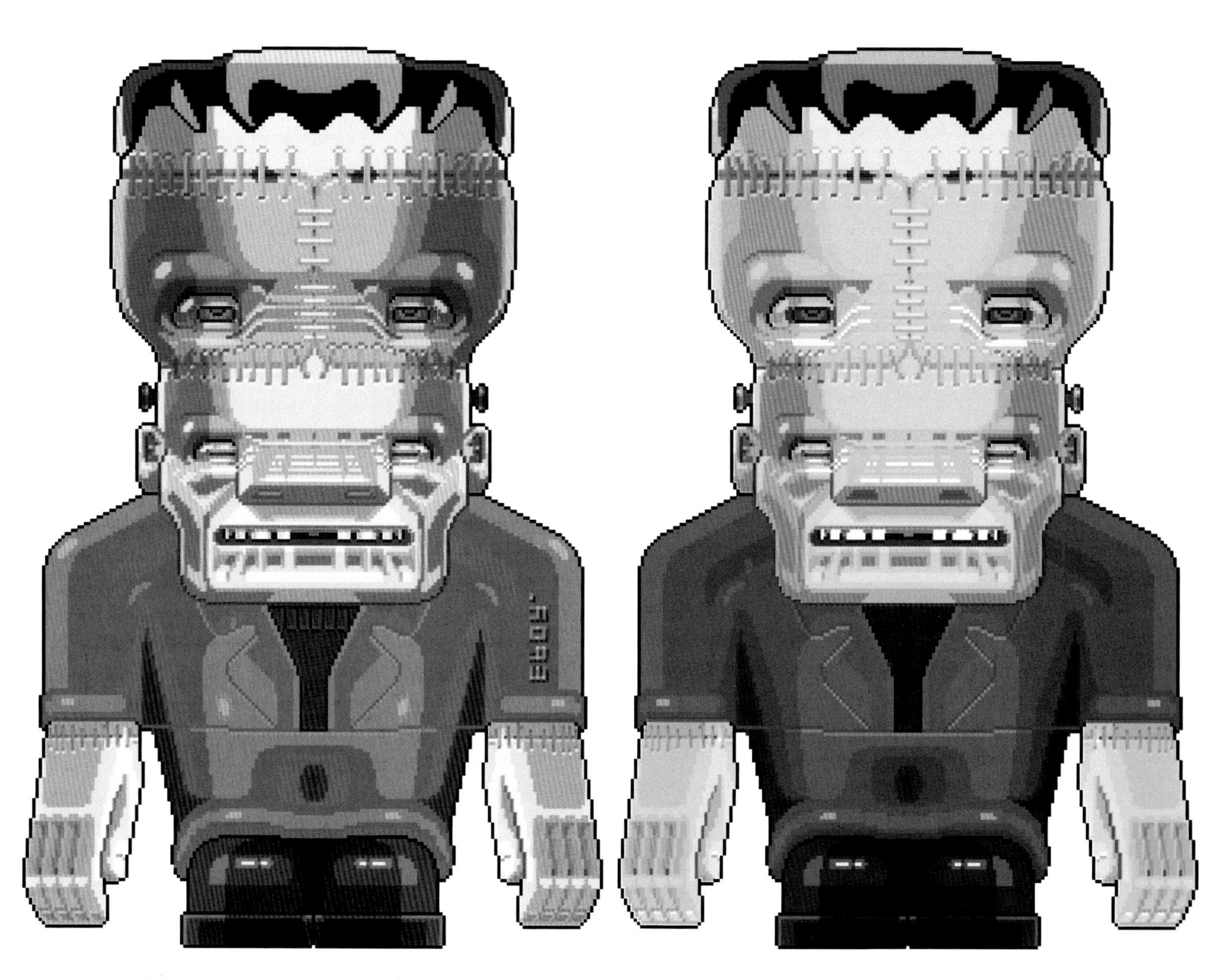

DIV_peop_frankenst_stranger.tif

DIV_peop_frankens2_stranger.tif

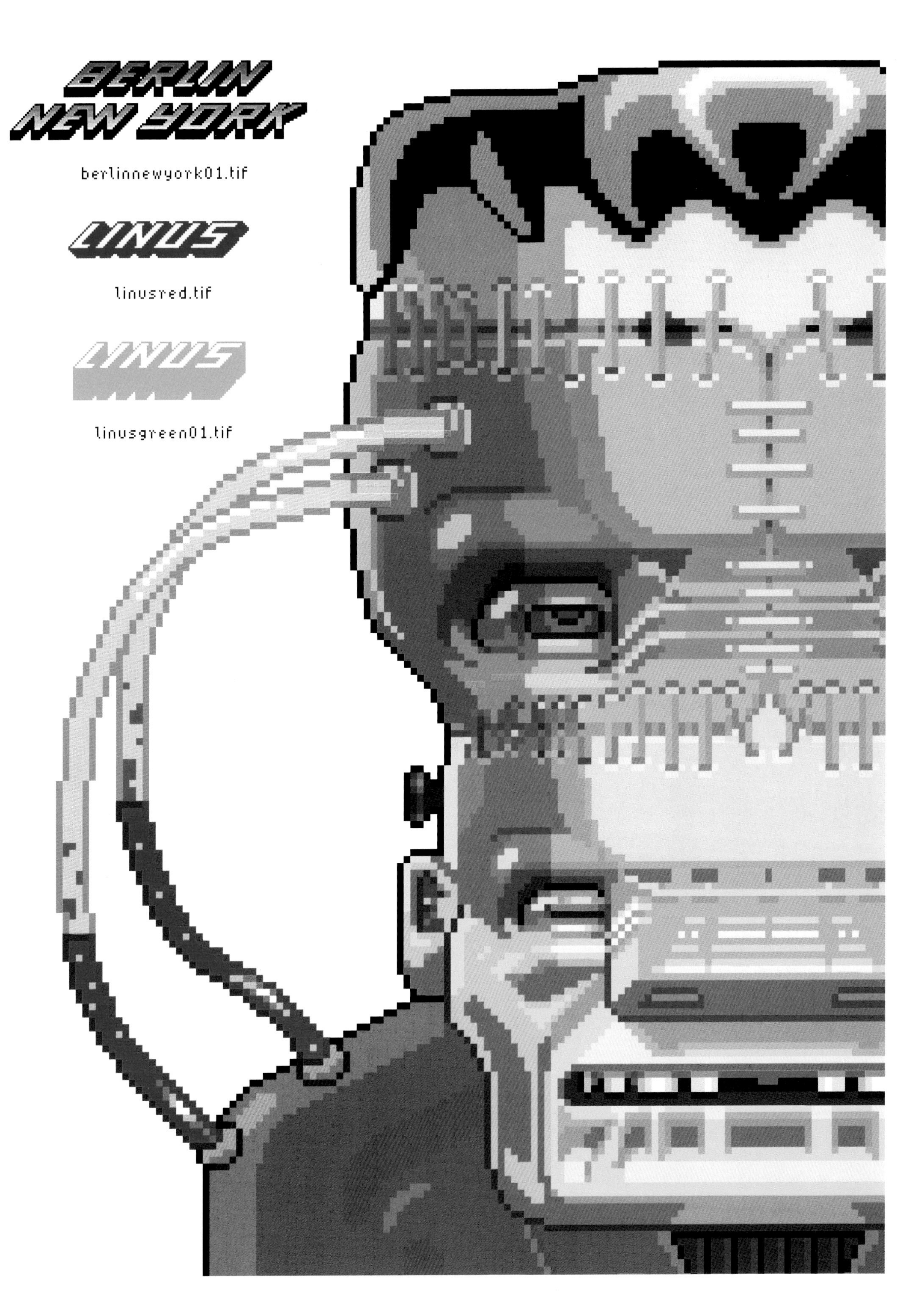

berlinnewyork01.tif

linusred.tif

linusgreen01.tif

frankenstein28_260_dpi.tif

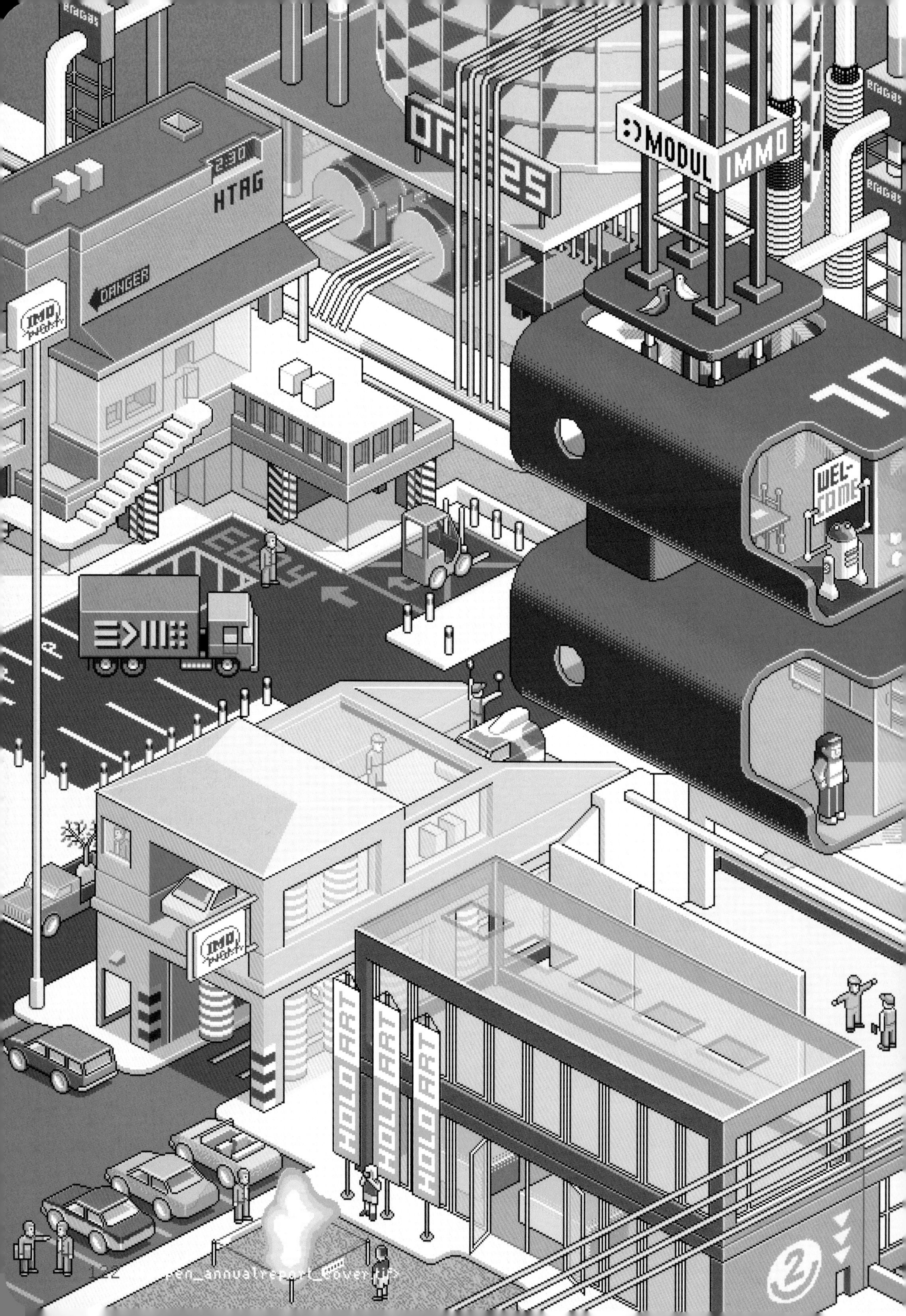

en_annualreport_cover.tif>

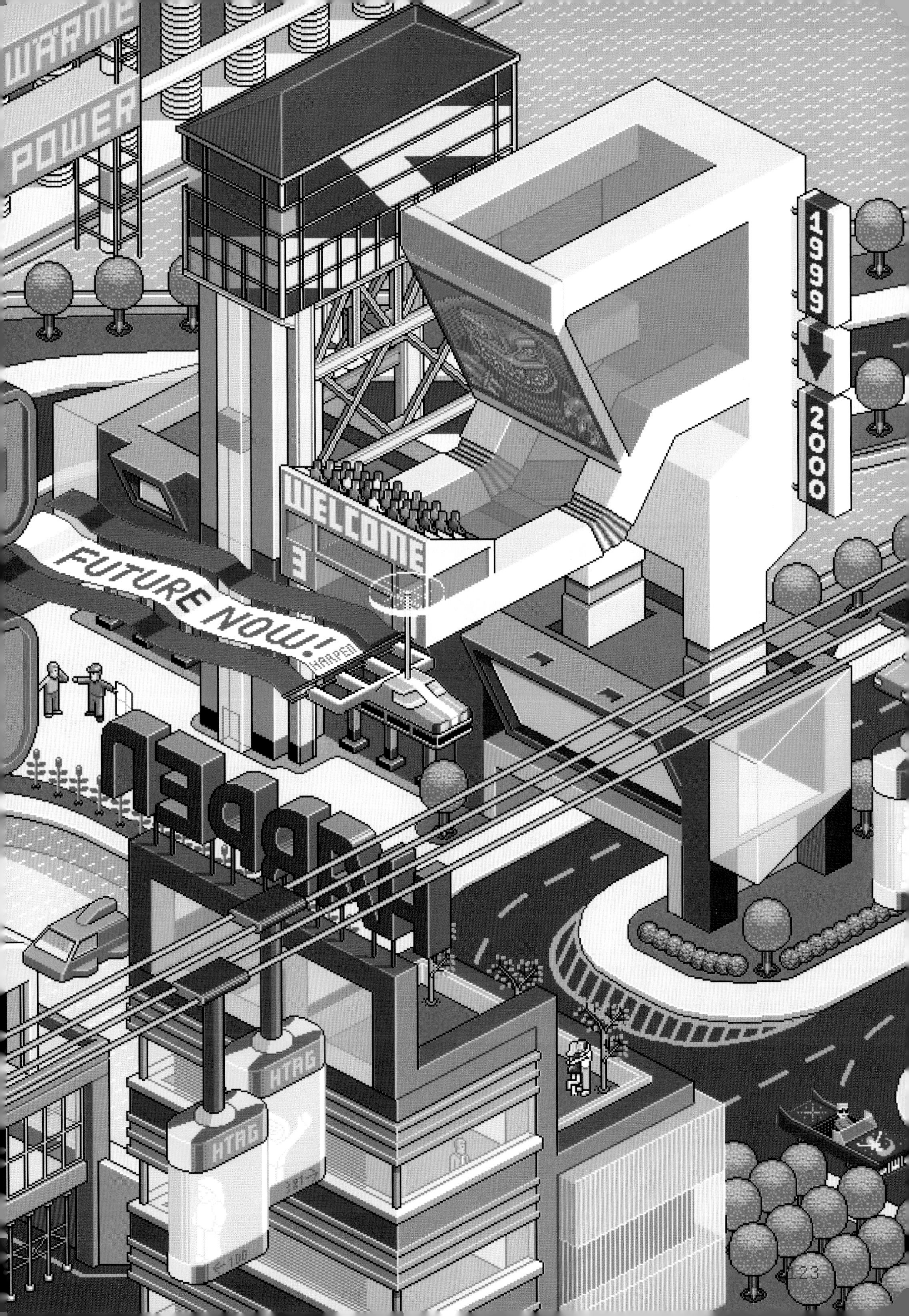
WÄRME
POWER
1999
2000
WELCOME
FUTURE NOW!
HARPEN
HTAG

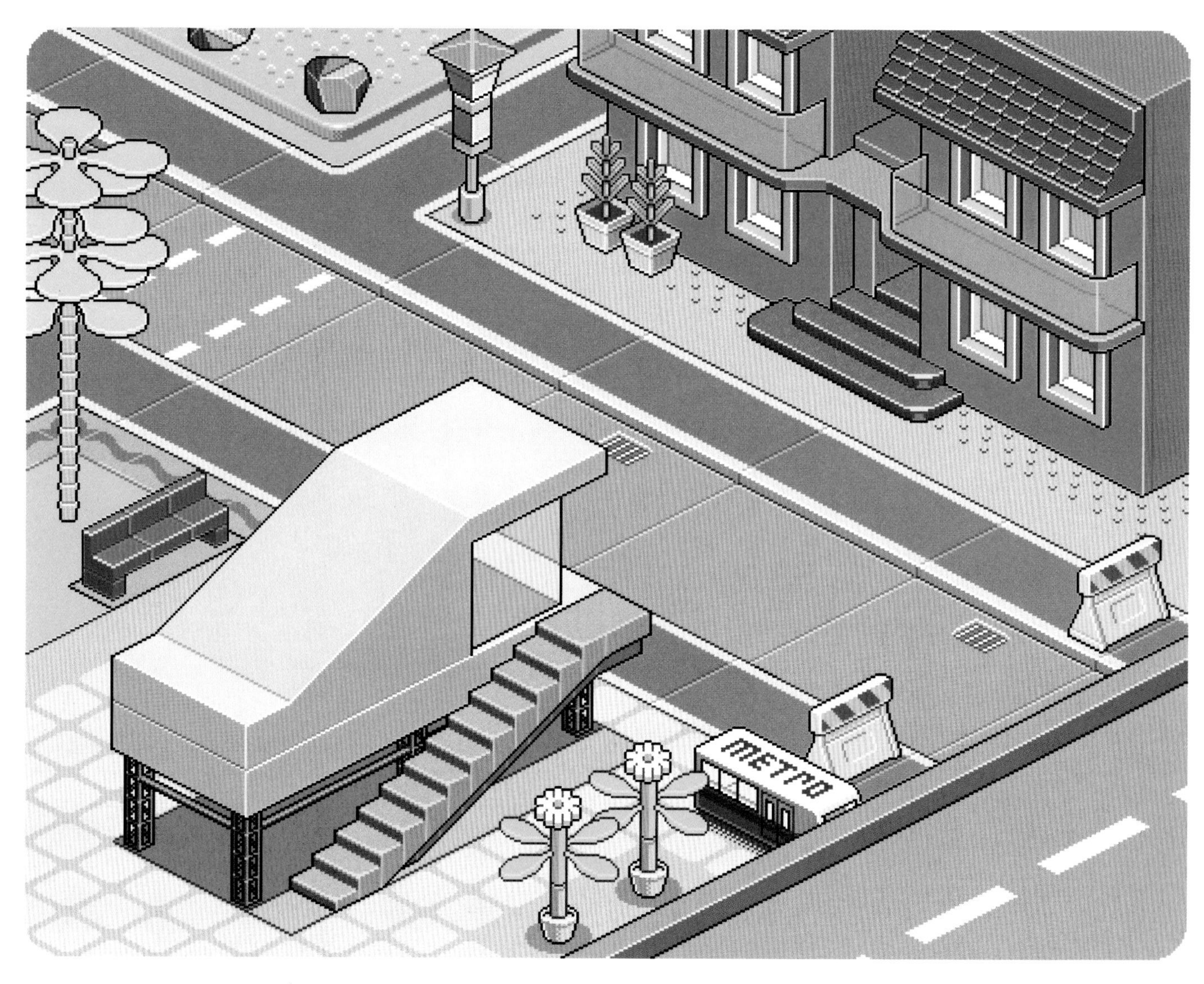

Stadtteil_B3_t07.tif

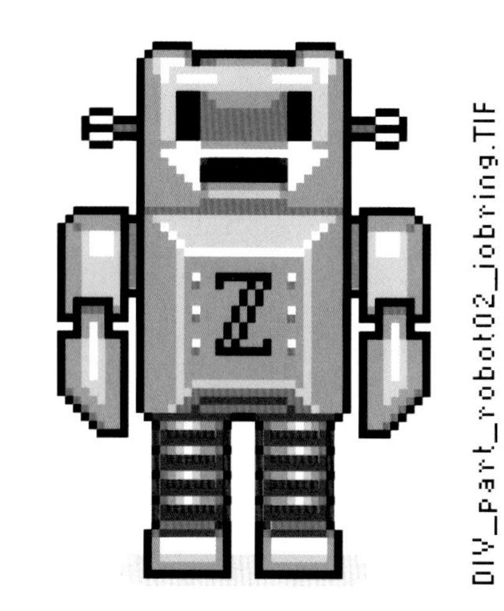

DIV_part_robot02_jobring.TIF

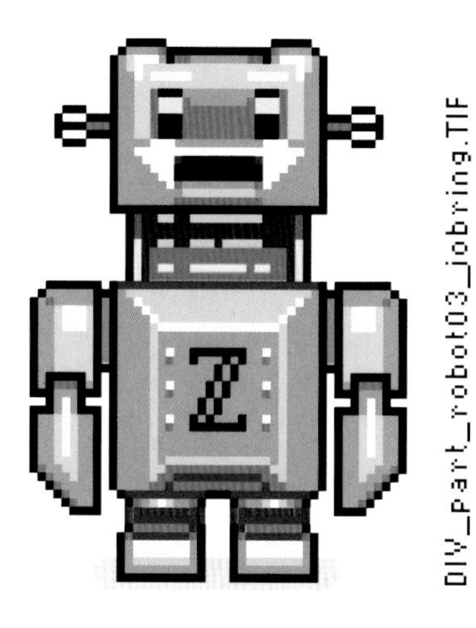

DIV_part_robot03_jobring.TIF

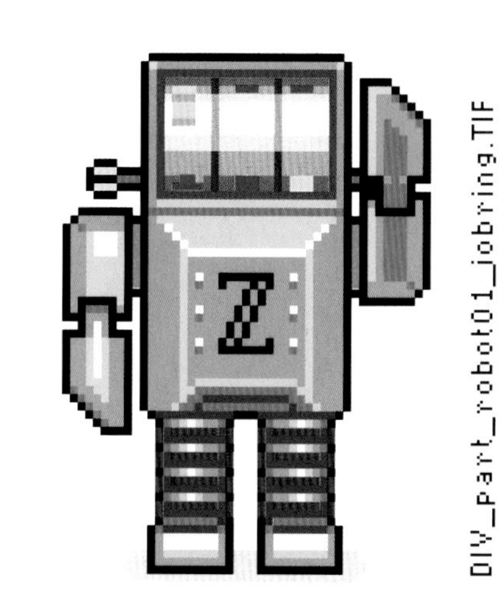

DIV_part_robot01_jobring.TIF

DIV_logo_muterainbow_free.tif

Stadtteil_C3_t09.tif

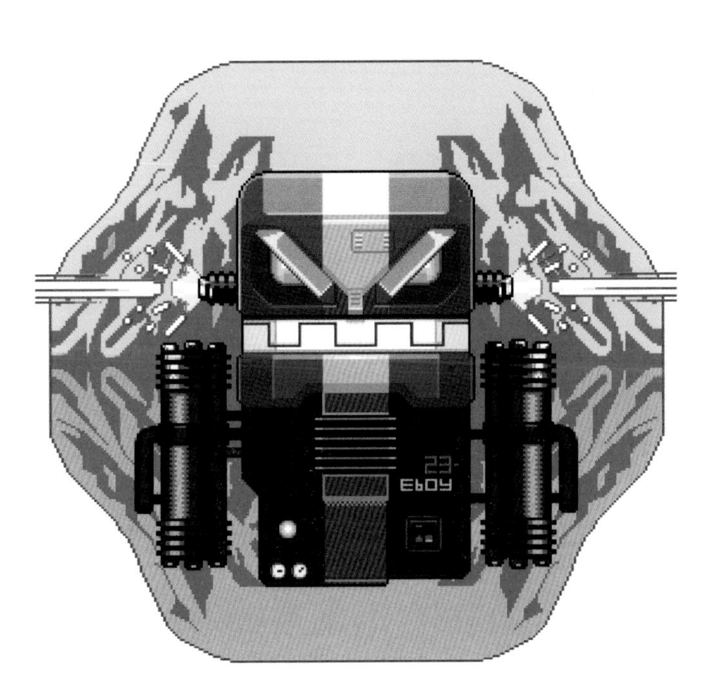

DIV_peop_23bot_gameover.tif

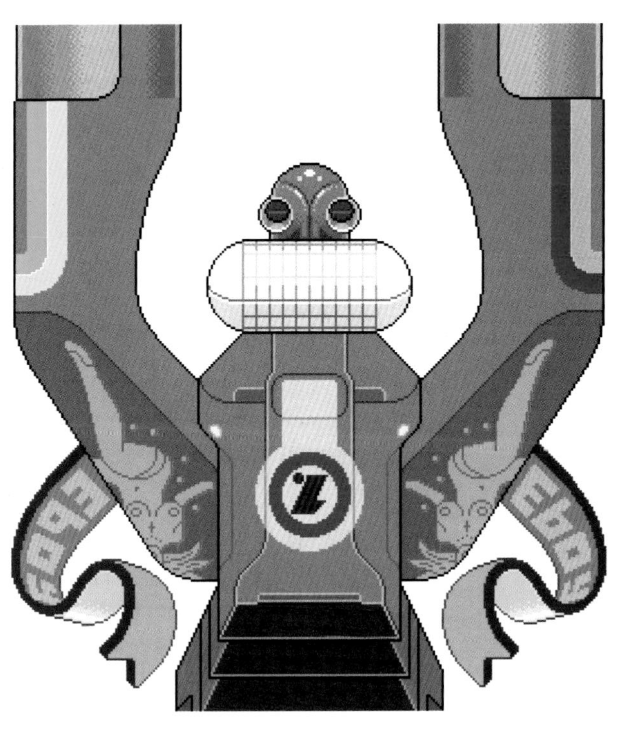

DIV_robot_dplex.tif

POWER
HYPE

DIV_typo_powerhype_cards.tif

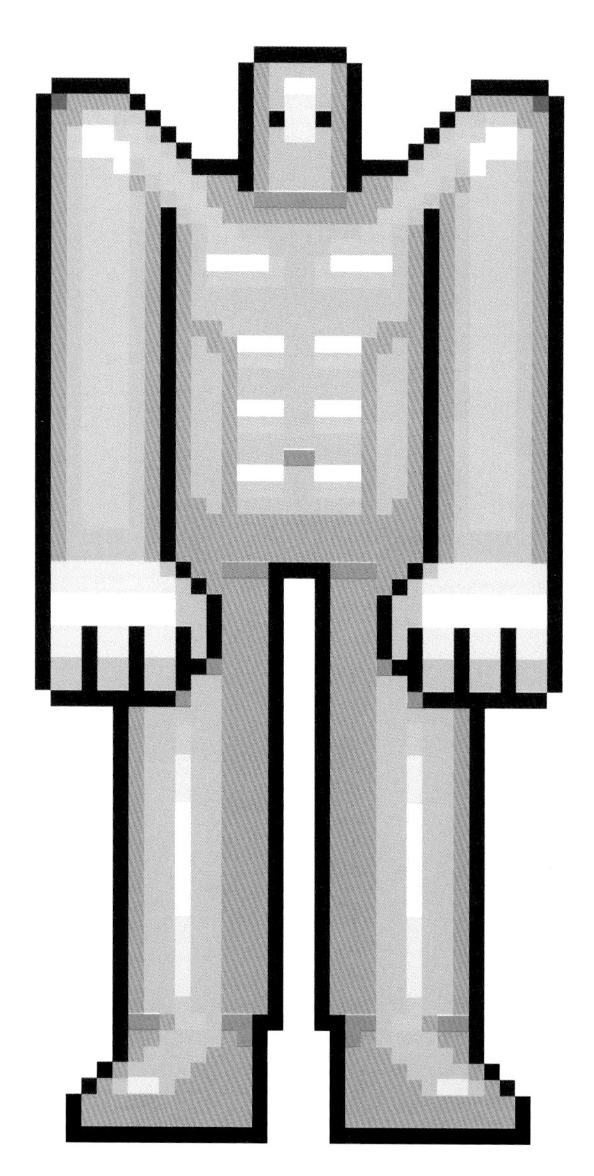

PEE_peop_green_eboy.tif

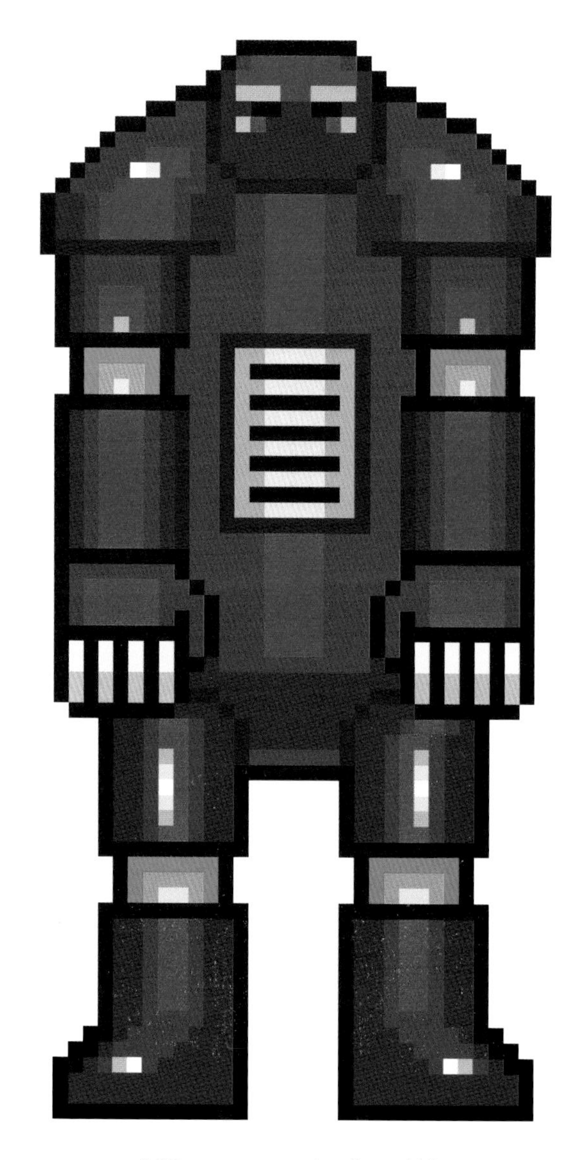

PEE_peop_red_eboy.tif

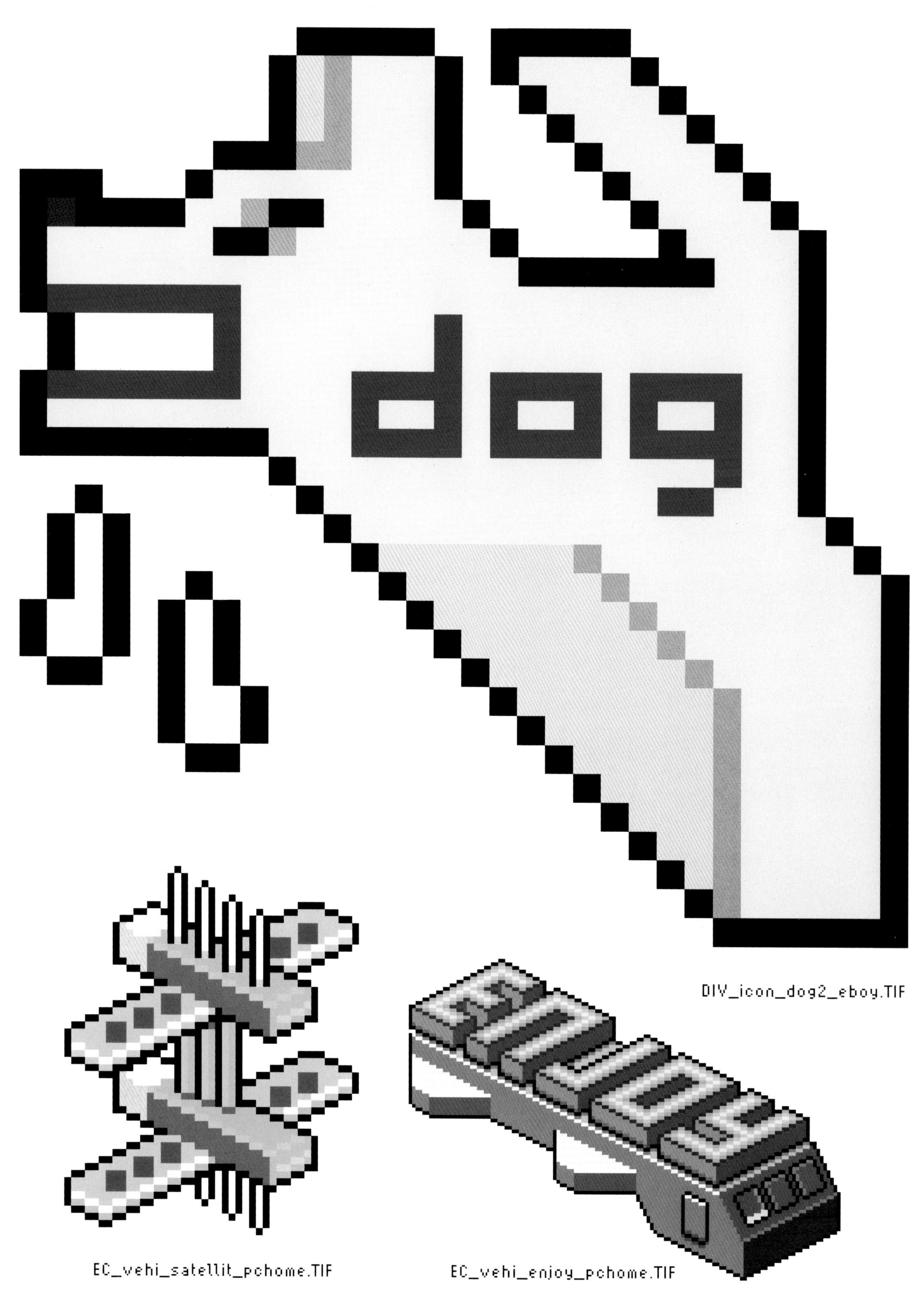

DIV_icon_dog2_eboy.TIF

EC_vehi_satellit_pchome.TIF

EC_vehi_enjoy_pchome.TIF

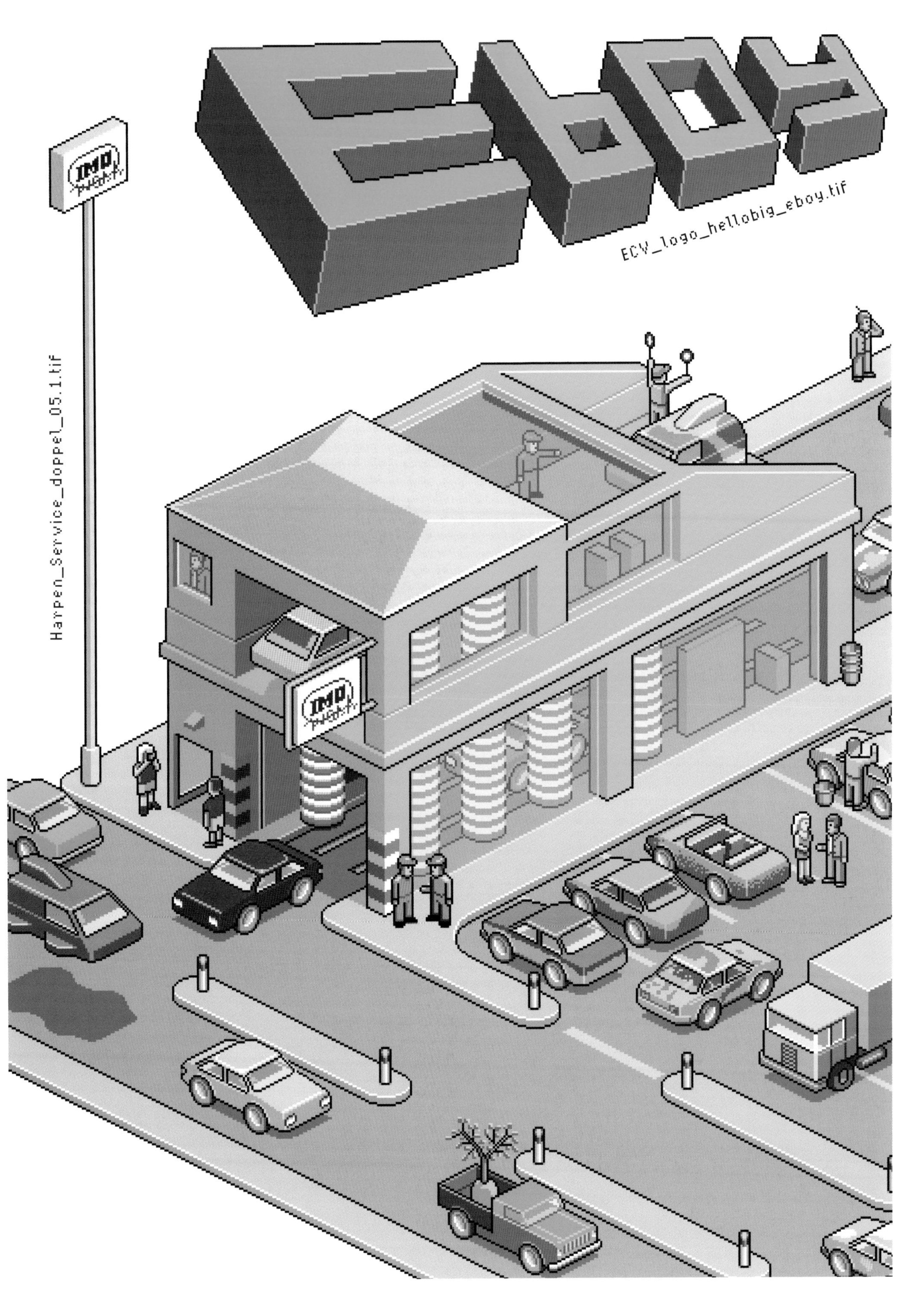
eBoy
ECV_logo_hellobig_eboy.tif
Harpen_Service_doppel_05.1.tif
IMO

ECV_peop_woman4_shift.tif

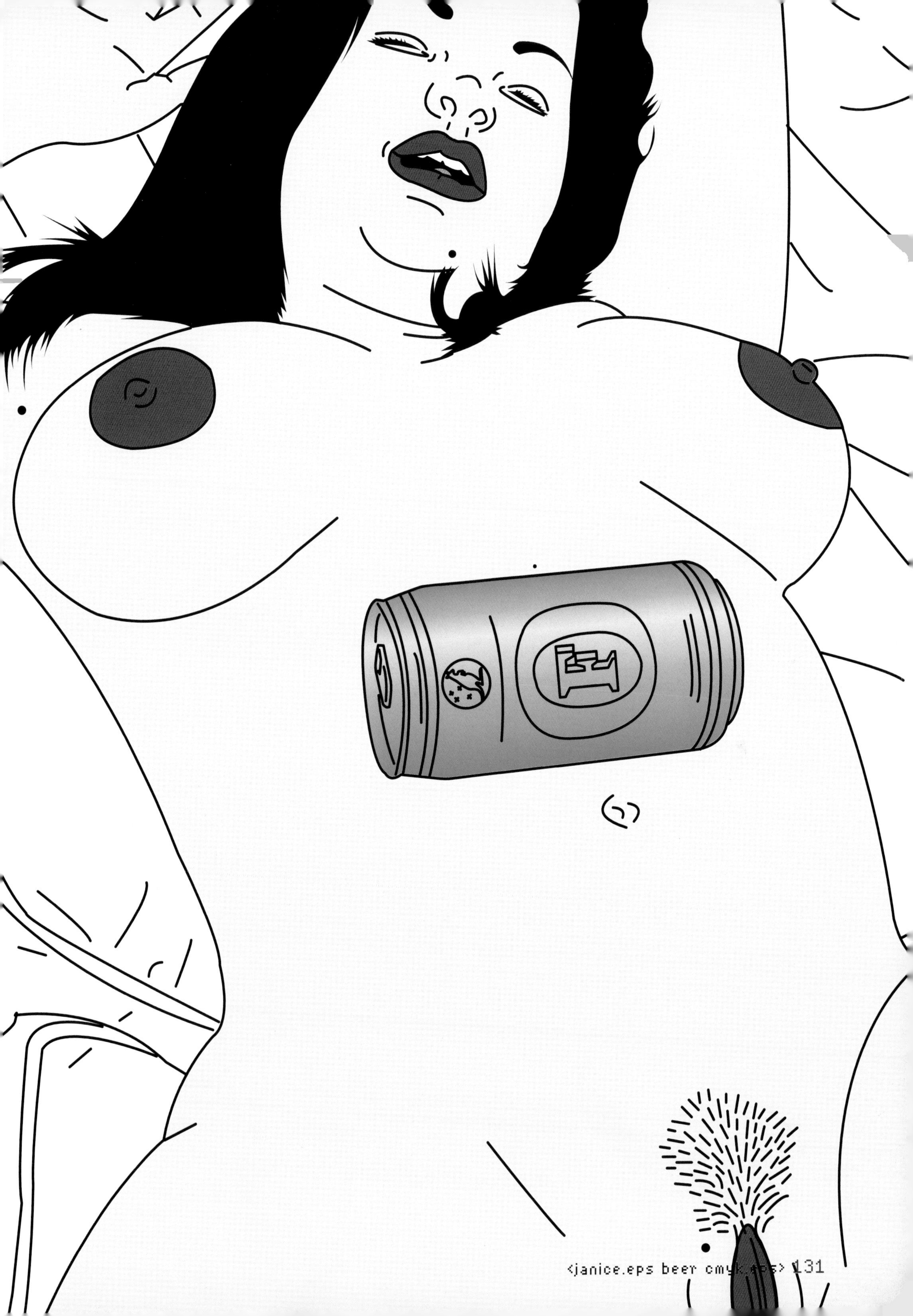

<janice.eps beer cmyk.eps>

ECV_peop_womannacked2_shift.tif

ECV_peop_womannacked3_shift.tif

ECV_peop_woman2_shift.tif

ECV_peop_woman7_shift.tif

ECV_peop_applegirl_shift.tif

ECV_peop_applecolgirl_shift.tif

DIV_typo_cooltoys_eboy.tif

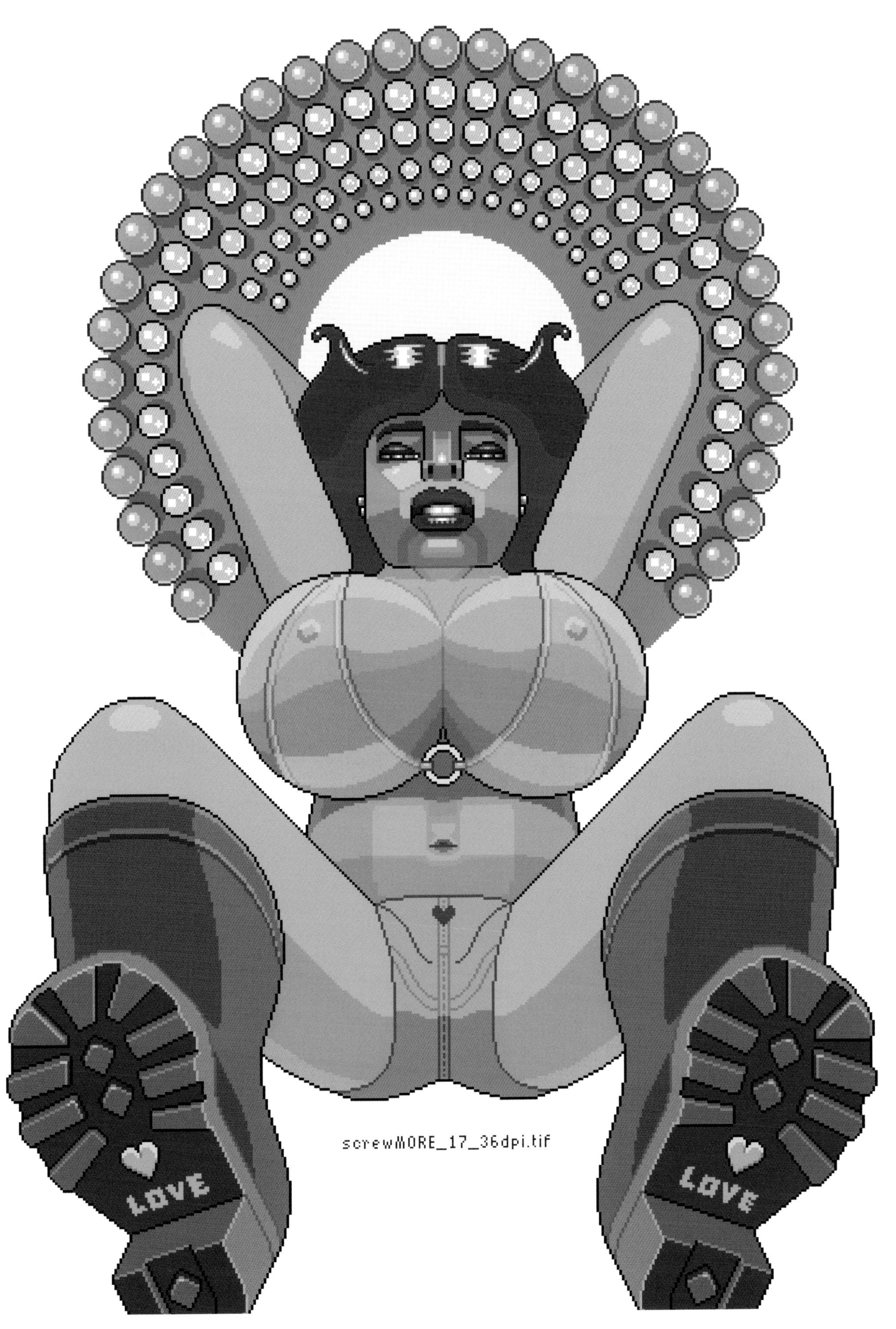

screwMORE_17_36dpi.tif

EC_gun_body03_ege.tif

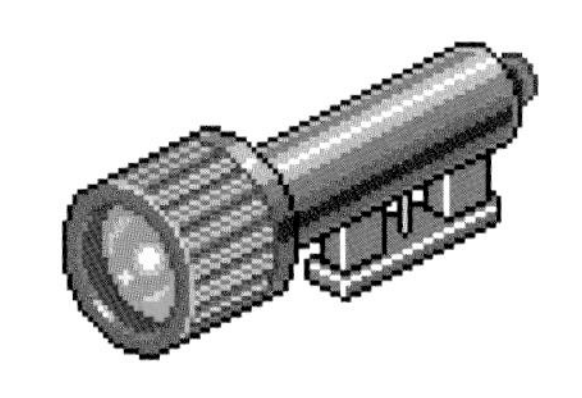

EC_gun_body03_ege.tif

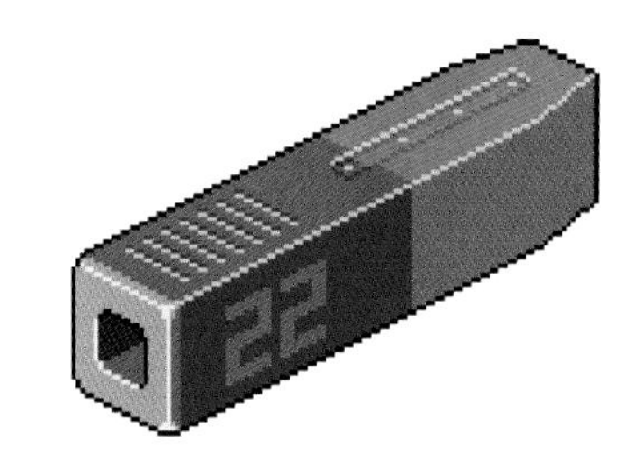

EC_gun_schalldämpfer02_edge.tif

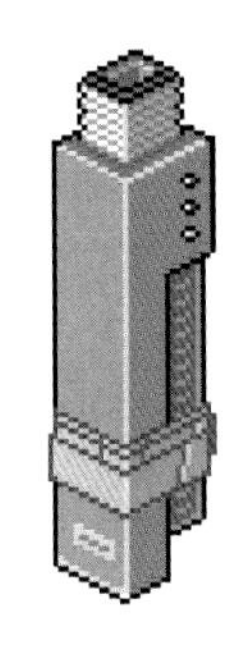

EC_gun_magazin02_edge.tif

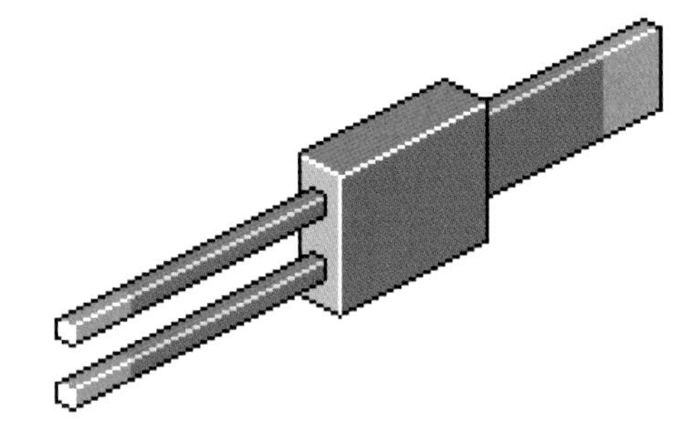

EC_gun_part_edge.tif

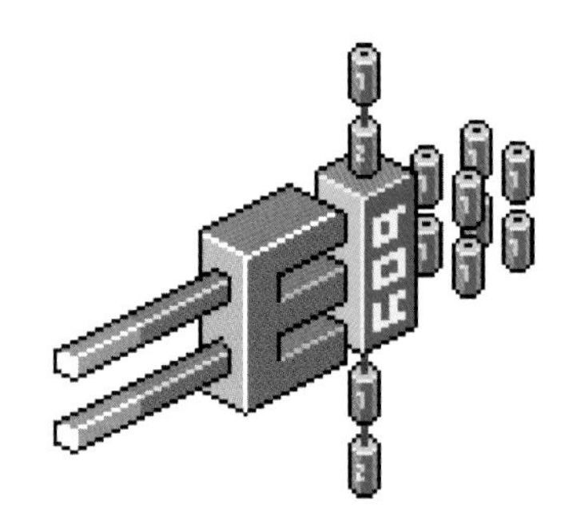

EC_gun_eboypatronen_edge.tif

EC_peop_beach_bizz.tif

EC_peop_hitech_bizz.tif

EC_peop_worker_bizz.tif

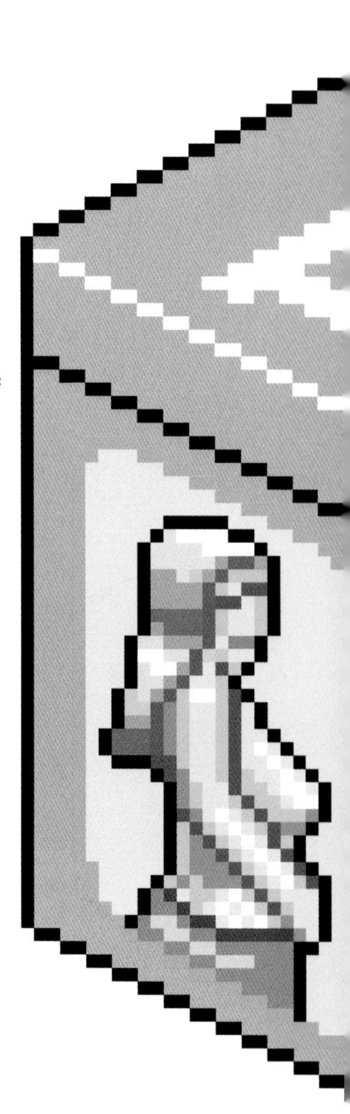

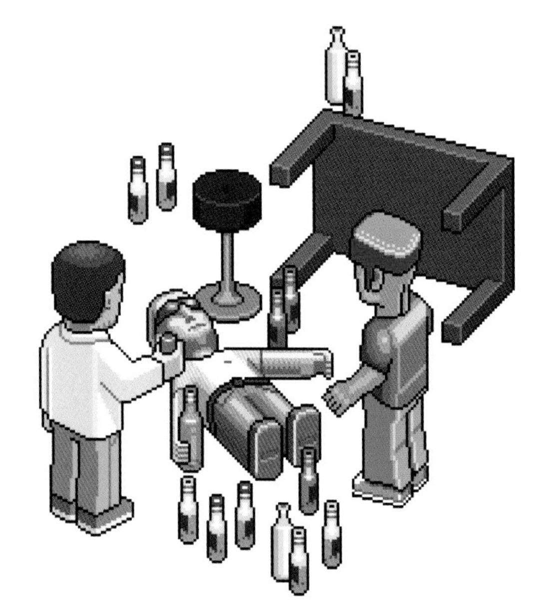

EC_peop_alcoholics_bizz.tif

EC_peop_gardeners_bizz.tif

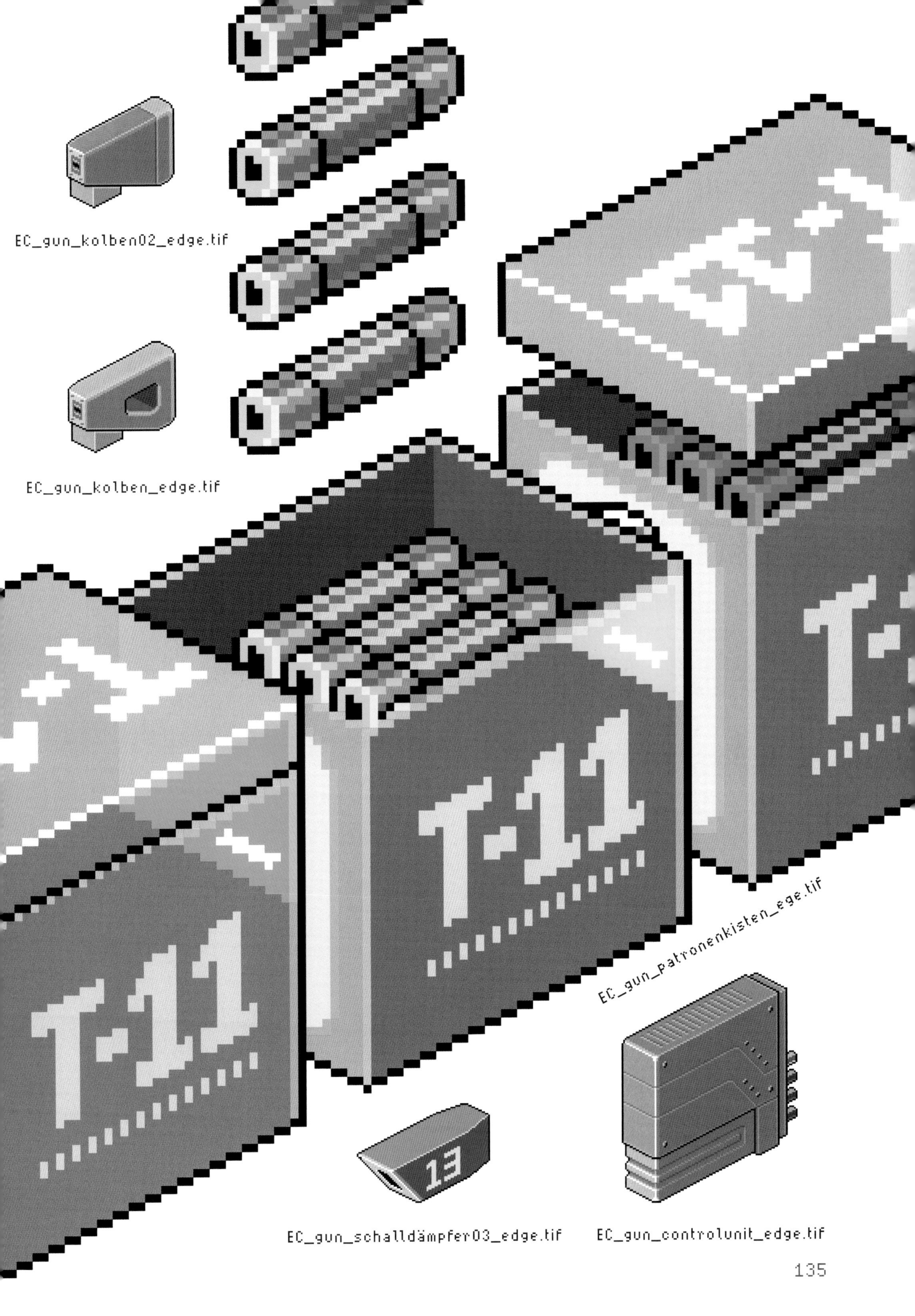

EC_gun_kolben02_edge.tif

EC_gun_kolben_edge.tif

EC_gun_patronenkisten_ege.tif

EC_gun_schalldämpfer03_edge.tif

EC_gun_controlunit_edge.tif

<stuffmag_A_final_600.tif>

BLA
COPY
DON'T
CAR
FREE
GO
OFF
JET
LOST
MIX
NEW
ON
SURF
UP
HOT
TOY
HI
YES
ZZ
EBOY
PEECOL TALK
PEECOL BASIC
EBOY
LOVE
PEECOL EBOT
GOAL
KICK
FOUL
BACK
EBOY
PRESS
OVER
PASS
PEECOL KICKER
KICK

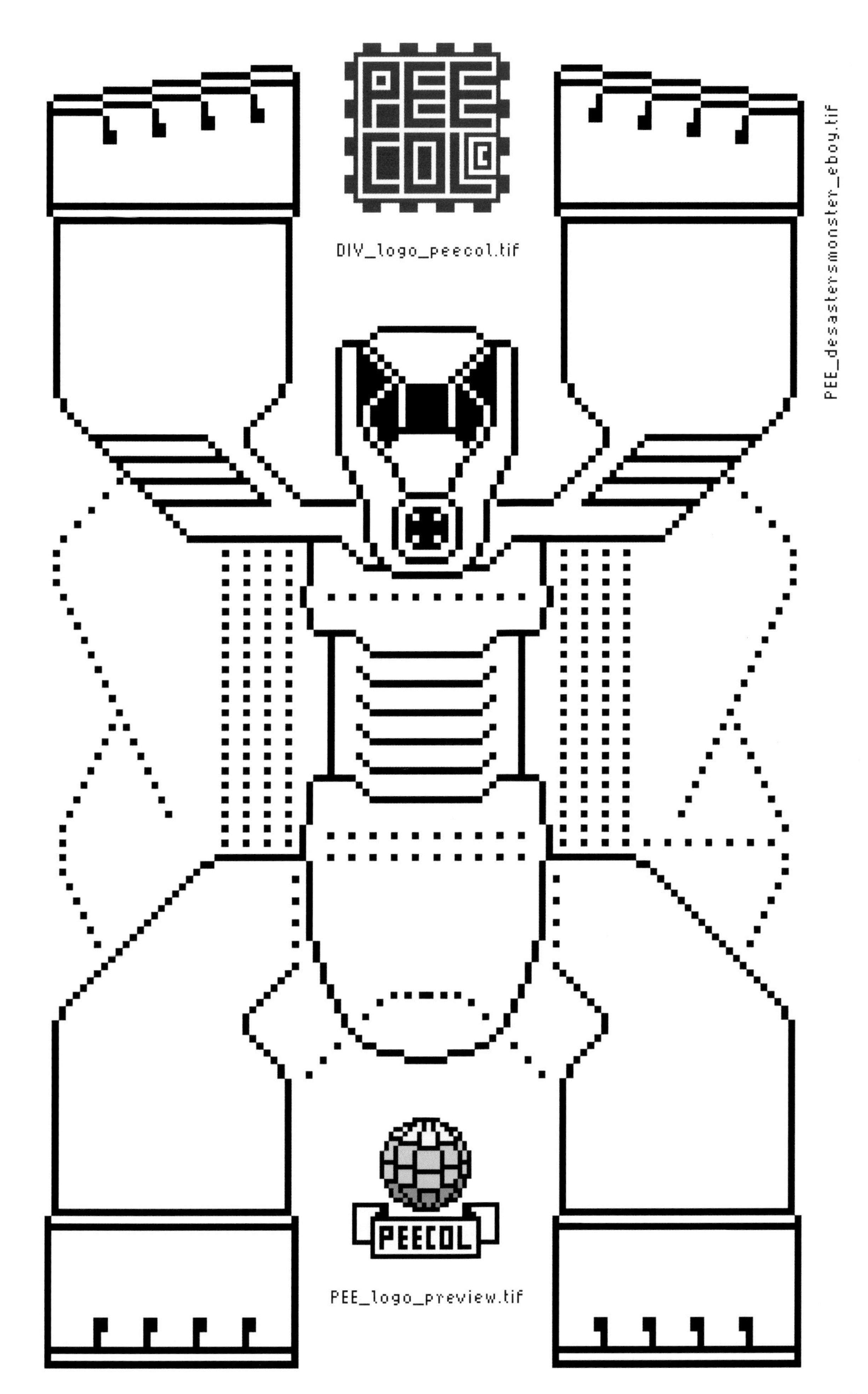
PEE
COL
DIV_logo_peecol.tif
PEE_desastersmonster_eboy.tif
PEECOL
PEE_logo_preview.tif

w.eboy.com
eBOY
FONT FONT
GOGO GIRLS
GIRLS GOGO
FF-SUB
FF PEECOL
www.eboy.com 2000m
HOT ROBOTS 100m
eBOY
PEECOL
KONGO
BAR
Hot Botto
FF Typestar
Cool
STOP
SUB

BUSH FOR NOW

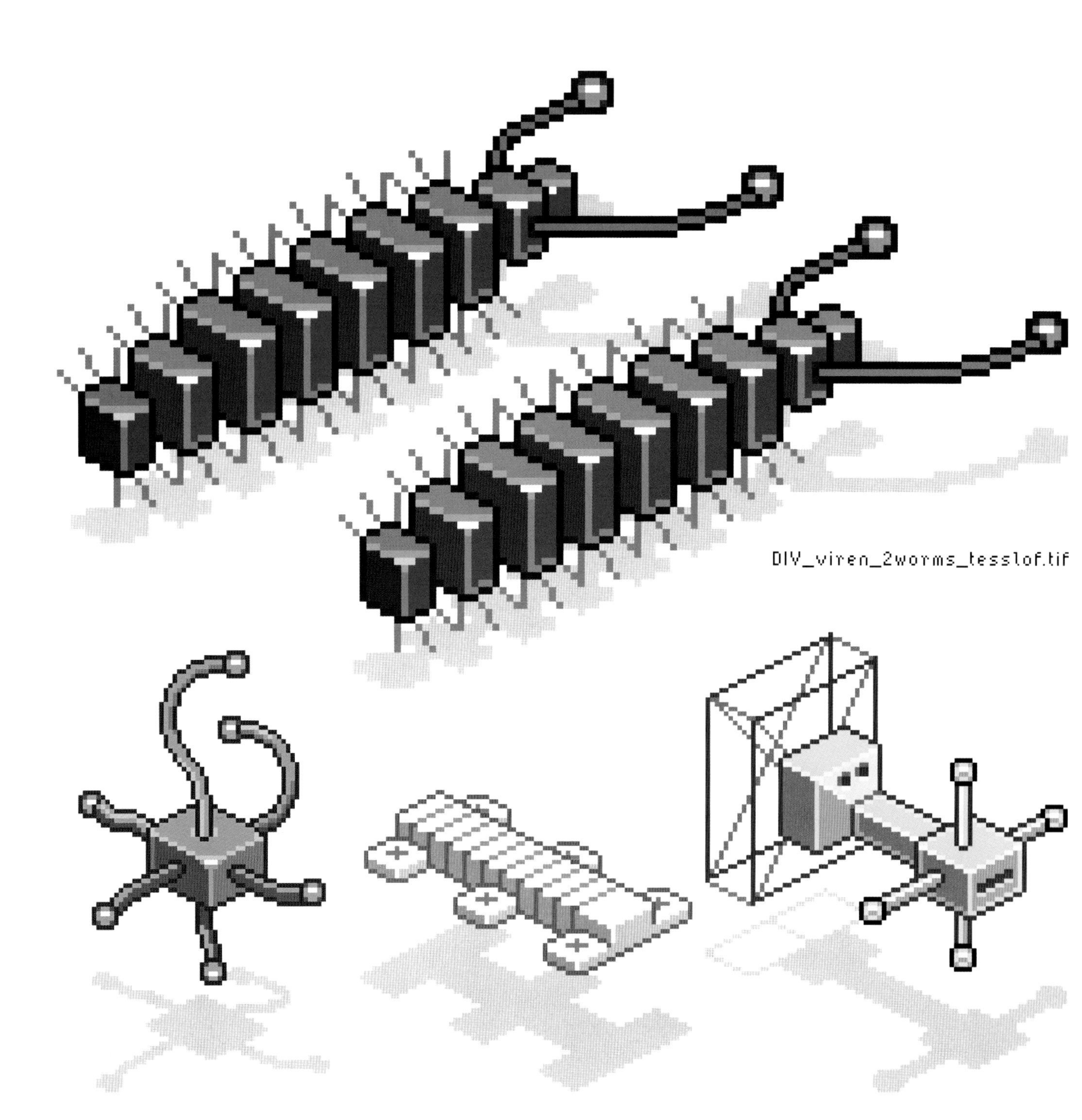

DIV_viren_2worms_tesslof.tif

DIV_viren_sircam_tesslof.tif

DIV_viren_gelber_tesslof.tif

DIV_viren_radon_tesslof.tif

ANI_peop_worker2_mtv.TIF

ANI_peop_worker5_mtv.TIF

ANI_peop_worker6_mtv.TIF

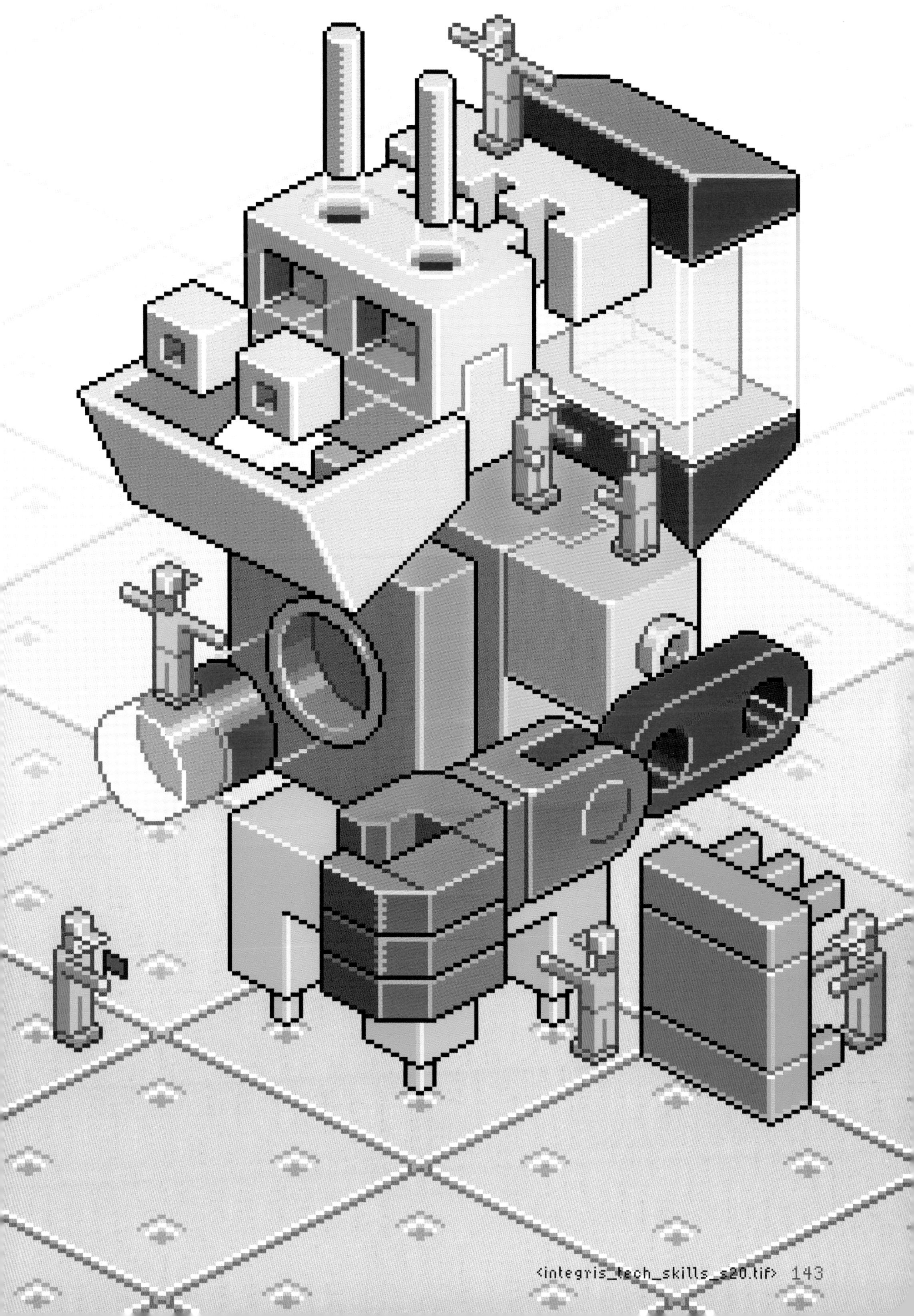

<integris_tech_skills_s20.tif>

ECV_buil_shell_vp_attenda.tif

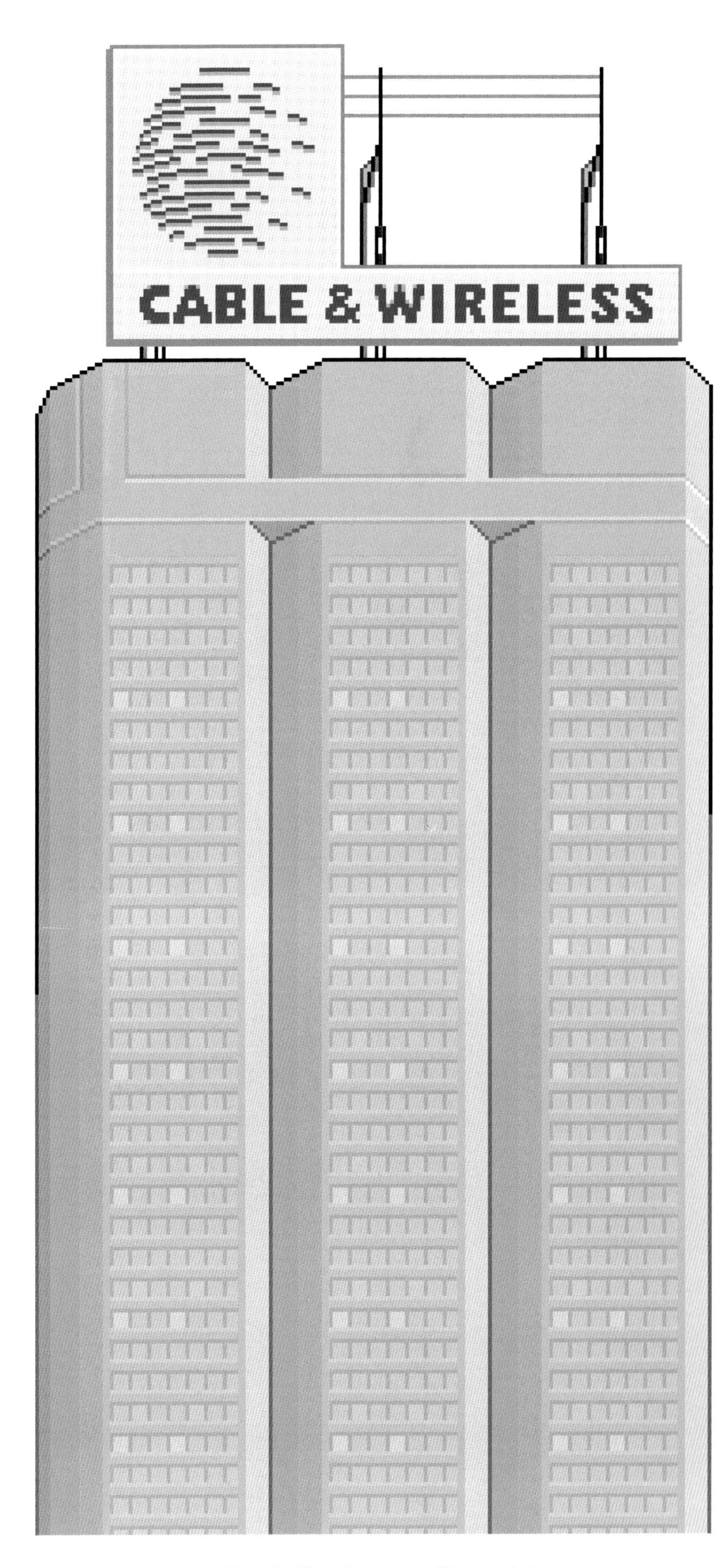

ECV_buil_c&w_vp_attenda.tif

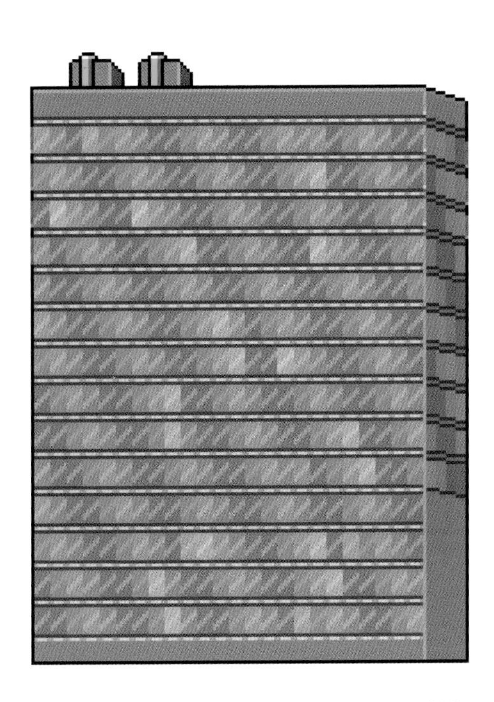

ECV_buil_muster_vp_attenda.tif

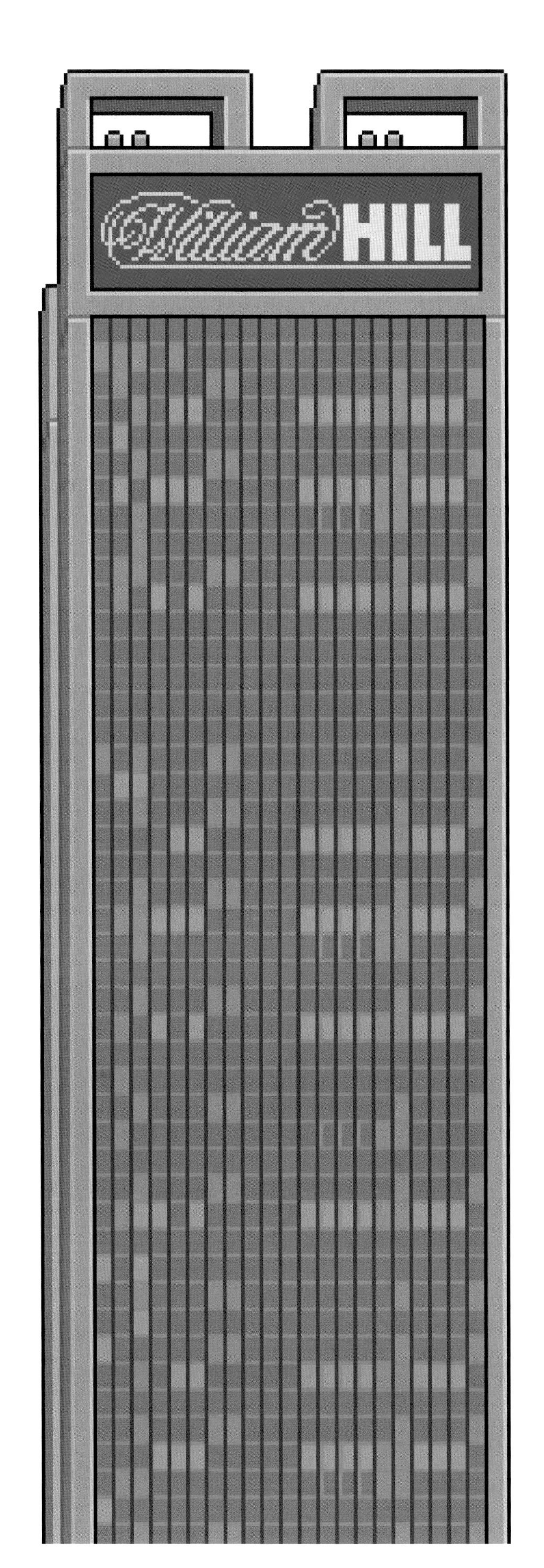

ECV_buil_william_vp_attenda.tif

ECV_buil_darkb_vp_attenda.TIF

ECV_peop_big_vp_attenda.tif

ECV_buil_debenh_vp_attenda.tif

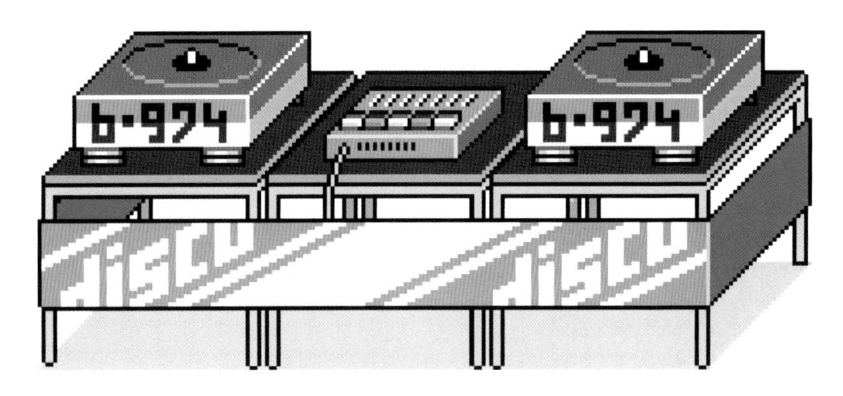

ECV_part_DJpult_diesel.tif

ECV_part_sofas_diesel.tif

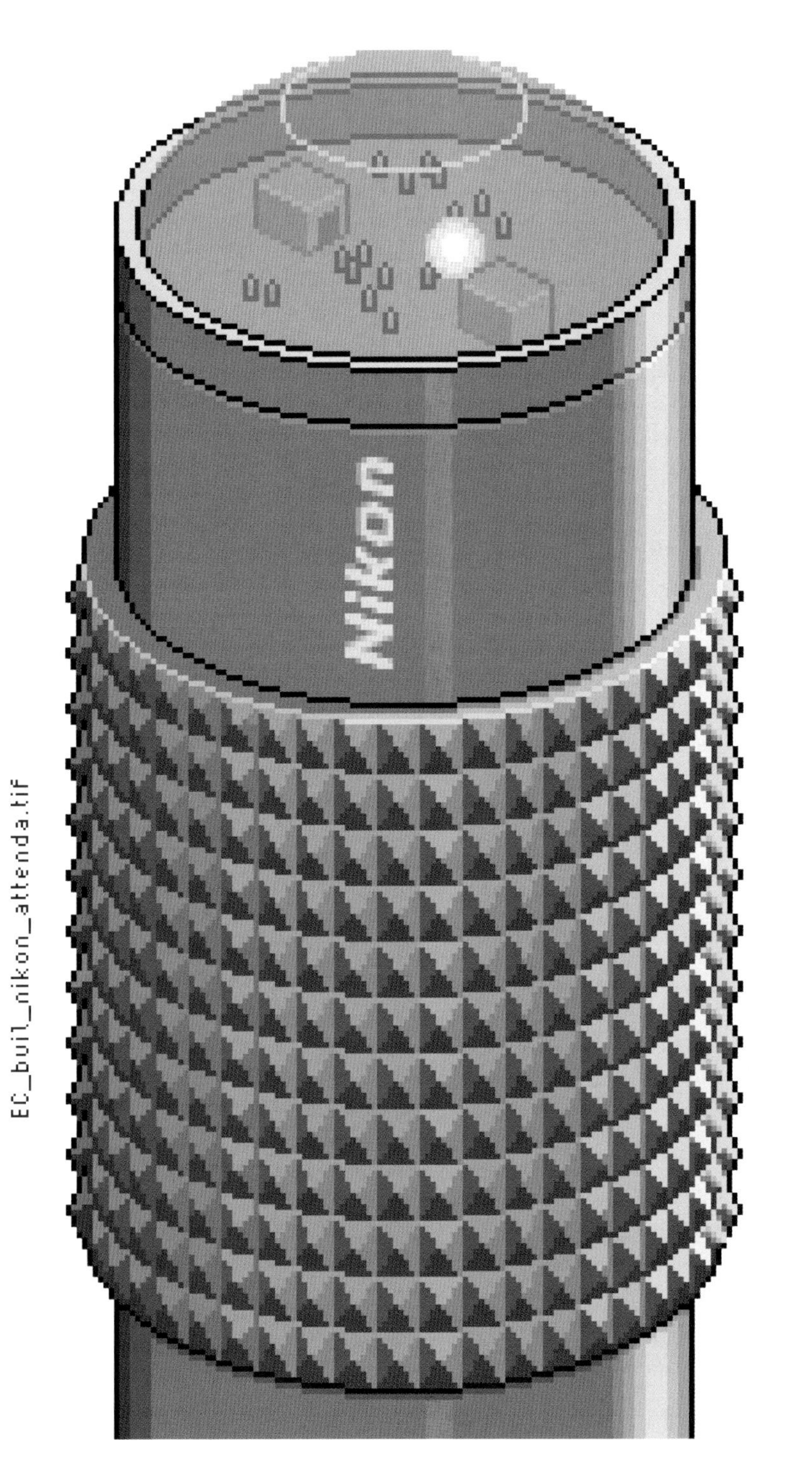

EC_buil_nikon_attenda.tif

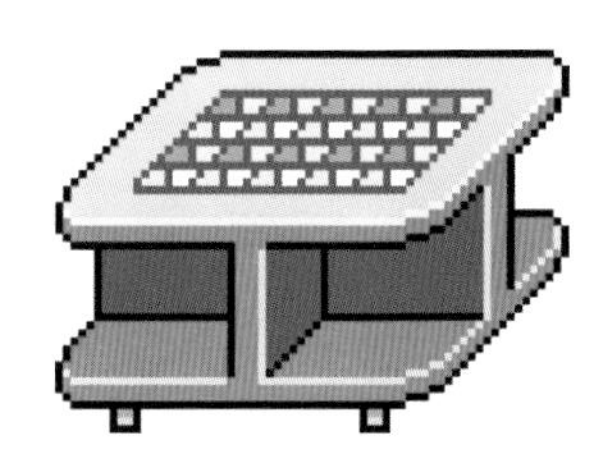

ECV_part_bartisch_diesel.tif

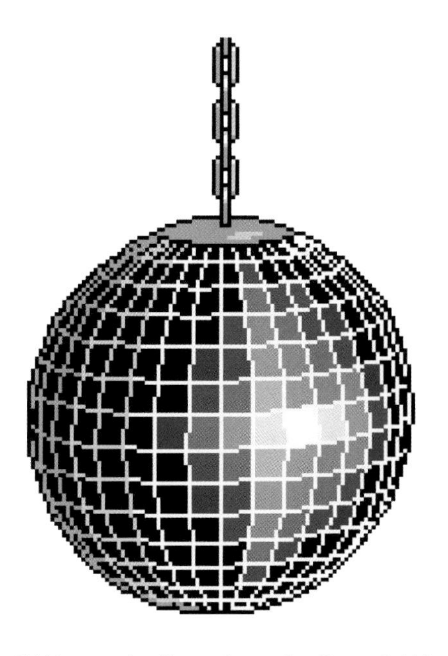

ECV_part_discokugel_diesel.tif

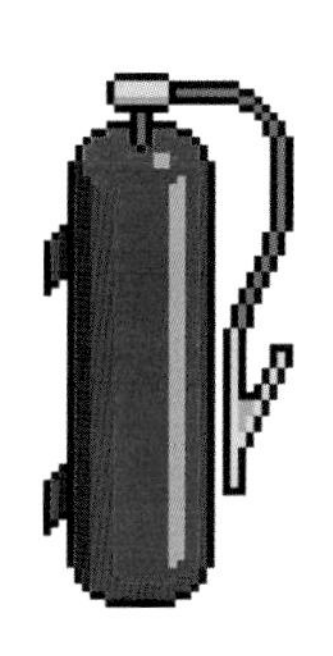

ECV_part_feuerlösche_diesel.tif

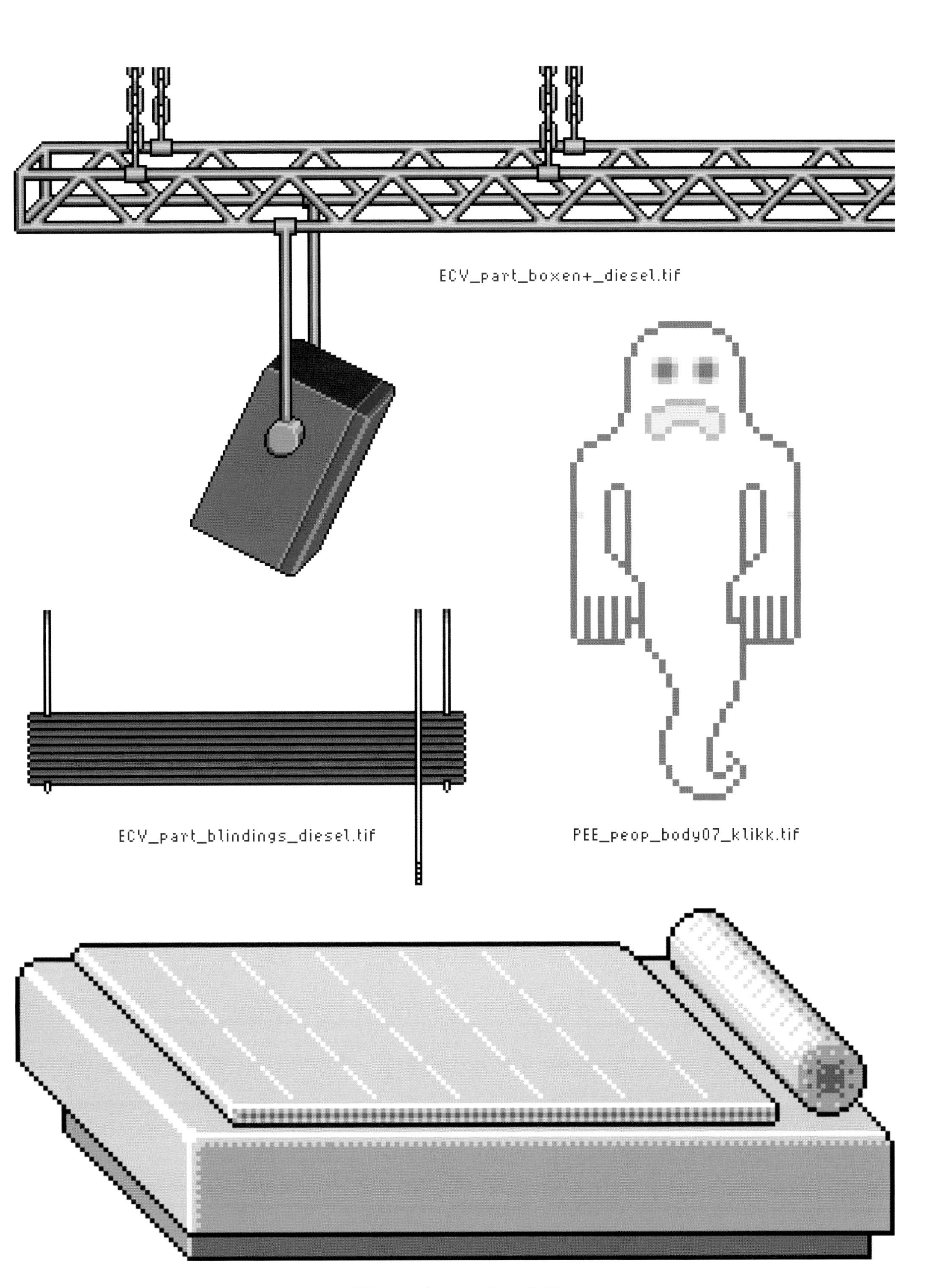
ECV_part_boxen+_diesel.tif

PEE_peop_body07_klikk.tif

ECV_part_blindings_diesel.tif

ECV_part_bed_diesel.tif

<backstage>

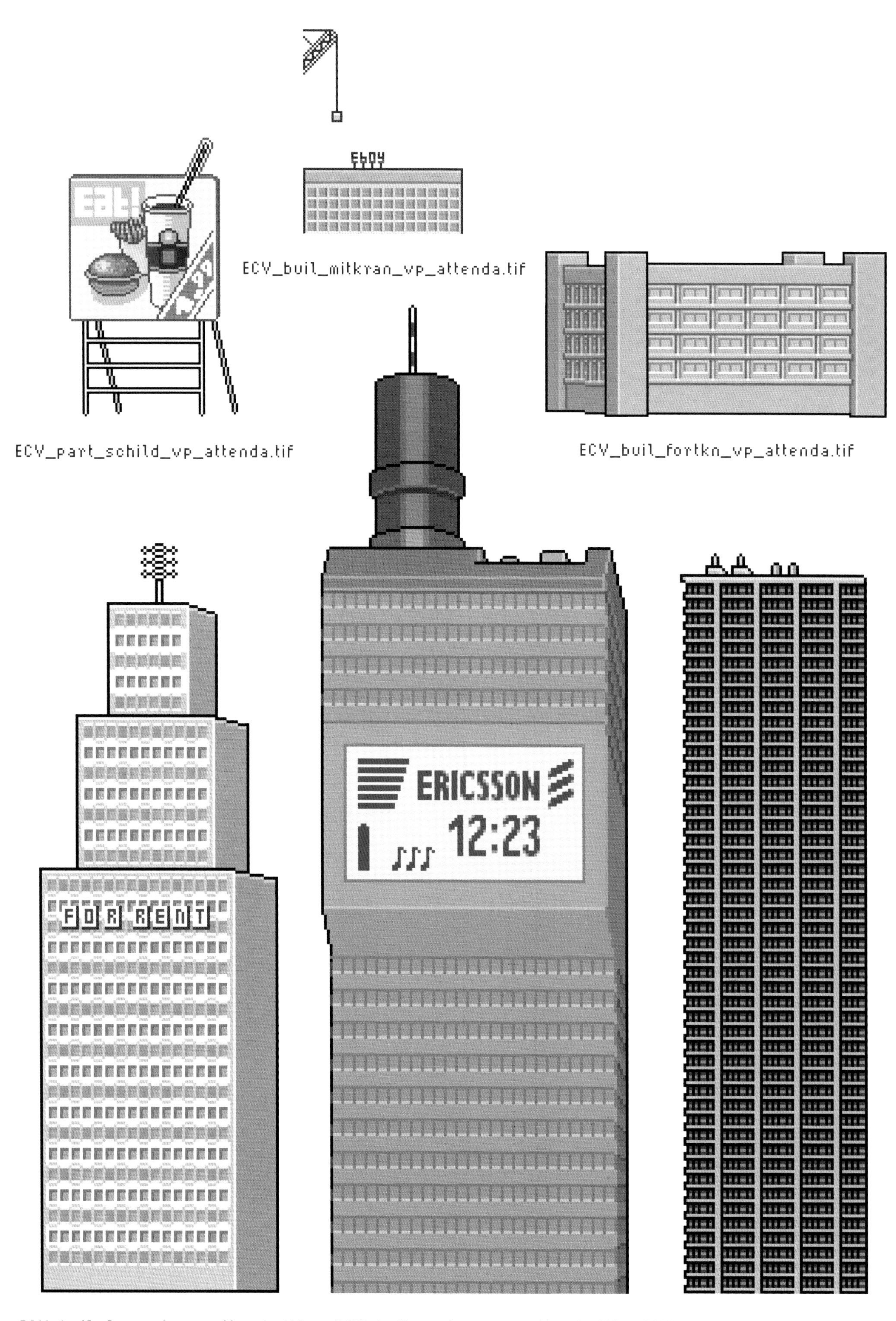

ECV_buil_mitkran_vp_attenda.tif

ECV_part_schild_vp_attenda.tif

ECV_buil_fortkn_vp_attenda.tif

ECV_buil_forrent_vp_attenda.tif

ECV_buil_erricso_vp_attenda.tif

ECV_buil_links_vp_attenda.tif

EC_buil_sharp_attenda.TIF

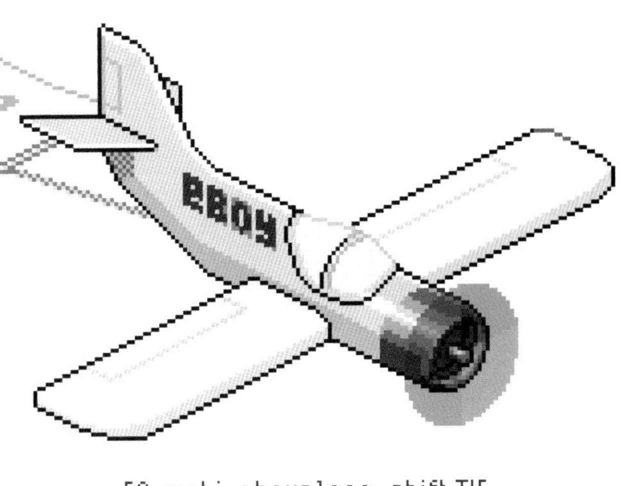

EC_vehi_eboyplane_shift.TIF

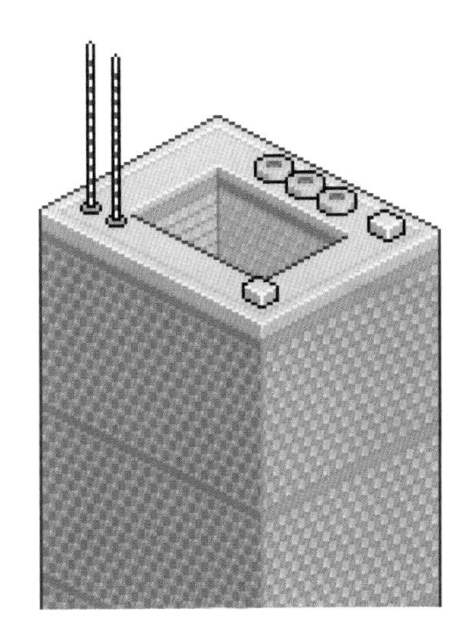

EC_buil_bluechimney_attenda.tif

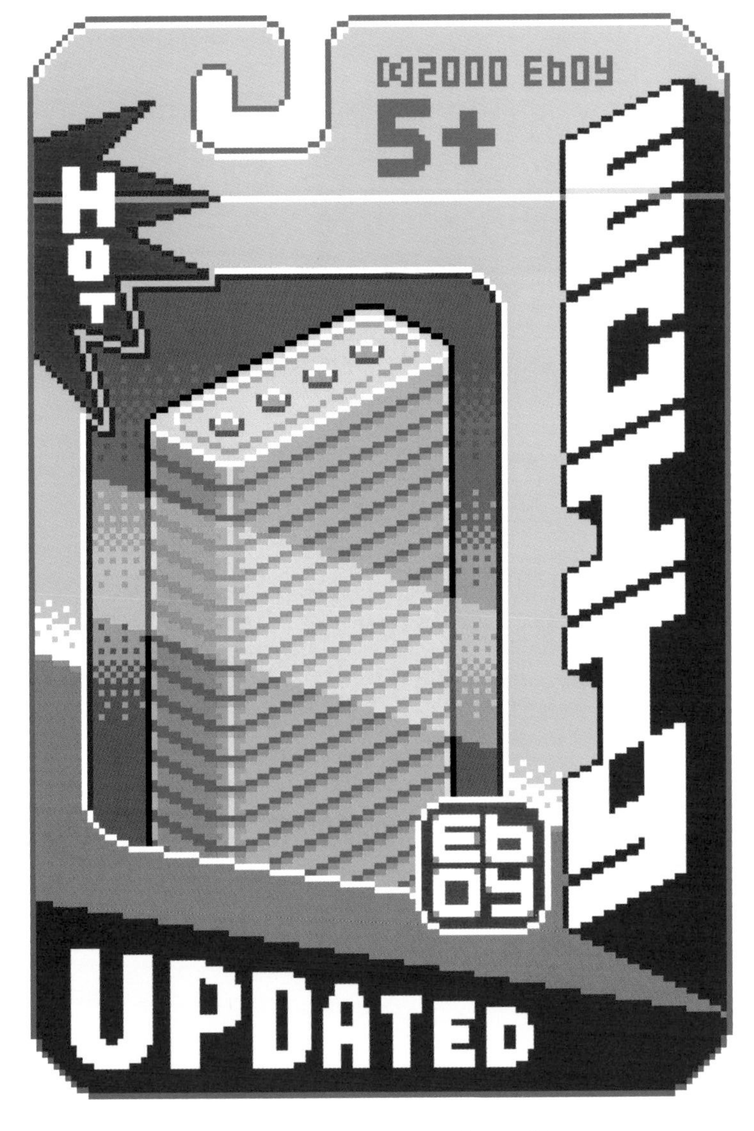

WEB_bann_ecity_eboy.TIF

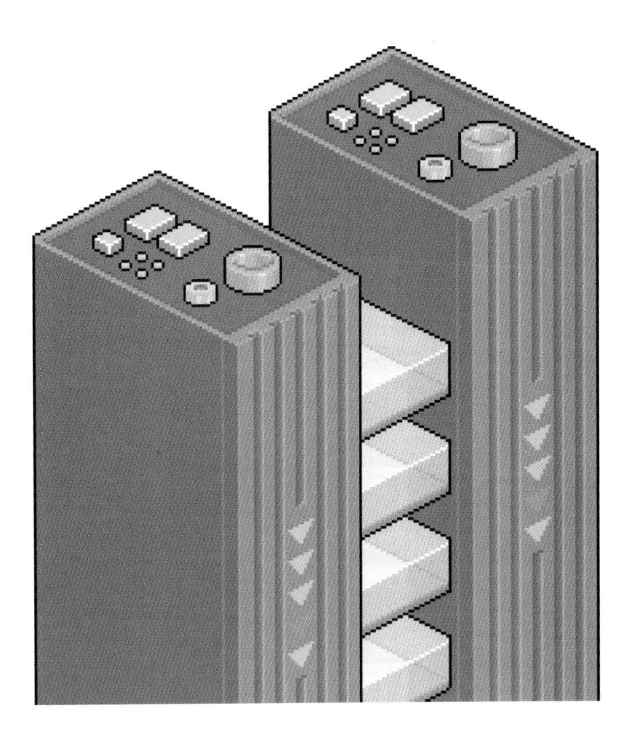

EC_buil_bluechimney_attenda.tif

QUICKHONEY

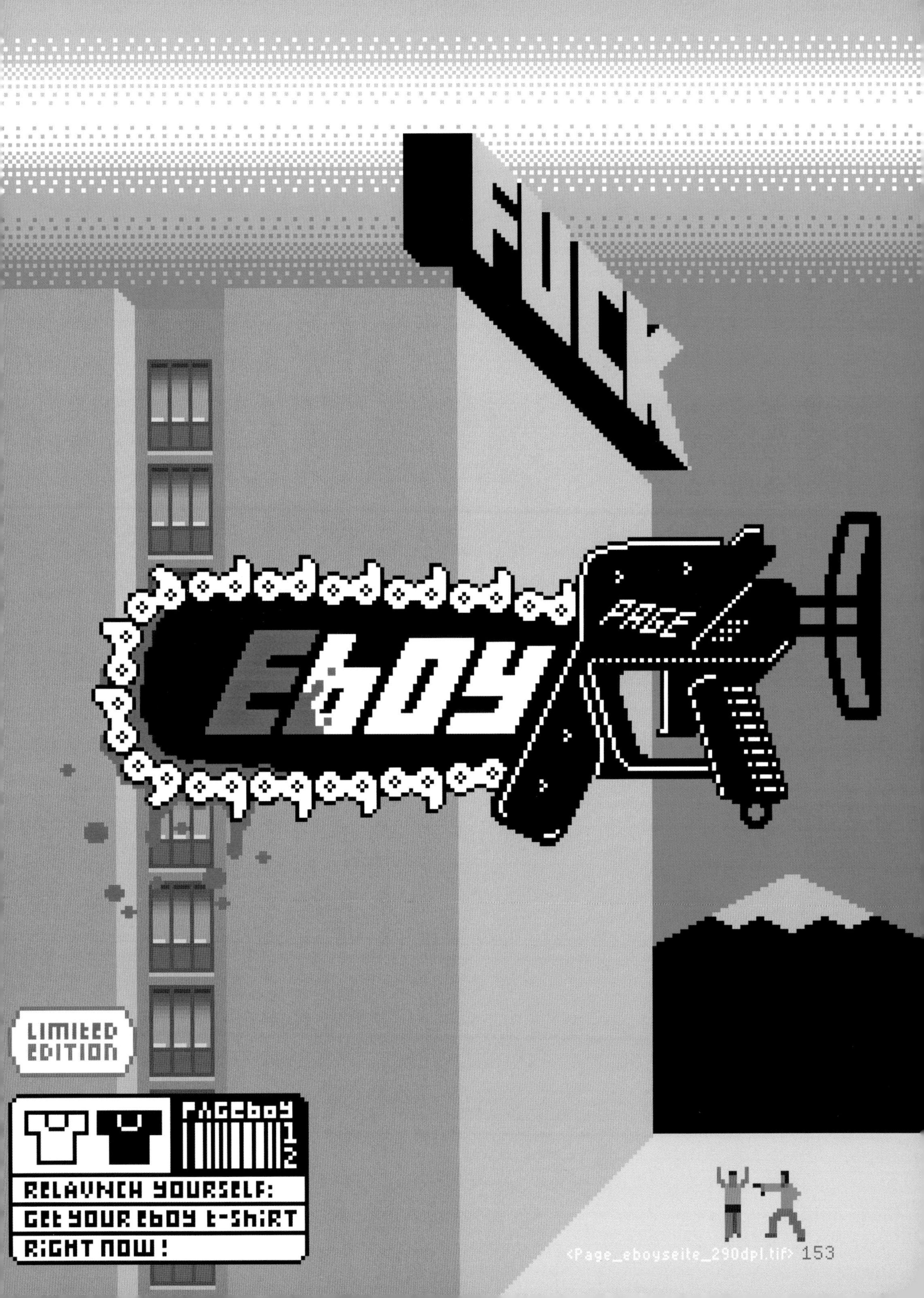
FUCK
PAGE
eboy
LIMITED EDITION
PAGEboy
1
2
RELAUNCH YOURSELF:
GET YOUR eBOY T-SHIRT
RIGHT NOW!

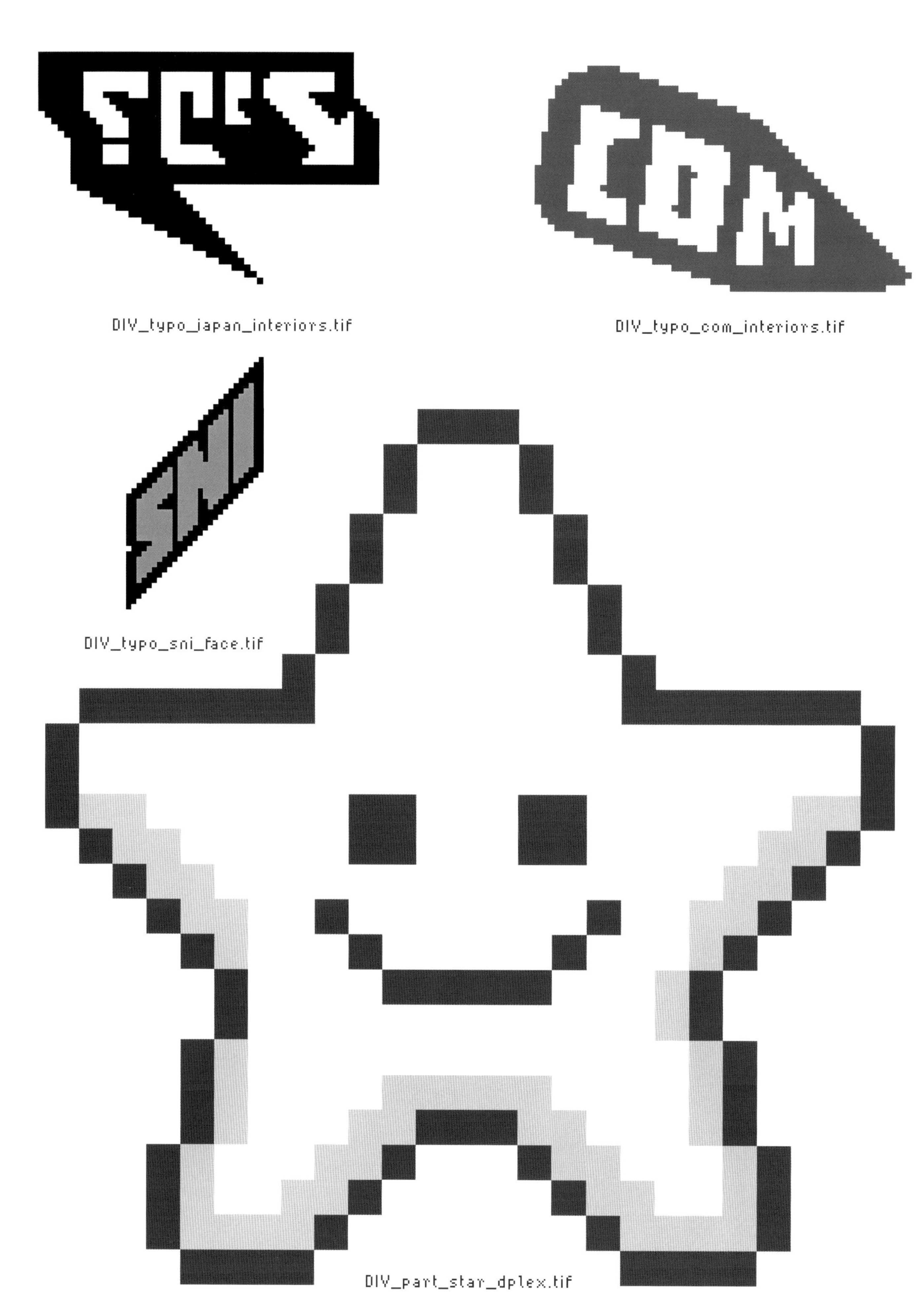

DIV_typo_japan_interiors.tif

DIV_typo_com_interiors.tif

DIV_typo_sni_face.tif

DIV_part_star_dplex.tif

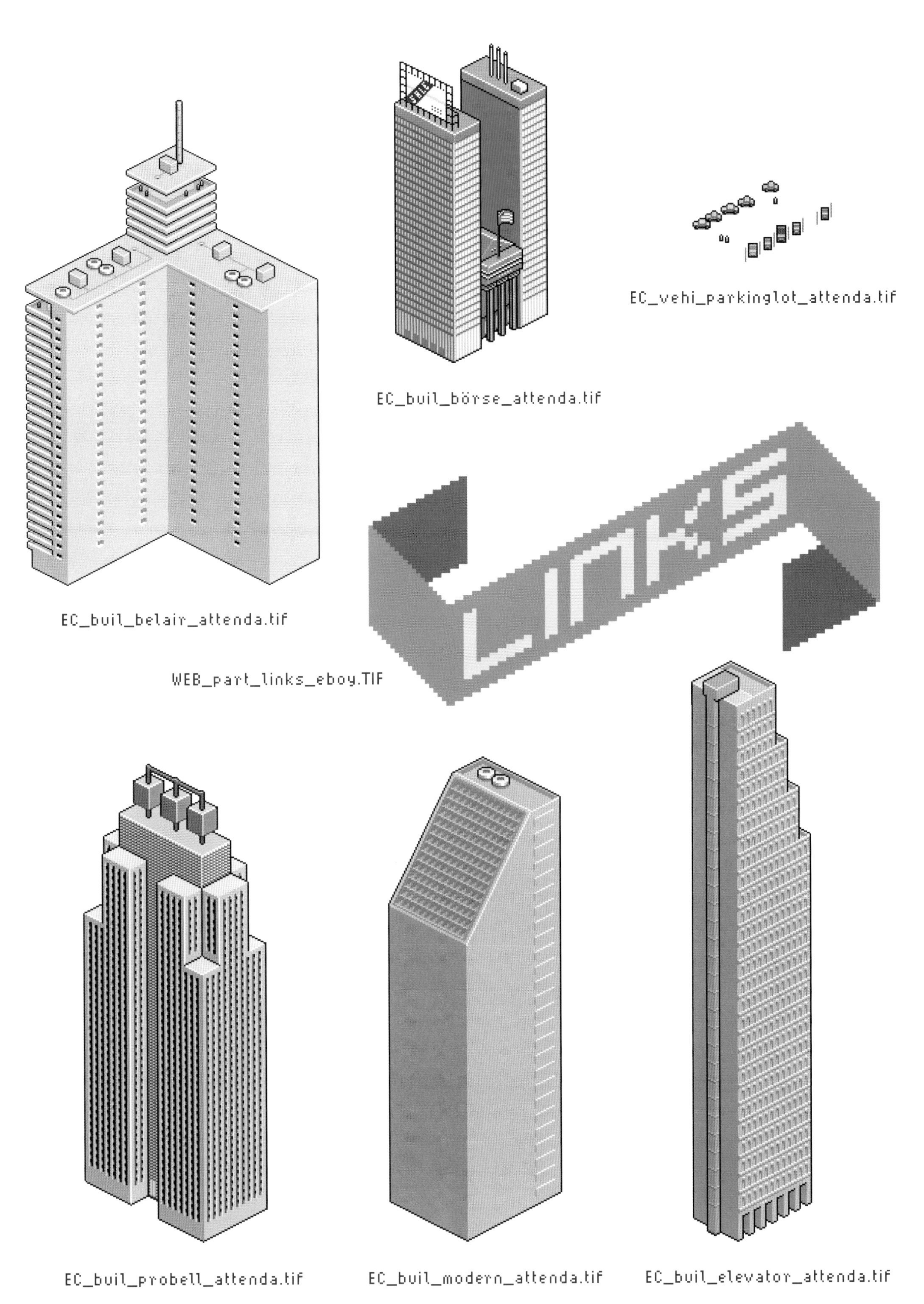
EC_vehi_parkinglot_attenda.tif
EC_buil_börse_attenda.tif
EC_buil_belair_attenda.tif
LINKS
WEB_part_links_eboy.TIF
EC_buil_probell_attenda.tif
EC_buil_modern_attenda.tif
EC_buil_elevator_attenda.tif

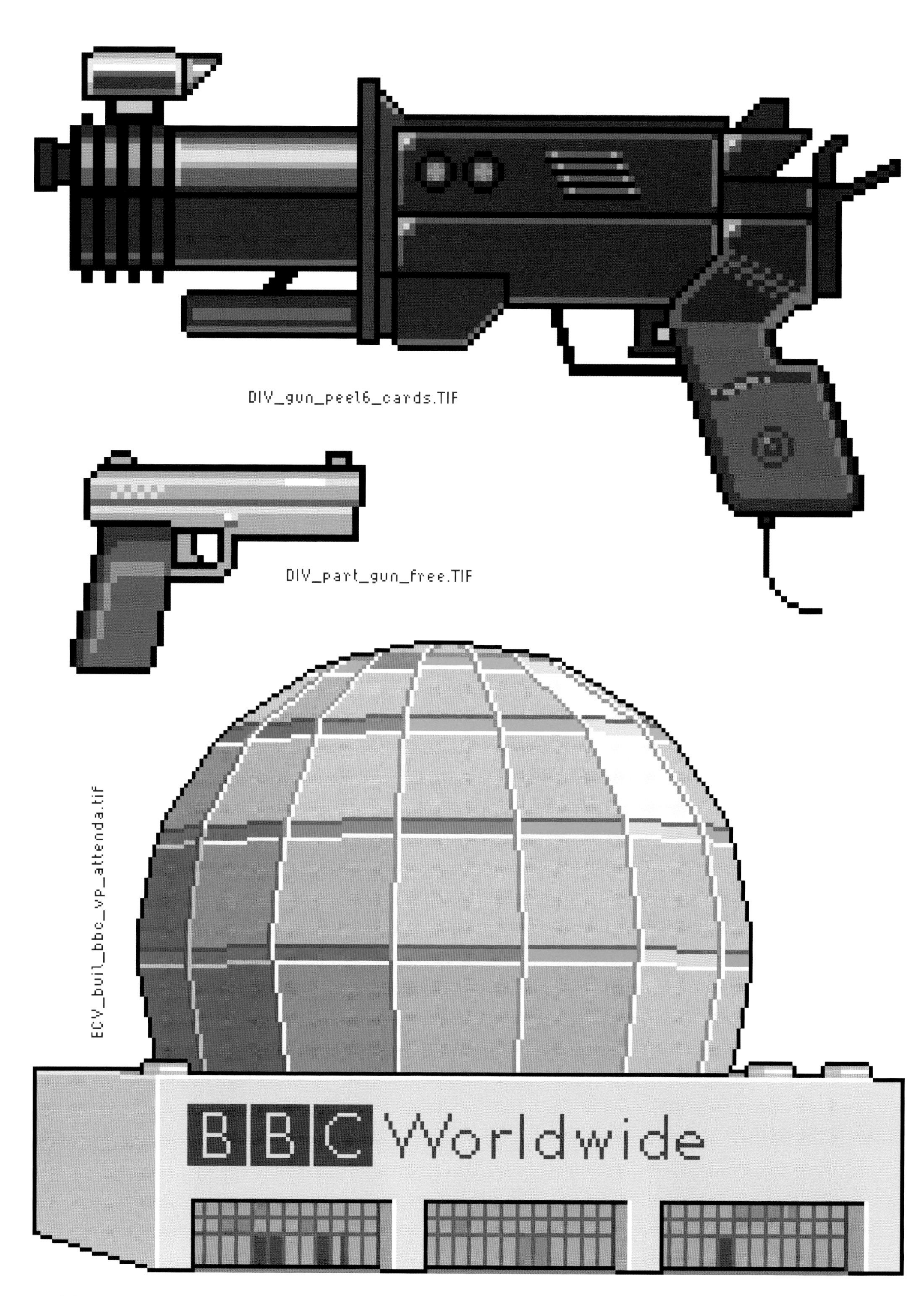
DIV_gun_peel6_cards.TIF
DIV_part_gun_free.TIF
ECV_buil_bbc_vp_attenda.tif
BBC Worldwide

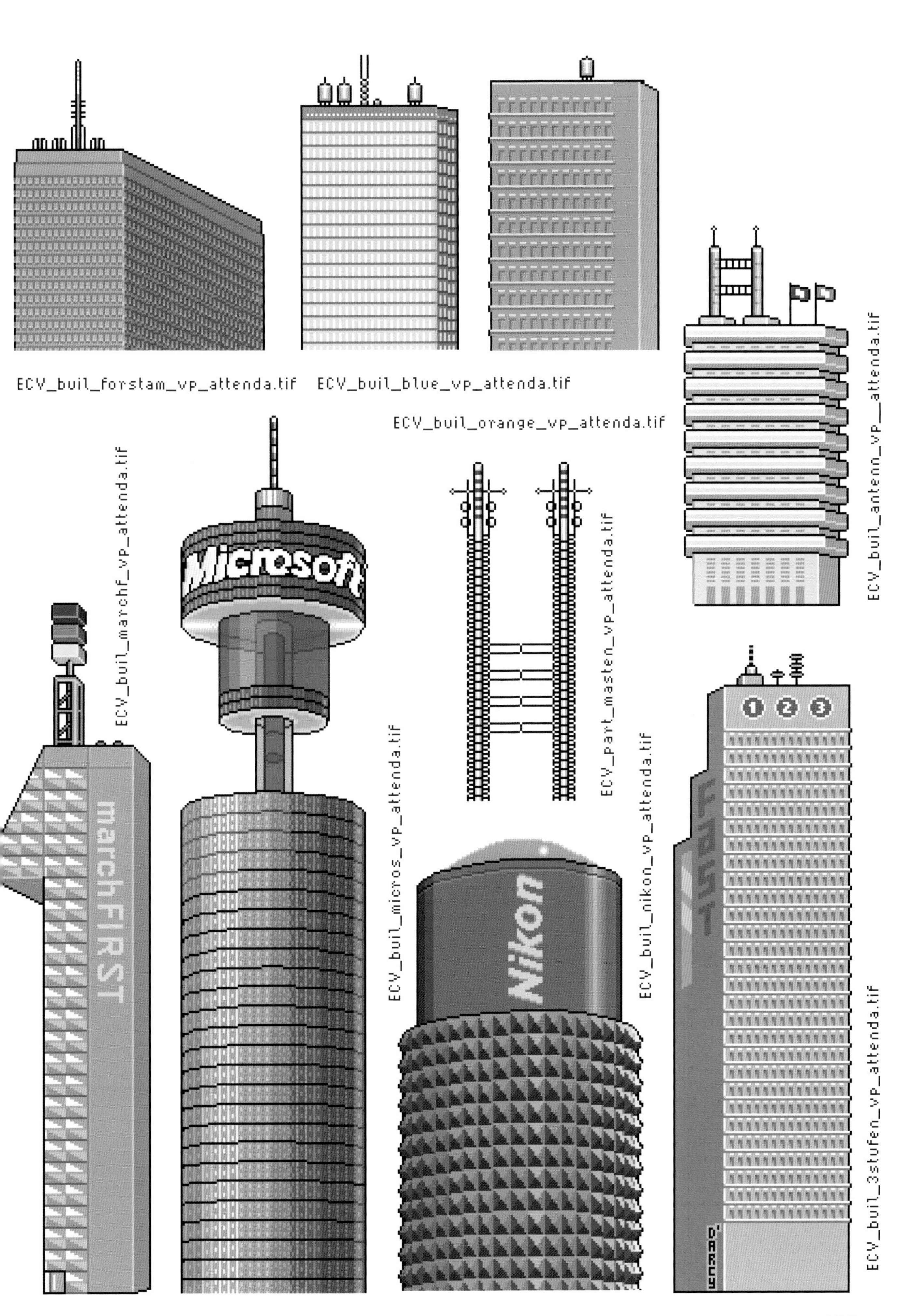

ECV_buil_forstam_vp_attenda.tif

ECV_buil_blue_vp_attenda.tif

ECV_buil_orange_vp_attenda.tif

ECV_buil_antenn_vp__attenda.tif

ECV_buil_marchf_vp_attenda.tif

ECV_buil_micros_vp_attenda.tif

ECV_part_masten_vp_attenda.tif

ECV_buil_nikon_vp_attenda.tif

ECV_buil_3stufen_vp_attenda.tif

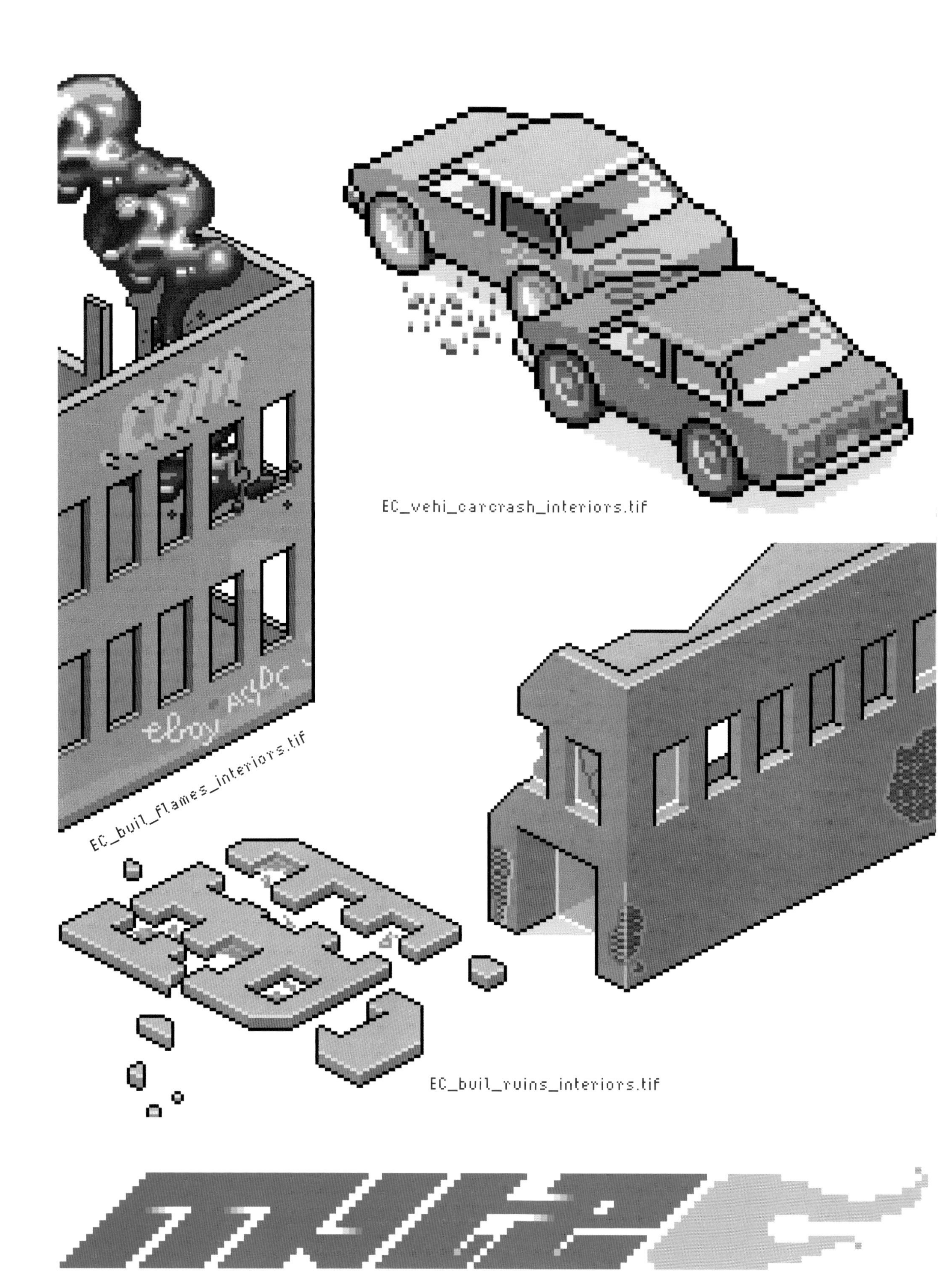

EC_vehi_carcrash_interiors.tif

EC_buil_flames_interiors.tif

EC_buil_ruins_interiors.tif

DIV_logo_muteflames_free.tif

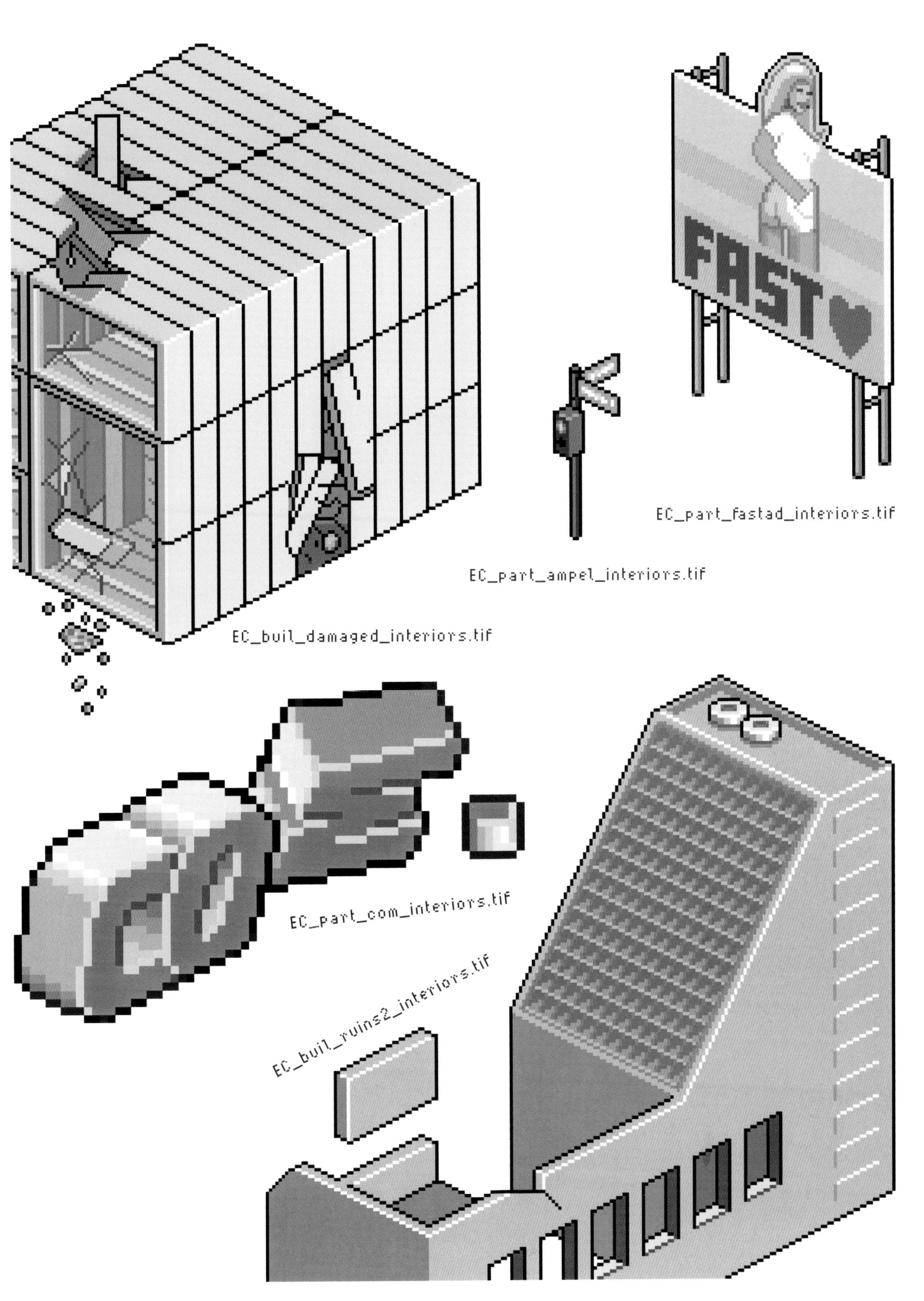
FAST
EC_part_fastad_interiors.tif
EC_part_ampel_interiors.tif
EC_buil_damaged_interiors.tif
EC_part_com_interiors.tif
EC_buil_ruins2_interiors.tif

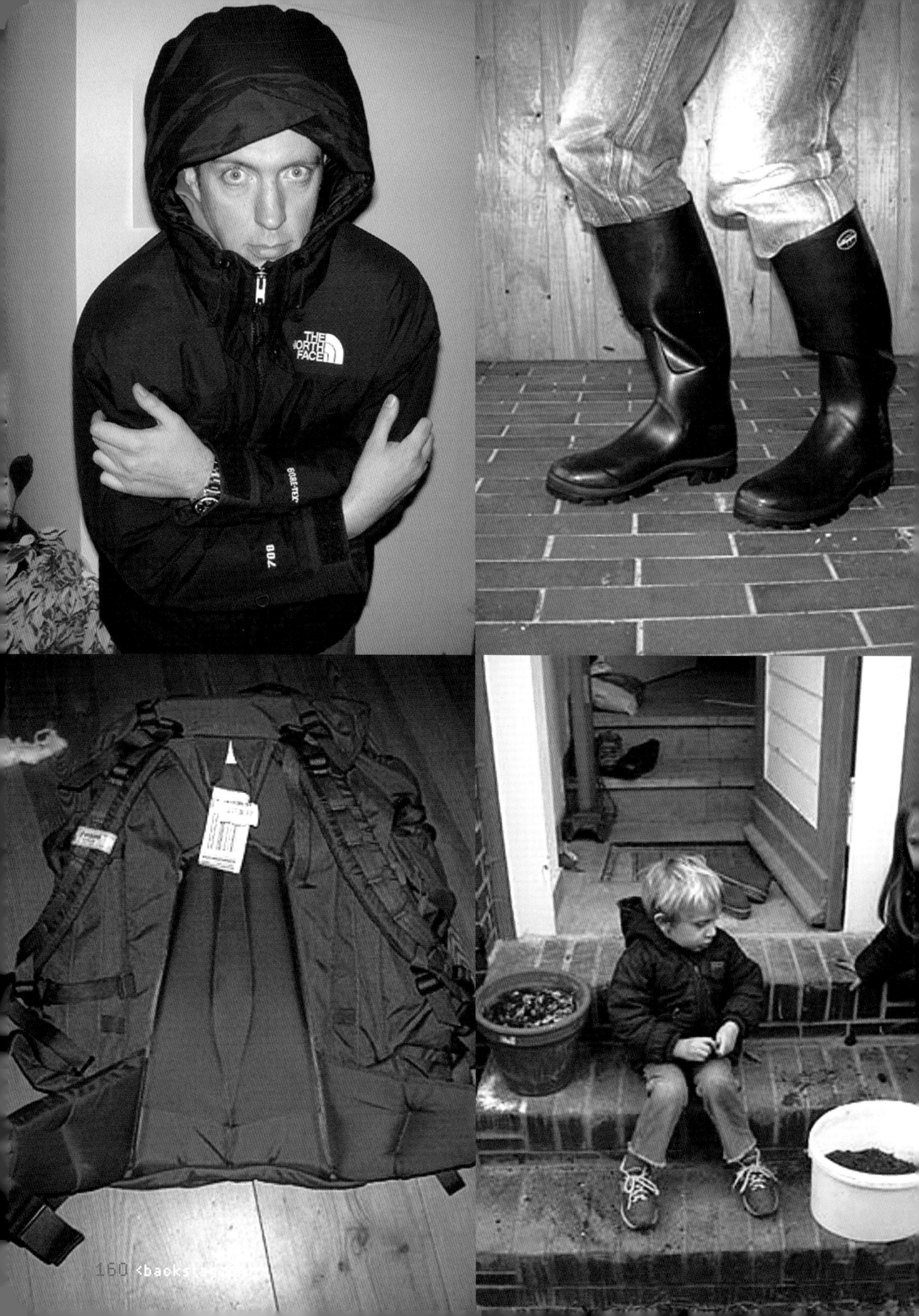
THE
NORTH
FACE
GORE-TEX
700

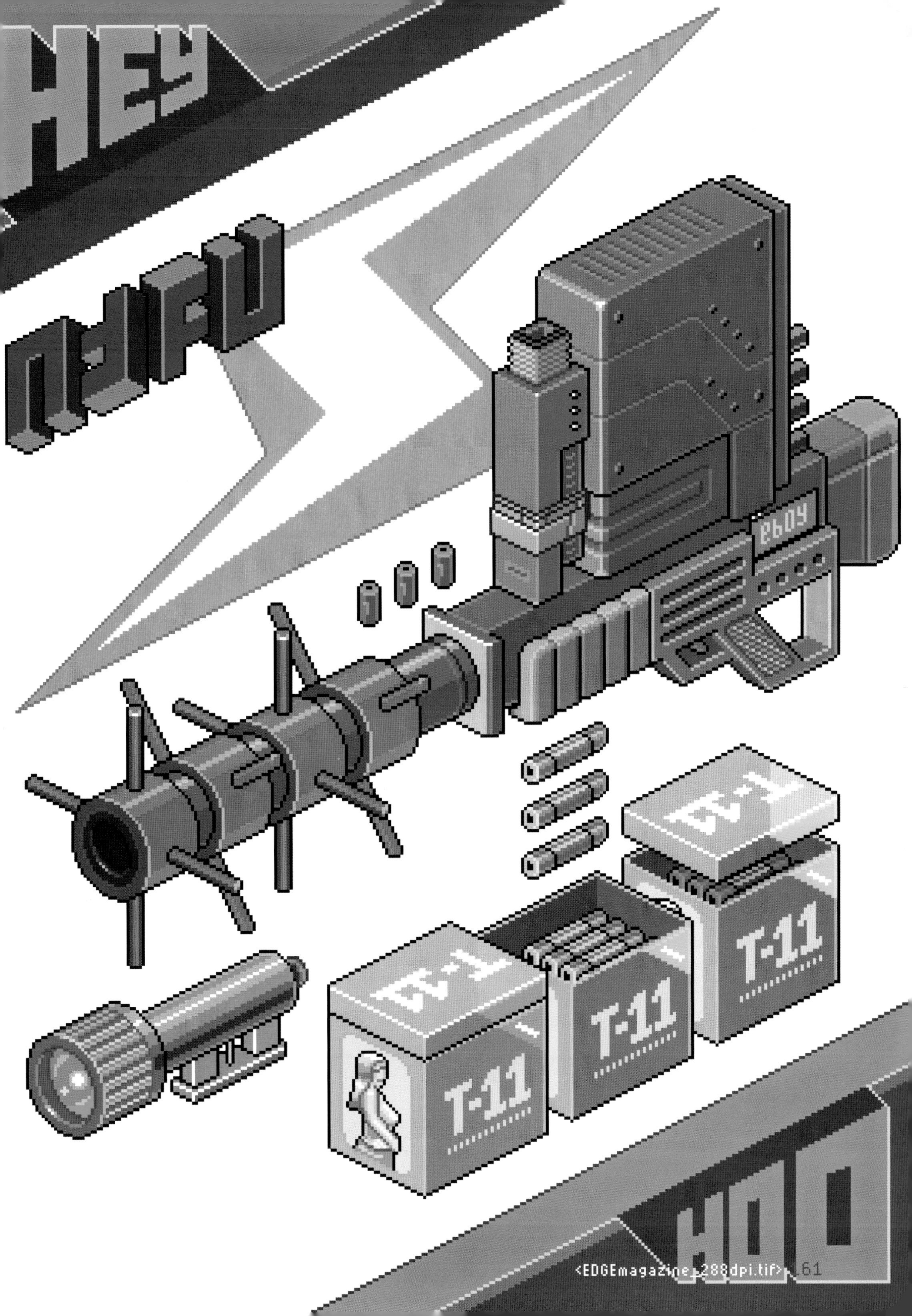
HEY
HOO
T-11
T-11
T-11

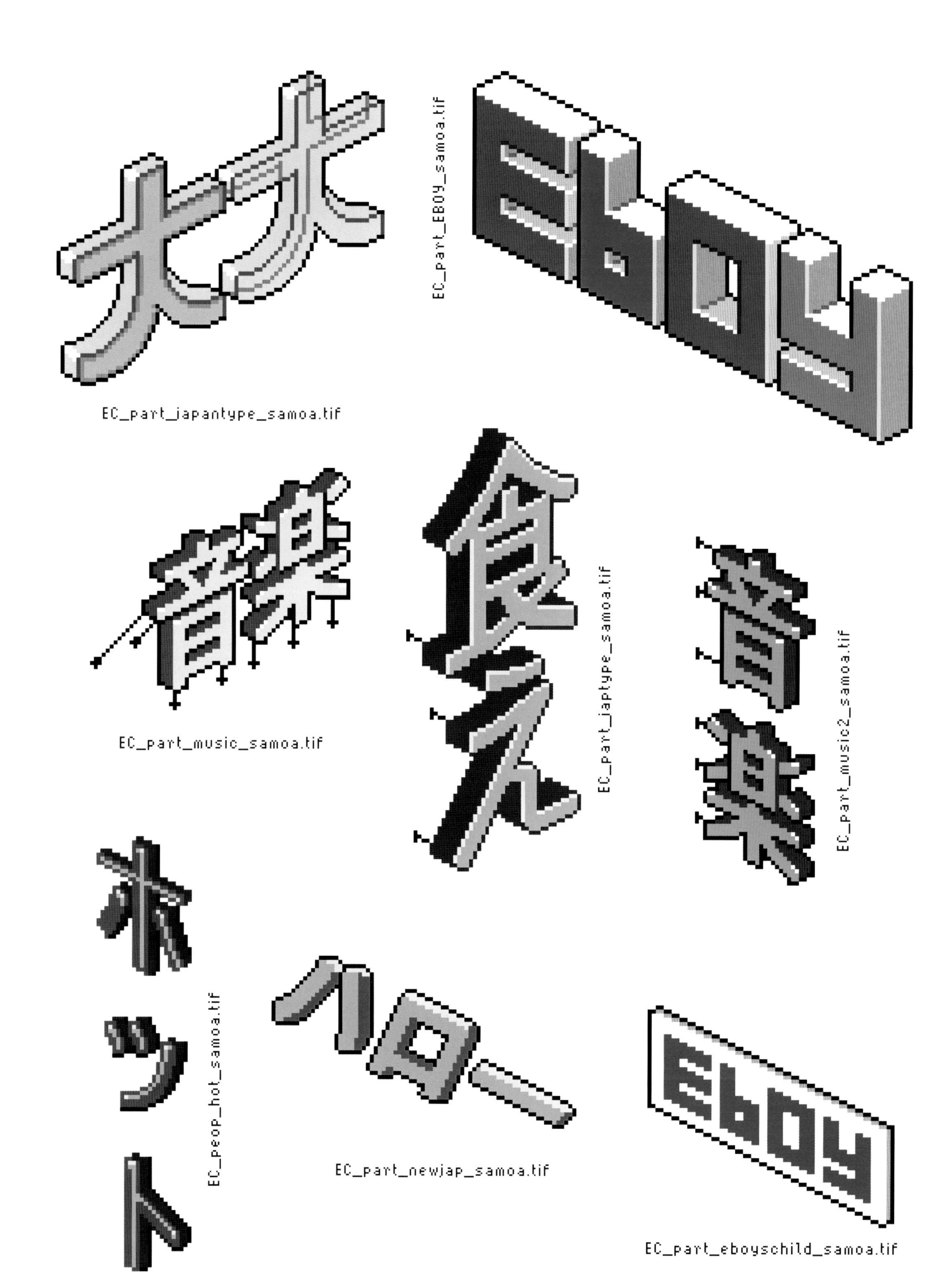

EC_part_japantype_samoa.tif

EC_part_EBOY_samoa.tif

EC_part_music_samoa.tif

EC_part_japtype_samoa.tif

EC_part_music2_samoa.tif

EC_peop_hot_samoa.tif

EC_part_newjap_samoa.tif

EC_part_eboyschild_samoa.tif

<THEFACE_soldier_480dpi.tif>

DIV_robo_body6_stern.tif

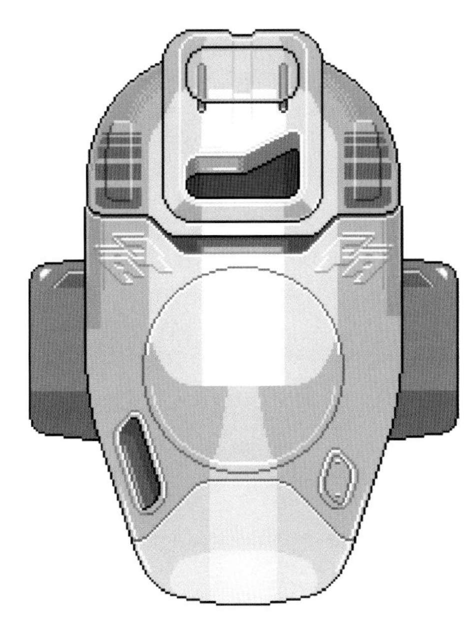

DIV_robo_body1_stern.tif

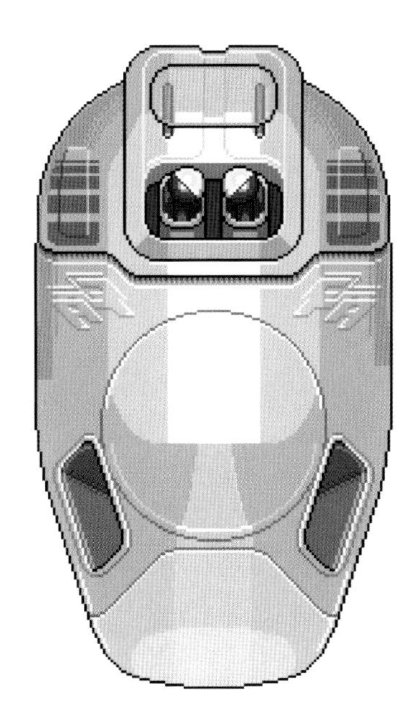

DIV_robo_body5_stern.tif

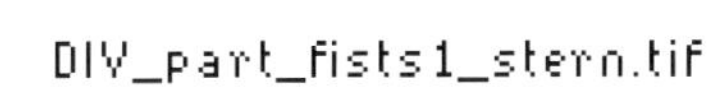

DIV_part_fists1_stern.tif

DIV_part_cd2_stern.tif

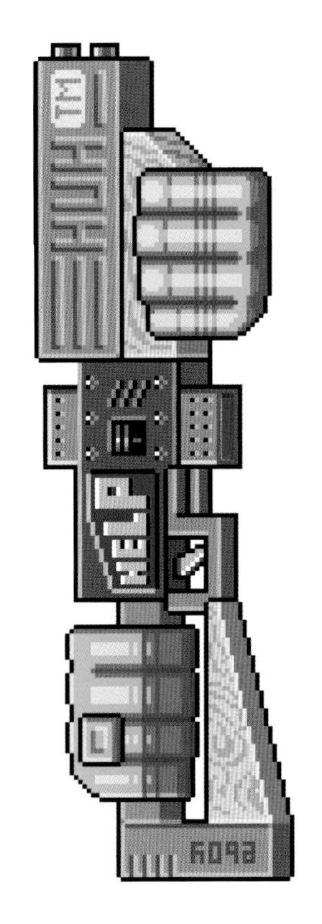

DIV_part_helpgun_face.tif

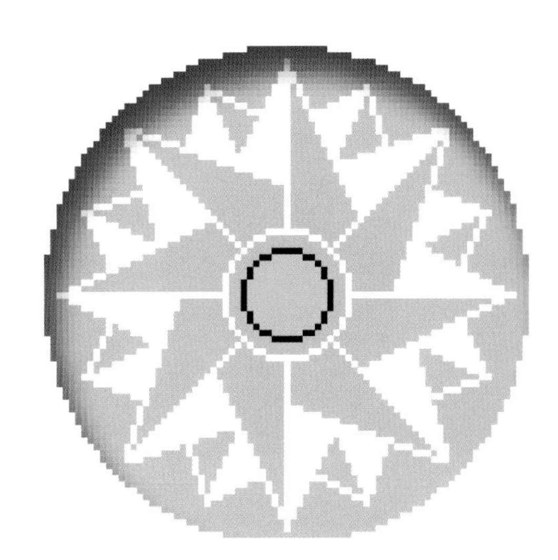

DIV_part_cd1_stern.tif

EC_block_peecolkaputt_stuff.tif

EC_part_newjapposter_samoa.tif
EC_buil_garage_attenda.tif
D'Arcy
EC_part_poster_samoa.tif
ERICSSON
12:23
EC_buil_darthvadder_attenda.tif
EC_buil_erricson_attenda.tif

DIV_vege_2plants_face.tif

EC_part_smoke-_stuff.tif

DIV_vege_2plants2_face.tif

DIV_part_stones_face.tif

EC_buil_brickfresh+_stuff.tif

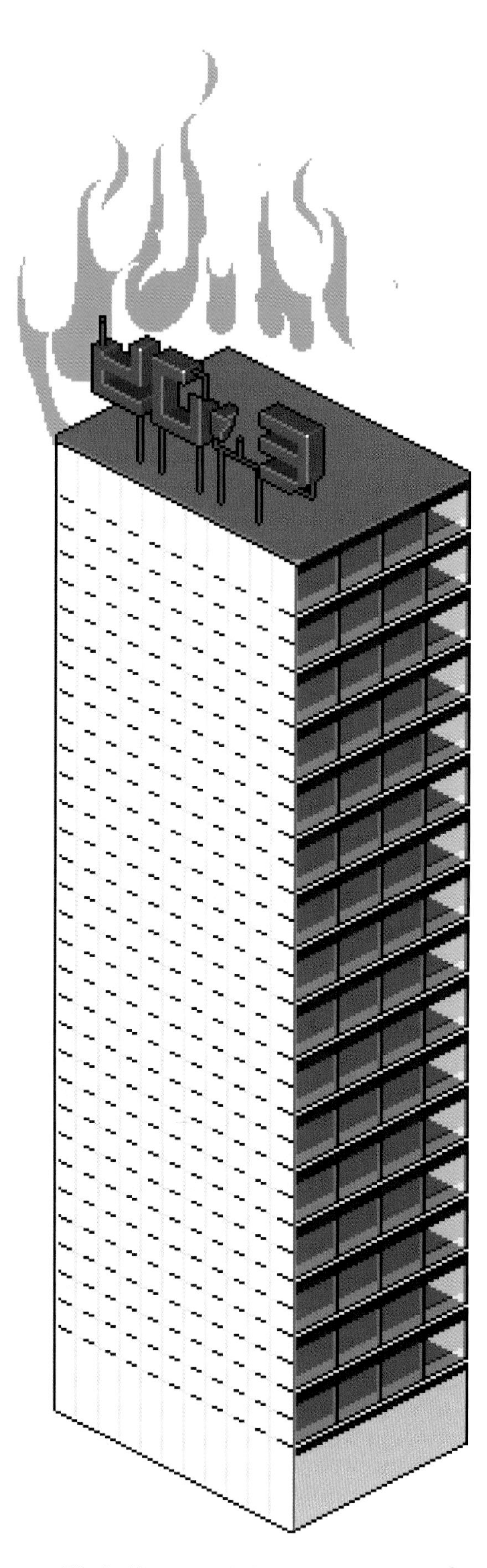

EC_buil_romaniaburnig_stuff.tif

EC_peop_deadman05_stuff.tif

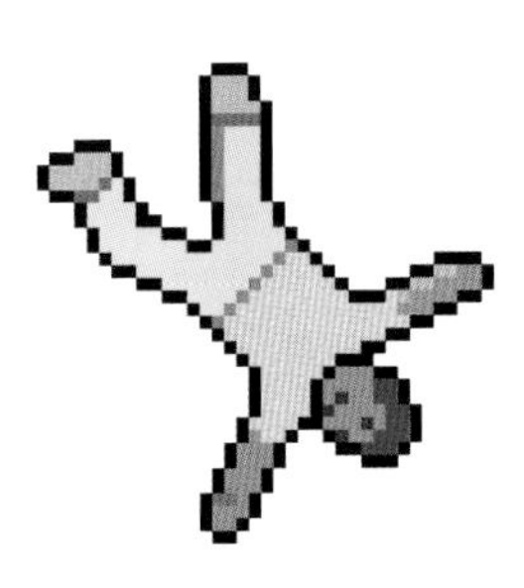

EC_peop_fallingdown_stuff.tif

EC_peop_deadman04_stuff.tif

EC_peop_deadman02_stuff.tif

EC_peop_deadman06_stuff.tif

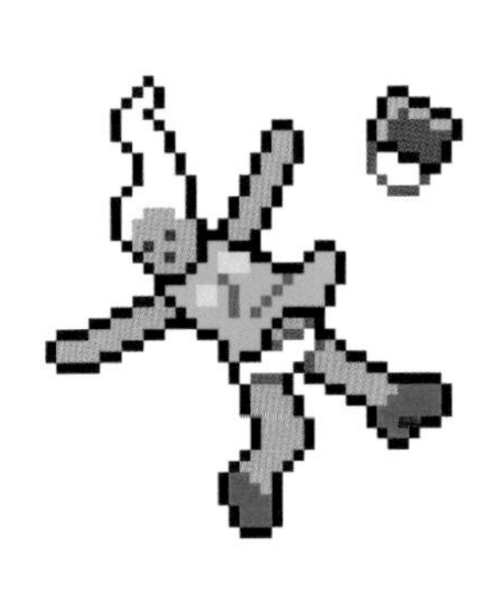

EC_peop_womanfalling_stuff.tif

EC_peop_manfalling_stuff.tif

EC_peop_deadman03_stuff.tif

EC_peop_deadman07_stuff.tif

EC_peop_deadman01_stuff.tif

EC_part_explosionbig_stuff.tif

EC_part_fire+_small_stuff.tif

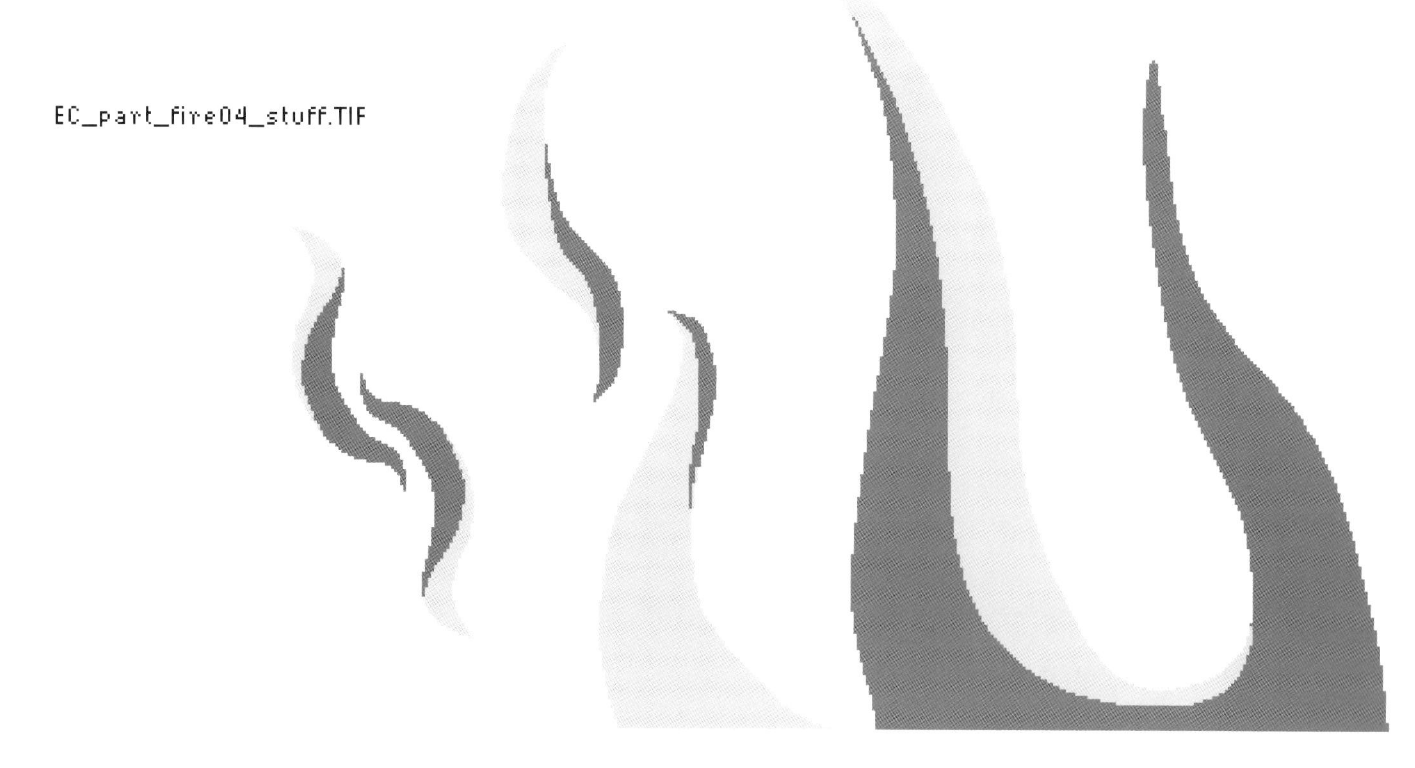

EC_part_fire04_stuff.TIF

EC_part_frontfire_big_stuff.tif

EC_part_firepark_stuff.tif

EC_part_fire+smoke05_stuff.tif

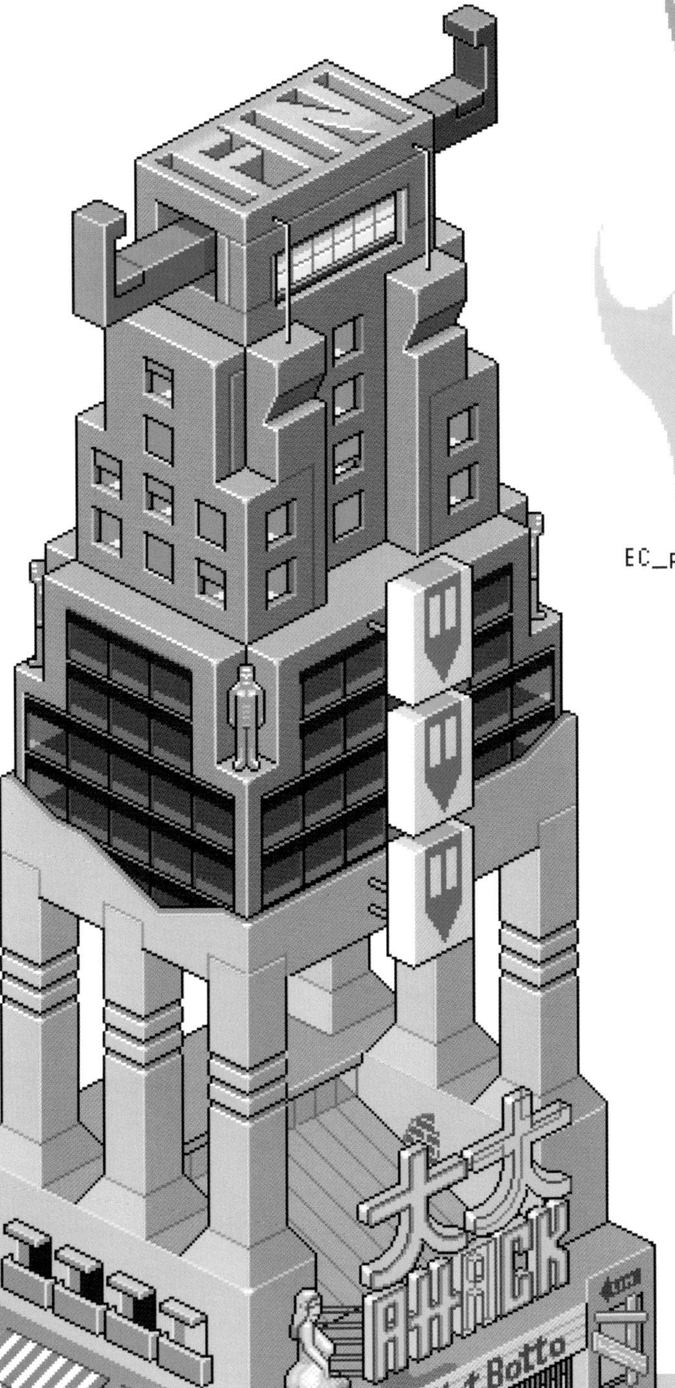

EC_buil_Chinabotbldg_samoa.tif

EC_part_fireyellow_stuff.tif

EC_part_fire05.03_stuff.tif

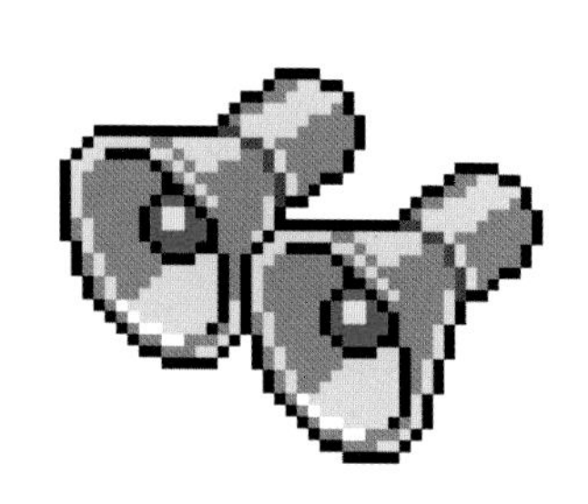

EC_part_patweeter_stuff.tif

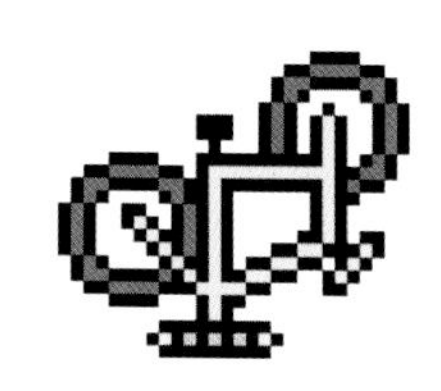

EC_part_bike_stuff.tif

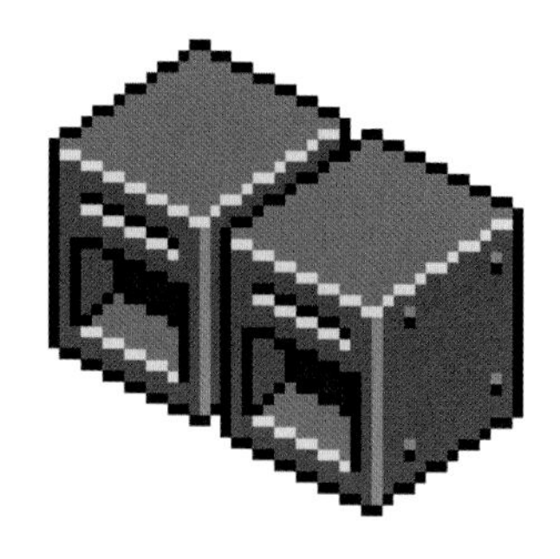

EC_part_paboxen_stuff.tif

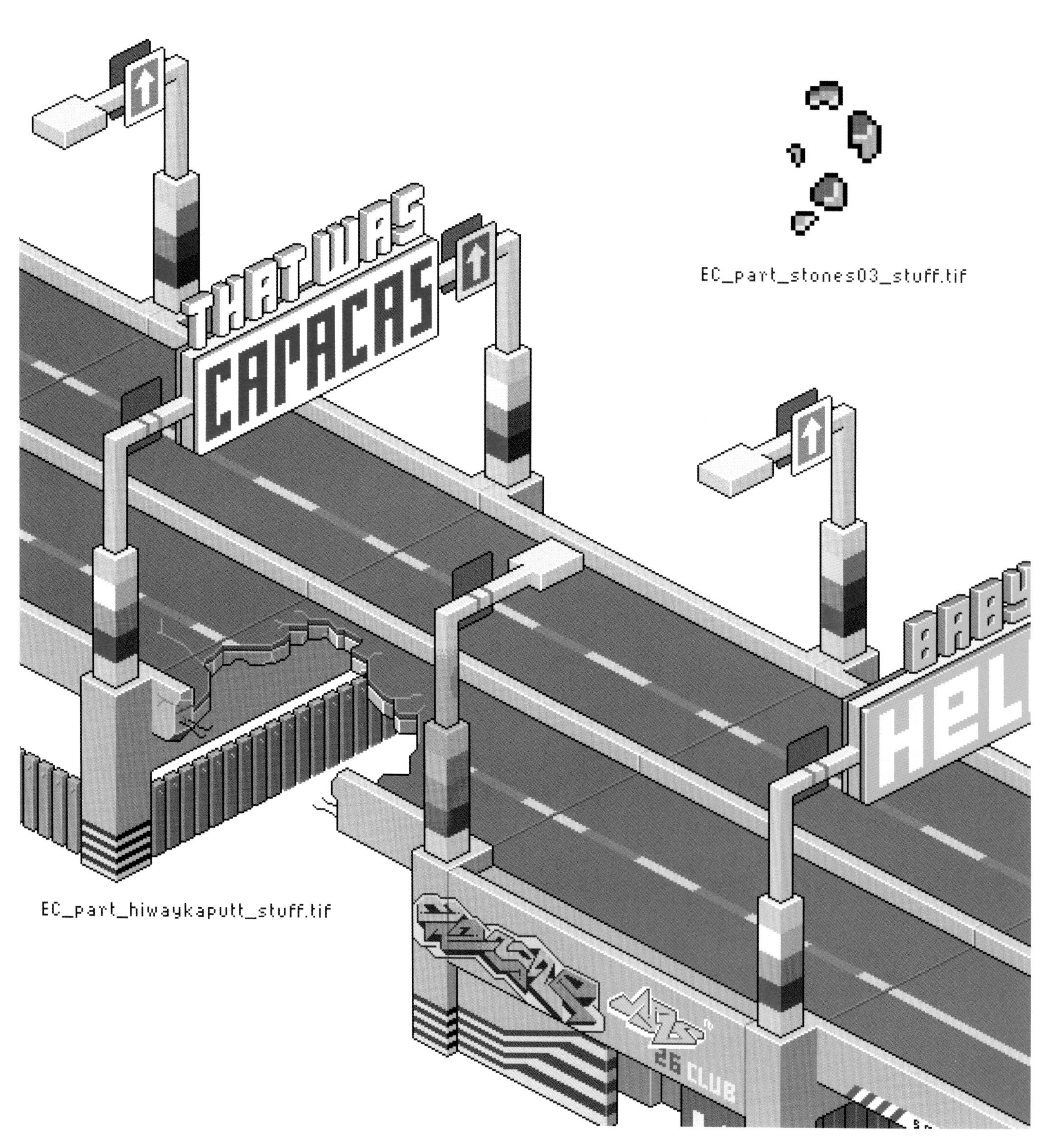

EC_part_stones03_stuff.tif

EC_part_hiwaykaputt_stuff.tif

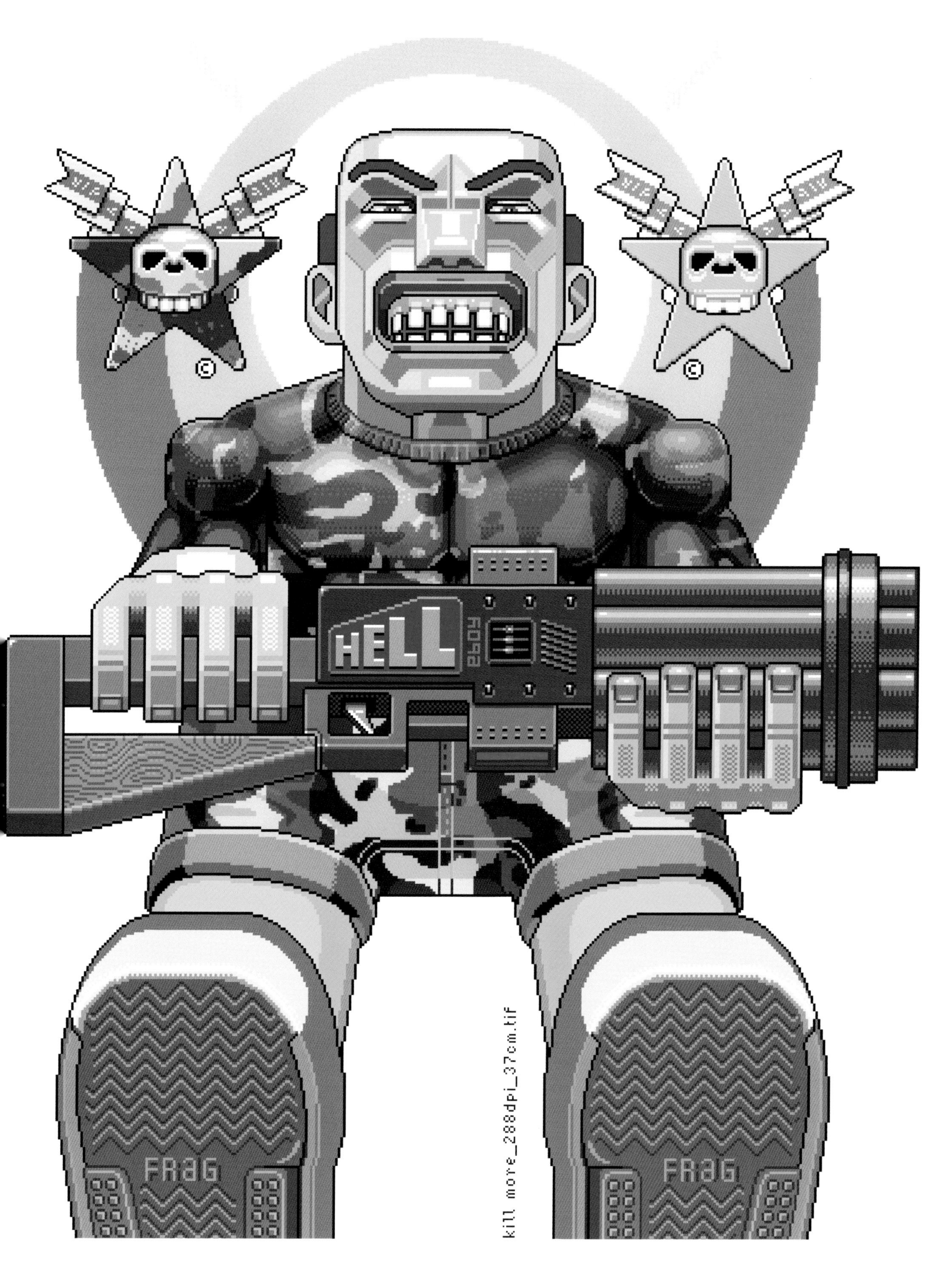
HELL
FRAG
FRAG
kill more_288dpi_37cm.tif

 <interiormag_CMYK_304dpi.tif>

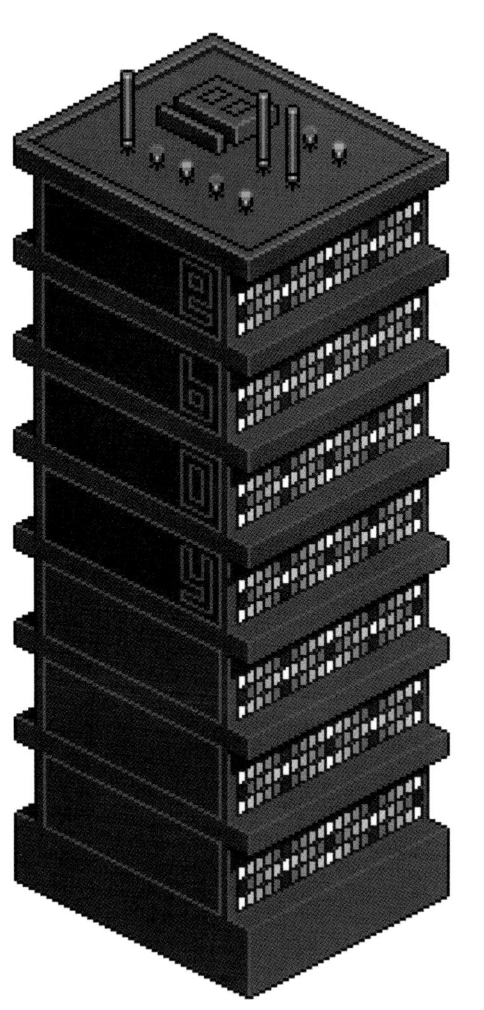

EC_buil_darkscull_n_attenda.tif

DIV_logo_tmo_face.tif

DIV_logo_tmo2_face.tif

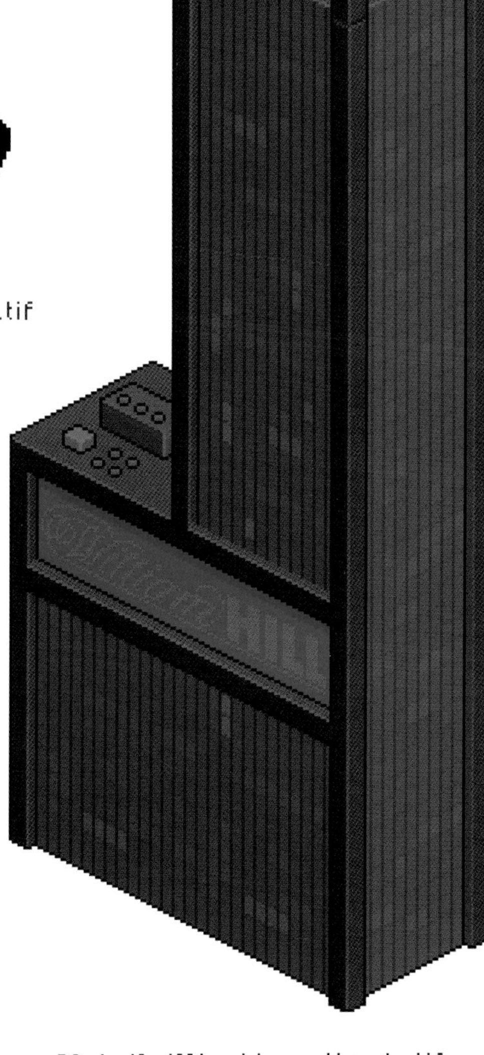

EC_builwilliamhi_n_attenda.tif

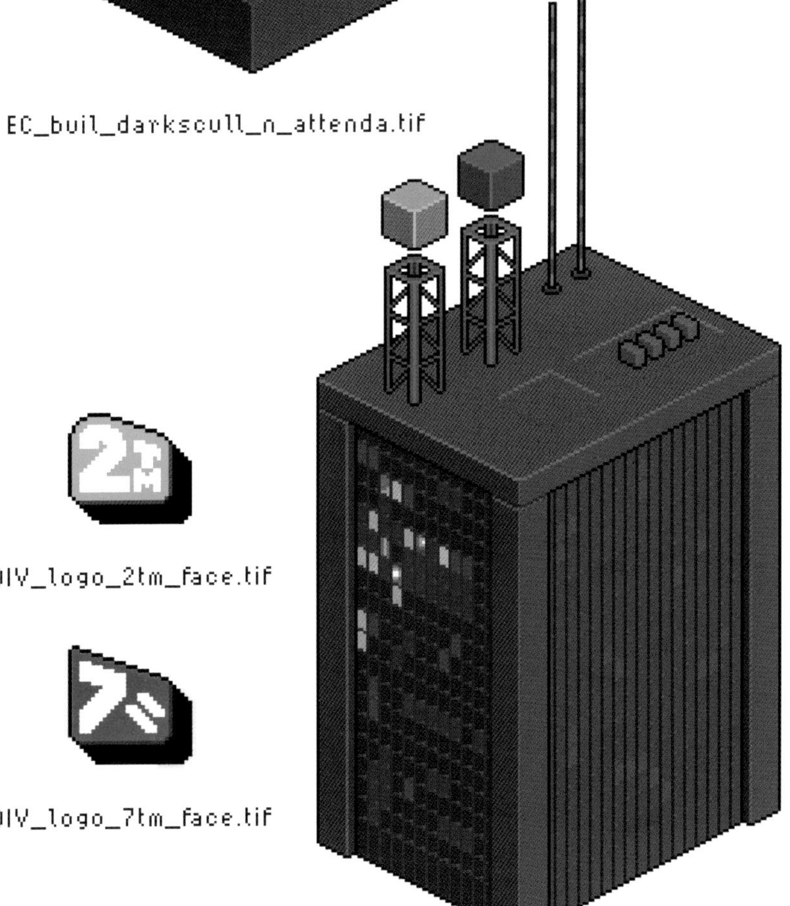

DIV_logo_2tm_face.tif

DIV_logo_7tm_face.tif

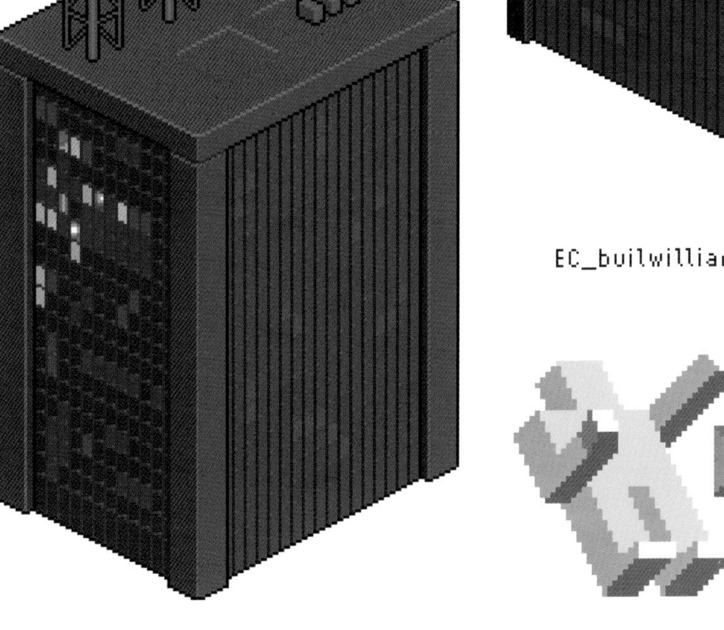

EC_buil_olddisney_n_attenda.tif

DIV_logo_pixelboy_free.tif

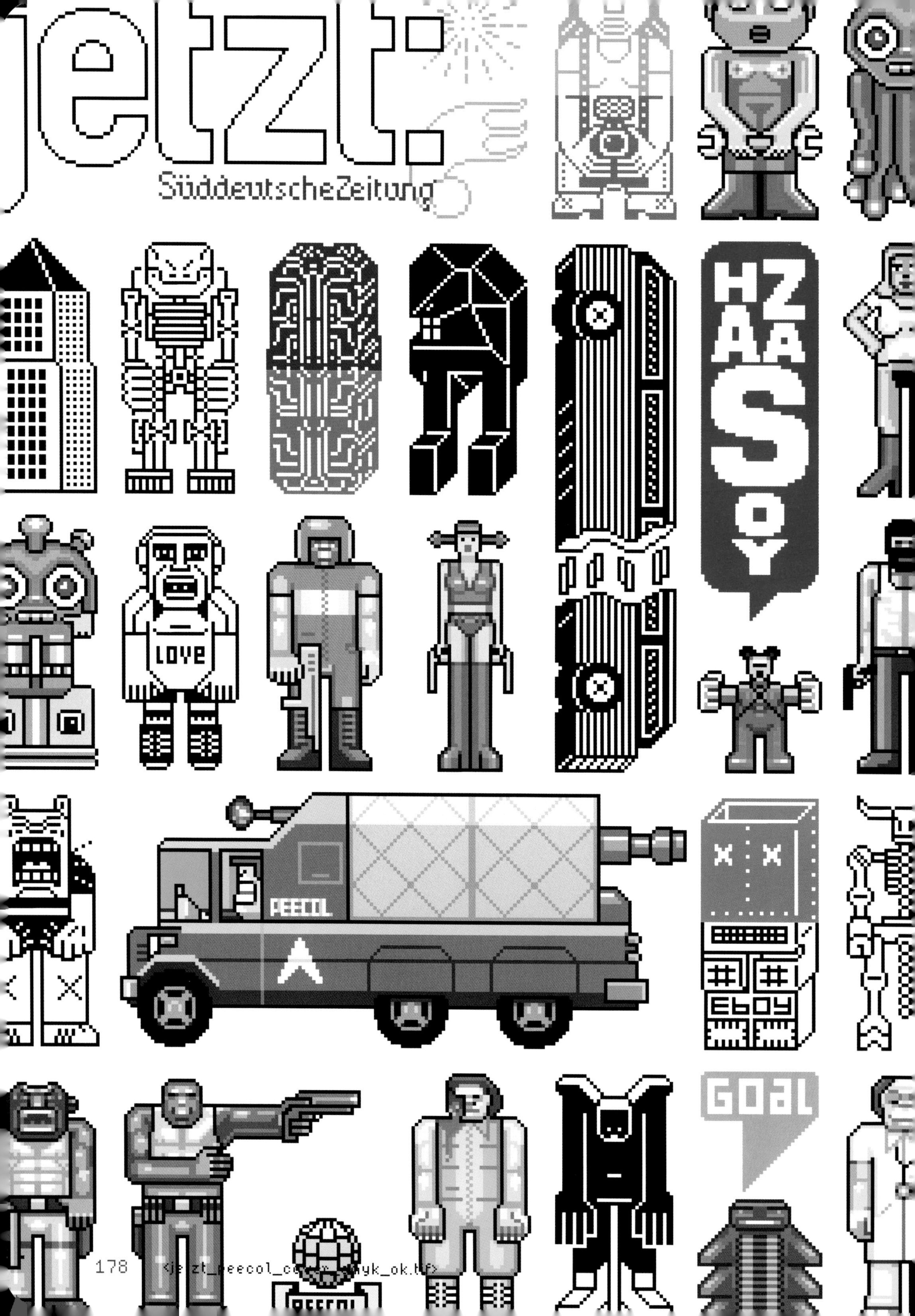

 <jetzt_peecol_cover_cmyk_ok.tif>

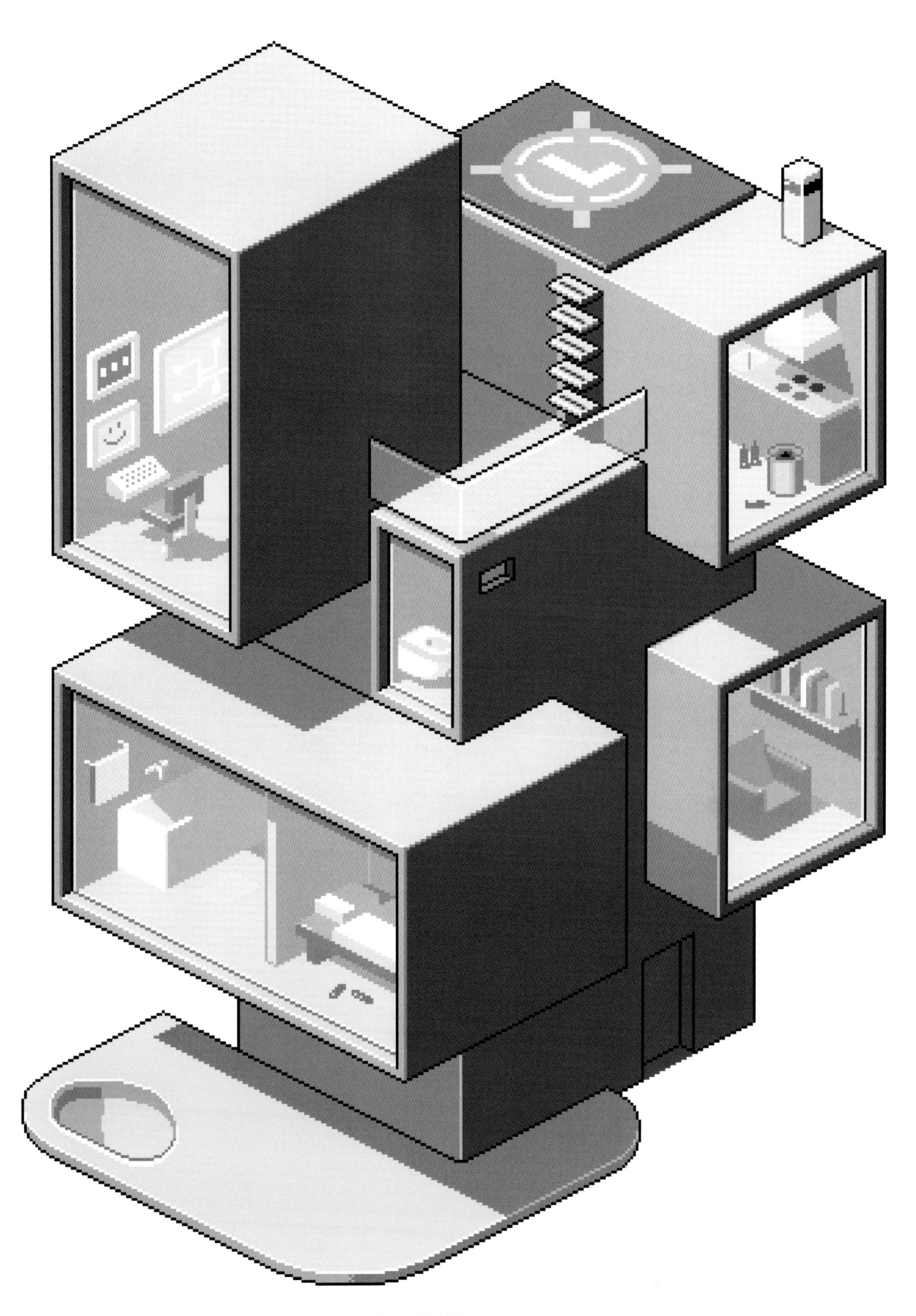

EC_buil_future_diezeit.tif

EC_vehi_funhelicop+_stuff.tif

EC_part_antenne_samoa.tif

EC_part_antennen_samoa.ti

EC_buil_poptics_stuff.tif

EC_part_eboyflags_stuff.tif

EC_peop_cannon+stuff_stuff.tif

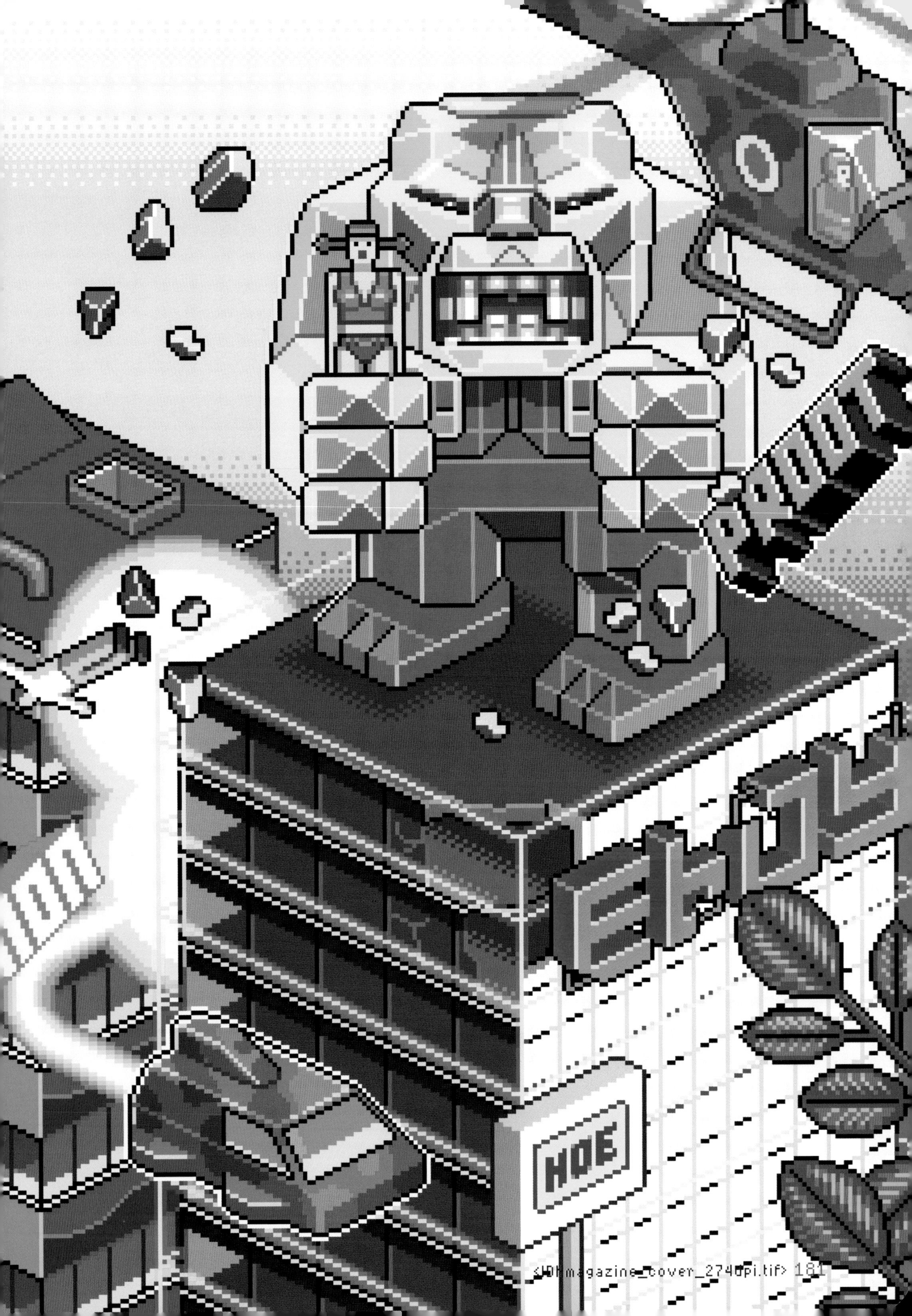

<IDNmagazine_cover_274dpi.tif>

<michael R. ILLUSTRATION>

EC_part_firesmall_stuff.tif

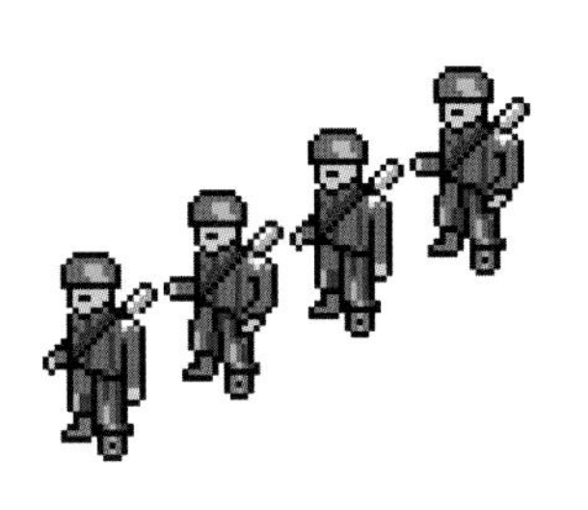

EC_peop_soldiers_stuff.tif

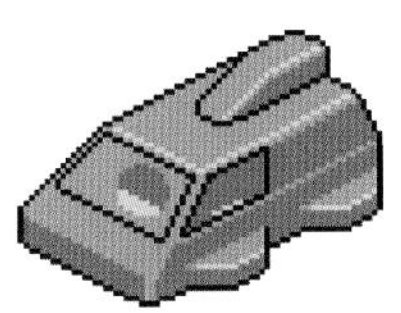

EC_vehi_aircardirty_harpen.tif

fielding.eps

EC_part_firemedium_stuff.tif

dennis.eps

EC_peop_1worker_harpen.tif

EC_part_plantsfront_stuff.tif

EC_part_tree_harpen.tif

lettermann.eps

DIV_part_decal_bad_dplex.tif

EC_anim_ape2_interiors.tif

DIV_part_hoboteaser_eboy.TIF

PEE_peop_fans5_starlet.tif

WEB_part_kabbahri_eboy.TIF

PEE_part_gokanister_J01.tif

HOT
TO
BUY
BUY
BUY
NEW
97
12
GLOBE
GOOD NEWS
GOOD NEWS
GOOD NEWS
STOCKS
FRESH
QUICKMONEY
FUNKY
eBoy
ART
ART
HOE

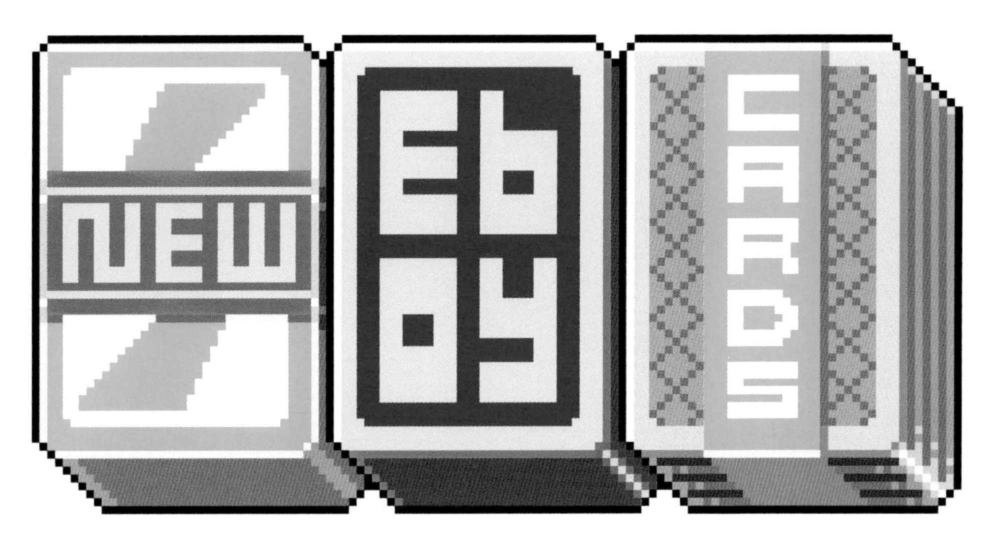

WEB_bann_eboycards_eboy.TIF

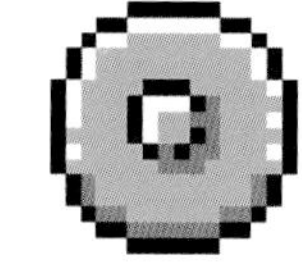

DIV_part_metal_diesel.tif

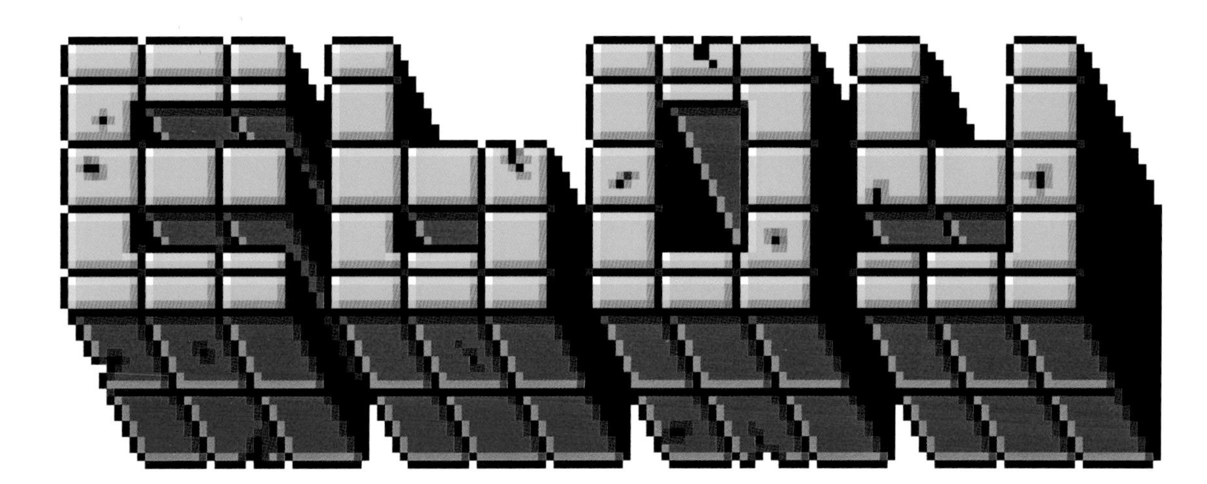

EC_logo_eboystone_eboy.TIF

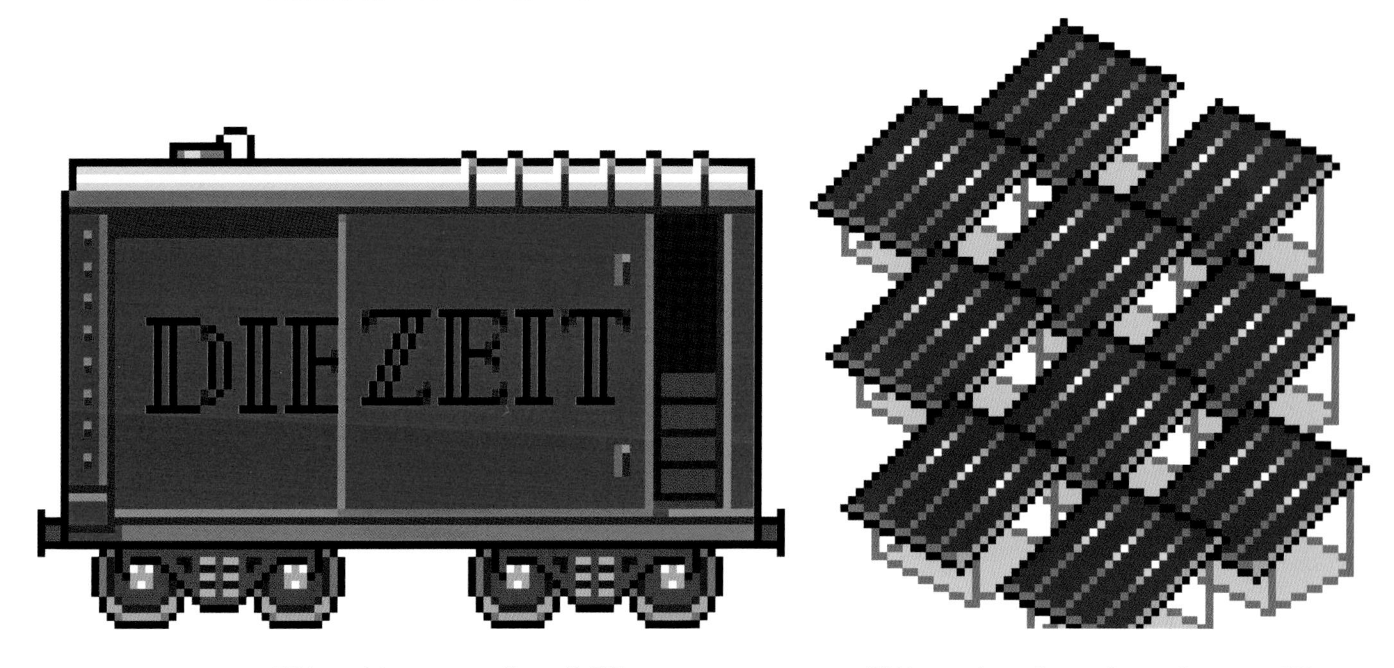

DIV_vehi_wagon_diezeit.TIF

ECV_part_solaranlage_harpen.tif

ECV_part_wolke_harpen.tif

ECV_part_twopeop_harpen.tif

ECV_part_baumgreen_harpen.tif

ECV_parte_climber_harpen.tif

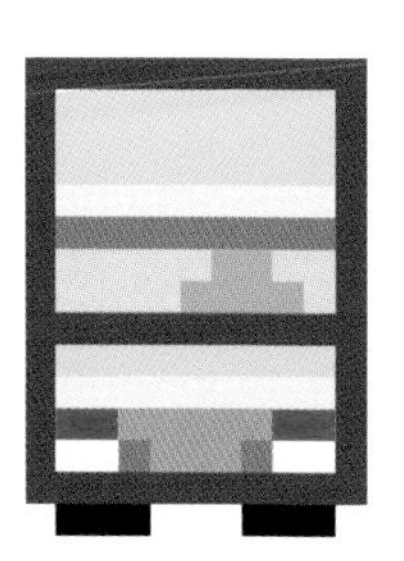

ECV_part_autos_harpen.tif

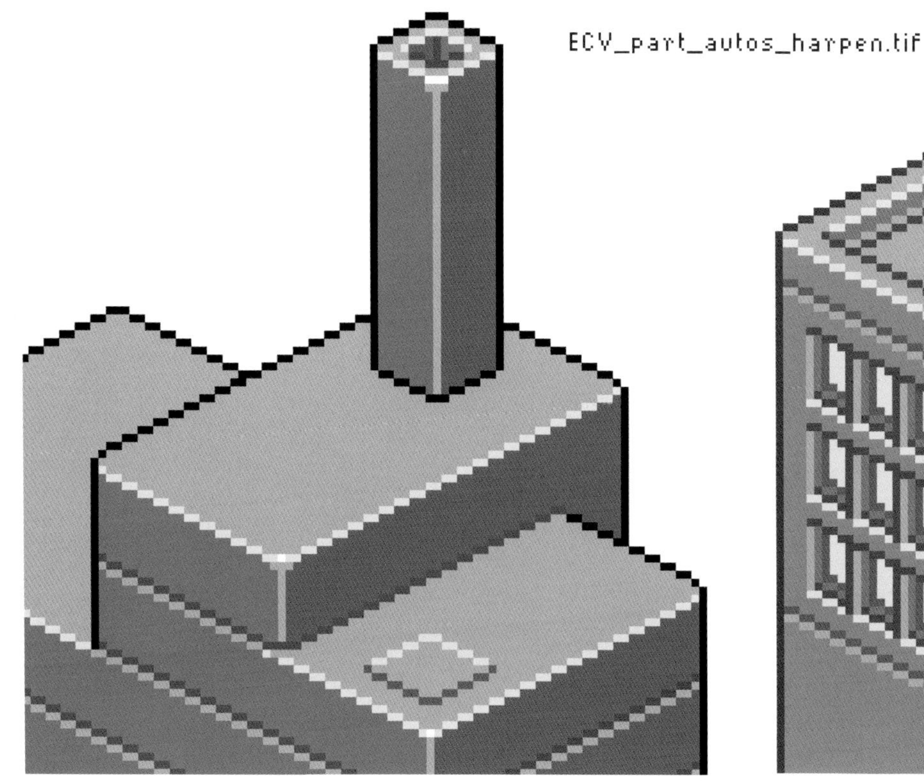

ECV_buil_kraftwerk1_harpen.tif

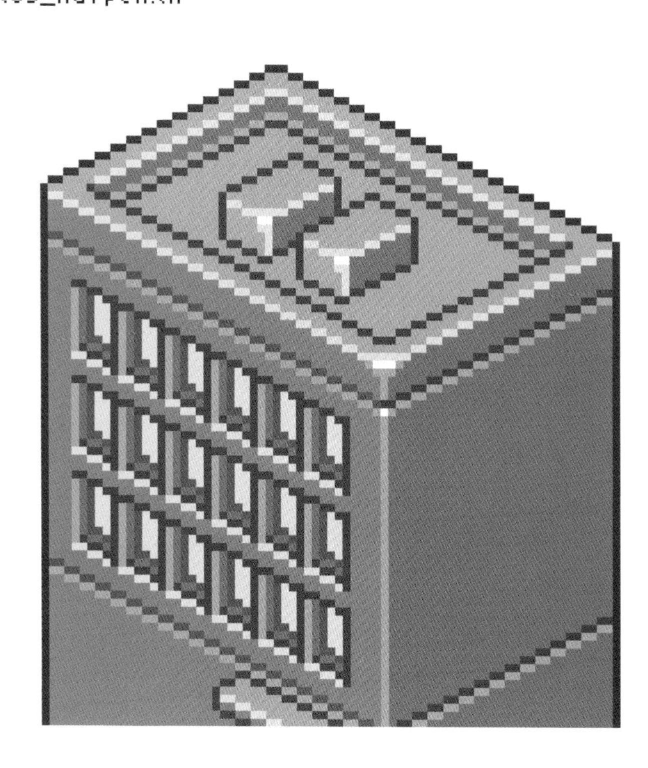

ECV_buil_buisshaus_harpen.tif

CONRAD
CENTE
real
34453
EBOY

STARBUCKS
COFFEE
EBOY

BEYONCE
Jay-Z Penney
CROSBY, STILLS,
BARNES & NOBLE
L.L.Cool Bean
BRITNEY
SEARS
TACO BELLE
& SEBASTIAN
UNCLE
KRACKER
BARREL
J.LO CREW
Fiona Applebee's
RadioheadShack
KRS1 imports
Jon
Gift Explosion
Garth
Brookstone

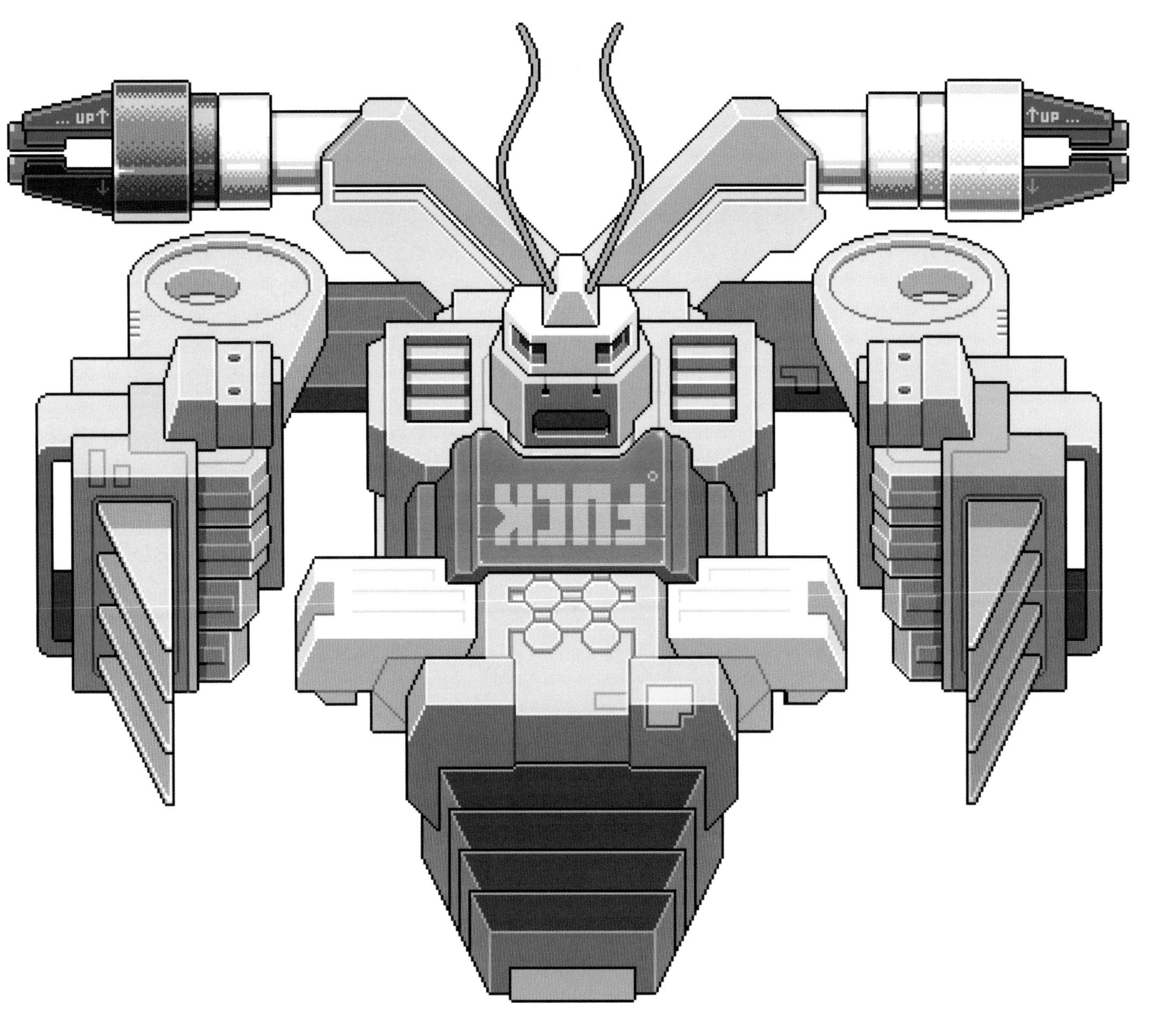

DIV_part_robot_dplex.tif

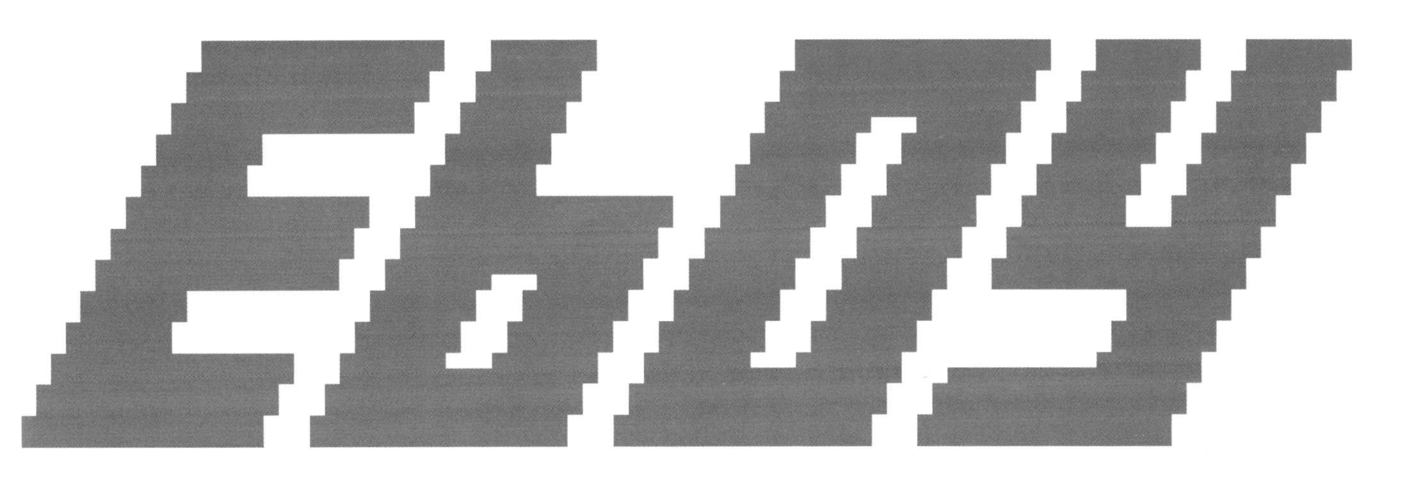

DIV_logo_eboyred_eboy.tif

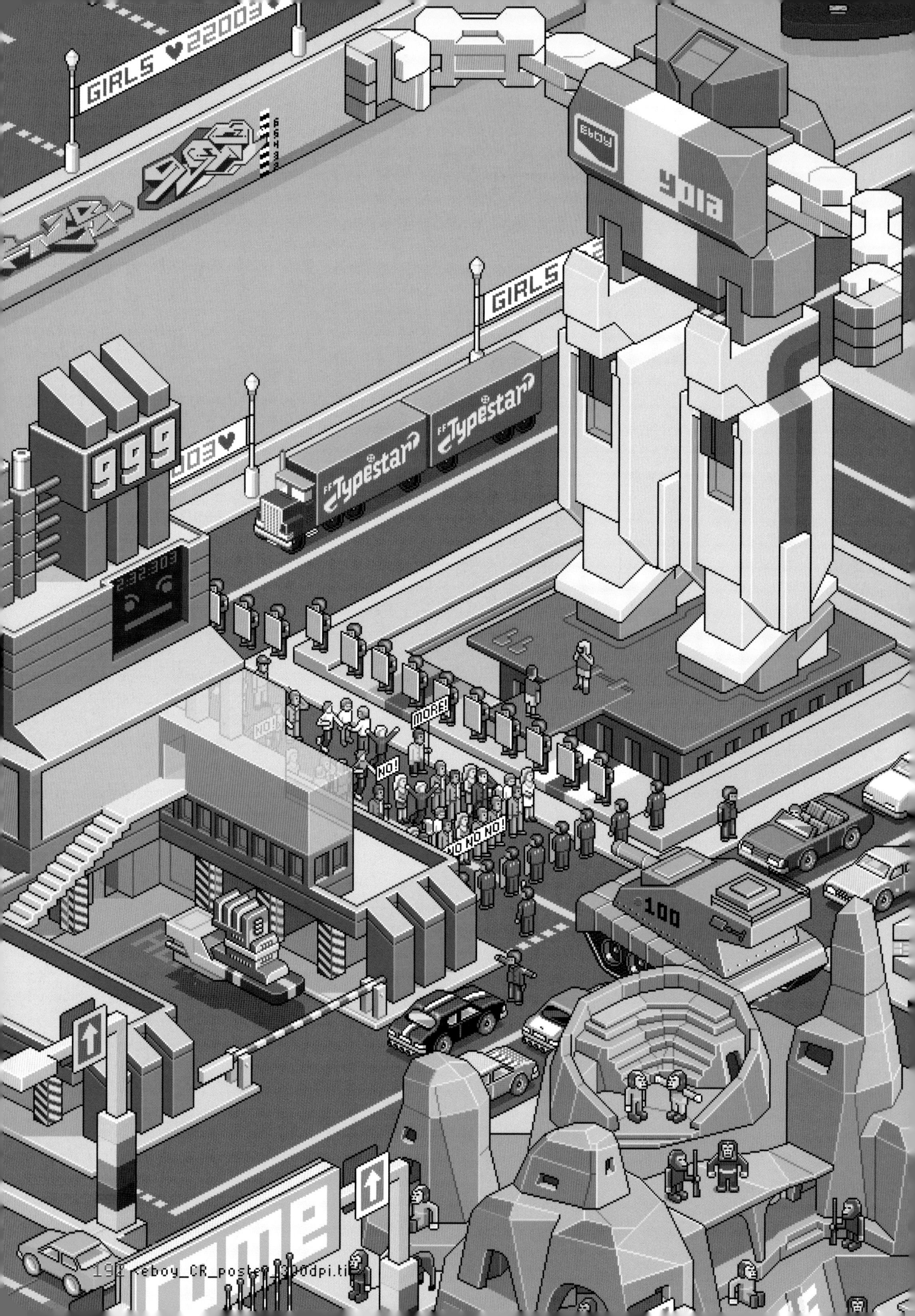

 eboy_CR_poster_300dpi.tif

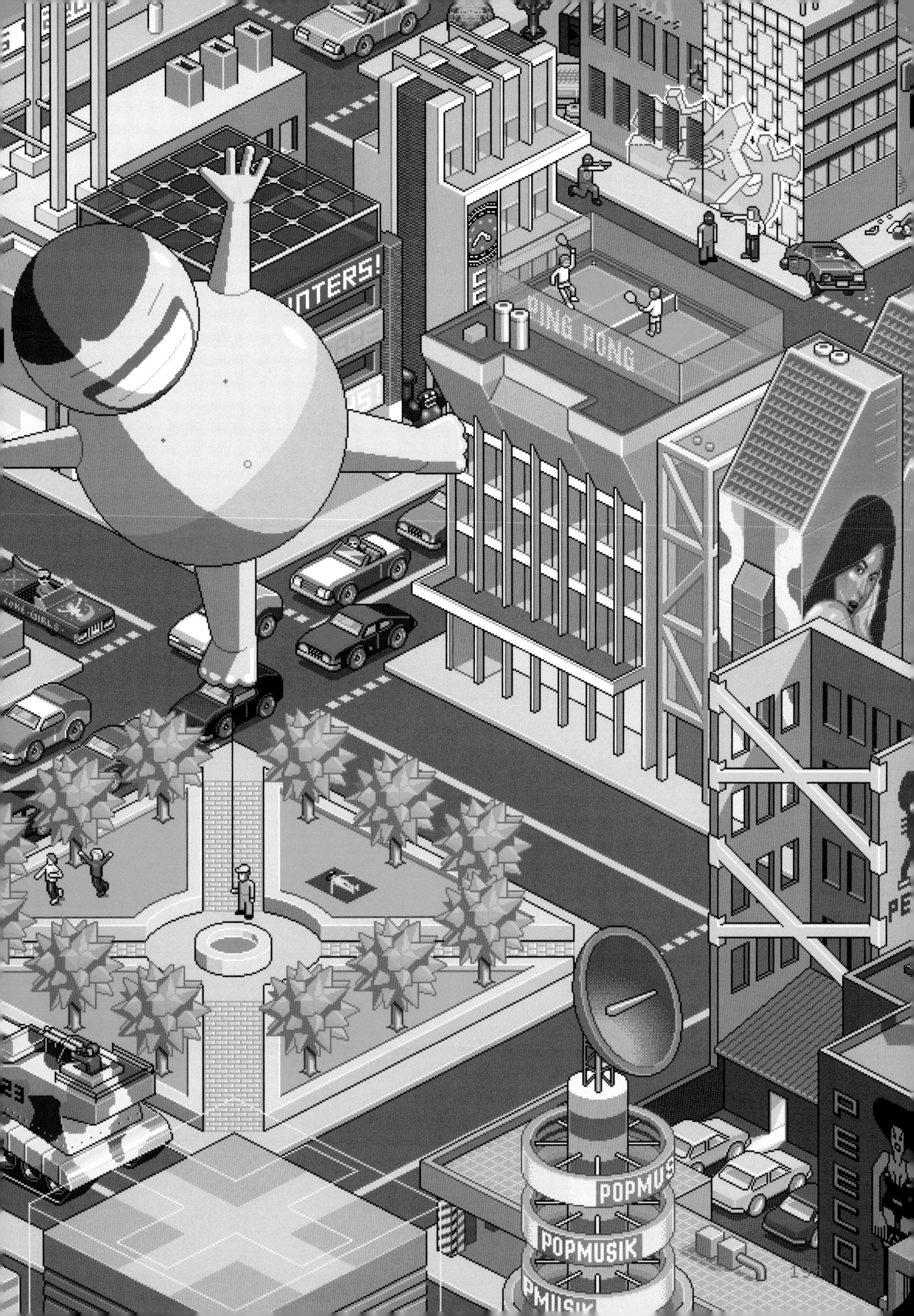
PING PONG
POPMUSIK

HIT THE TOWN

Ready for an exciting fling? Want to hurl on your next-door neighbors? All you need is a backyard siege engine and a ready supply of cats who love to travel!

BY DAVID MILLER ILLUSTRATIONS BY EBOY.COM

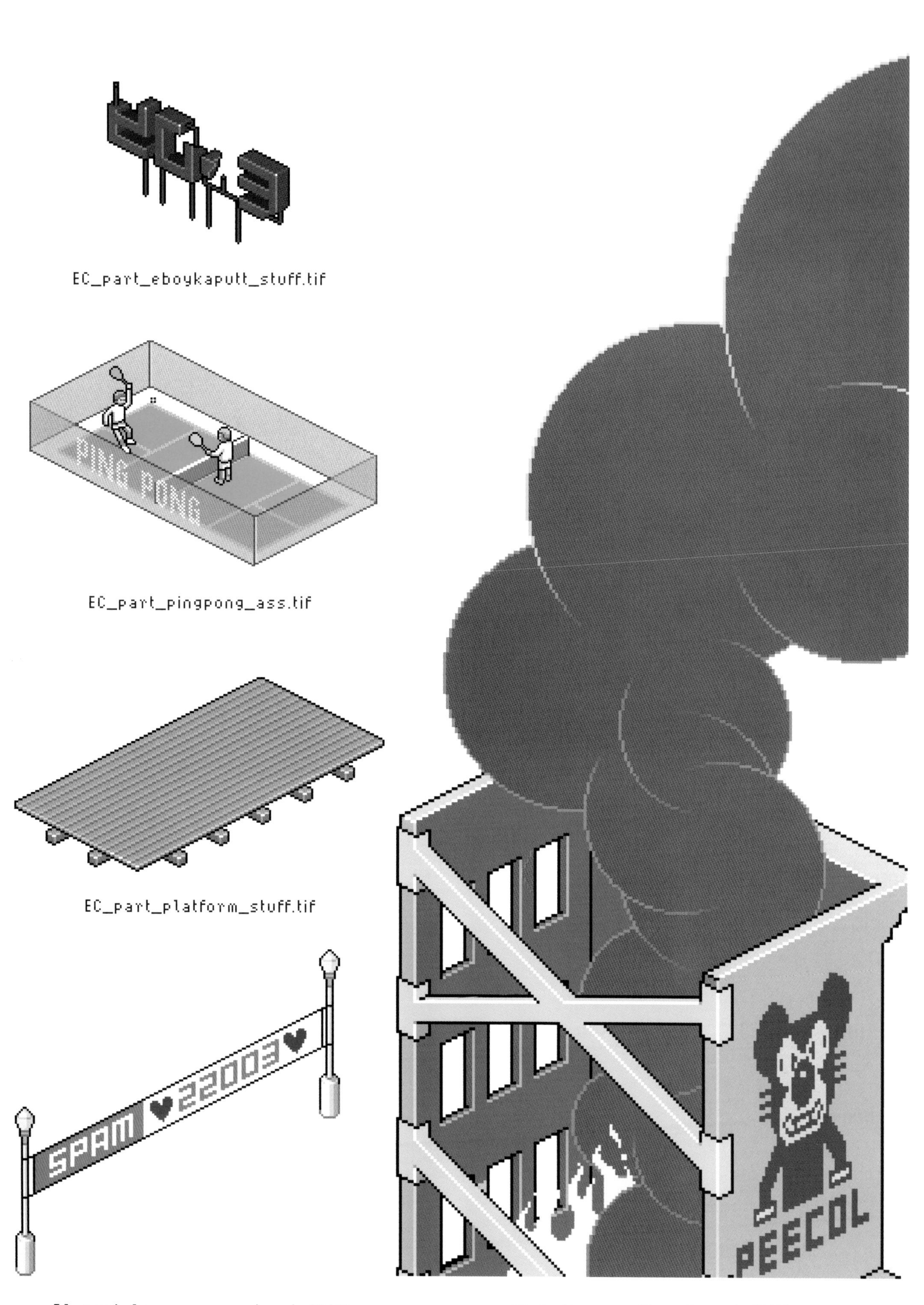

EC_part_eboykaputt_stuff.tif

EC_part_pingpong_ass.tif

EC_part_platform_stuff.tif

EC_part_lamps+spamads_stuff.tif

EC_buil_peecolburning_stuff.tif

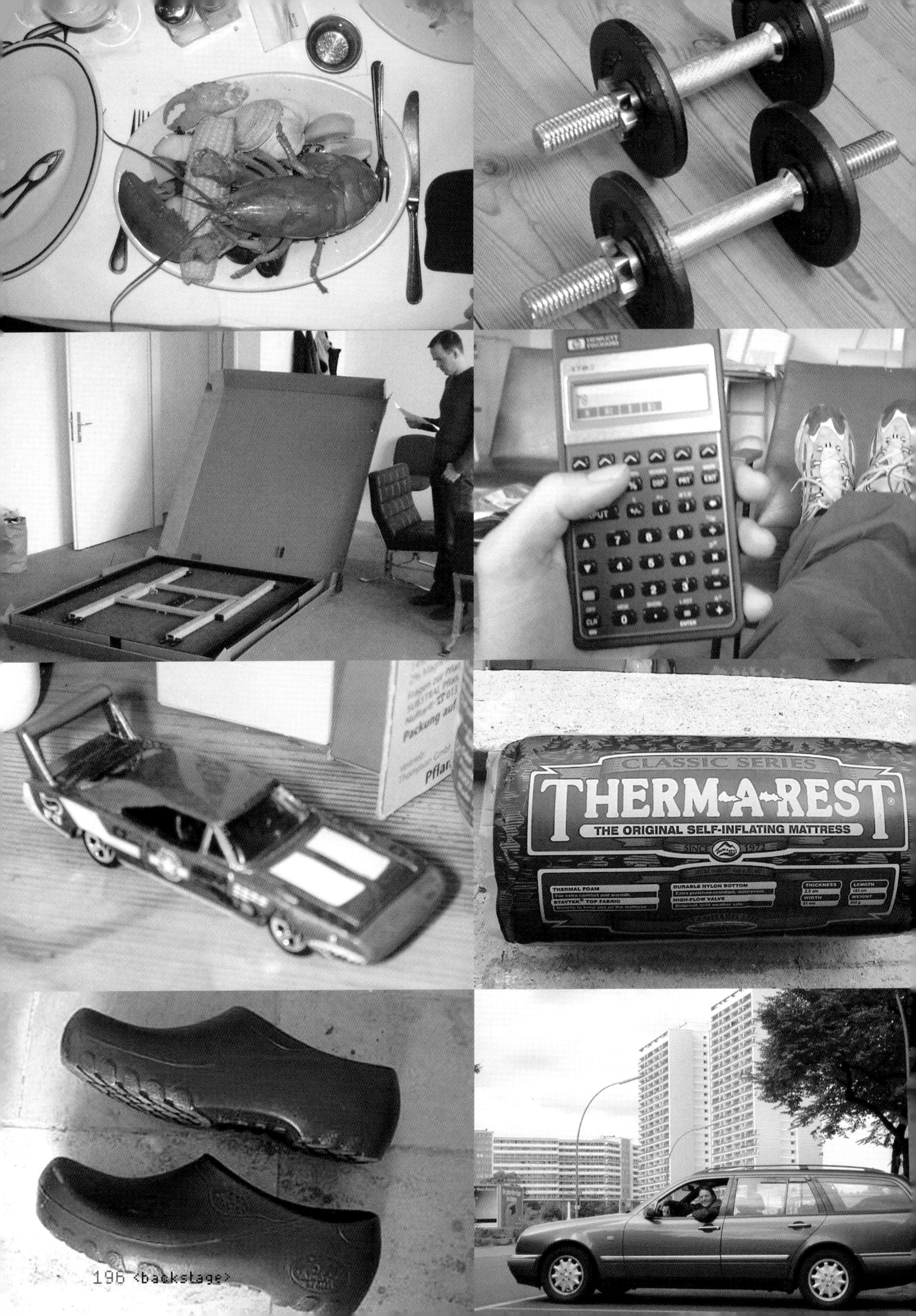
CLASSIC SERIES
THERM-A-REST
THE ORIGINAL SELF-INFLATING MATTRESS

last updated 1. July 97

Eboy

CE☺SIZE!

<WEB_shot_cover4_eboy.TIF> 197

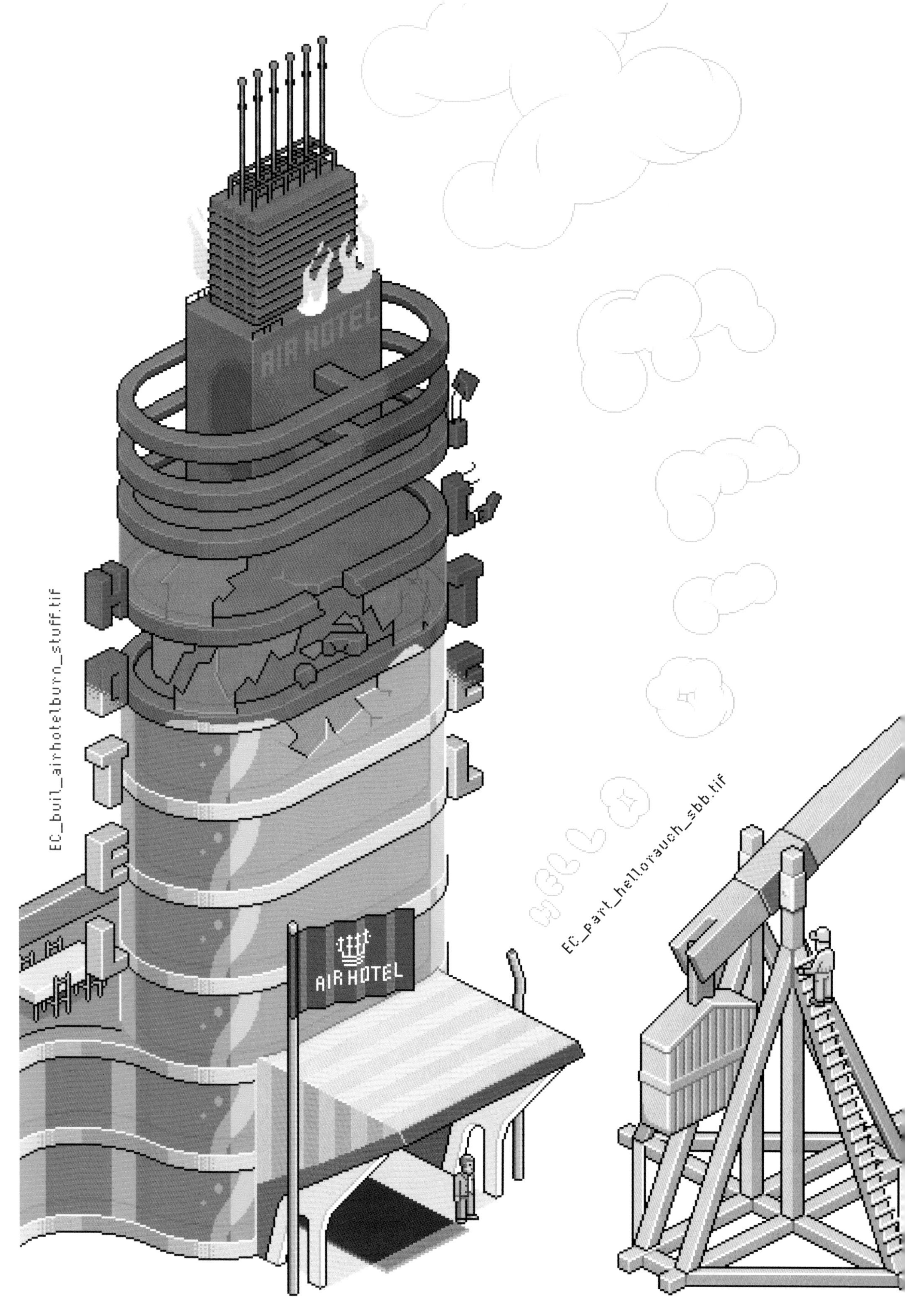

EC_buil_airhotelburn_stuff.tif

EC_part_hellorauch_sbb.tif

EC_part_eboykaputt_stuff.tif
EC_part_fire+smoke_phunk.tif
EC_part_ballista_stuff.tif

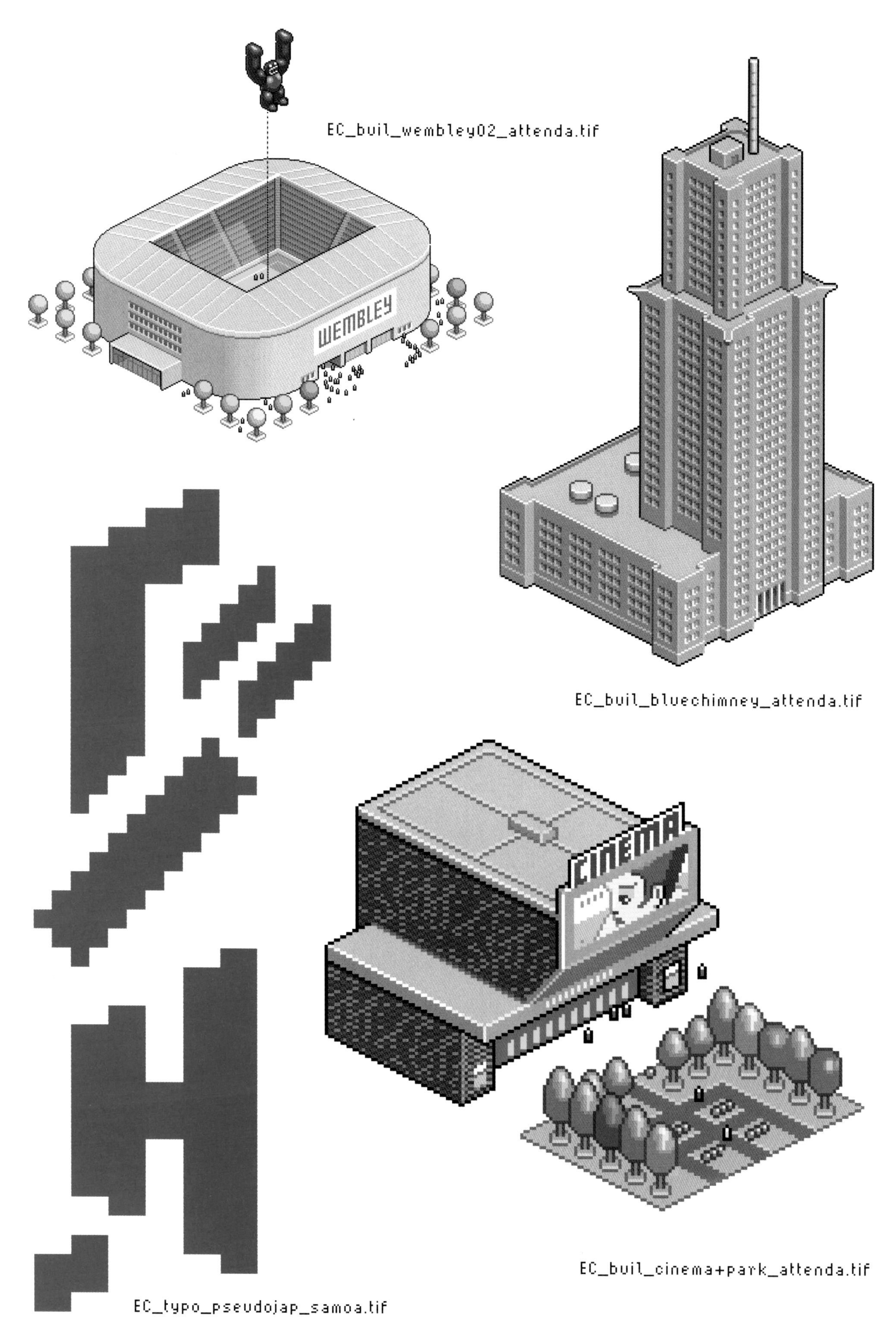

EC_buil_wembley02_attenda.tif

EC_buil_bluechimney_attenda.tif

EC_buil_cinema+park_attenda.tif

EC_typo_pseudojap_samoa.tif

EC_buil_enquiriery3_attenda.tif

DIV_heykellet.tif

EC_buil_teflo_attenda2.tif

face_300dpi_cmyk.tif

eboy

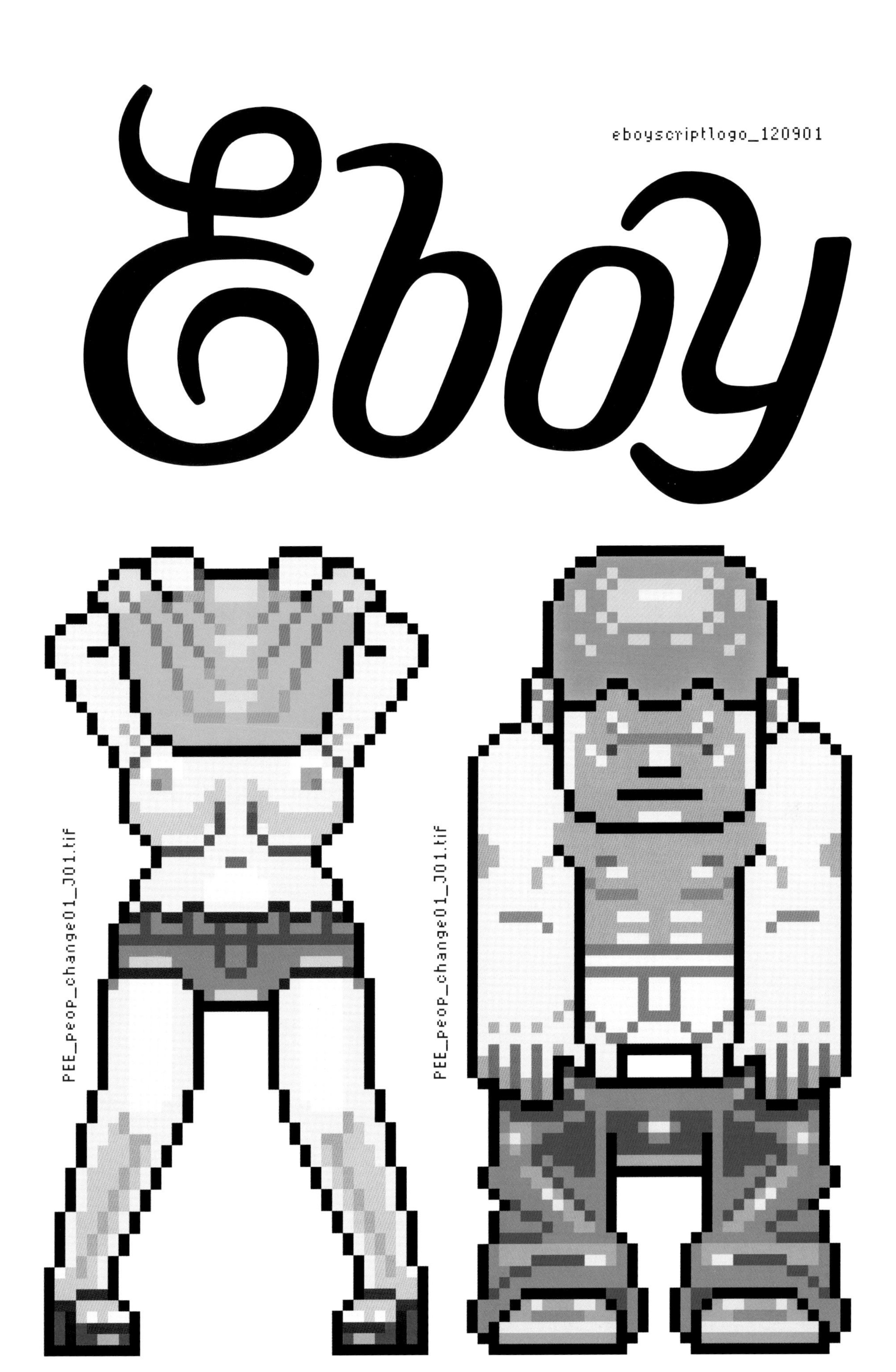
Eboy
eboyscriptlogo_120901
PEE_peop_change01_J01.tif
PEE_peop_change01_J01.tif

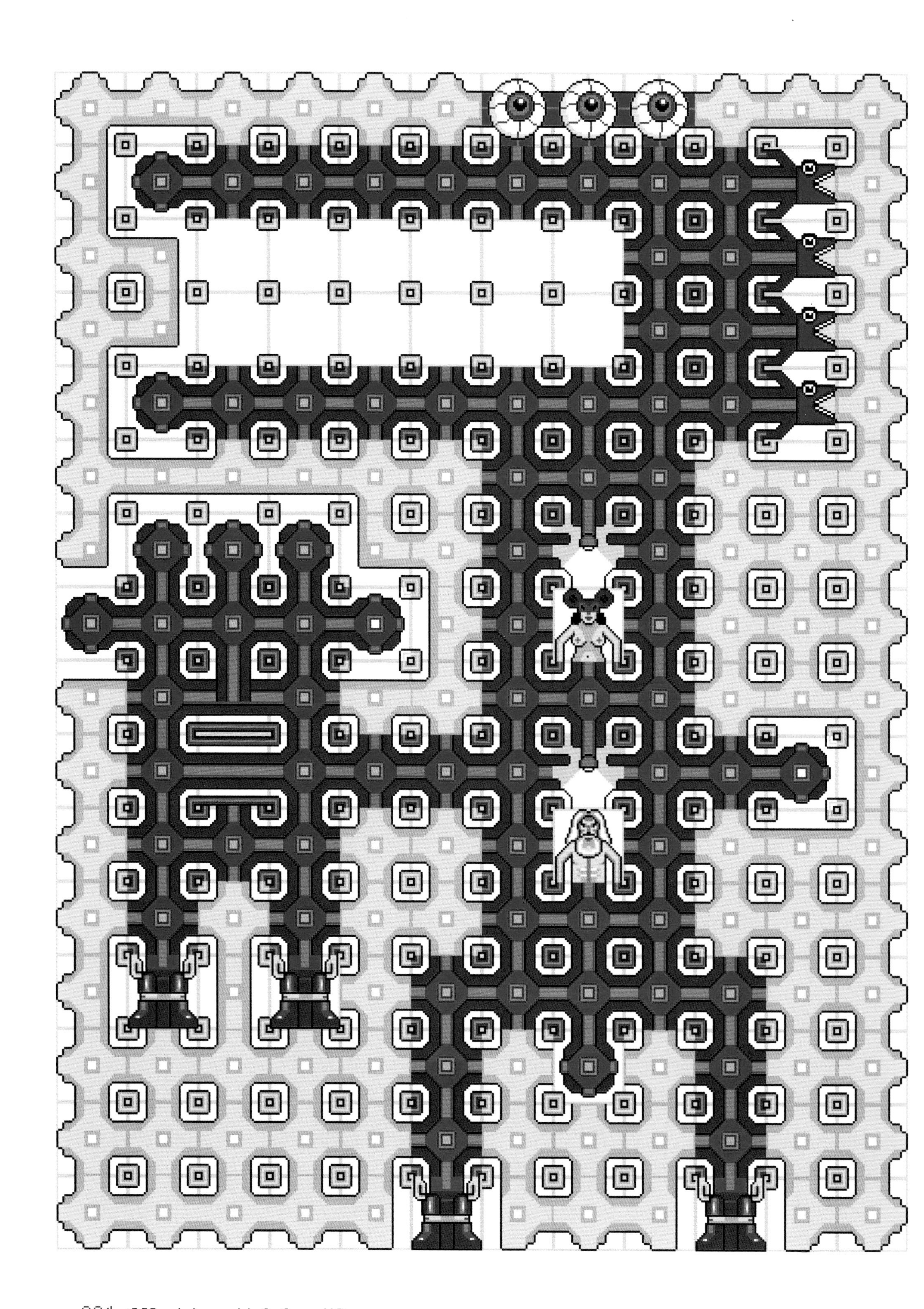

 <PEE_pict_arabic3_free.tif>

DIV_peop_hulk_starlet

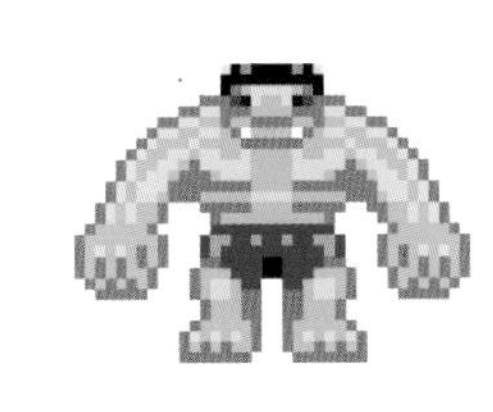

DIV_peop_hulkbeta_starlet.tif

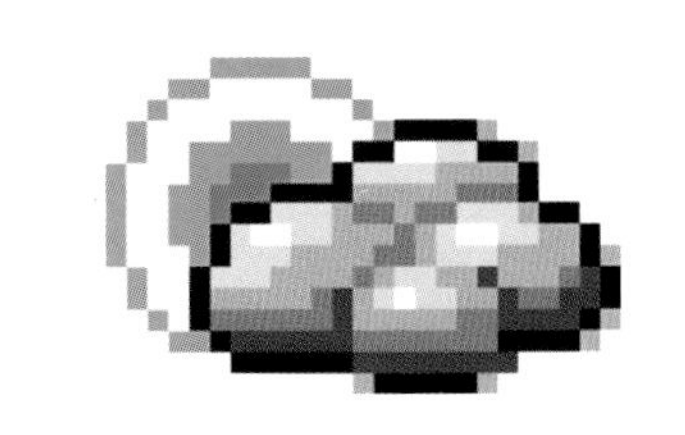

ICO_part_weather_starlet.tif

DIV_peop_chemist2_starlet.tif

DIV_peop_chemist1_starlet.tif

DIV_peop_chemist4_starlet.tif

DIV_peop_meteo1_starlet.tif

EC_part_eboykaputt_stuff.tif

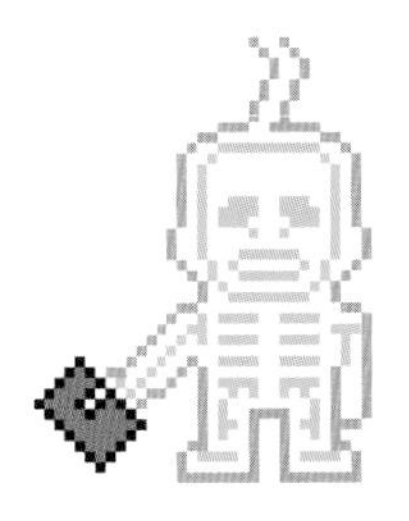

DIV_peop_meteo3_starlet.tif

DIV_peop_nerd1_starlet.tif

DIV_peop_nerd3_starlet.tif

DIV_peop_nerd4_starlet.tif

DIV_peop_chemigear_starlet.tif

DIV_peop_psycho_starlet

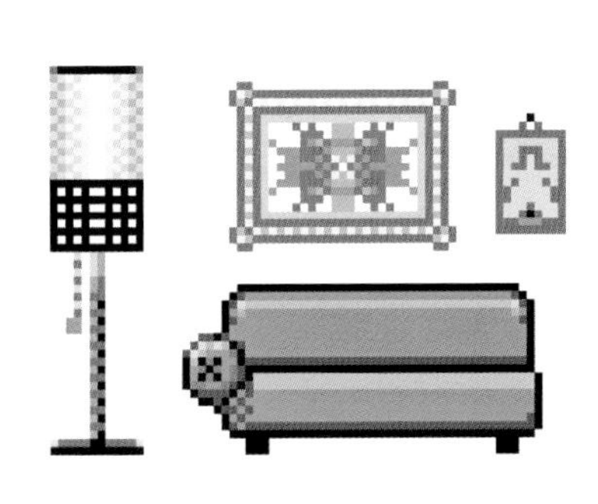

DIV_part_room_starlet

PEE_peop_reporter6_starlet.tif

PEE_peop_coach12_starlet.tif

PEE_peop_coach2_starlet

PEE_peop_reporter1_starlet.tif

PEE_peop_coach14_starlet.TIF

PEE_peop_coach4_starlet.tif

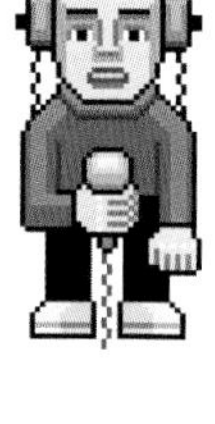

peop_reporter3_starlet.tif

PEE_peop_coach13_starlet.tif

PEE_peop_coach10_starlet.tif

PEE_peop_reporter4_starlet.tif

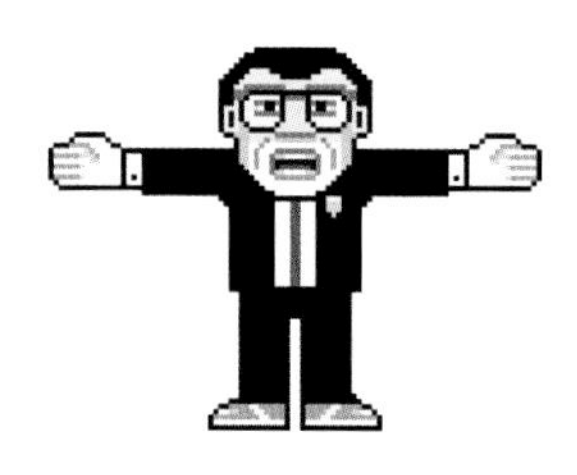

PEE_peop_coach11_starlet.tif

PEE_peop_coach5_starlet.tif

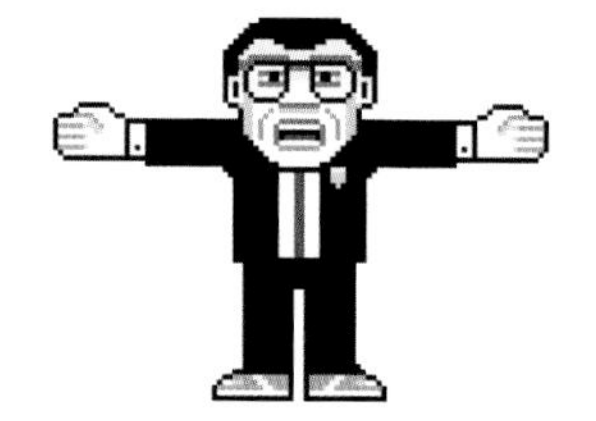

PEE_peop_coach9_starlet.tif

scoreMORE_k19_36dpi.tif

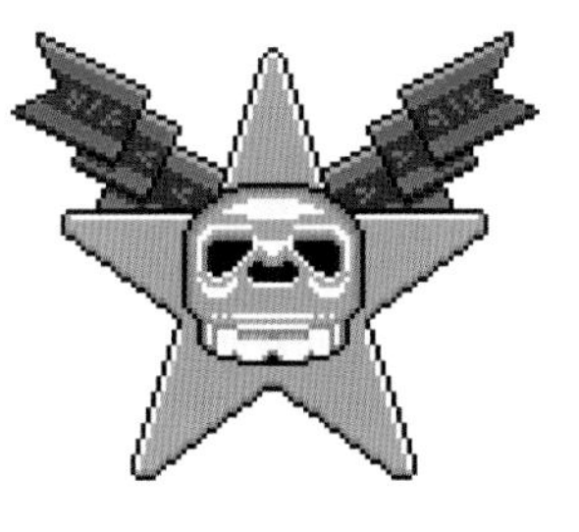

DIV_logo_scullstar_eboy.TIF

DIV_logo_scullstar2_eboy.TIF

DIV_peop_pboy_eboy.TIF

DIV_peop_sboy_eboy.TIF

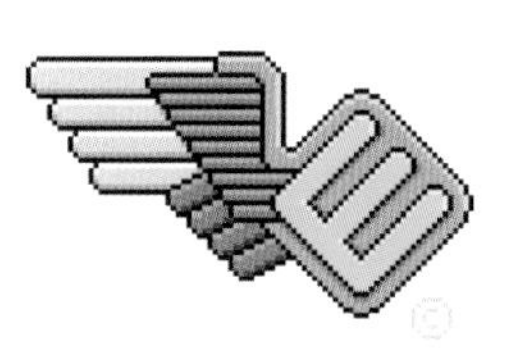

DIV_peop_tboy_eboy.TIF

DIV_peop_kboy_eboy.TIF

DIV_logo_eboystar_eboy.TIF

DIV_logo_eboywing_eboy.TIF

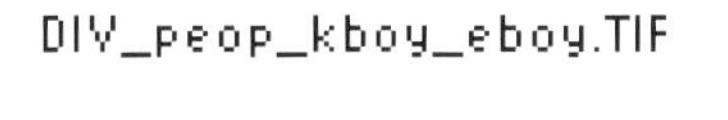

DIV_vehi_eboytank_eboy.TIF

WEB_part_banderole2_eboy.TIF

<70s colors mansion>

 <peecol_postcard.tif>

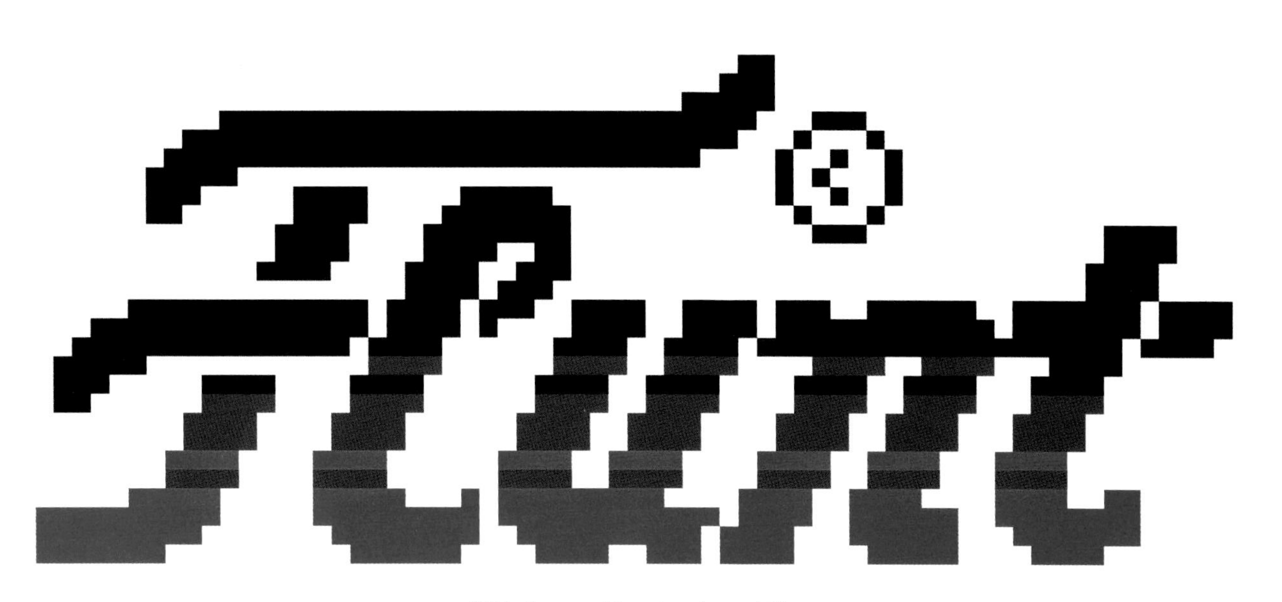

DIV_logo_flunt_eboy.tif

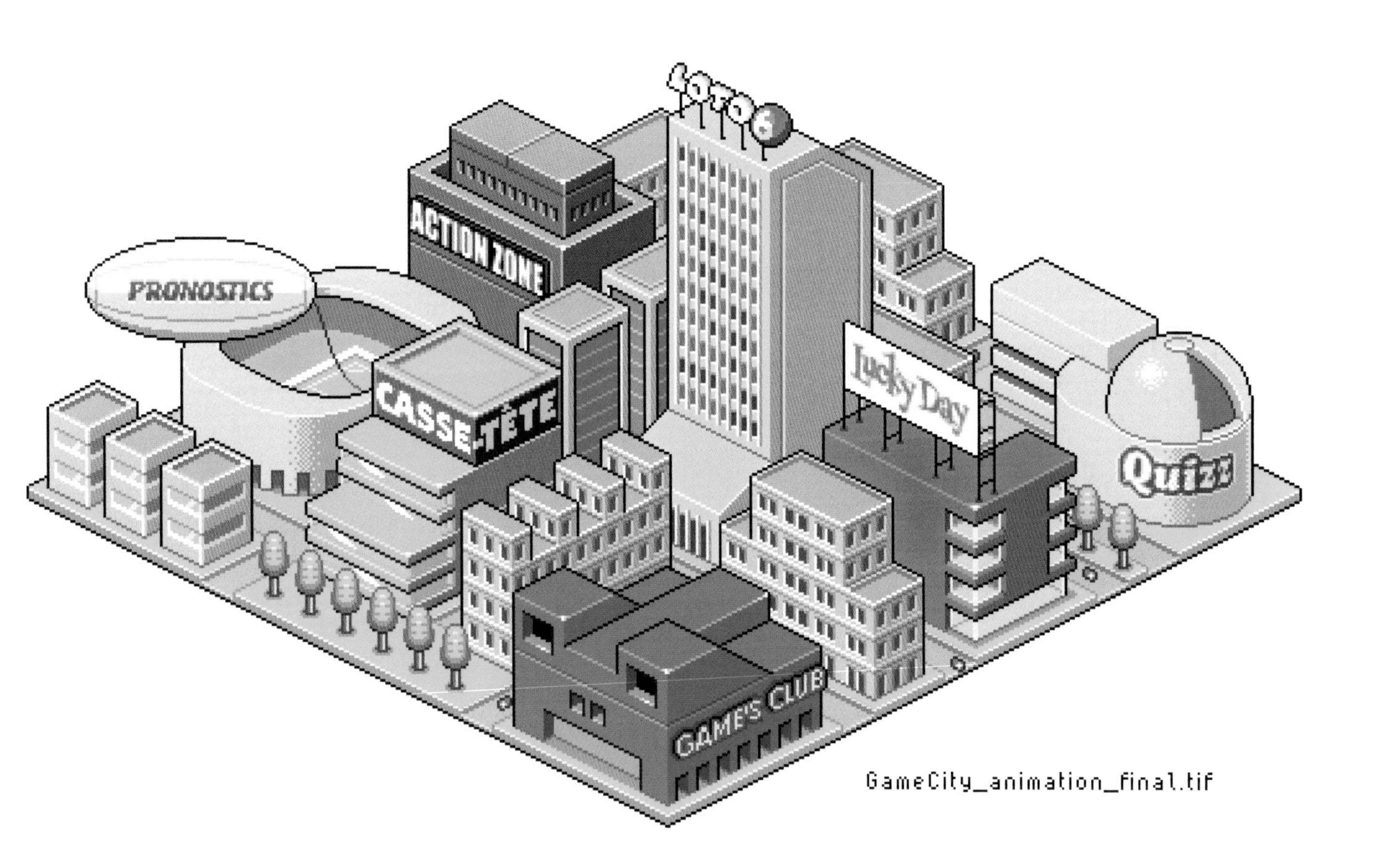

GameCity_animation_final.tif

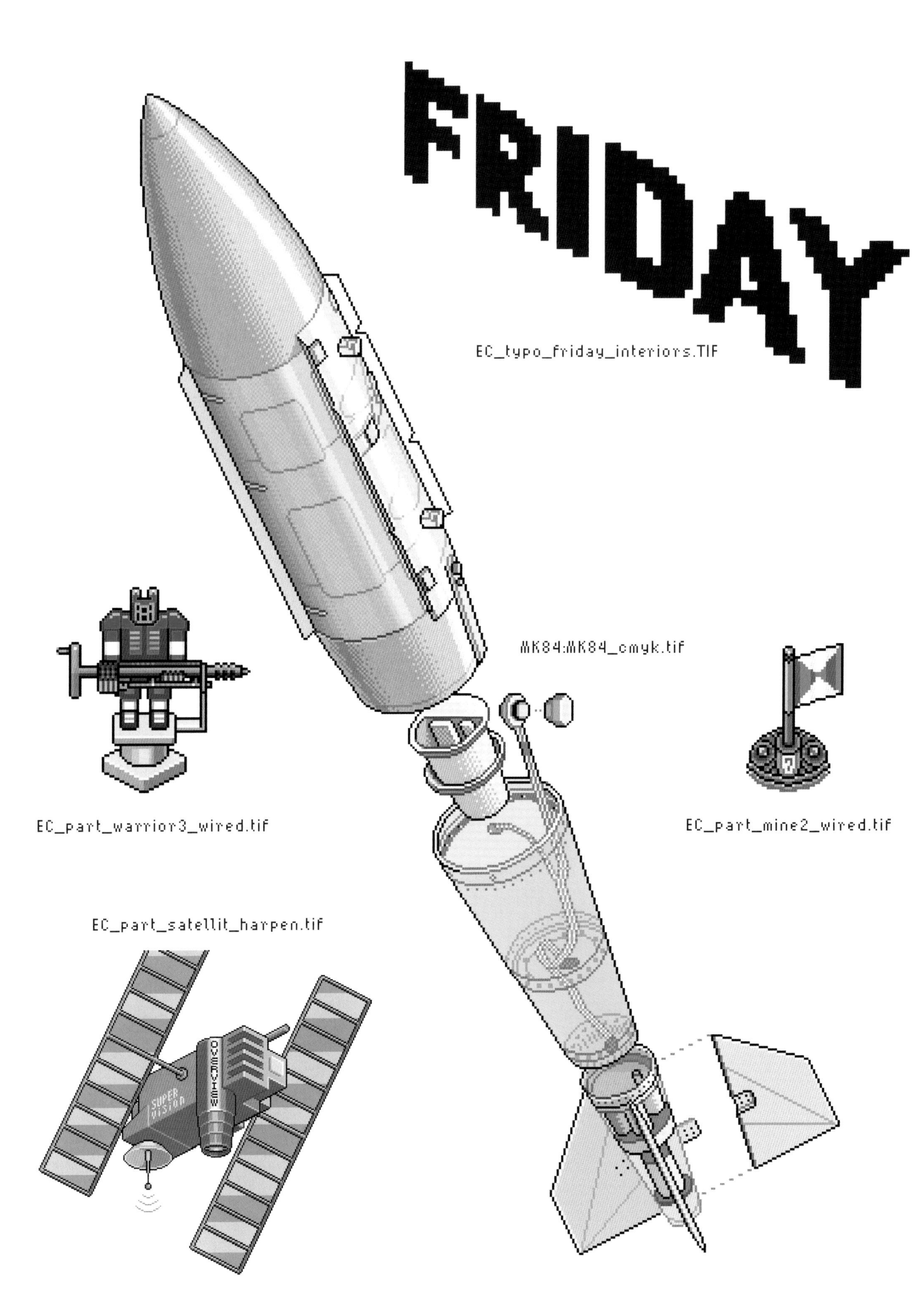
FRIDAY
EC_typo_friday_interiors.TIF
MK84:MK84_cmyk.tif
EC_part_warrior3_wired.tif
EC_part_mine2_wired.tif
EC_part_satellit_harpen.tif
OVERVIEW
SUPER VISION

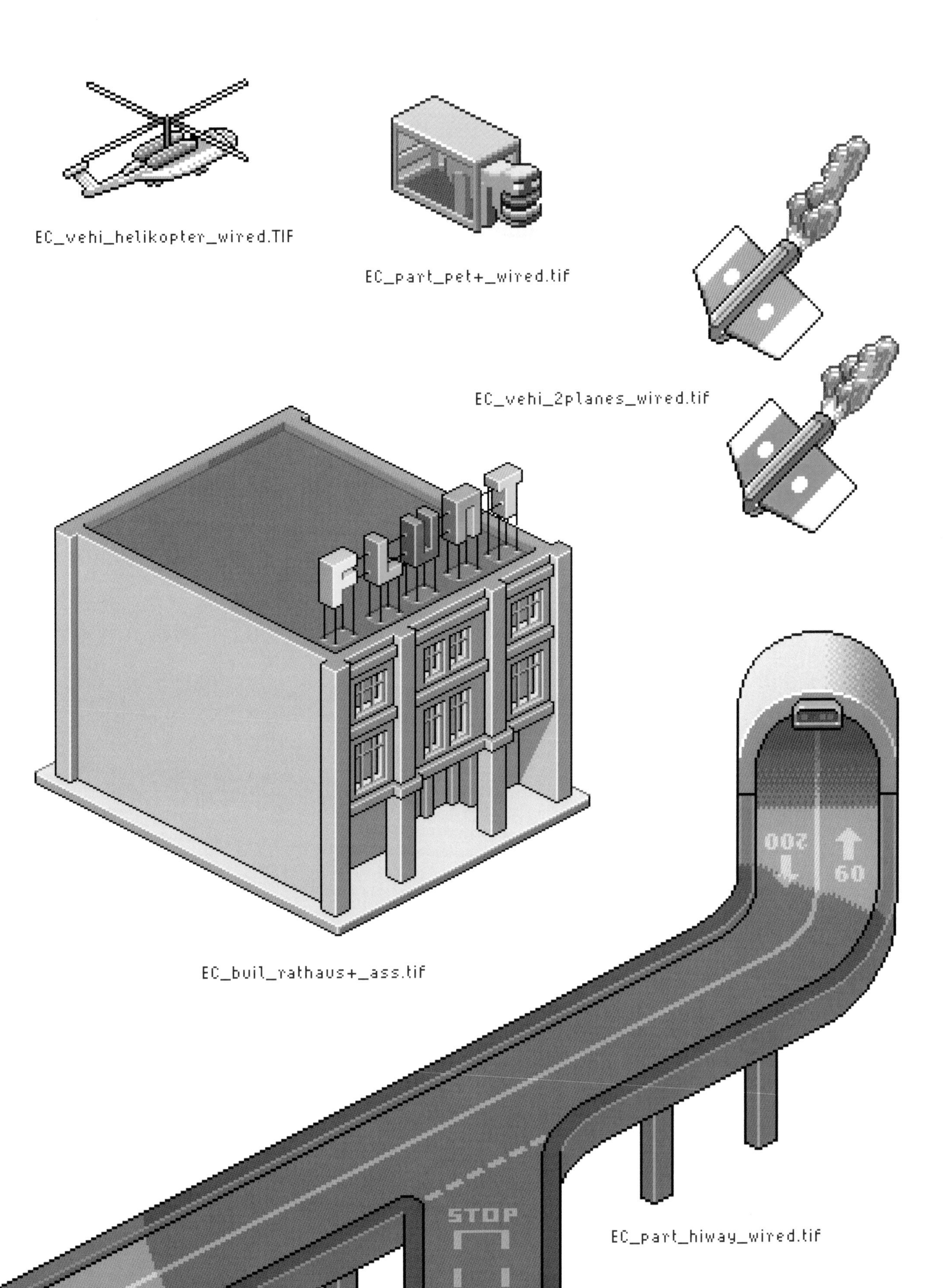

EC_vehi_helikopter_wired.TIF

EC_part_pet+_wired.tif

EC_vehi_2planes_wired.tif

EC_buil_rathaus+_ass.tif

EC_part_hiway_wired.tif

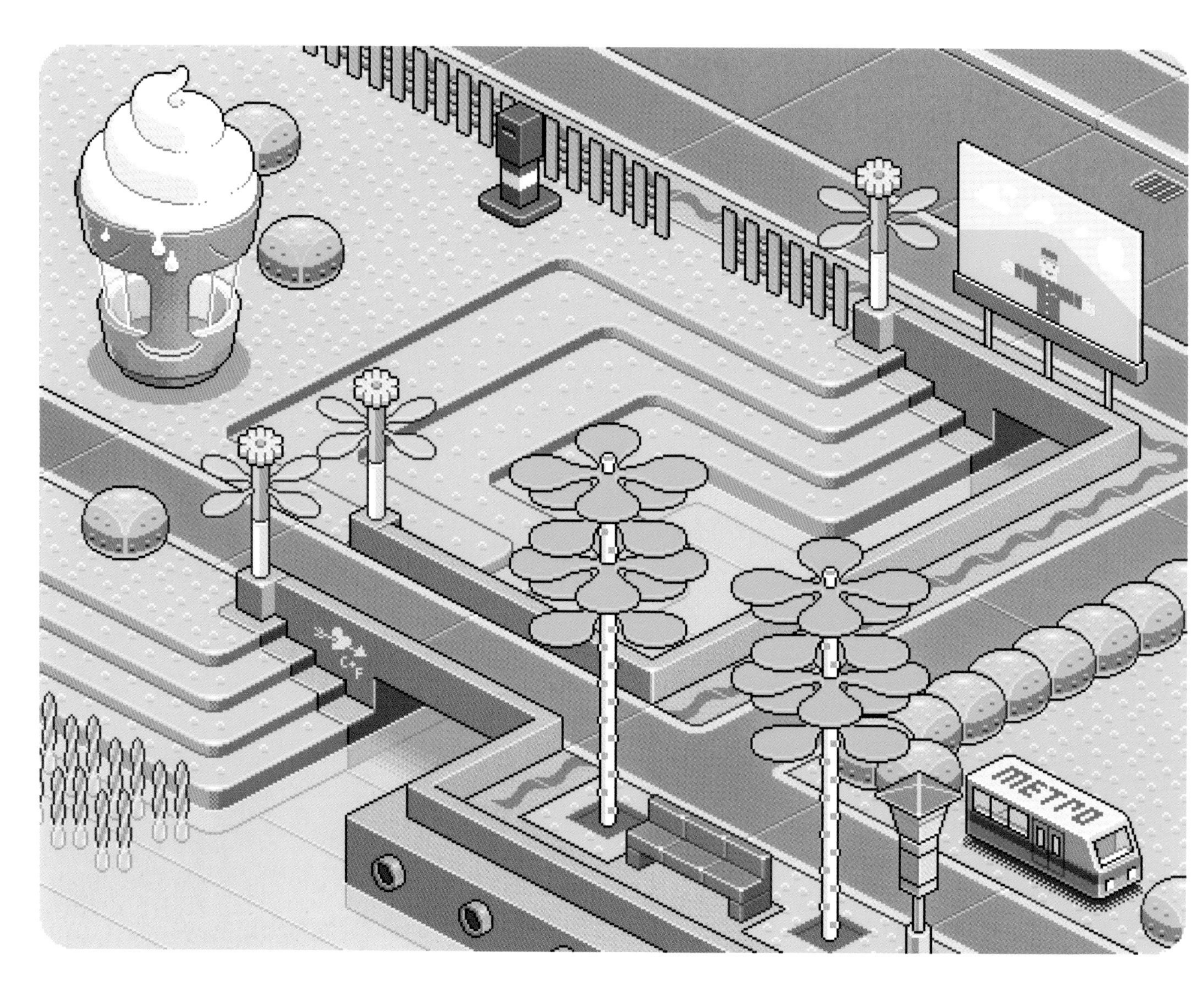

Stadtteil_C2_t15.tif

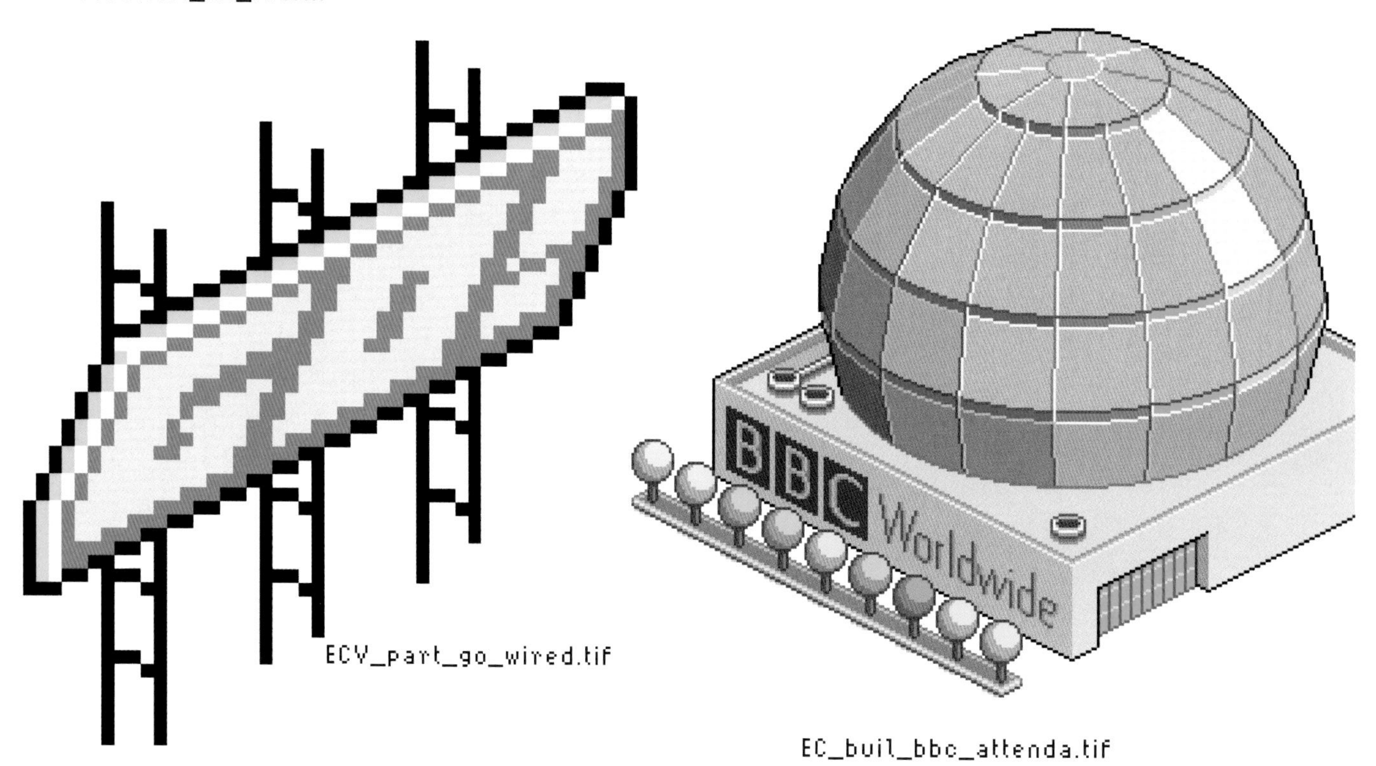

ECV_part_go_wired.tif

EC_buil_bbc_attenda.tif

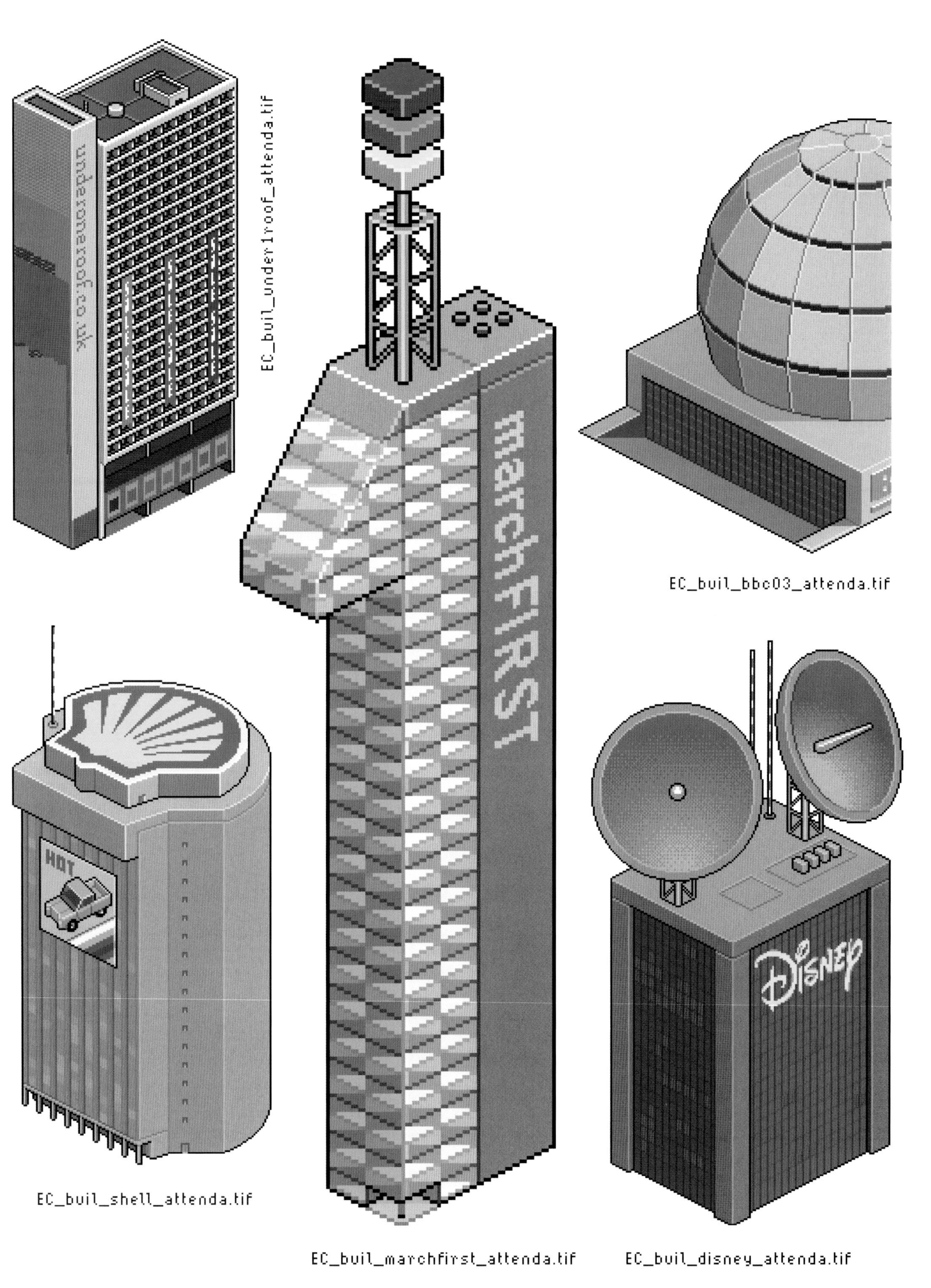

EC_buil_under1roof_attenda.tif

EC_buil_bbc03_attenda.tif

EC_buil_shell_attenda.tif

EC_buil_marchfirst_attenda.tif

EC_buil_disney_attenda.tif

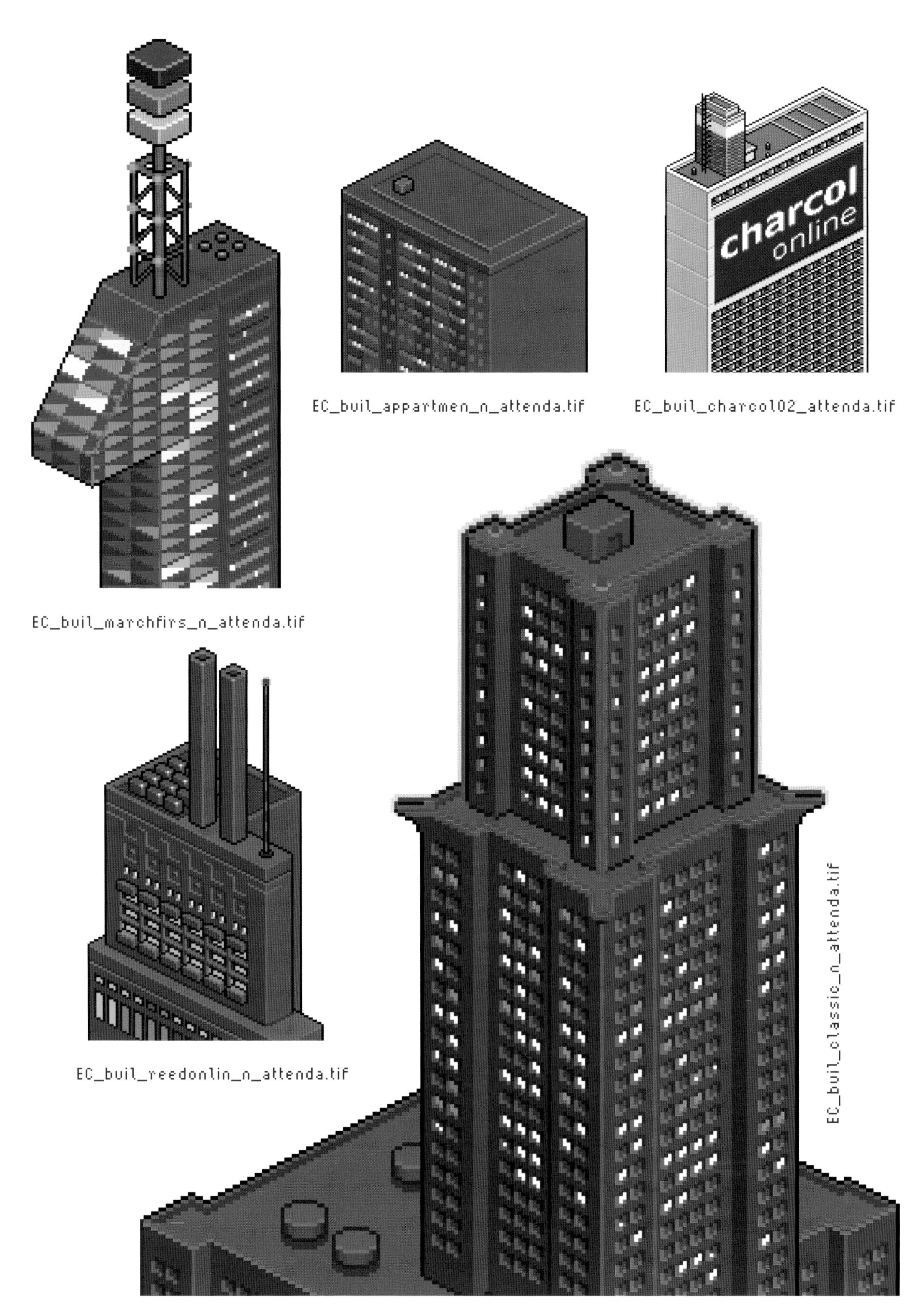

EC_buil_appartmen_n_attenda.tif

EC_buil_charcol02_attenda.tif

EC_buil_marchfirs_n_attenda.tif

EC_buil_reedonlin_n_attenda.tif

EC_buil_classic_n_attenda.tif

DRUKmag_toy_AD_02_288dpi.tif

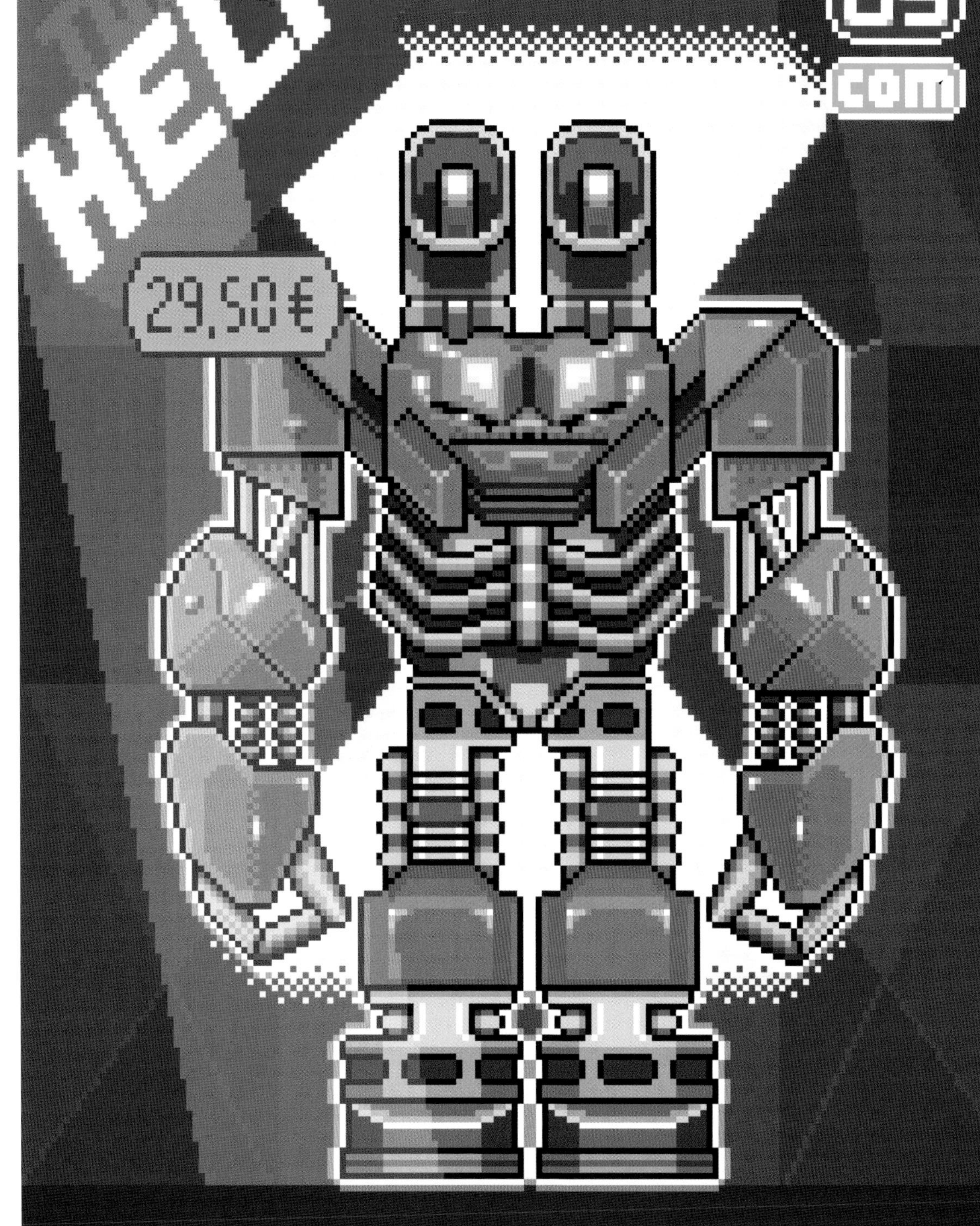

HELP US MAKE TOYS!

who wants to help eboy to produce real metal toys?

toys@eboy.com

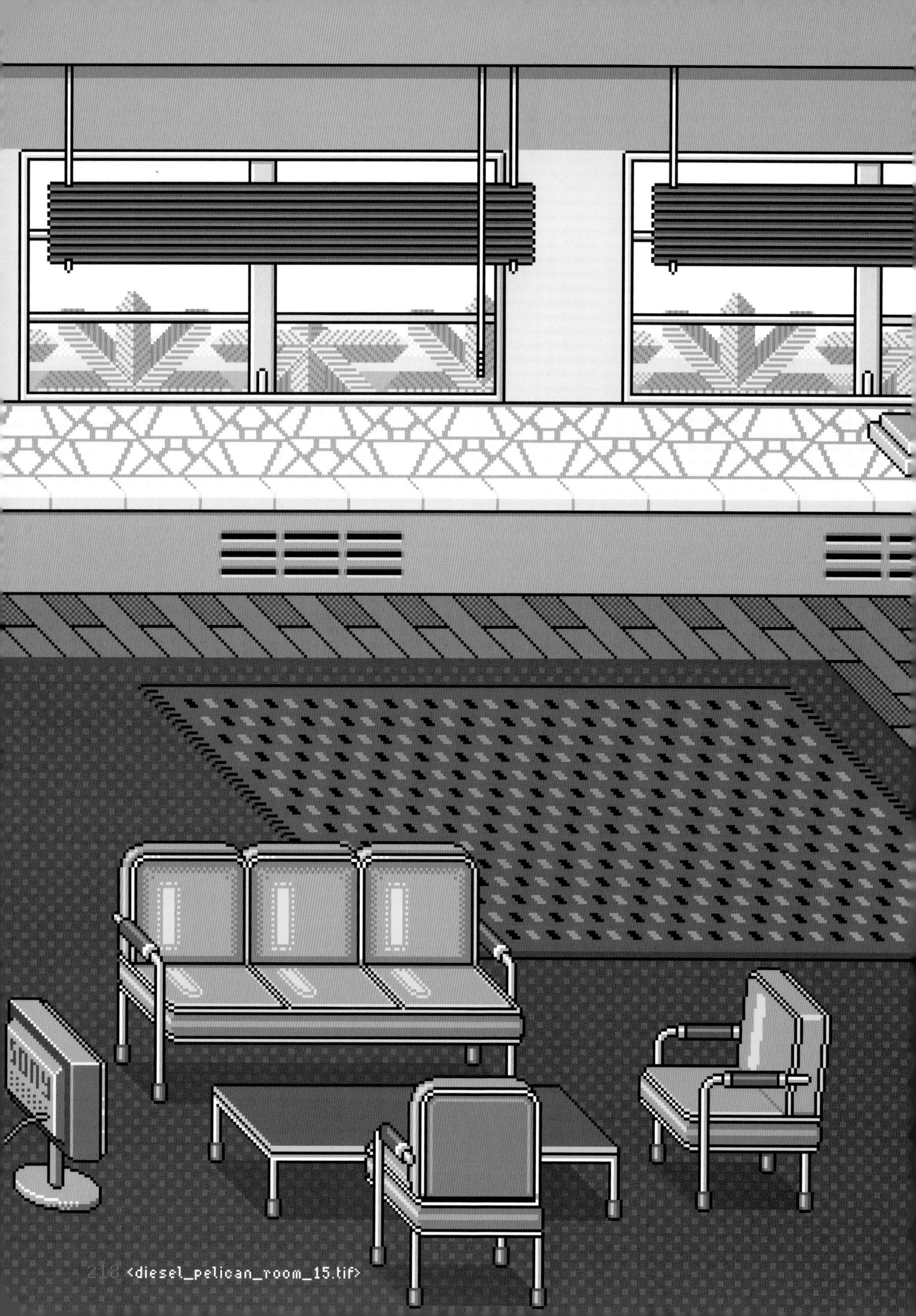

 <diesel_pelican_room_15.tif>

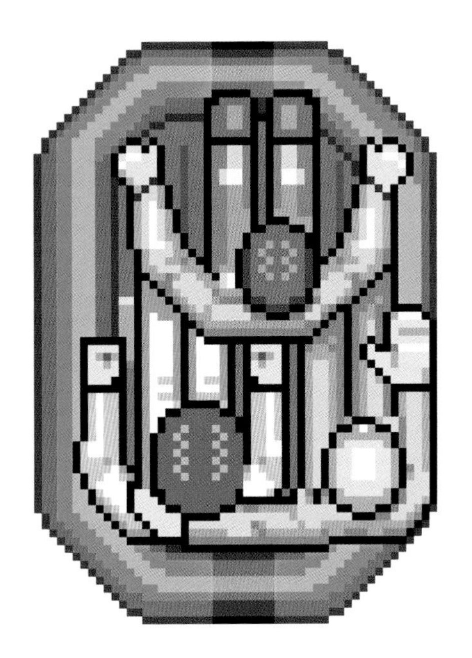

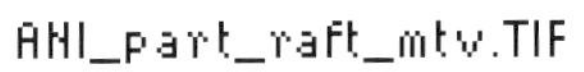

ANI_part_raft_mtv.TIF

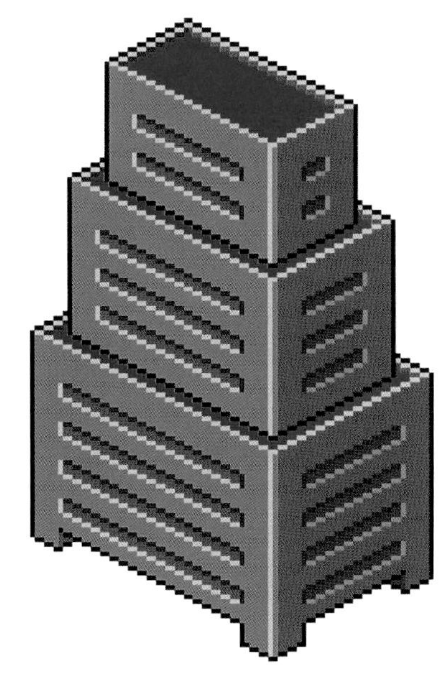

ECV_buil_inka_wired.tif

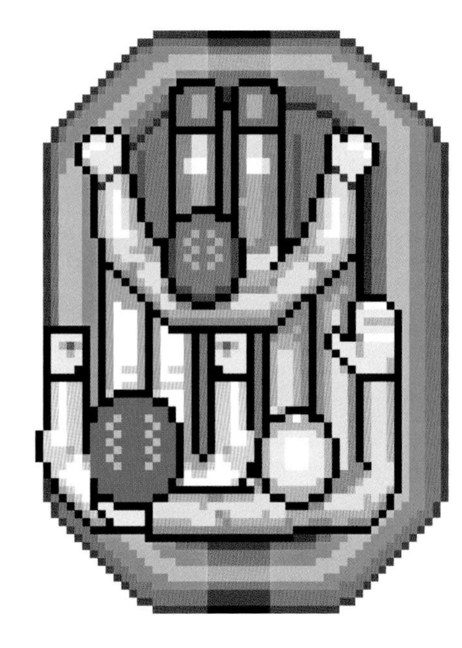

ANI_part_raft_mtv.TIF

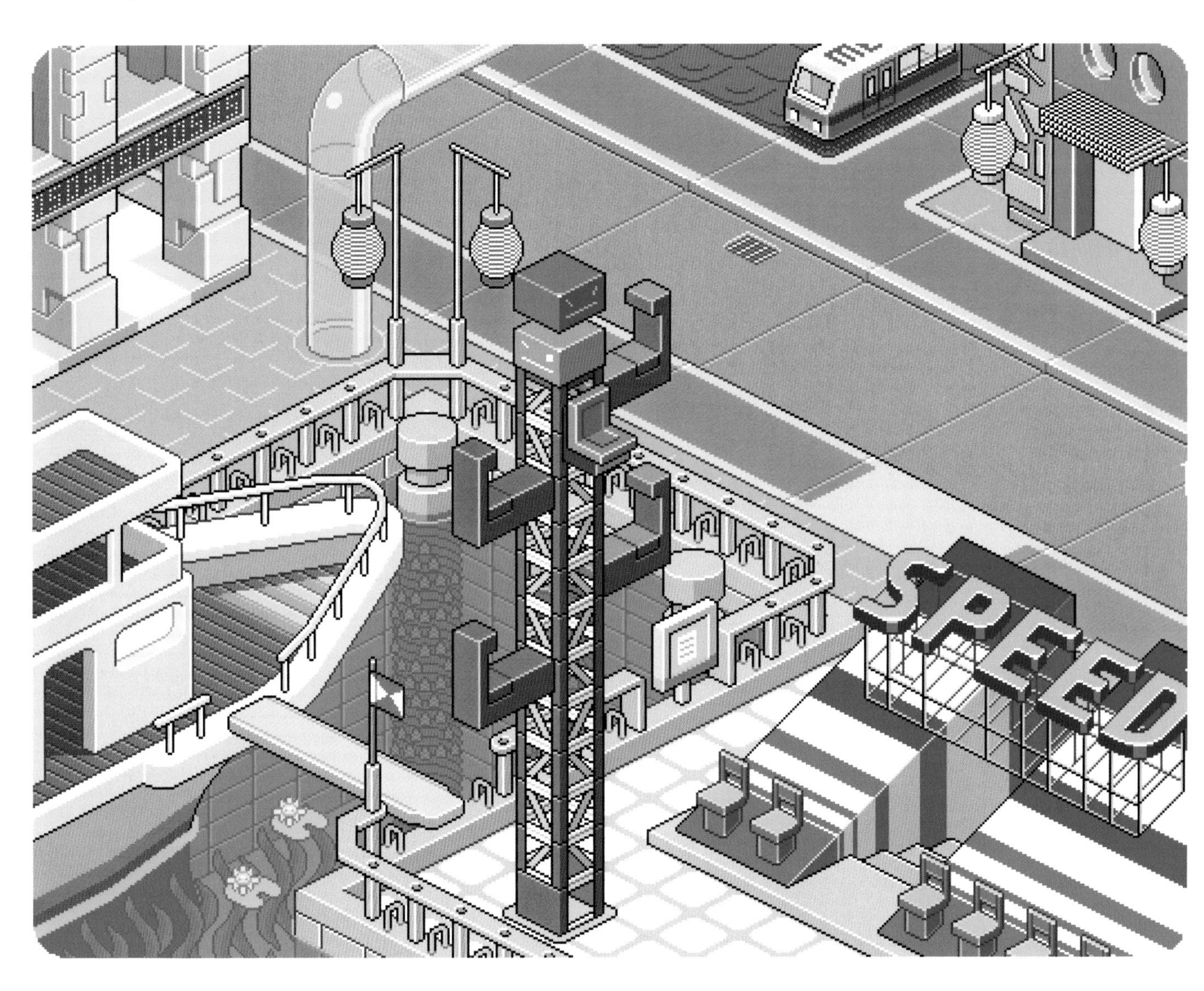

Stadtteil_B1_29.tif

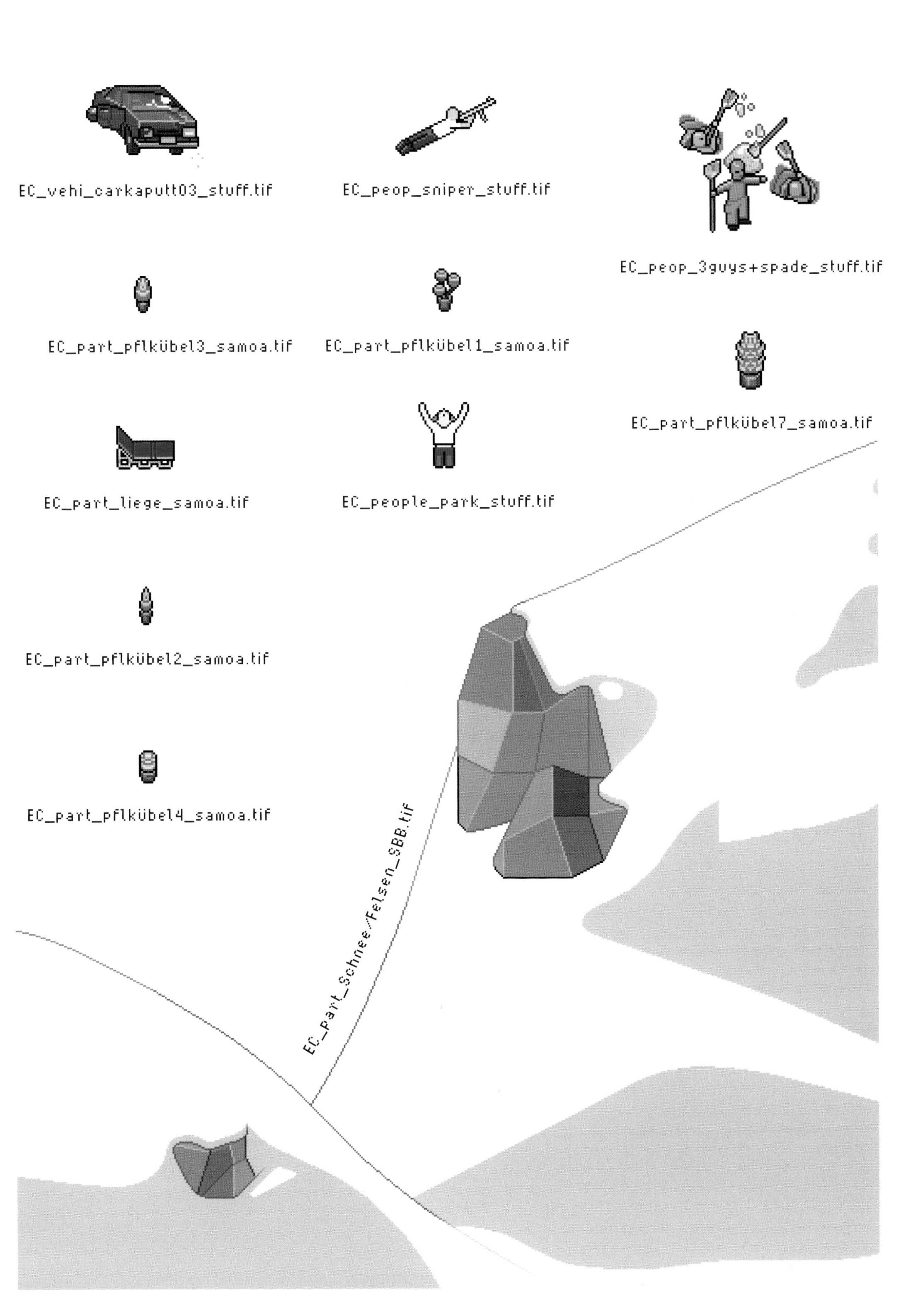
EC_vehi_carkaputt03_stuff.tif
EC_peop_sniper_stuff.tif
EC_peop_3guys+spade_stuff.tif
EC_part_pflkübel3_samoa.tif
EC_part_pflkübel1_samoa.tif
EC_part_pflkübel7_samoa.tif
EC_part_liege_samoa.tif
EC_people_park_stuff.tif
EC_part_pflkübel2_samoa.tif
EC_part_pflkübel4_samoa.tif
EC_part_Schnee/Felsen_SBB.tif

 <miss june eps copy 1>

<Pelican_Club_t16.tif>

 <Samoa41_300dpi.tif>

SAMOA
because cities
are grey enough
eBoy
EECOL
音楽
音楽

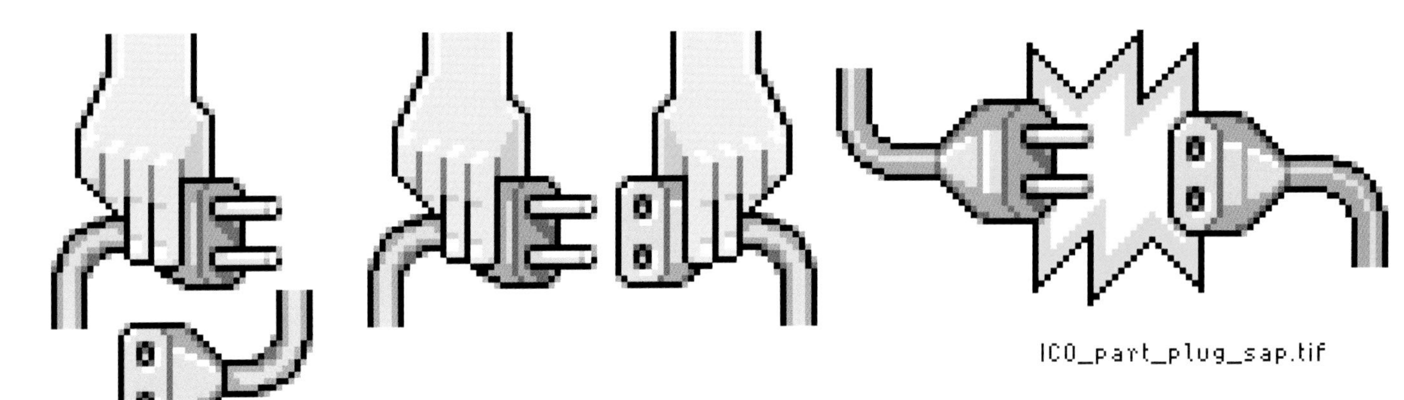

ICO_part_plug_sap.tif

EC_vehi_minicar_attenda.tif

EC_buil_börse_n_attenda.tif

EC_buil_pool_n_attenda.tif

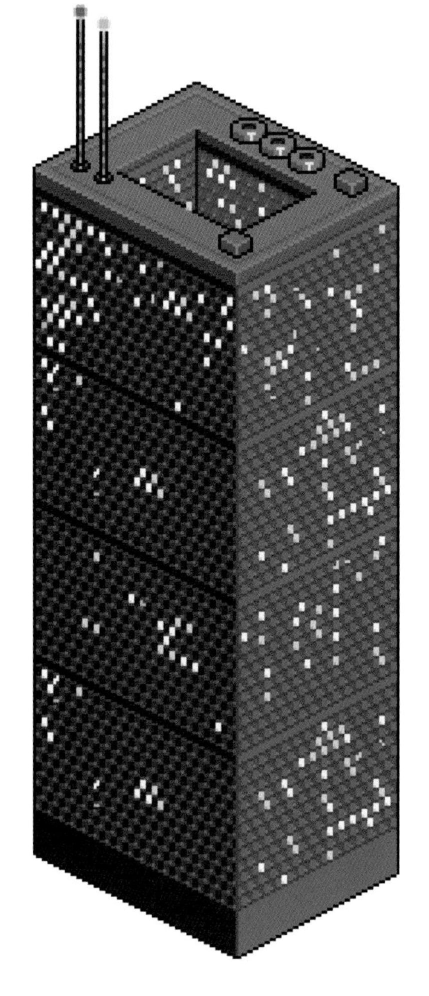

EC_buil_bluechimn_n_attenda.tif

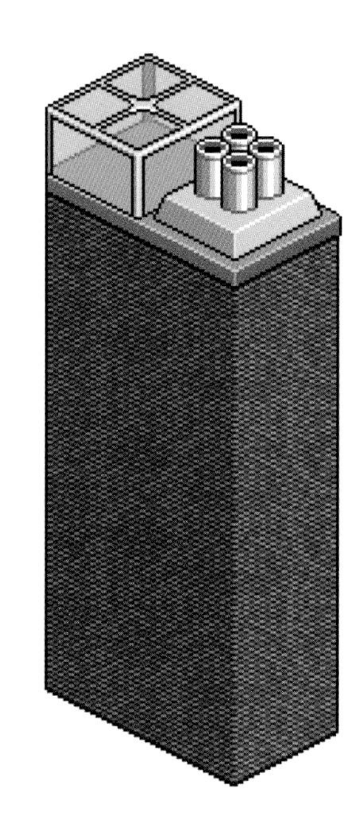

EC_buil_5_attenda.tif

EC_buil_seafood_n_attenda.tif

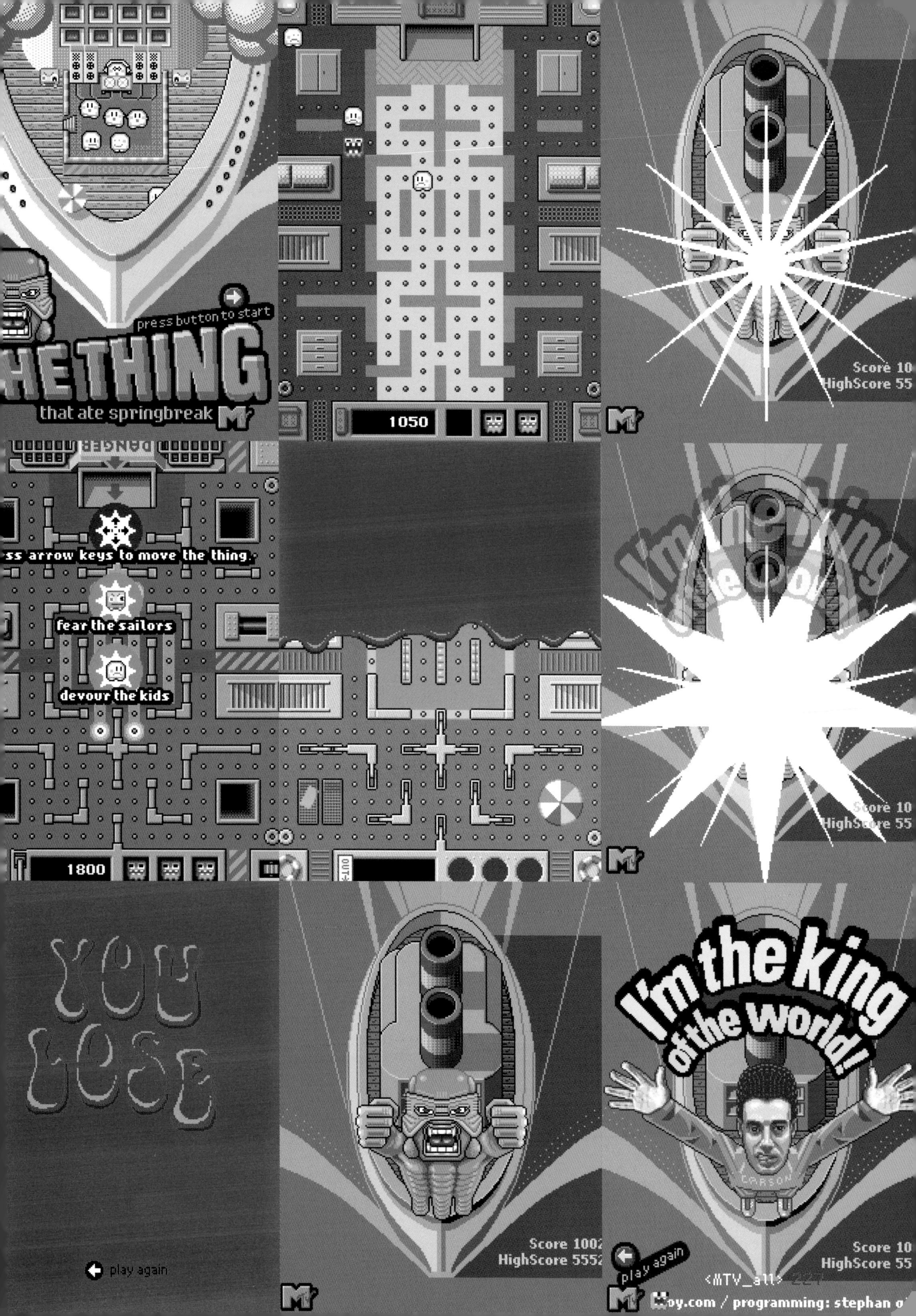
press button to start
HETHING
that ate springbreak
1050
Score 10
HighScore 55
ss arrow keys to move the thing
fear the sailors
devour the kids
1800
YOU LOSE
play again
Score 1002
HighScore 5552
I'm the king of the world!
play again
Score 10
HighScore 55
oy.com / programming: stephan o

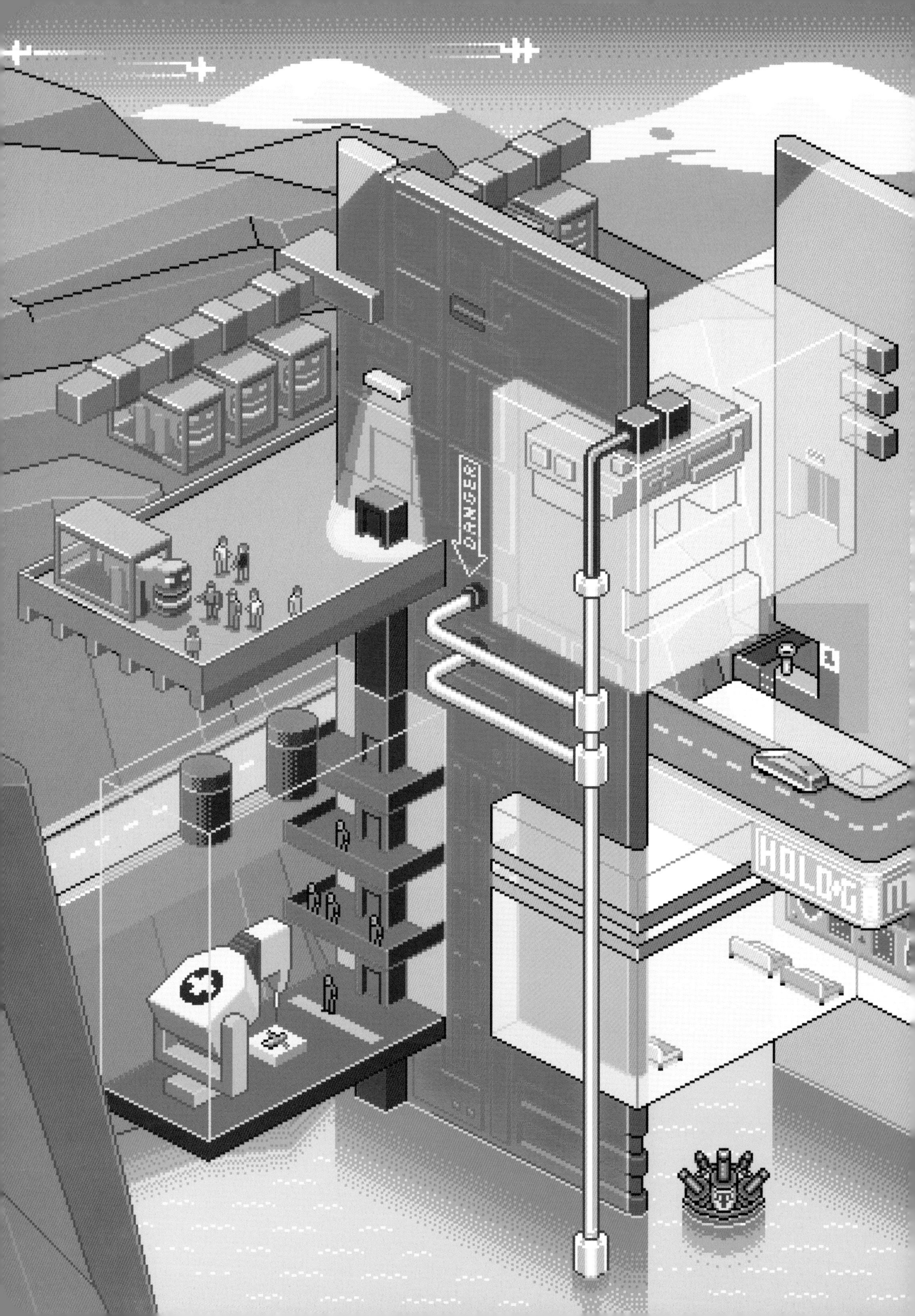
DANGER
HOLO+G

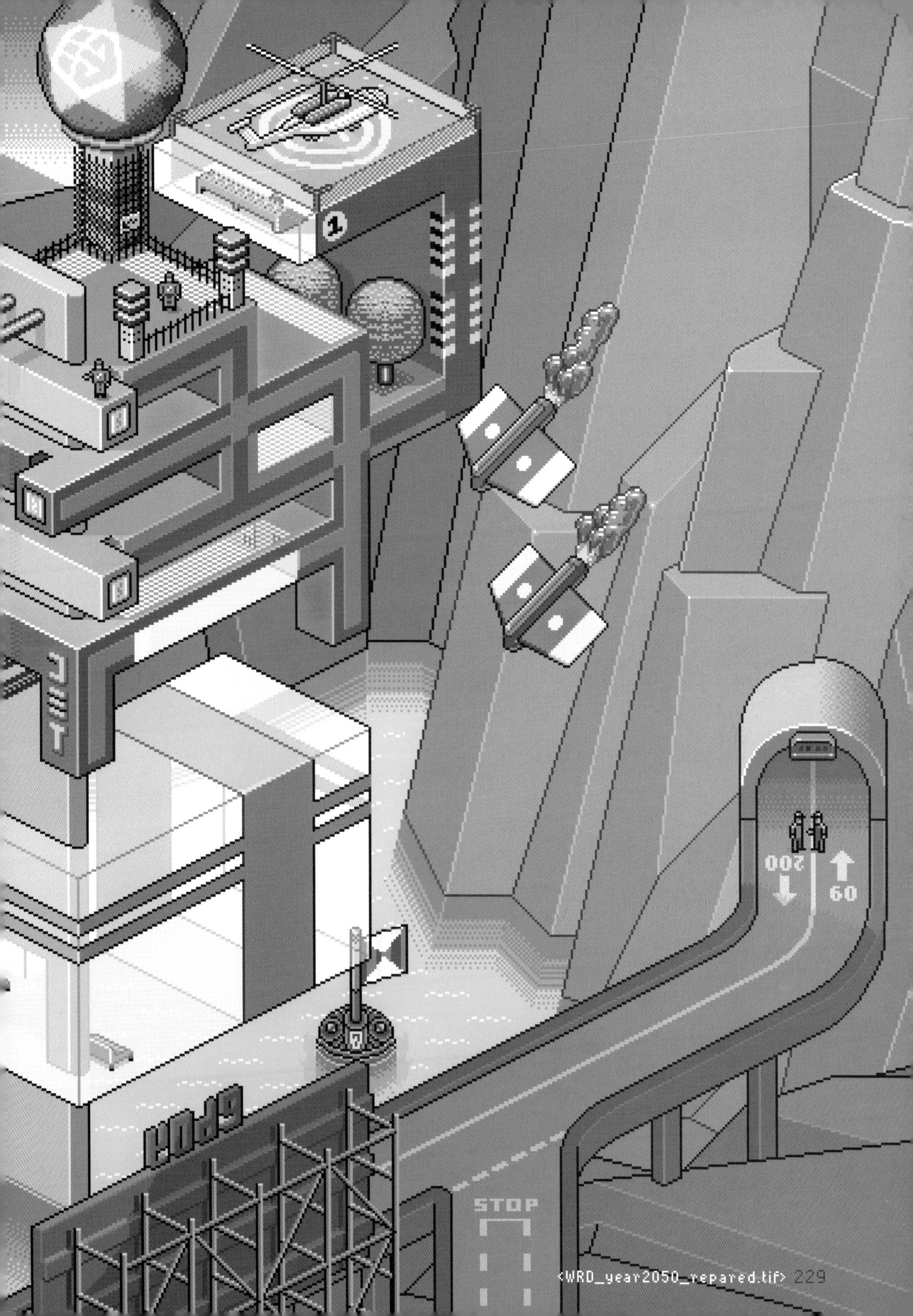
1
60
STOP

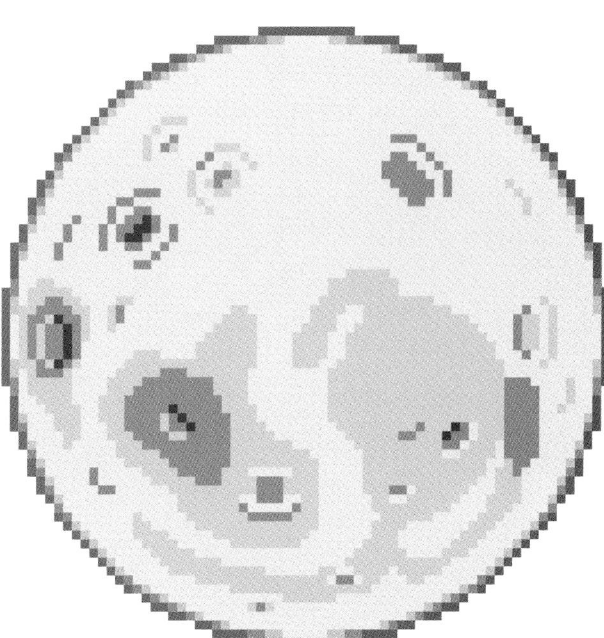

EC_part_moon02_n_attenda.tif

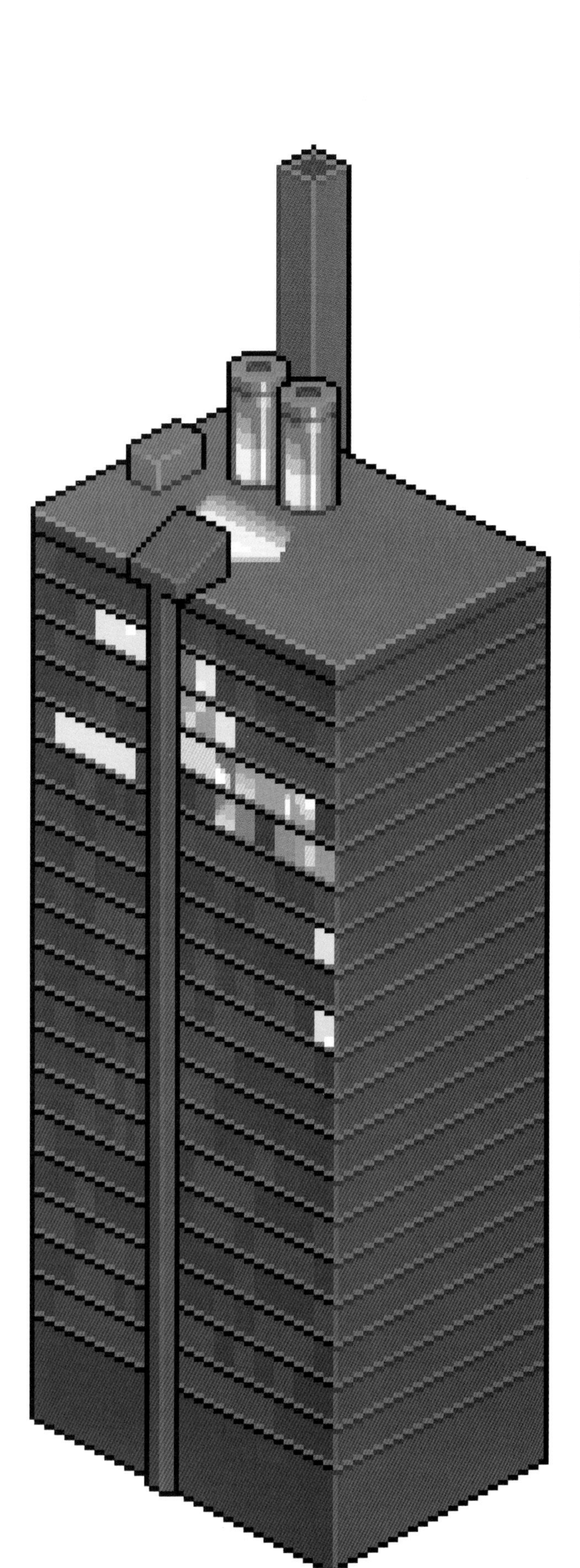

EC_buil_chimney_n_attenda.tif

EC_buil_billboard_n_attenda.tif

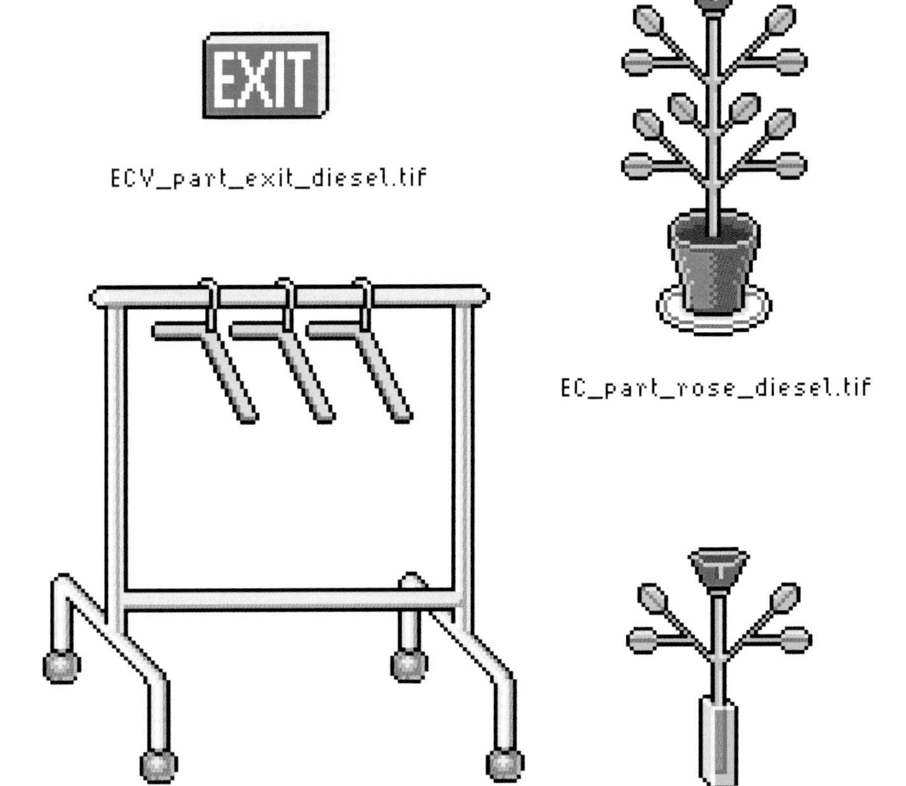

ECV_part_exit_diesel.tif

EC_part_rose_diesel.tif

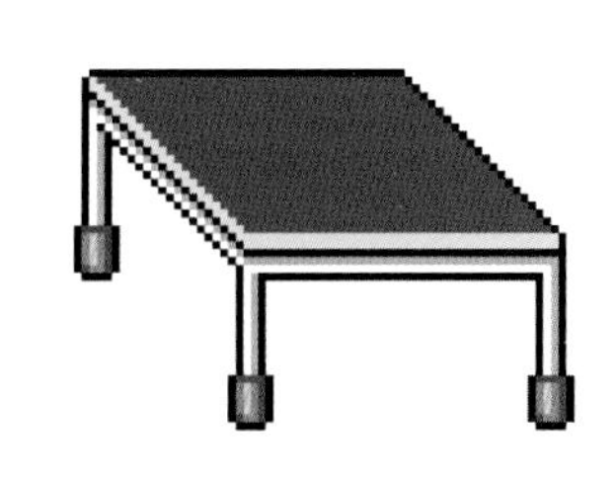

ECV_part_table03_diesel.tif

ECV_part_coatstand_diesel.tif

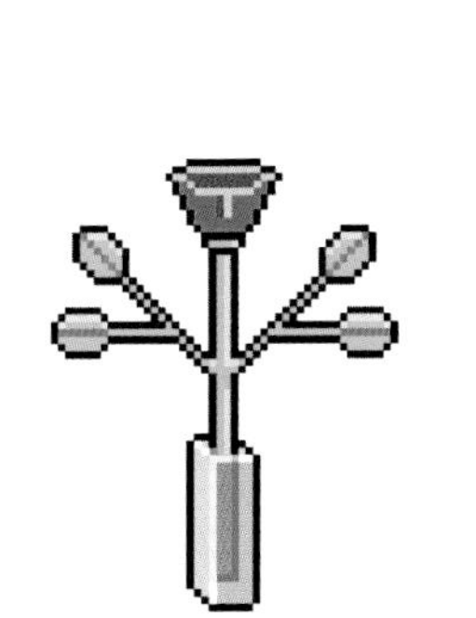

ECV_part_flowervase_diesel.tif

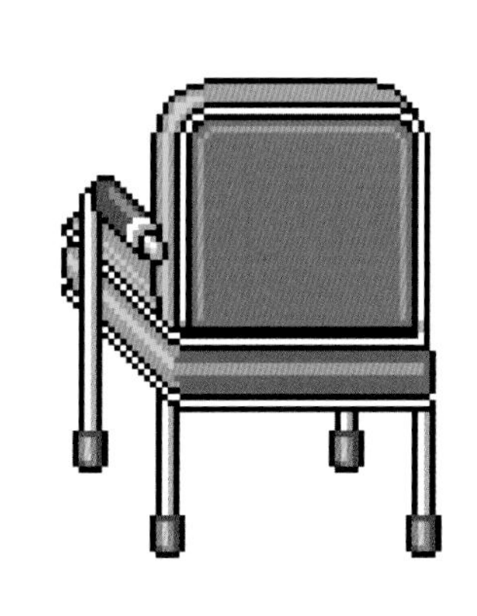

ECV_part_chairback_diesel.tif

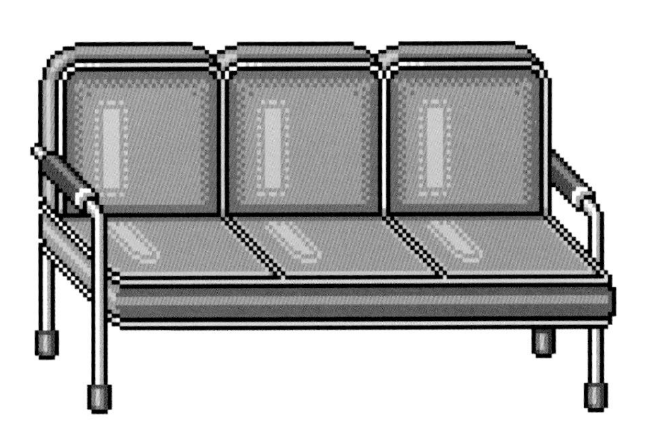

ECV_part_3chair_diesel.tif

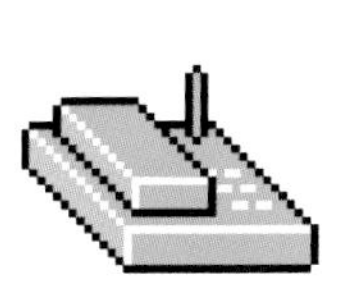

ECV_part_phone_diesel.tif

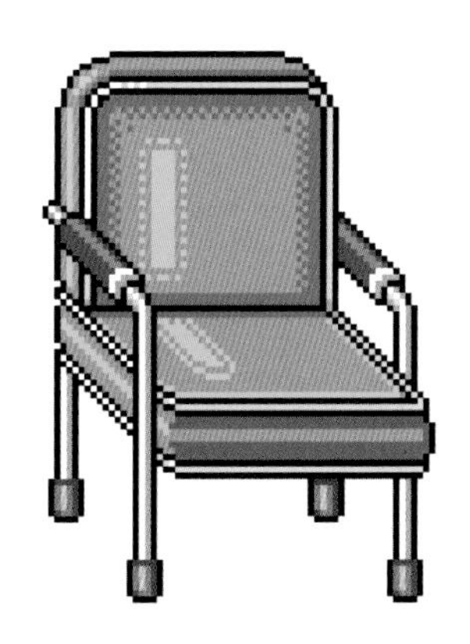

ECV_part_chairfront_diesel.tif

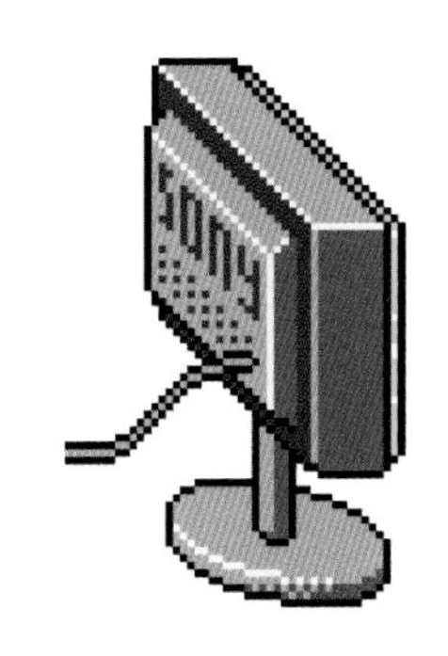

ECV_part_TV_diesel.tif

EC_part_glastisch_diesel.tif

ECV_part_chairsite_diesel.tif

sweet
comfort

<SpLife_skateboard_04_SHOW.tif>

ECV_vehi_scateboard_diesel.tif

ECV_part_hütchen_diesel.tif

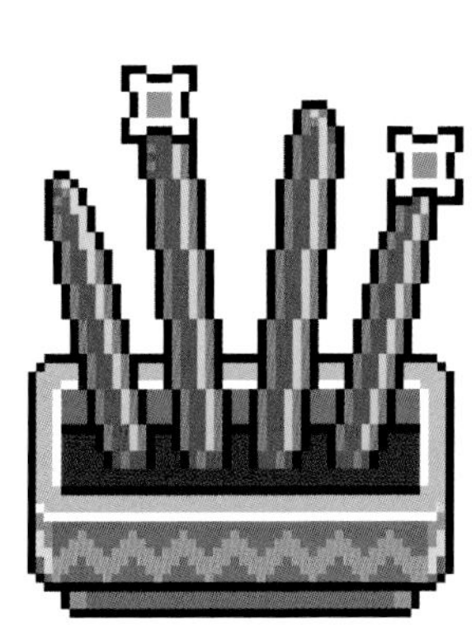

ECV_part_pflkübel01+_diesel.tif

ECV_part_hütchen+_diesel.tif

ECV_part_tisch_diesel.tif

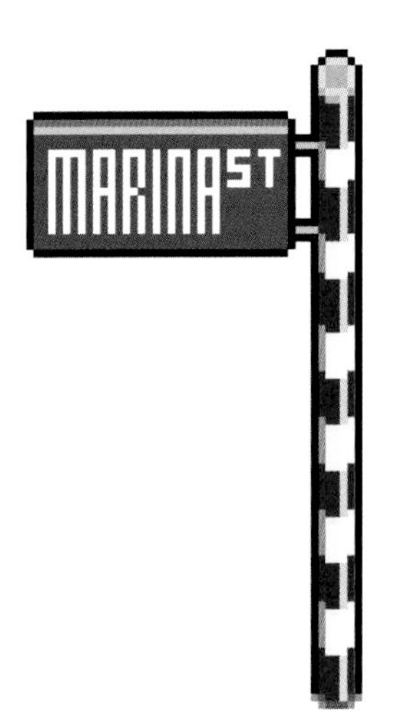

ECV_part_marinastree_diesel.tif

ECV_part_beachstreet_diesel.tif

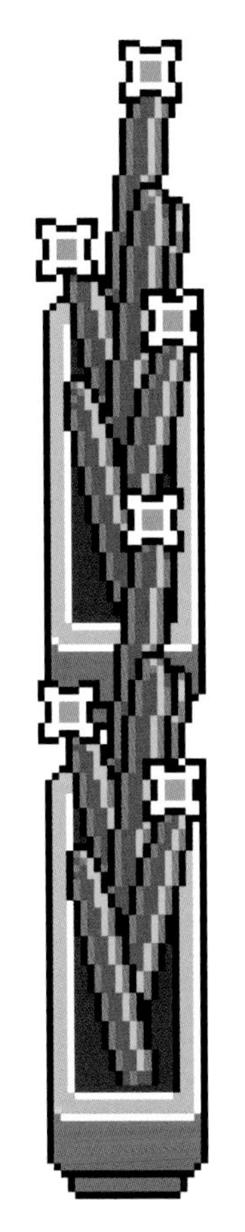

ECV_part_pflkübel02+_diesel.tif

PEE_peop_bluebu_upload.TIF

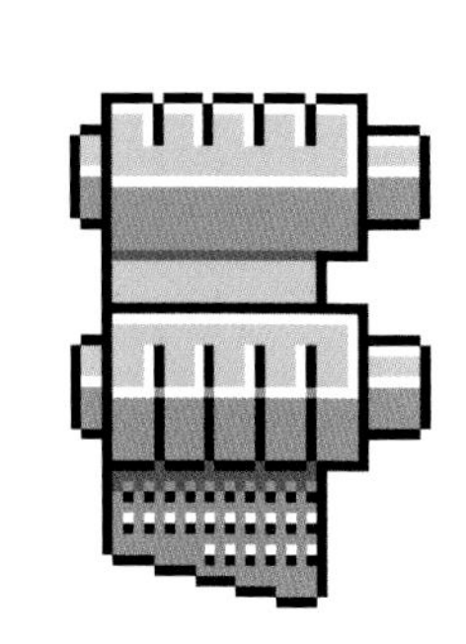

ECV_vehi_motorblock_diesel.tif

ECV_part_gulli_diesel.tif

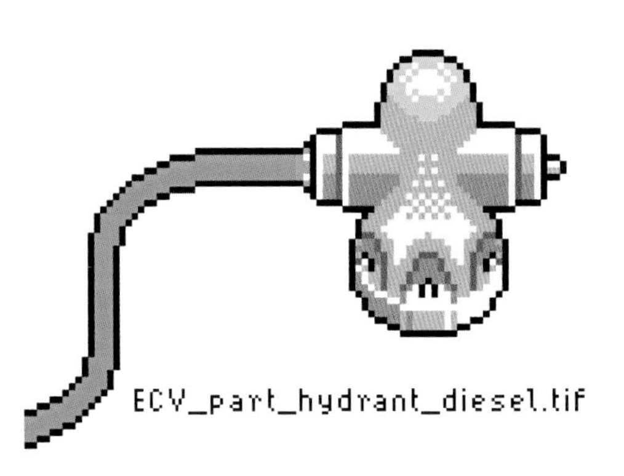

ECV_part_hydrant_diesel.tif

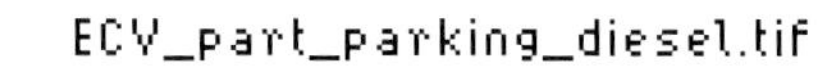

ECV_part_parking_diesel.tif

ECV_part_oneway_diesel.tif

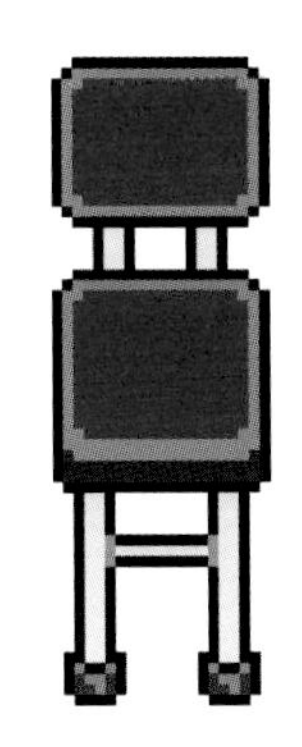

ECV_part_stuhl_diesel.tif

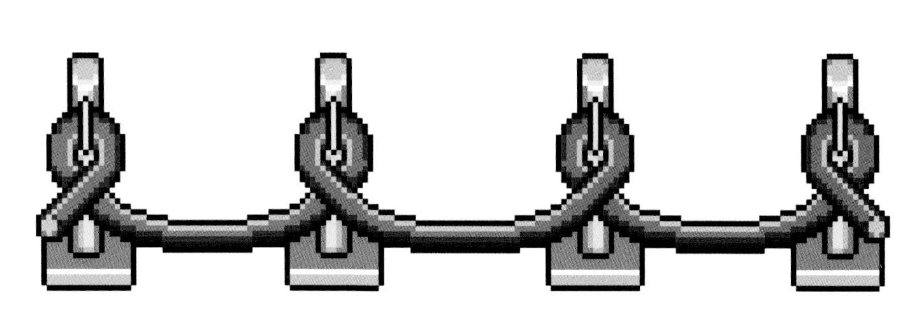

ECV_buil_absperrung_diesel.tif

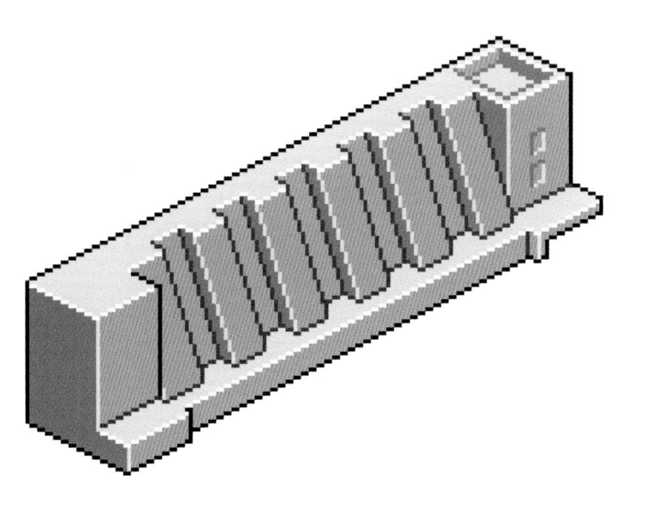

ECV_part_staudamm_harpen.tif

ECV_peop_fussball_harpen.tif

ECV_part_windkraft_harpen.tif

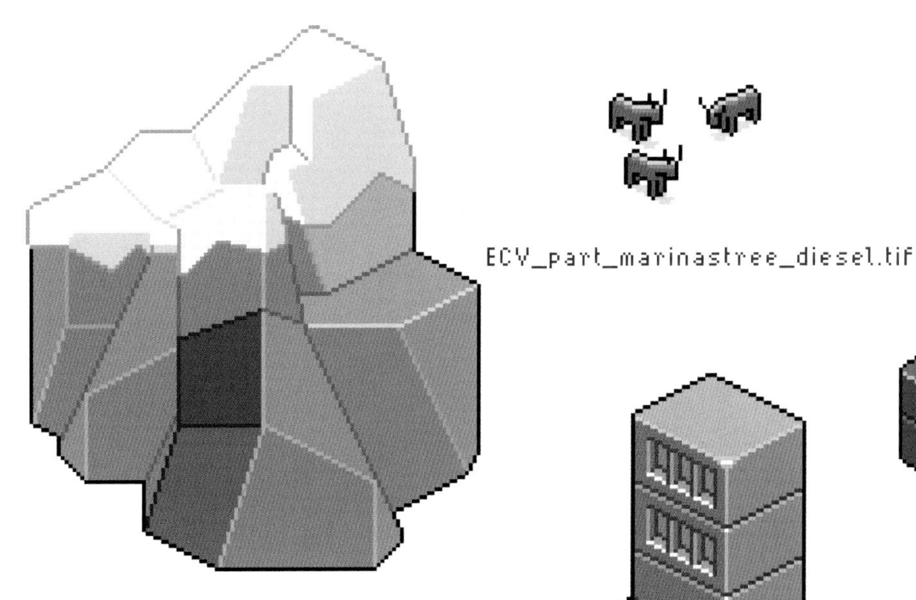

ECV_part_marinastree_diesel.tif

ECV_part_berg+_harpen.tif

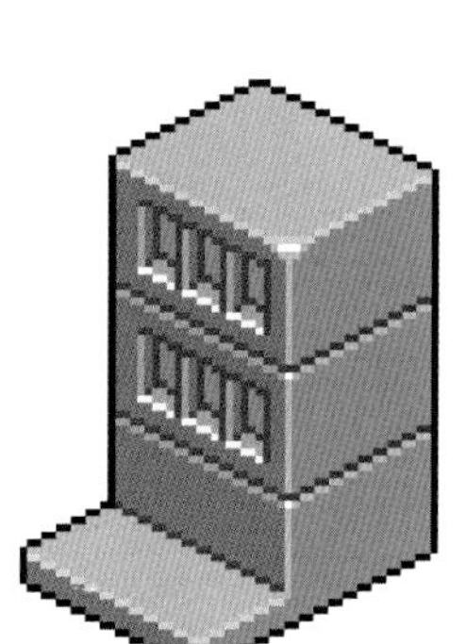

ECV_buil_haus_harpen.tif

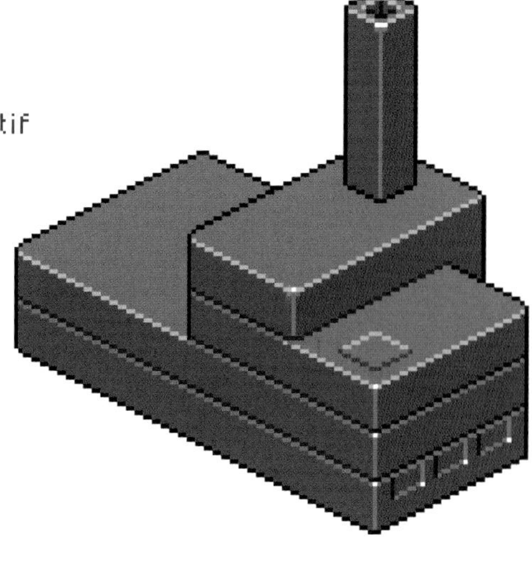

ECV_buil_kraftwerk2_harpen.tif

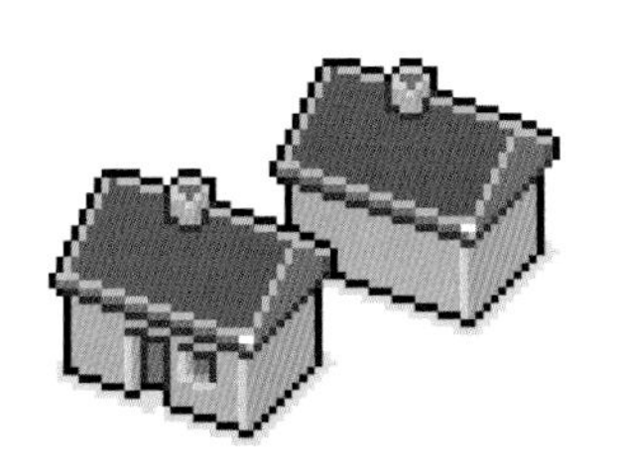

ECV_buil_small_harpen.tif

ECV_part_baumsmall_harpen.tif

ECV_part_baumyellow_harpen.tif

ECV_buil_hochhaus_harpen.tif

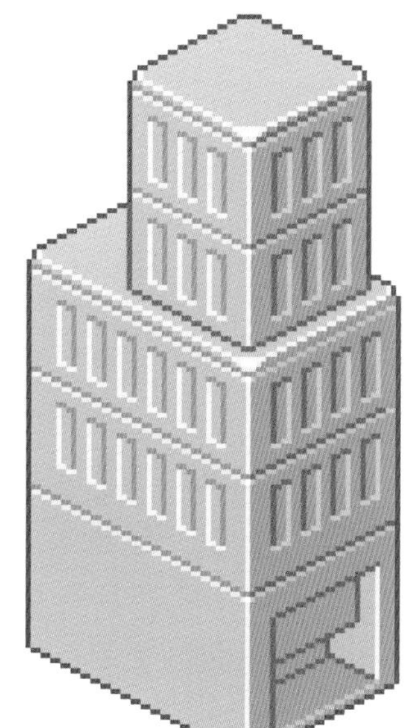

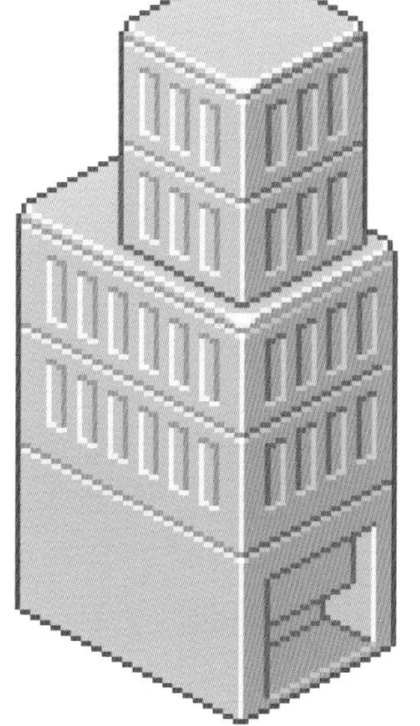

ECV_buil_cyanhaus_harpen.tif

PEECOL_pocket_02.tif

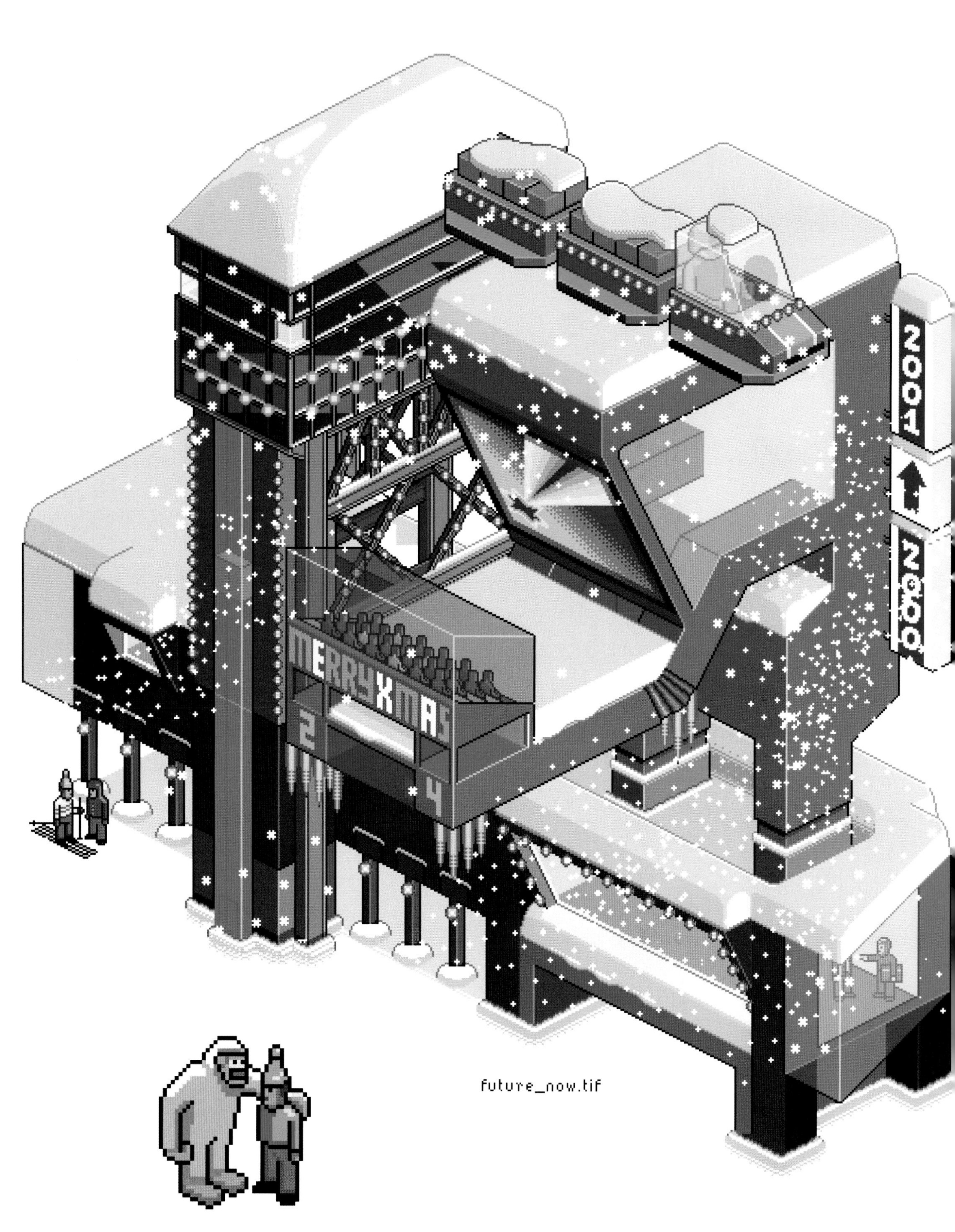

future_now.tif

EC_peop_ape+kumpel_harpen.tif

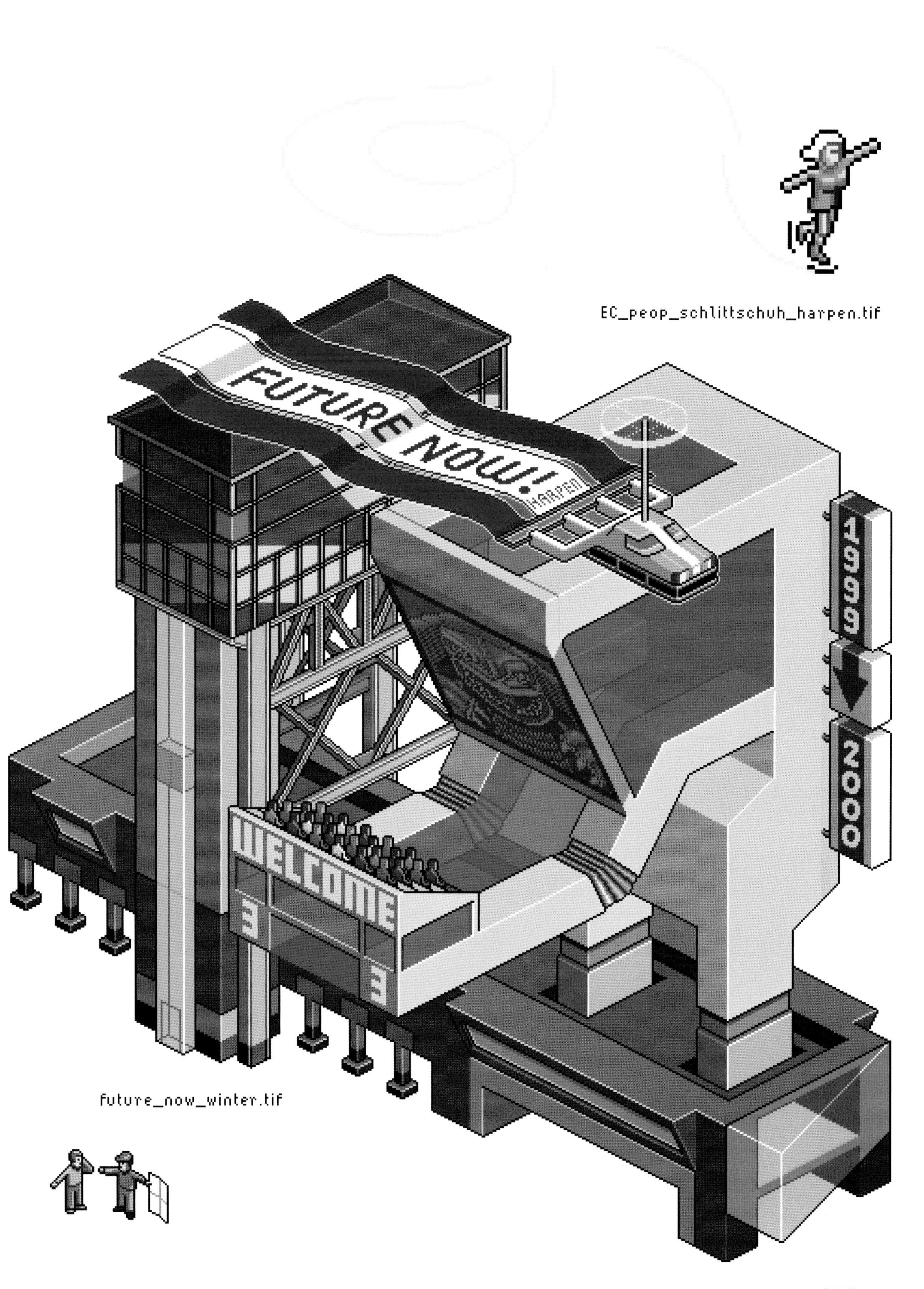
EC_peop_schlittschuh_harpen.tif
FUTURE NOW!
1999
2000
WELCOME
future_now_winter.tif

THE
NORTH
FACE

WEB_bann_toyhelp_eboy.TIF

DIV_2frisbees_scoremore.tif

DIV_frisbee_zzz_scoremore.tif

harpen_spring.tif

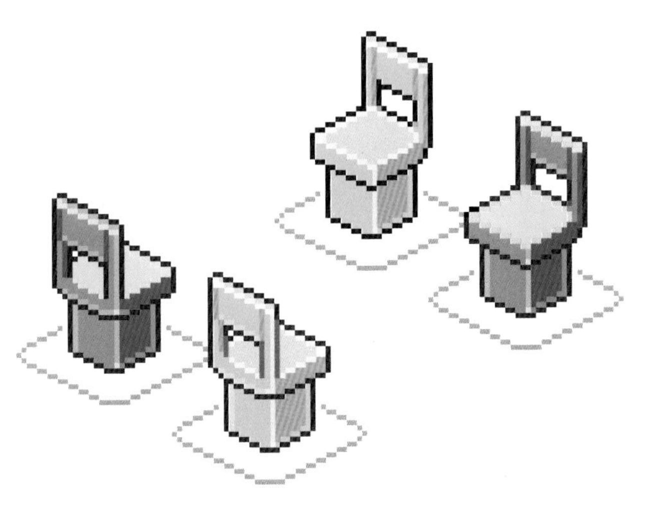

EC_part_chairs2_chrysler.tif

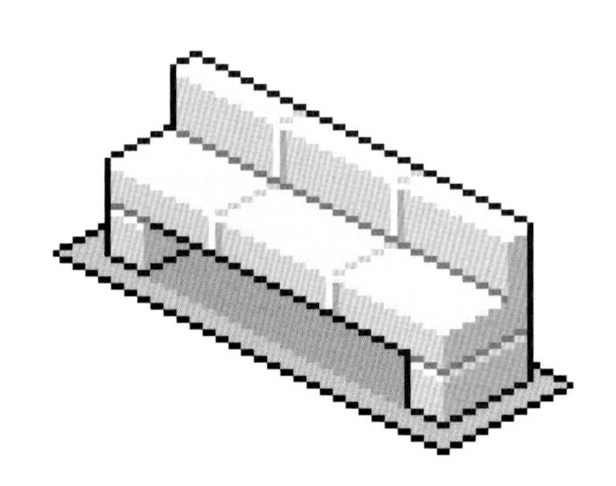

EC_part_benchyello_chrysler.tif

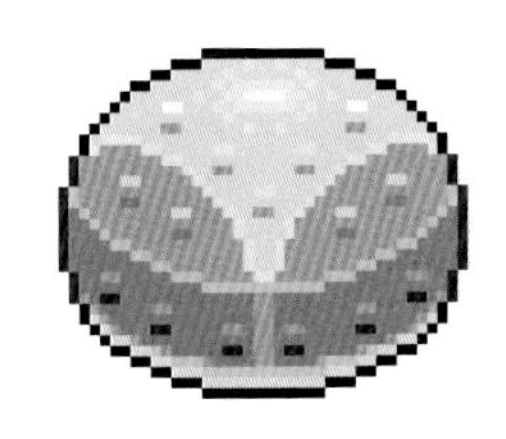

EC_vege_bush_chrysler.tif

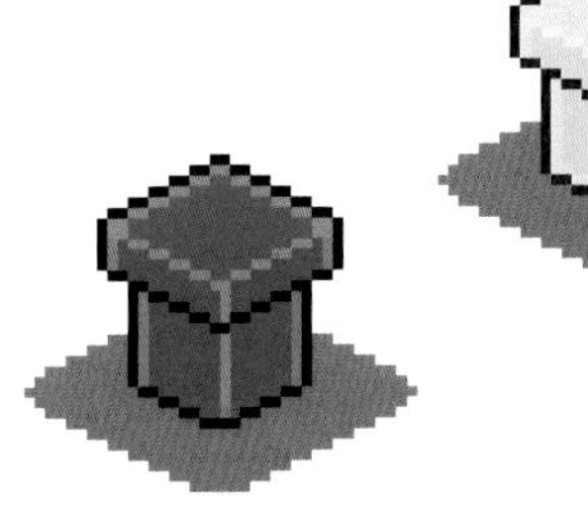

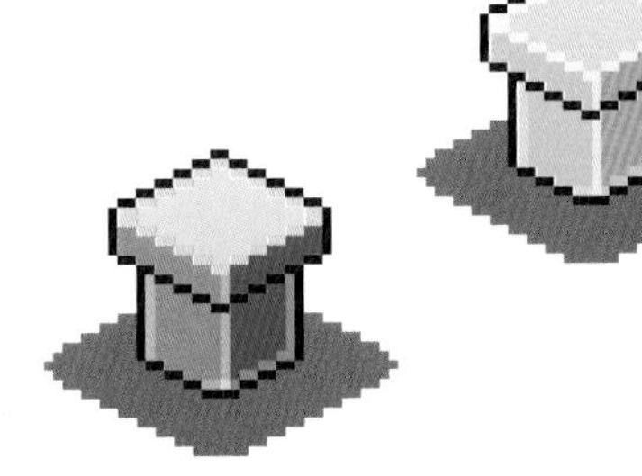

EC_part_stool_chrysler.tif

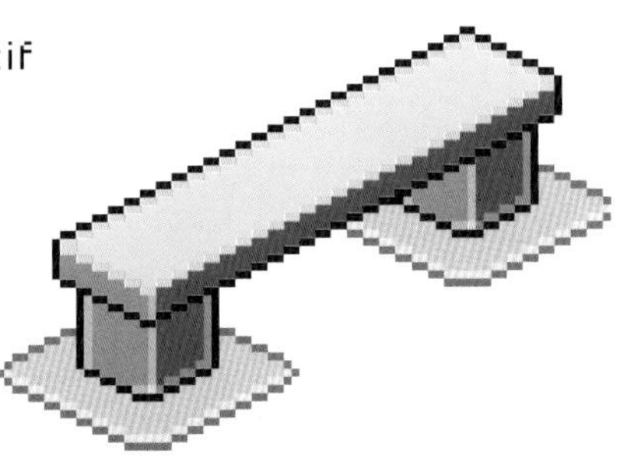

EC_part_benchblue_chrysler.tif

EC_part_multihead_chrysler.tif

sweet
comfort

DOGPOP

DIV_typo_dogpop_cards.tif

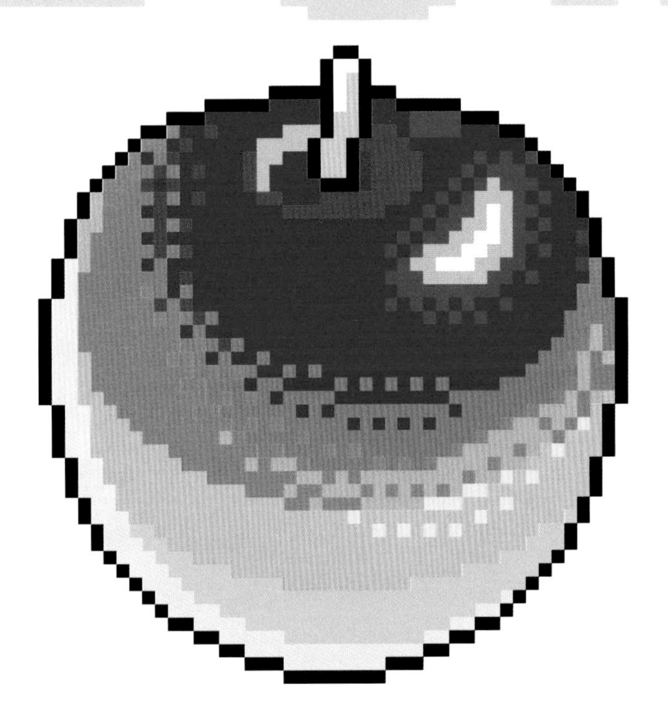

ECV_frui_applecolor2_shift.tif

GUNNER_smasher14.tif

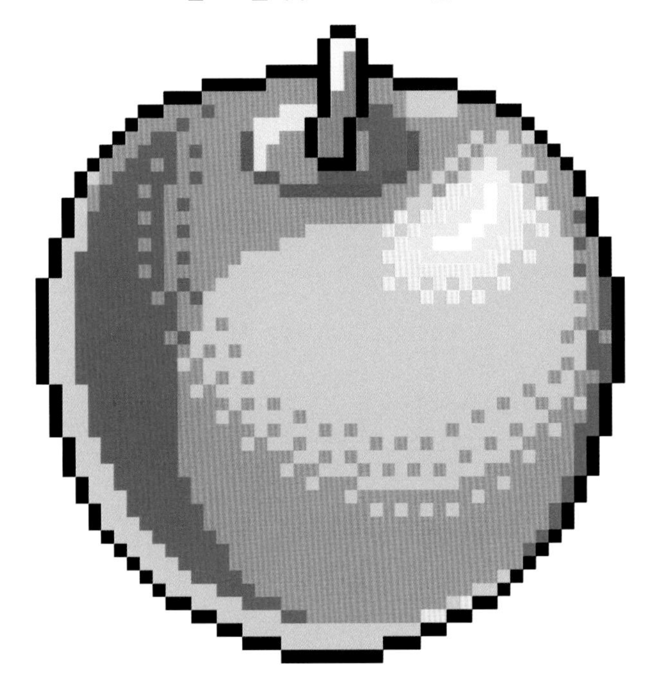

ECV_peop_applegreen_shift.tif

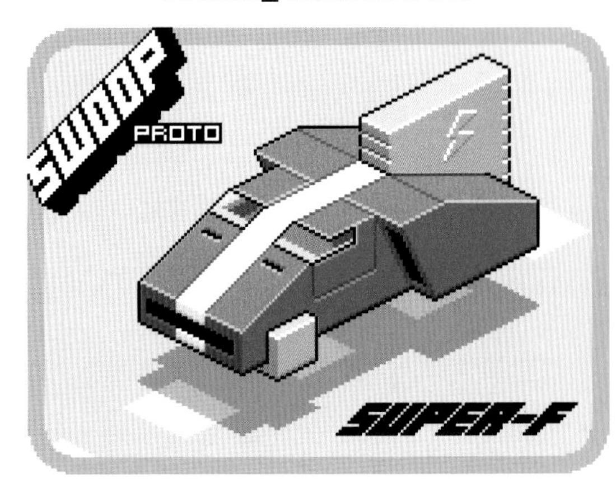

swoop_proto_01.4.tif

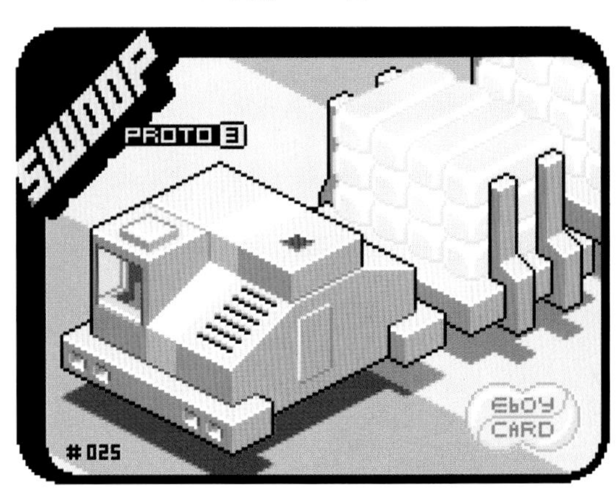

swoop_proto_03.tif

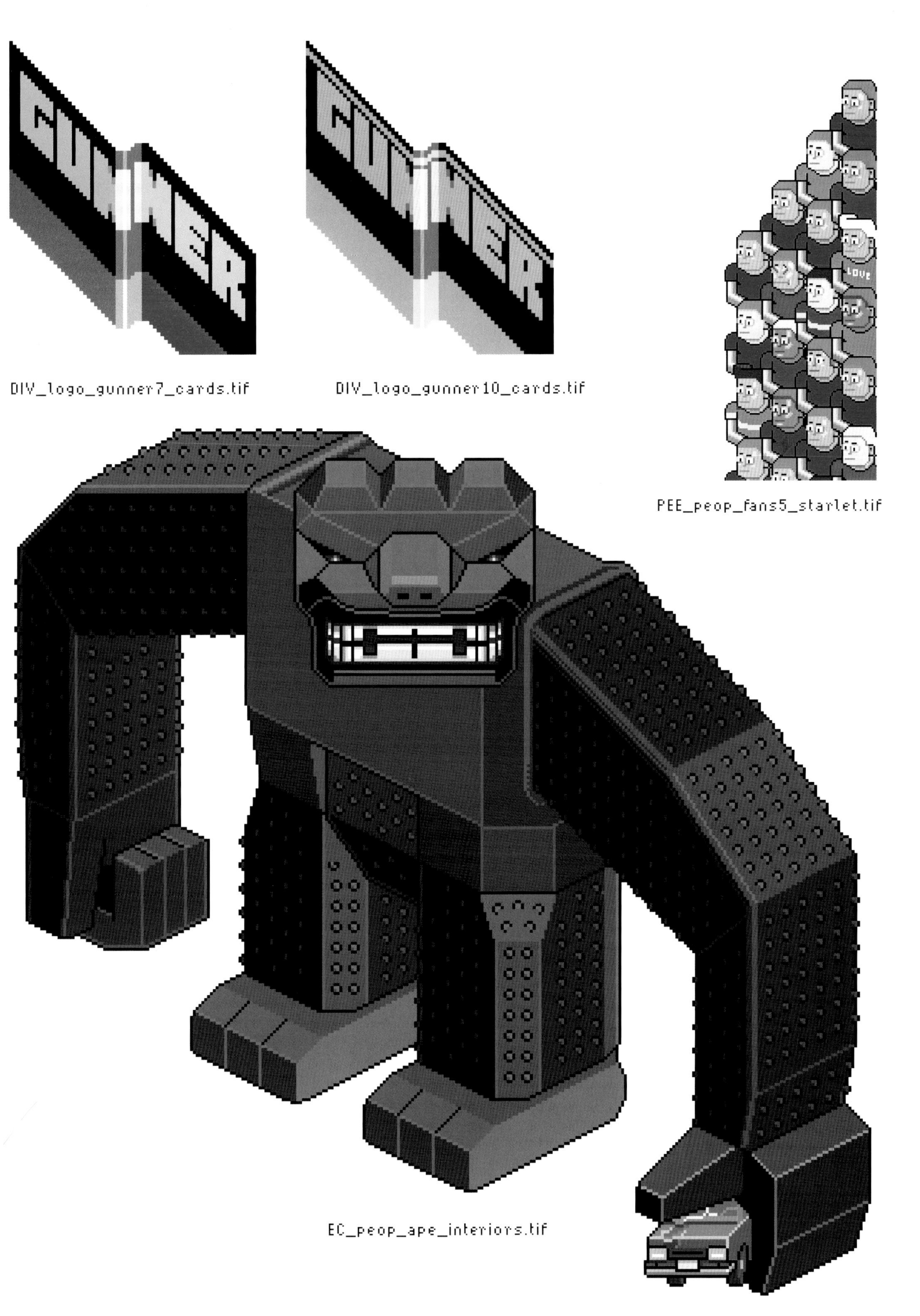

DIV_logo_gunner7_cards.tif

DIV_logo_gunner10_cards.tif

PEE_peop_fans5_starlet.tif

EC_peop_ape_interiors.tif

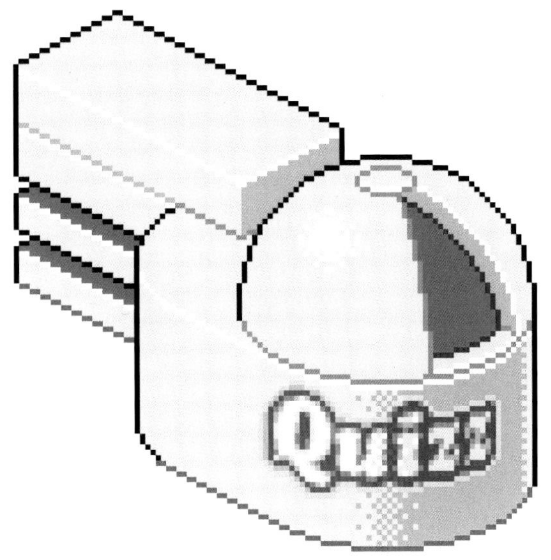

EC_buil_quizz+_gamecity.tif

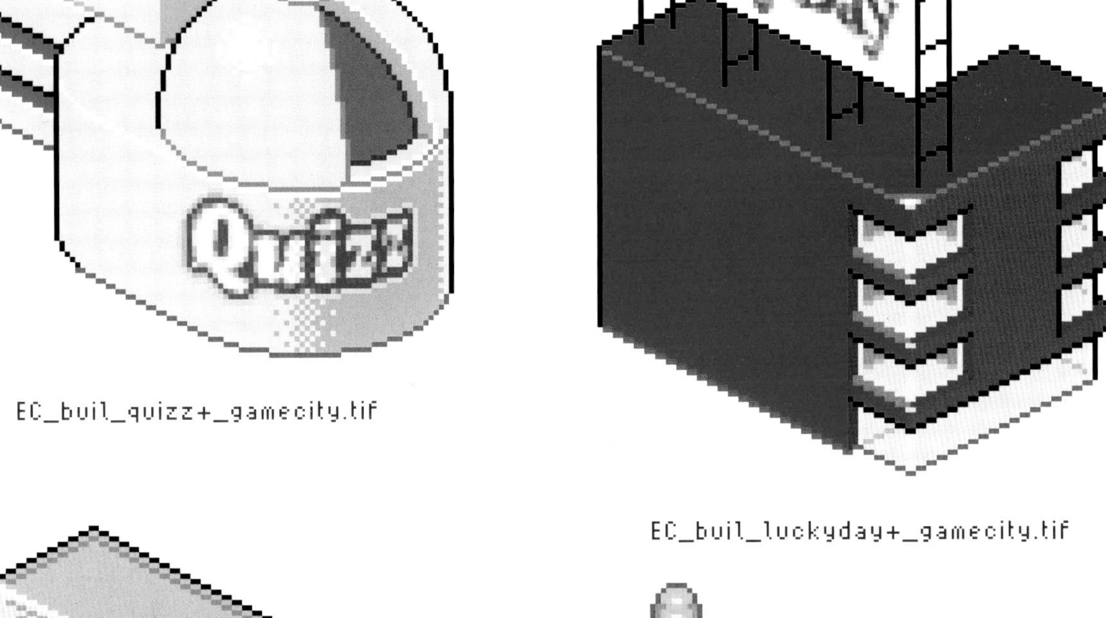

EC_buil_luckyday+_gamecity.tif

EC_buil_blocksmall_gamecity.tif

EC_part_tree_gamecity.tif

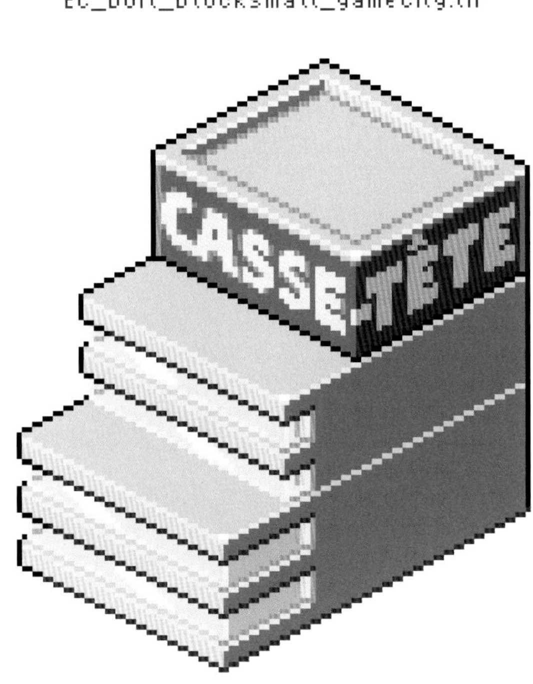

EC_buil_cassetete3_gamecity.tif

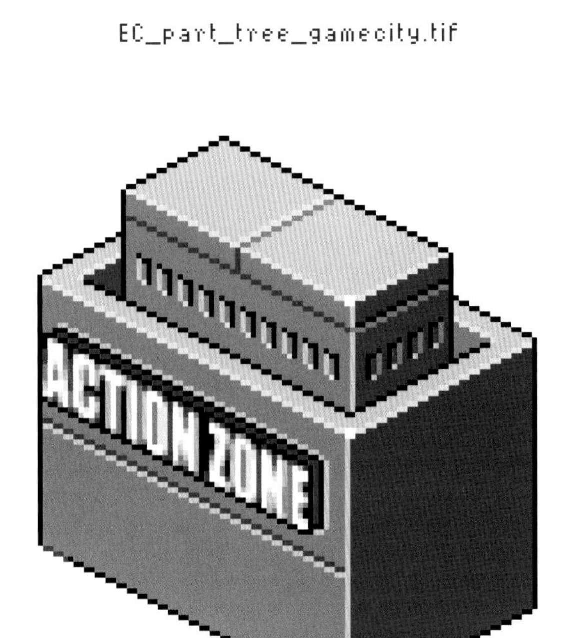

EC_buil_actionzon+_gamecity.tif

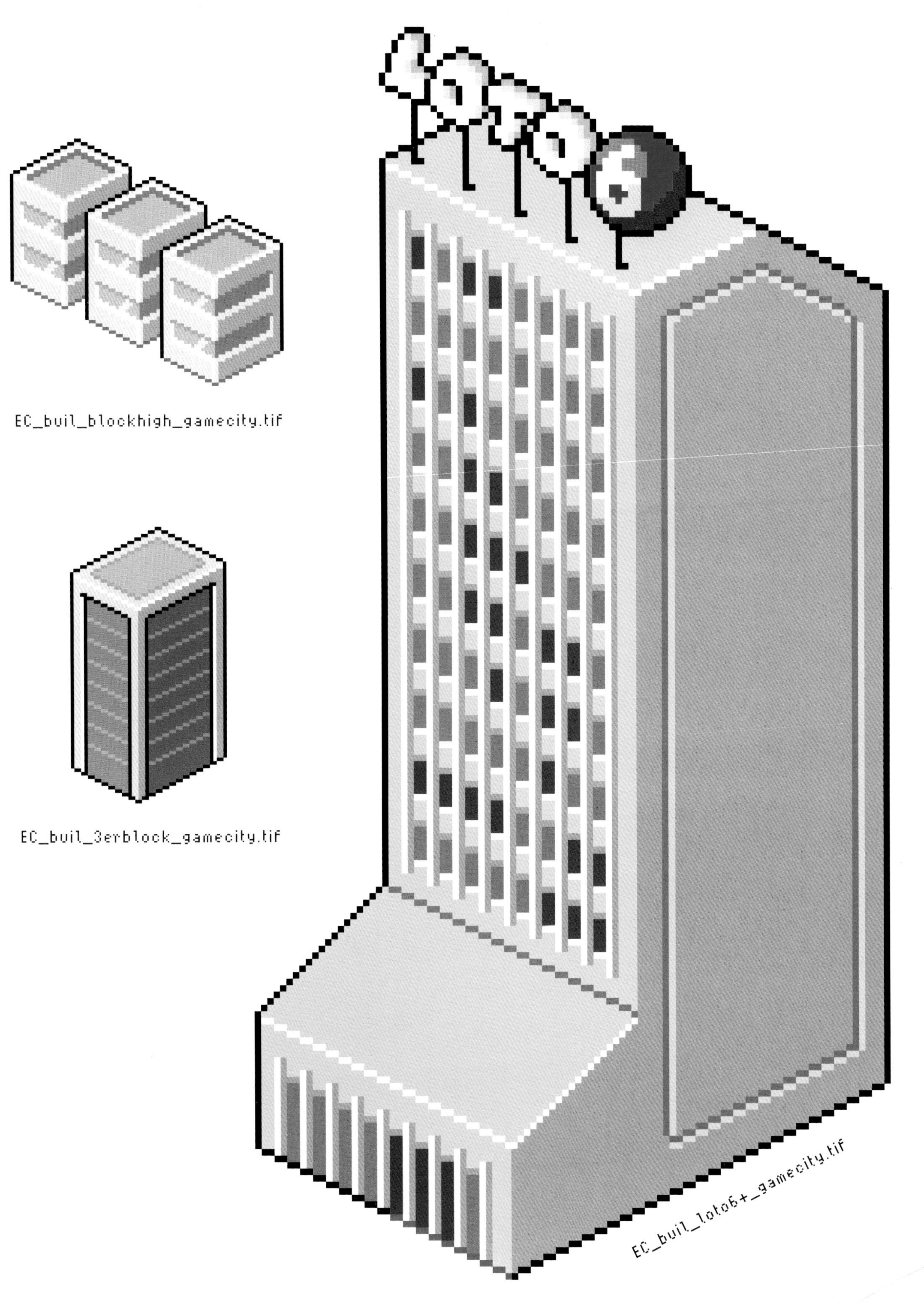

EC_buil_blockhigh_gamecity.tif

EC_buil_3erblock_gamecity.tif

EC_buil_loto6+_gamecity.tif

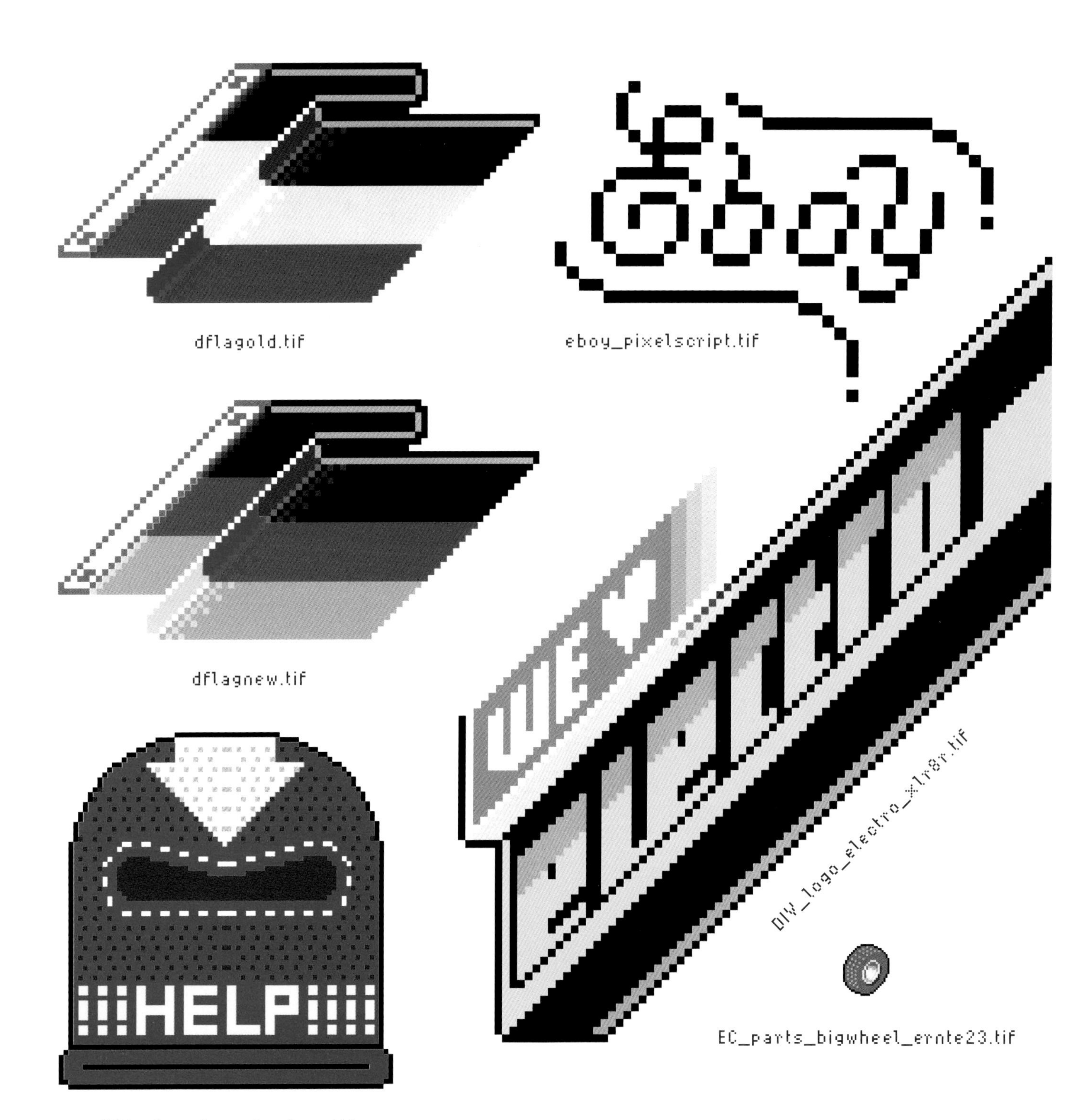

dflagold.tif

eboy_pixelscript.tif

dflagnew.tif

DIV_logo_electro_xlr8r.tif

EC_parts_bigwheel_ernte23.tif

DIV_eboy_toysets_free.tif

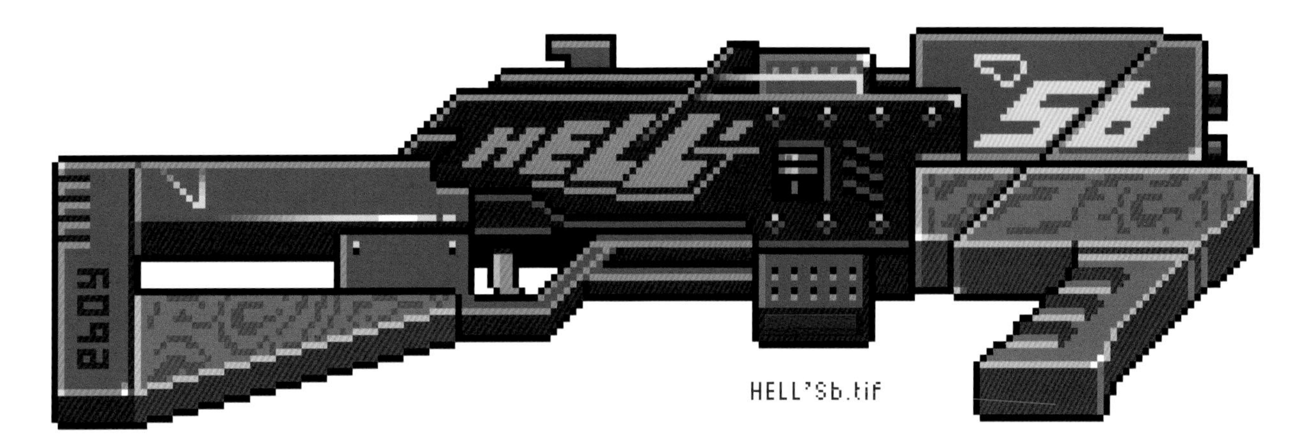

HELL'Sb.tif

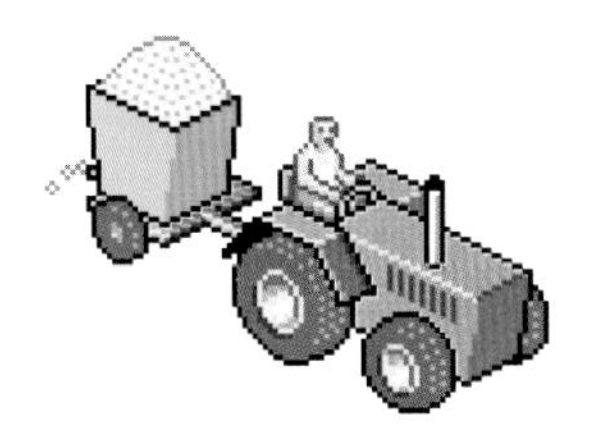

EC_vehi_traktor3_ernte23.tif

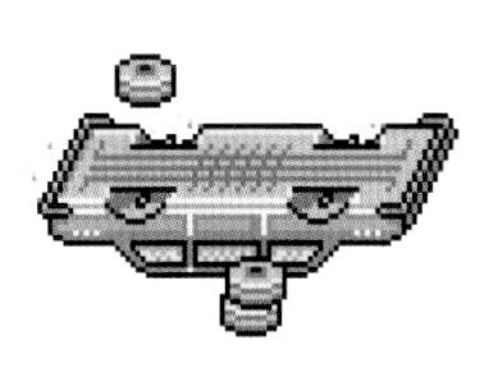

EC_vehi_wrack+_receiver.tif

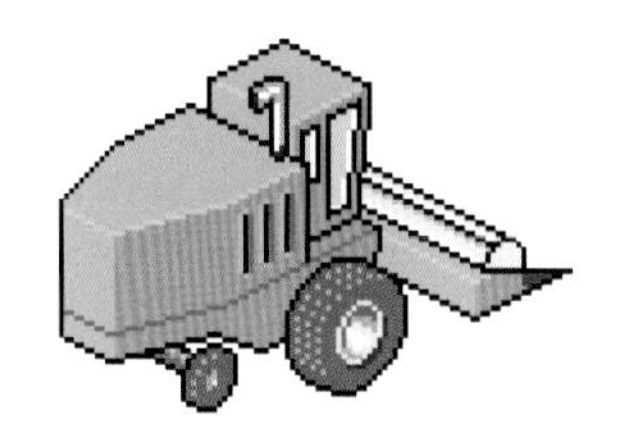

EC_vehi_harvester4_ernte23.tif

EC_vehi_traktor6_ernte23.tif

EC_vehi_traktor7_ernte23.tif

EC_vehi_traktor5_ernte23.tif

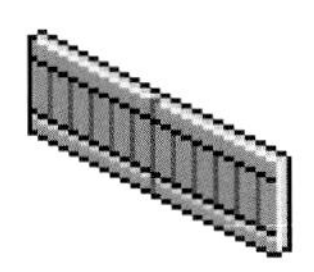

EC_part_fence_ernte23.tif

EC_vehi_traktor2_ernte23.tif

EC_vehi_traktor_ernte23.tif

EC_vehi_harvester5_ernte23.tif

EC_vehi_traktor4_ernte23.tif

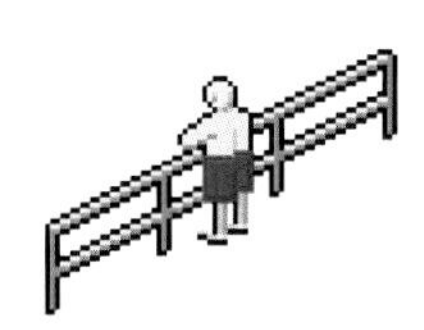

EC_peop_Landwirt_Ernte23.tif

EC_peop_farmer_ernte23.tif

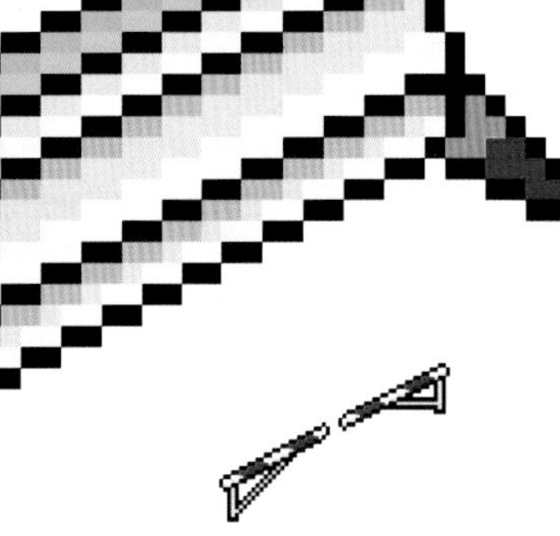

EC_part_barrier_ernte23.tif

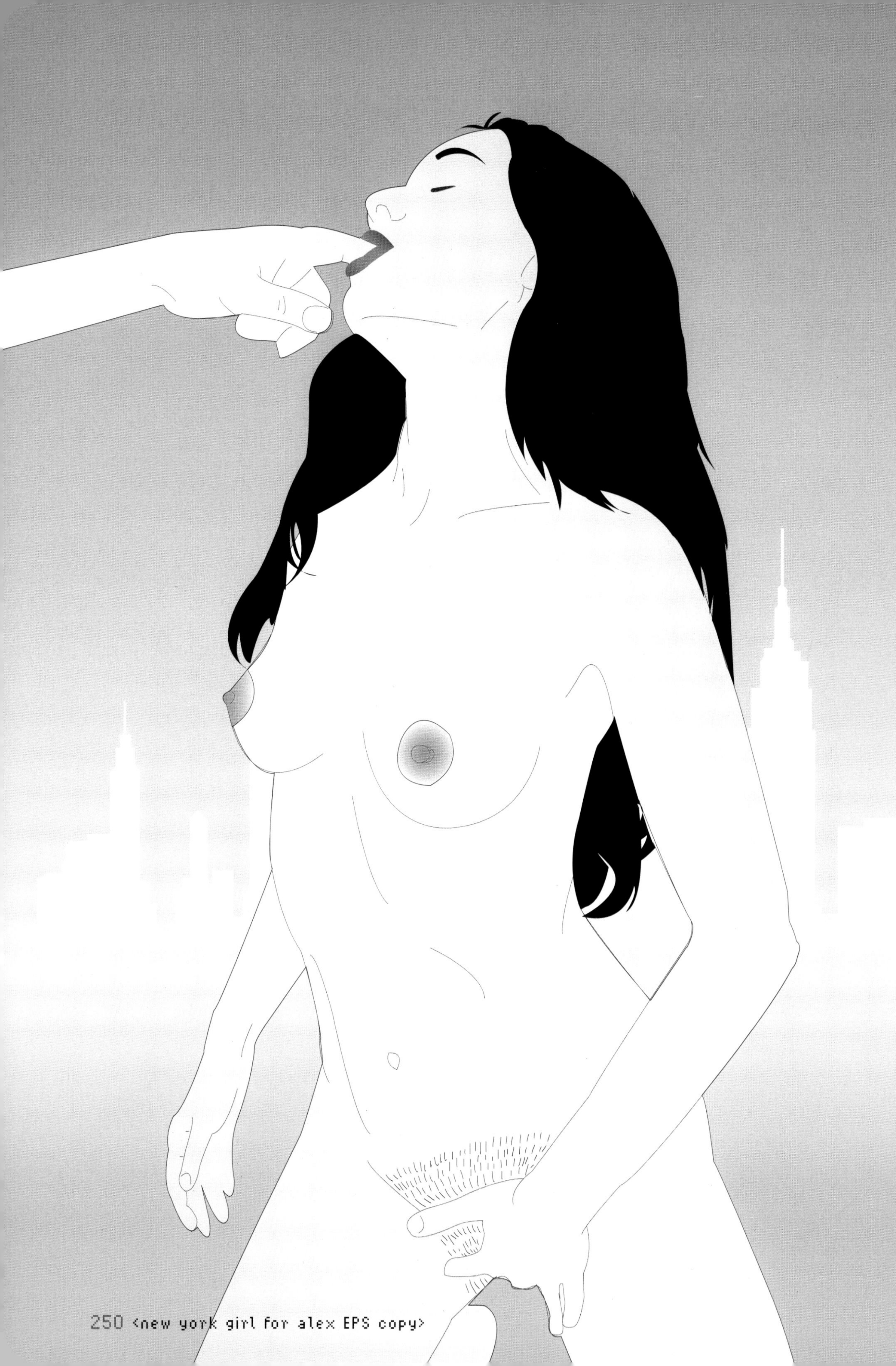

250 <new york girl for alex EPS copy>

DIV_manuel_07_diewoche.tif

GUNNER_Peel_k3_ani.tif

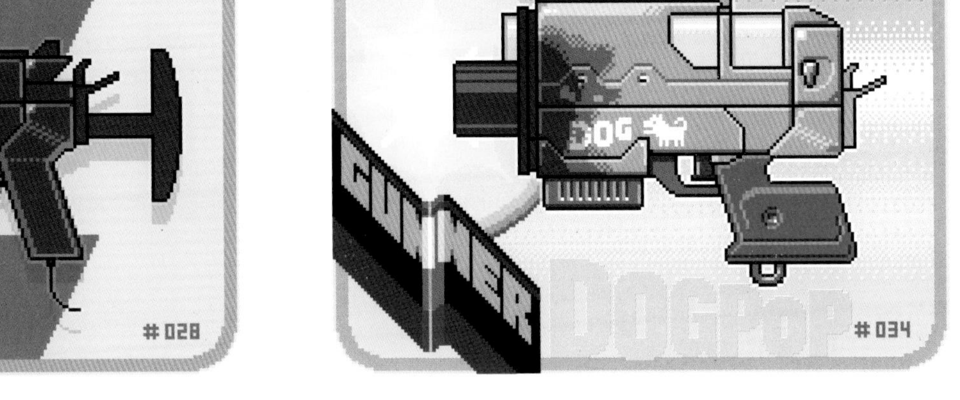

GUNNER_Dogpop_k1.tif

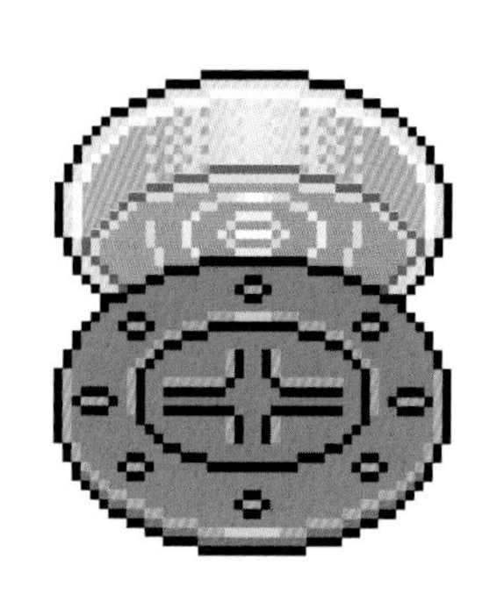

DIV_part_gulli_iturf.tif

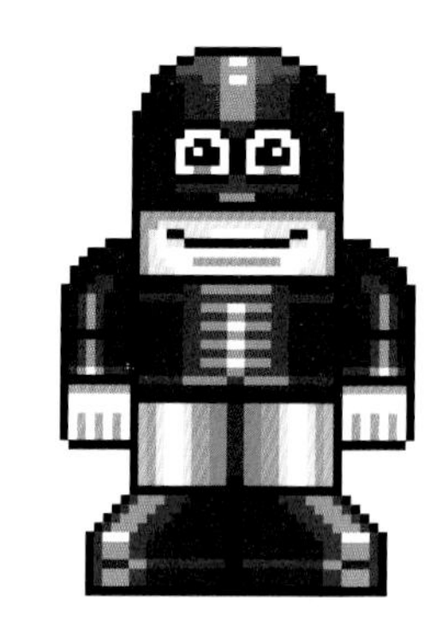

DIV_robo_malepleased_iturf.tif

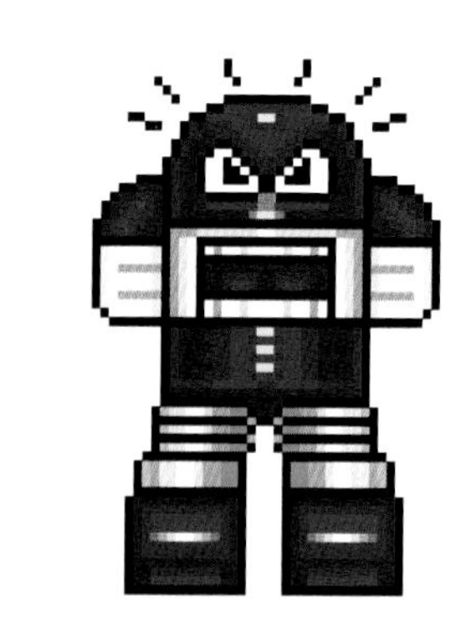

DIV_robo_reallyangry_iturf.tif

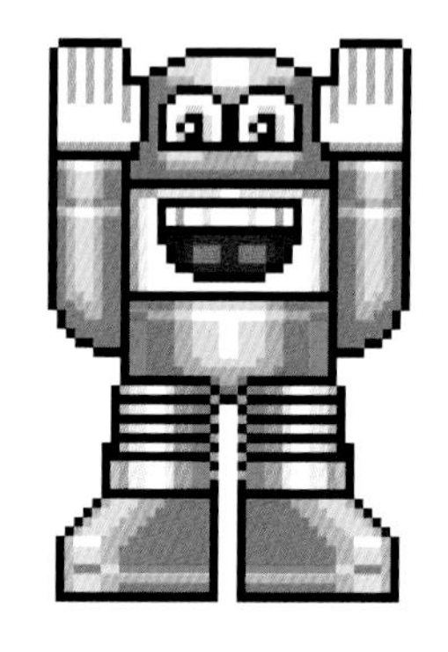

DIV_robo_reallyhappy_iturf.tif

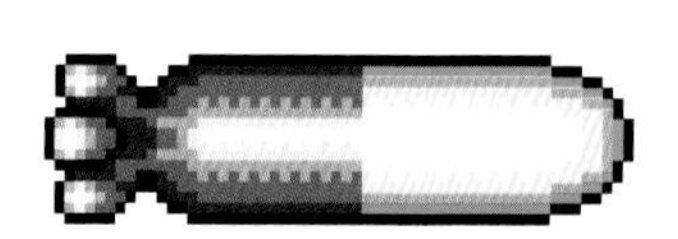

DIV_part_bomb_iturf.tif

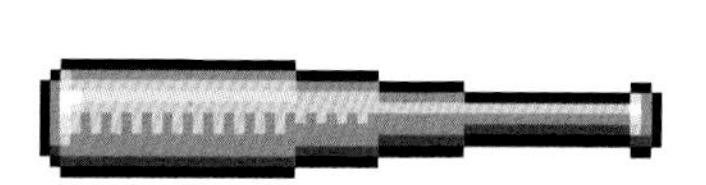

DIV_part_bat_iturf.tif

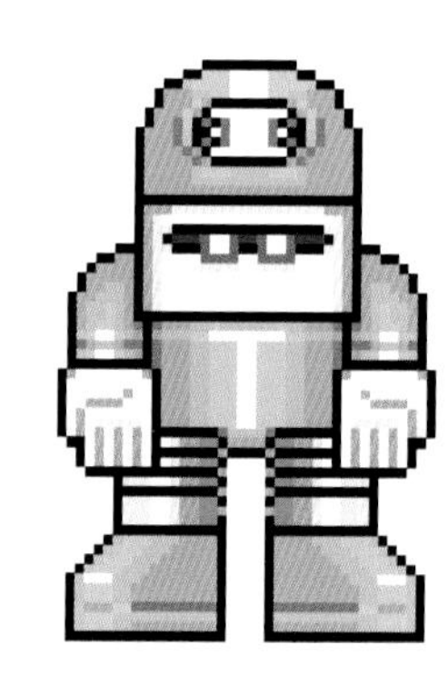

DIV_robo_confused_iturf.tif

EC_part_sheepblock_chrysler.tif

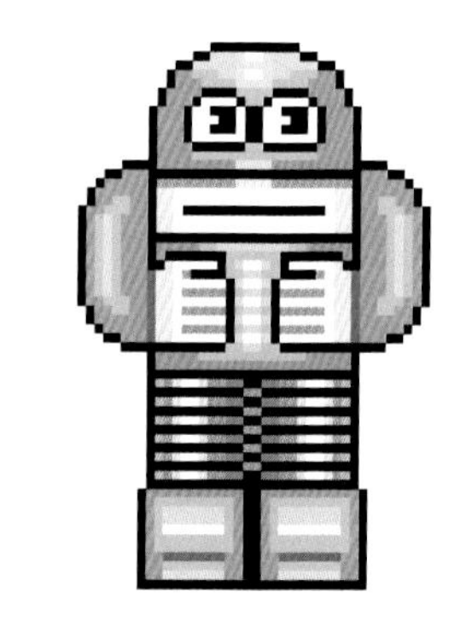

DIV_robo_tense_iturf.tif

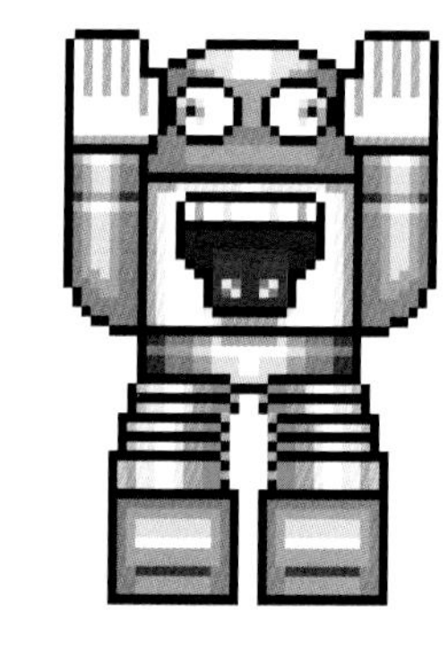

DIV_robo_reallywacky2_iturf.tif

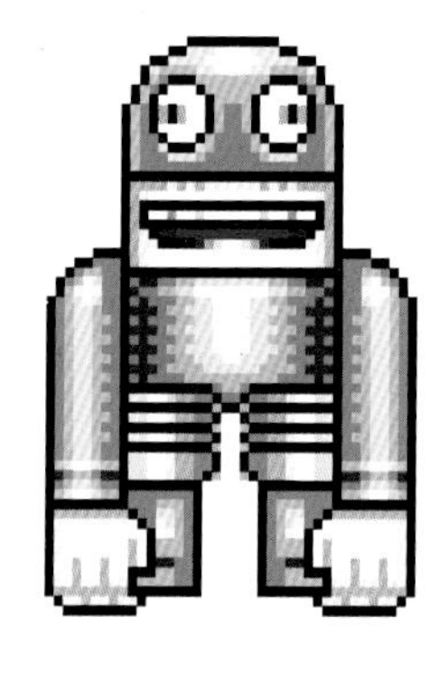

DIV_robo_reallywacky_iturf.tif

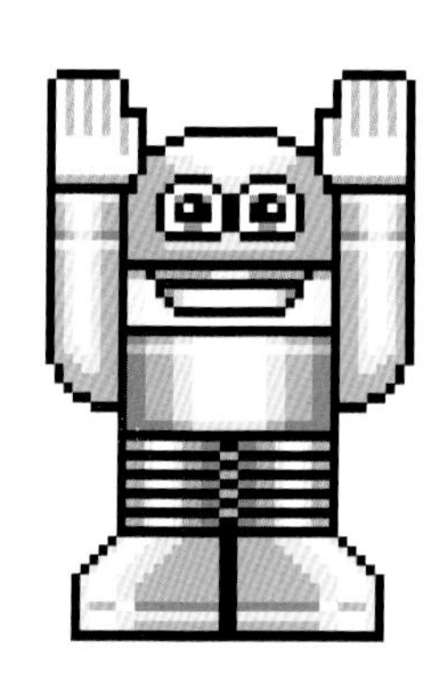

DIV_robo_happy_iturf.tif

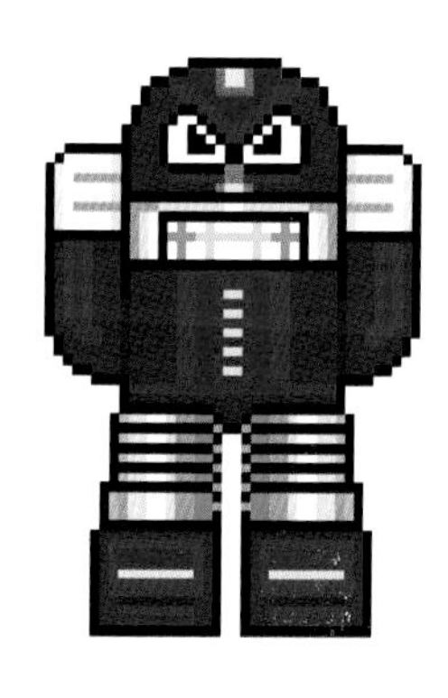

DIV_robo_mad_iturf.tif

<george jones EPS in cmyk> 253

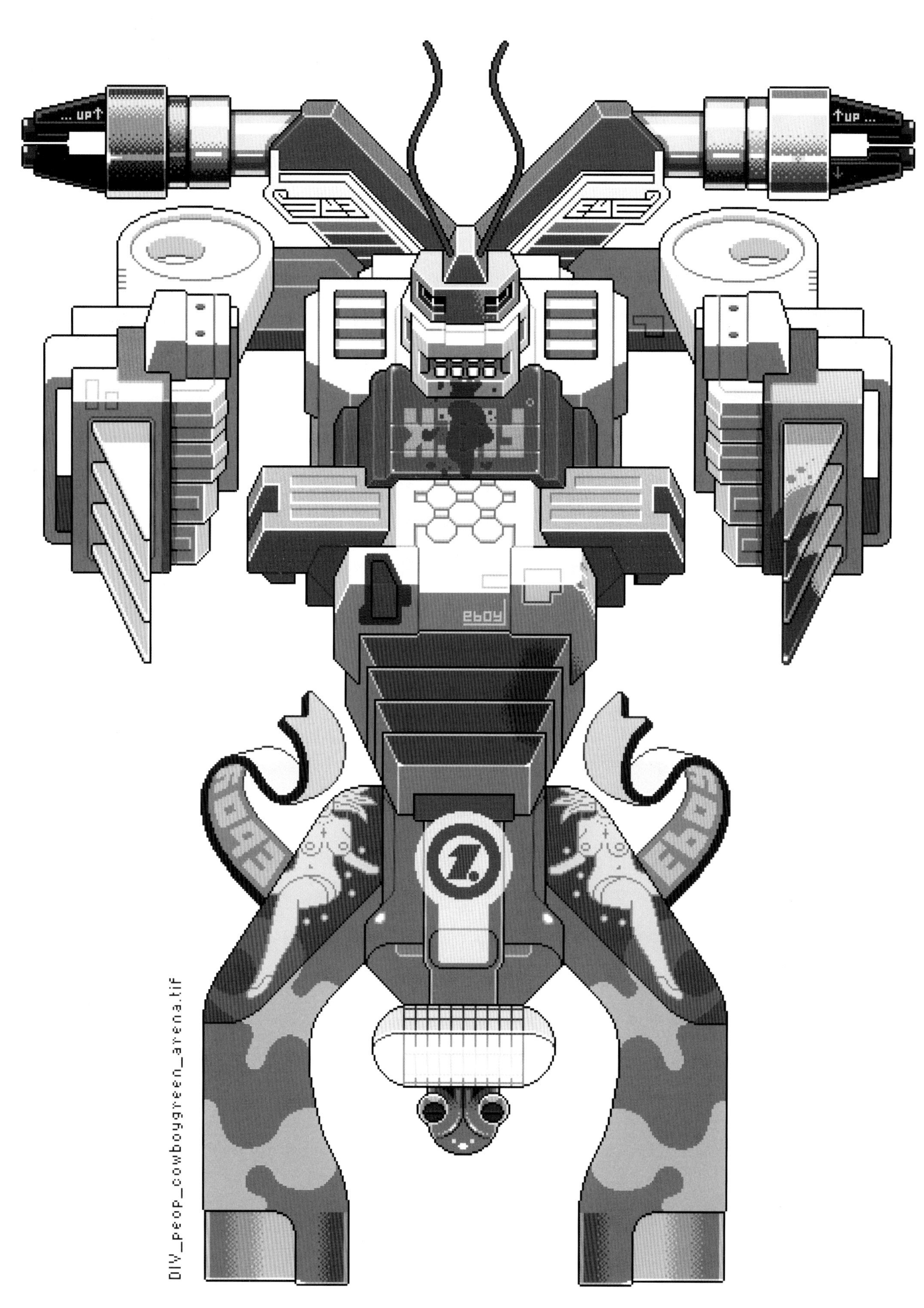

DIV_peop_cowboygreen_arena.tif

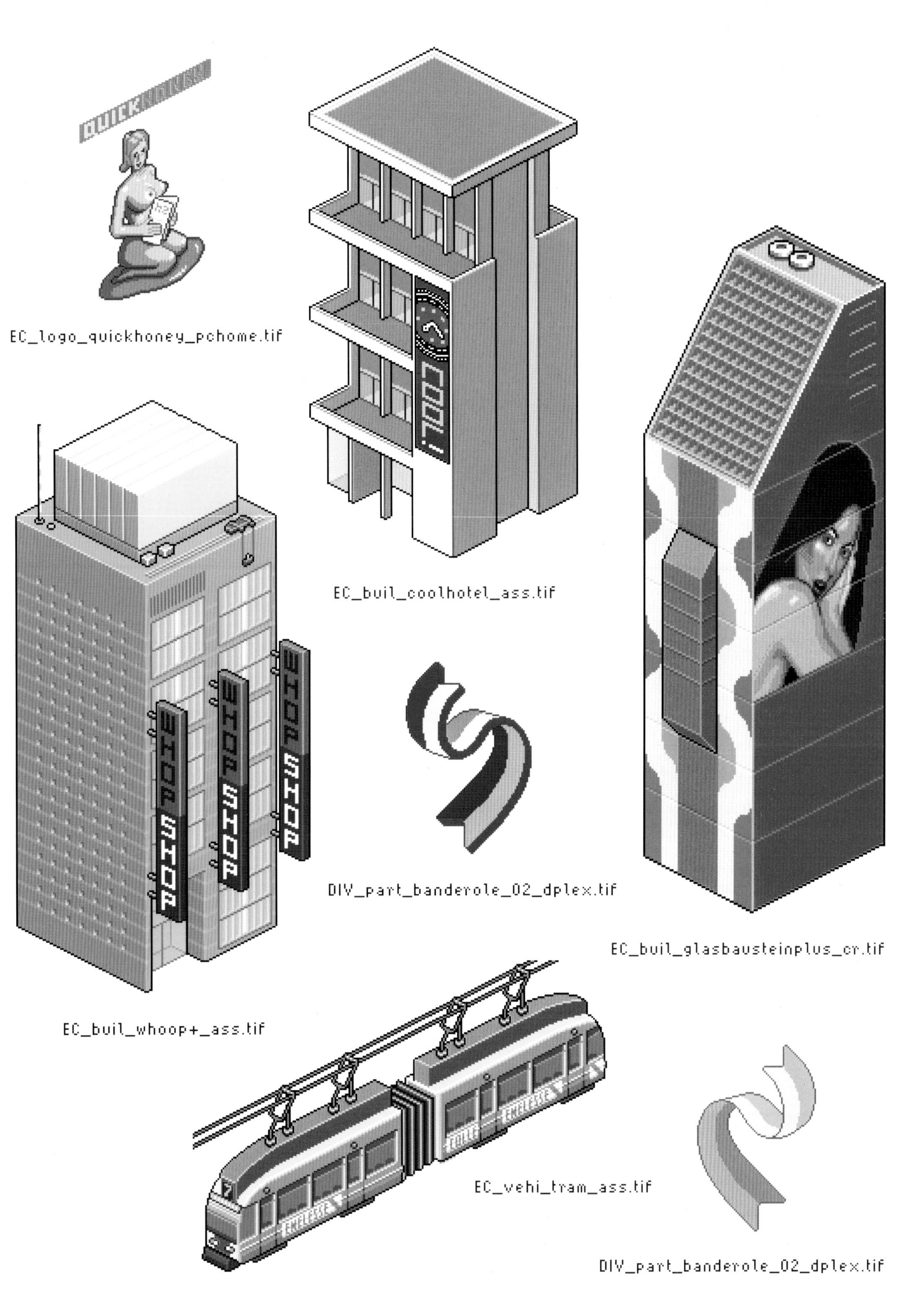

EC_logo_quickhoney_pchome.tif

EC_buil_coolhotel_ass.tif

EC_buil_whoop+_ass.tif

DIV_part_banderole_02_dplex.tif

EC_buil_glasbausteinplus_cr.tif

EC_vehi_tram_ass.tif

DIV_part_banderole_02_dplex.tif

<pchome_chat_25_58dpi.tif>

DIV_typo_megacoolpack_eboy.tif

EC_vehi_helicop_attenda.tif

EC_buil_6_n_attenda.tif

EC_buil_cinema_n_attenda.tif

EC_buil_ericsson_n_attenda.tif

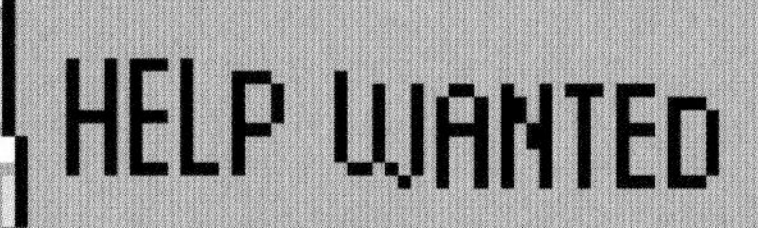

 <ANI_pict_winnezoom1_mtv.tif>

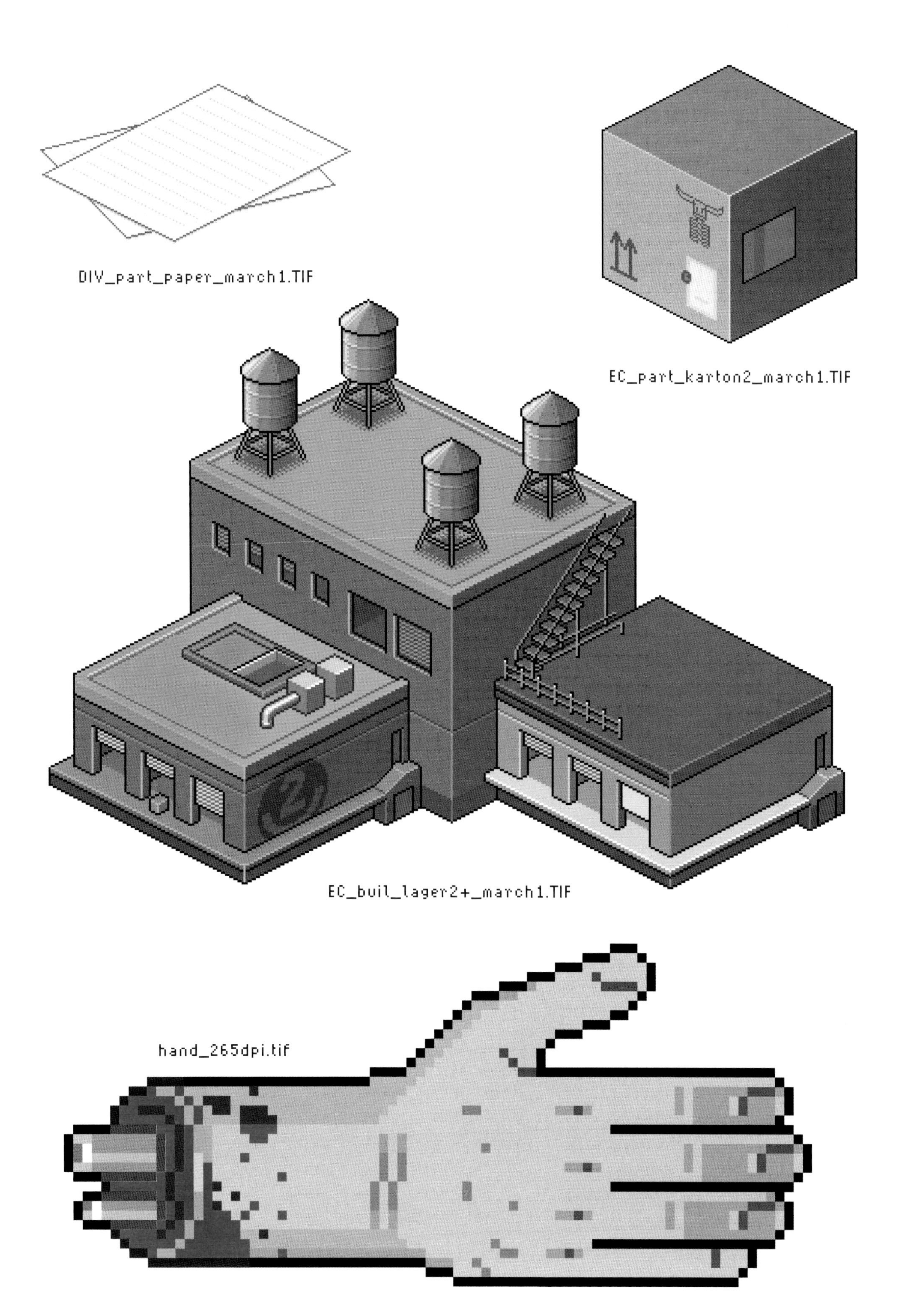
DIV_part_paper_march1.TIF
EC_part_karton2_march1.TIF
EC_buil_lager2+_march1.TIF
hand_265dpi.tif

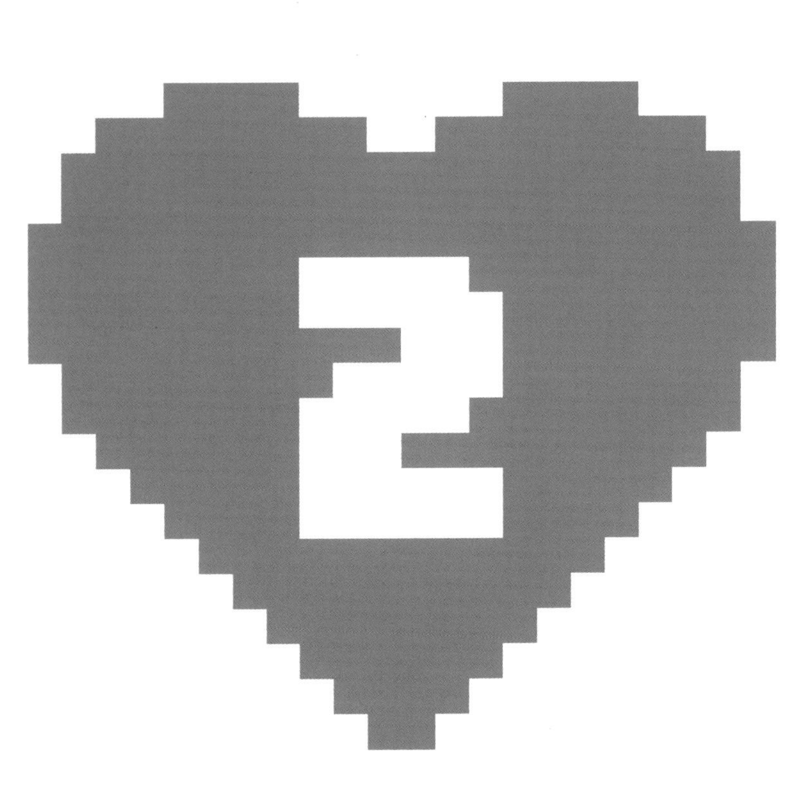

DIV_herzen_diewoche.tif

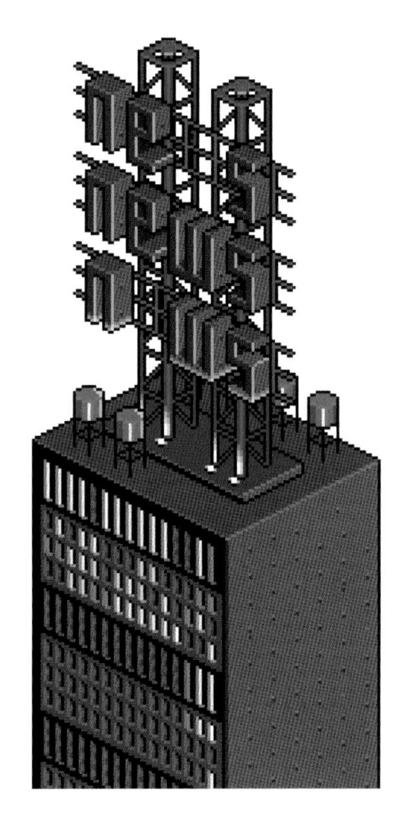

EC_buil_news_n_attenda.tif

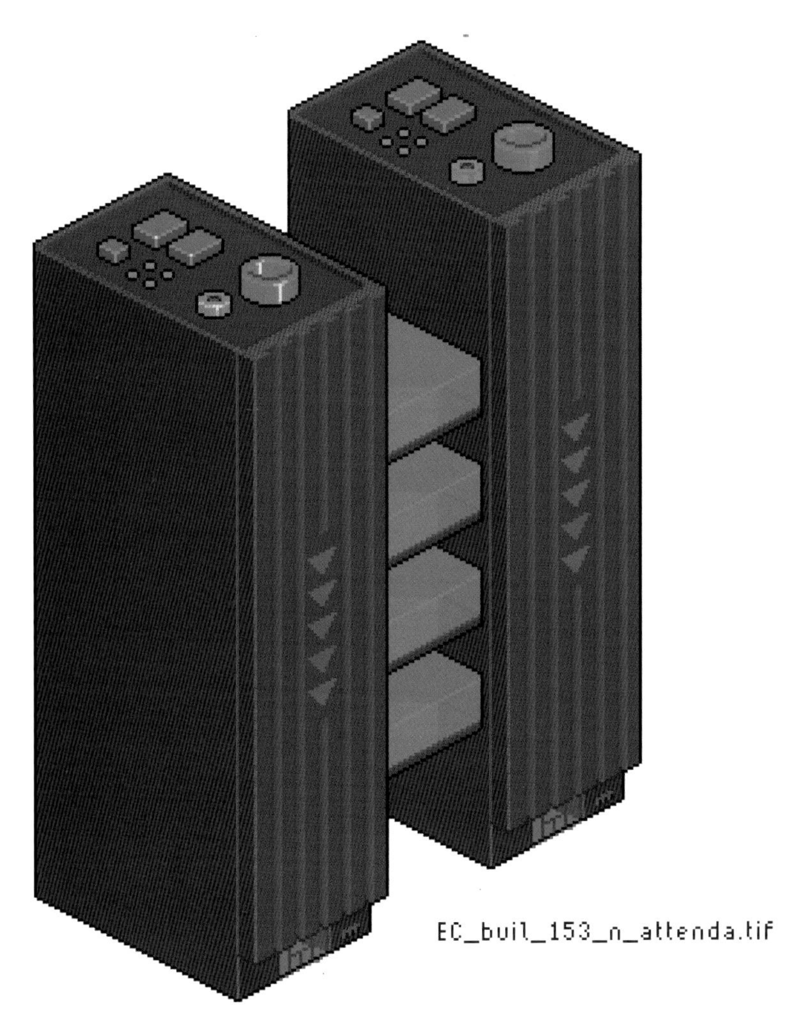

EC_buil_153_n_attenda.tif

EC_buil_debenhams_attenda.tif

<ANI_pict_winnedrive2_mtv.tif>

<pchome_email_20_58dpi.tif>

 <Girl + sunset EPS>

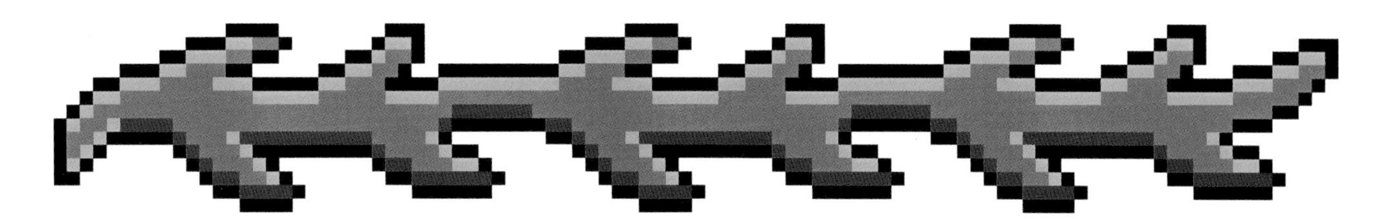

DIV_part_decoright2_orden.tif

WEB_logo_05_eboy.tif

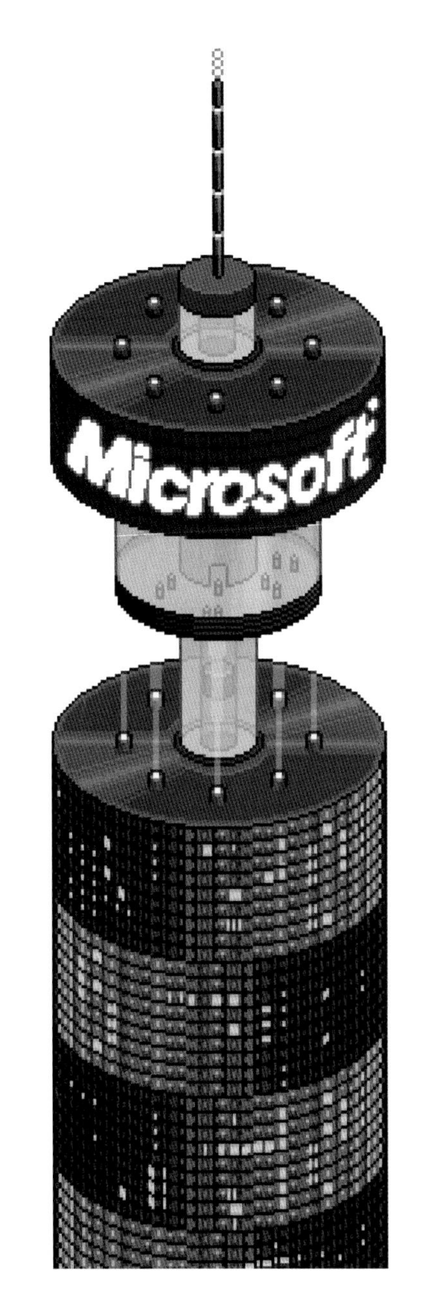

EC_buil_microsoft_n_attenda.tif

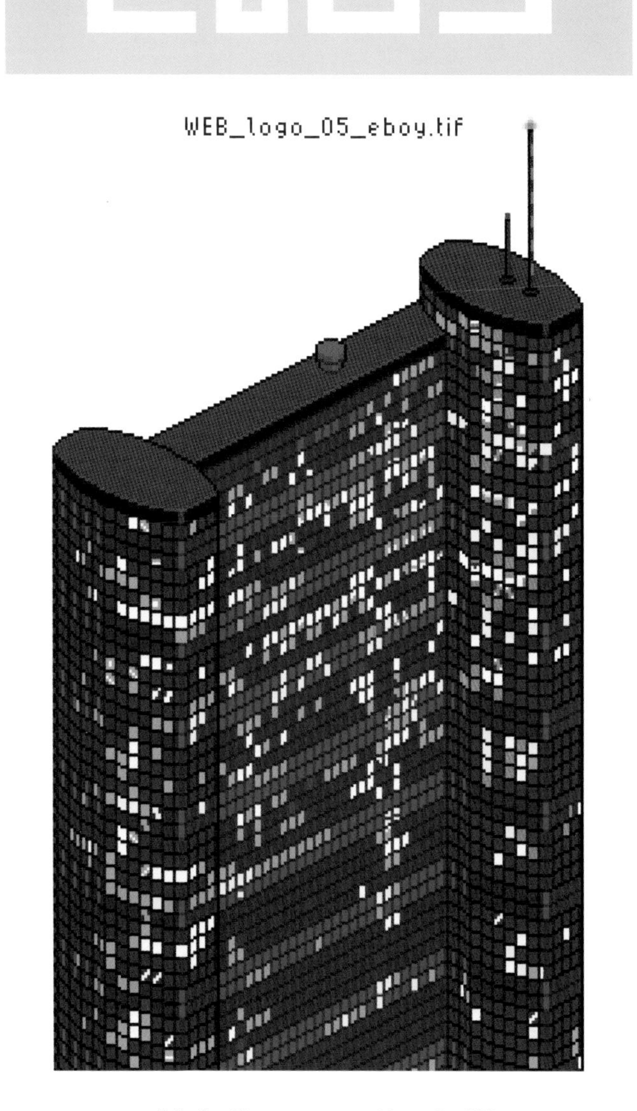

EC_buil_uno_n_attenda.tif

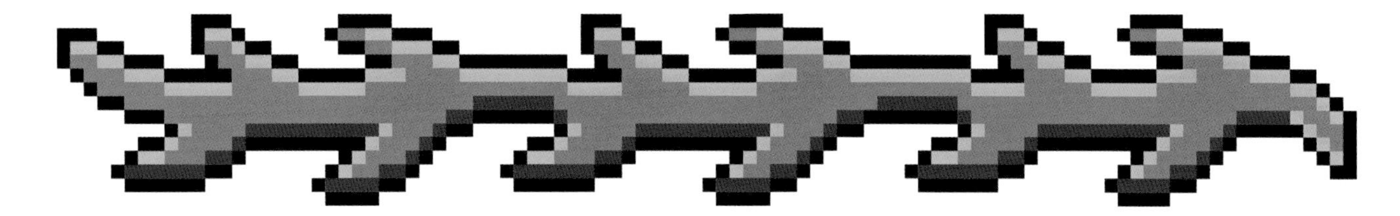

DIV_part_decoleftt2_orden.tif

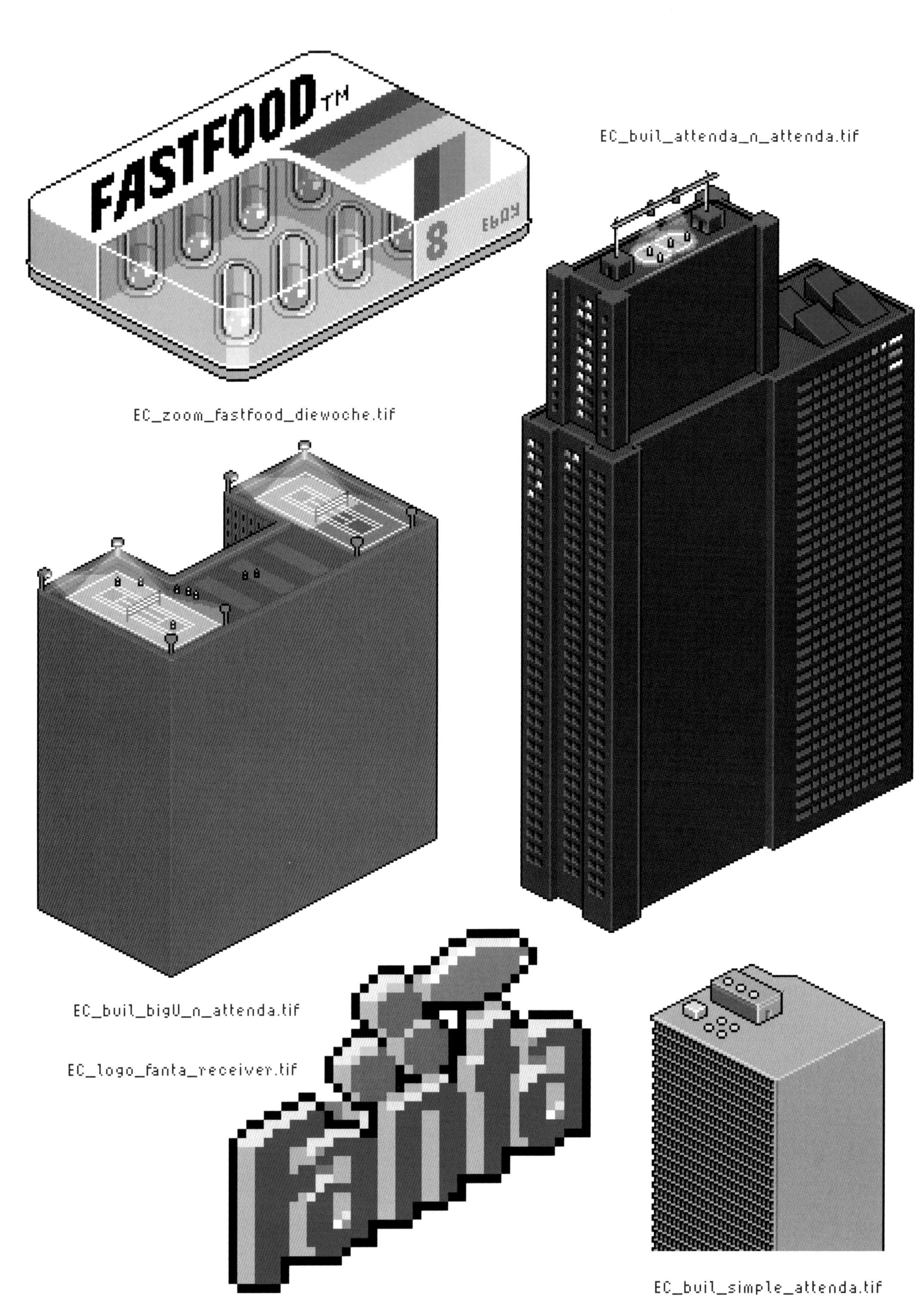

EC_zoom_fastfood_diewoche.tif

EC_buil_attenda_n_attenda.tif

EC_buil_bigU_n_attenda.tif

EC_logo_fanta_receiver.tif

EC_buil_simple_attenda.tif

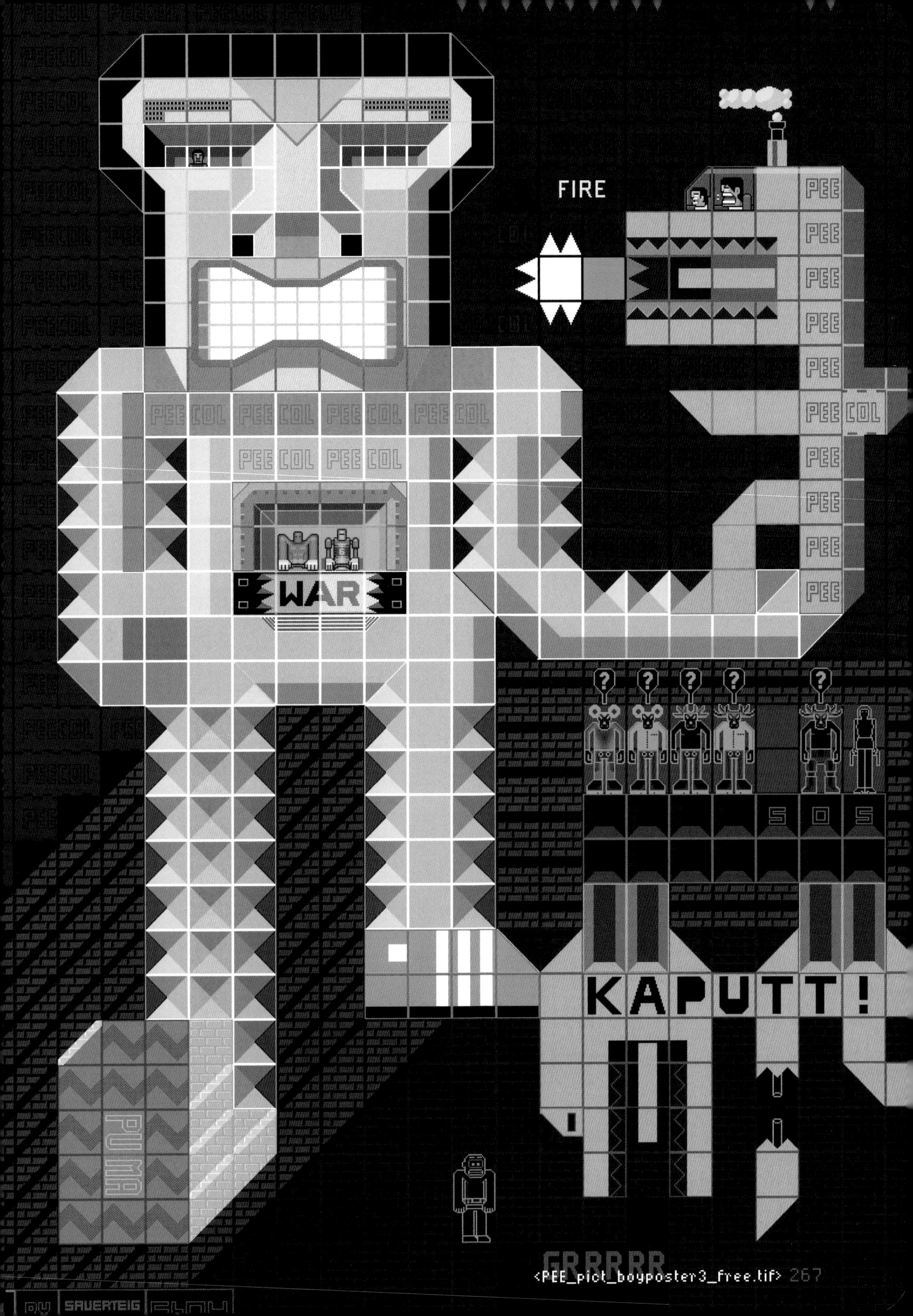

<PEE_pict_boyposter3_free.tif>

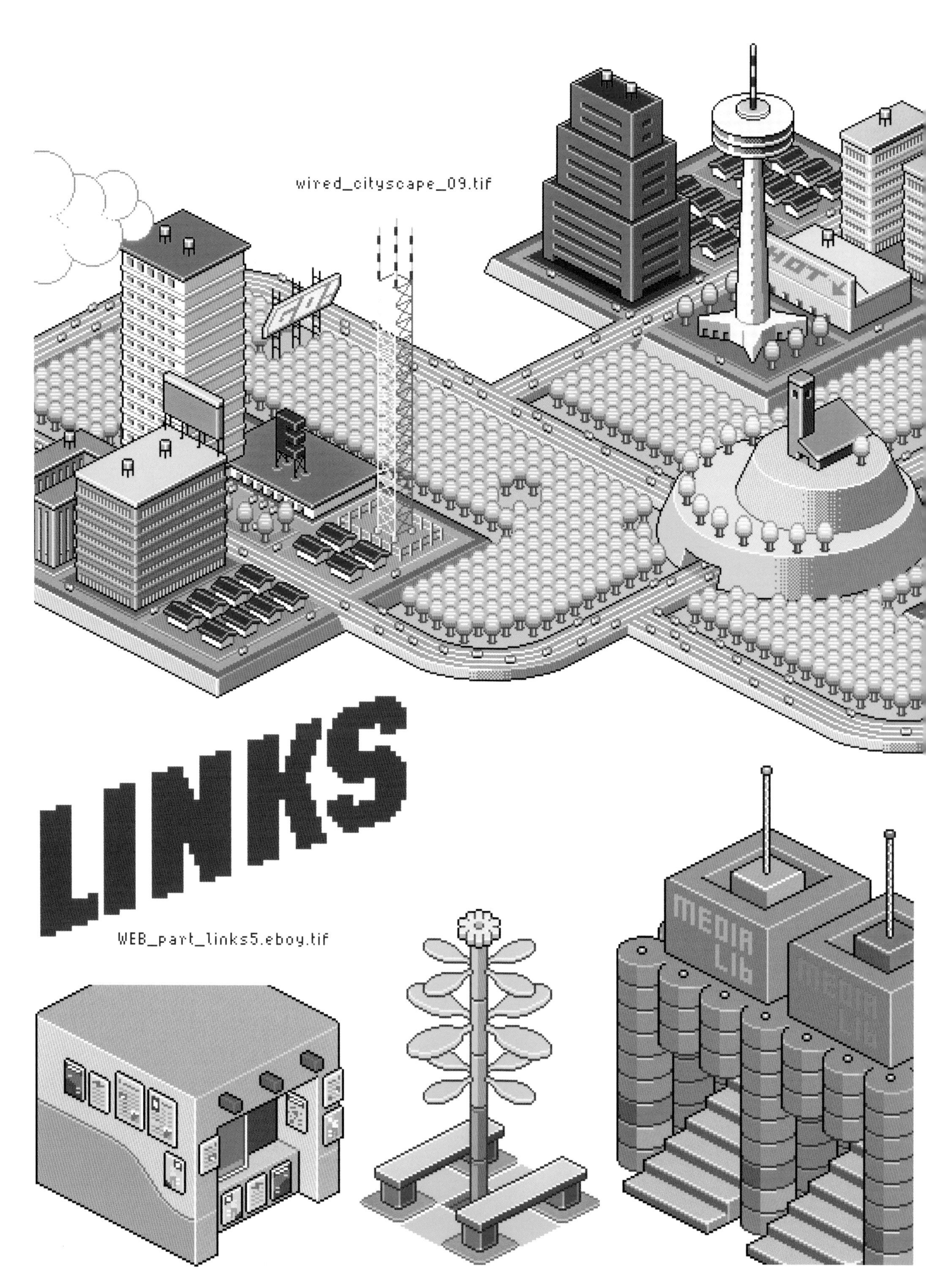

wired_cityscape_09.tif
LINKS
WEB_part_links5.eboy.tif
MEDIA
Lib
EC_buil_kiosk3_chrysler.tif
EC_part_benchflow_chrysler.tif
EC_buil_medialib1_chrysler.tif

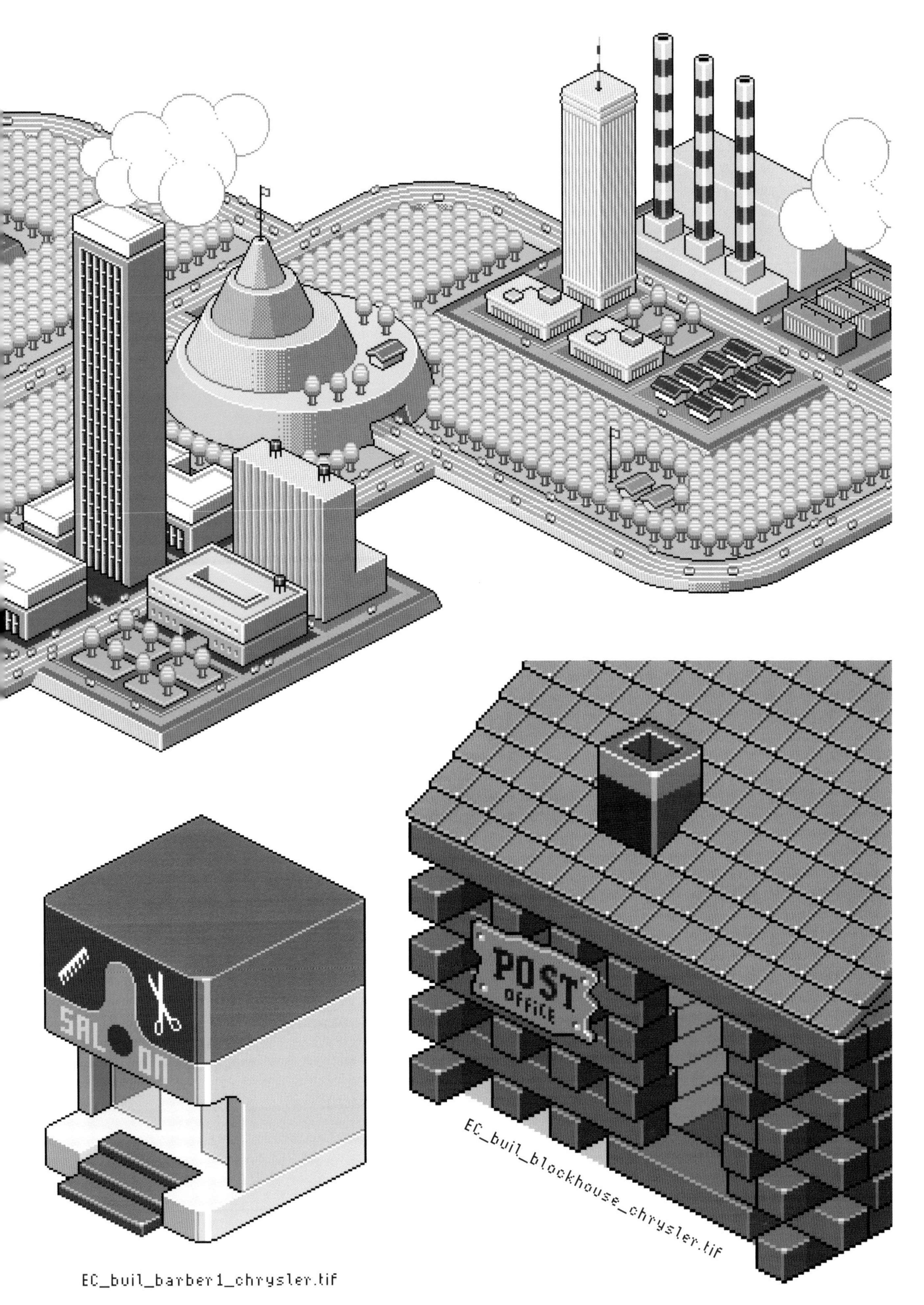

EC_buil_blockhouse_chrysler.tif

EC_buil_barber1_chrysler.tif

 <M finley EPS + NEW BACKR Kopie>

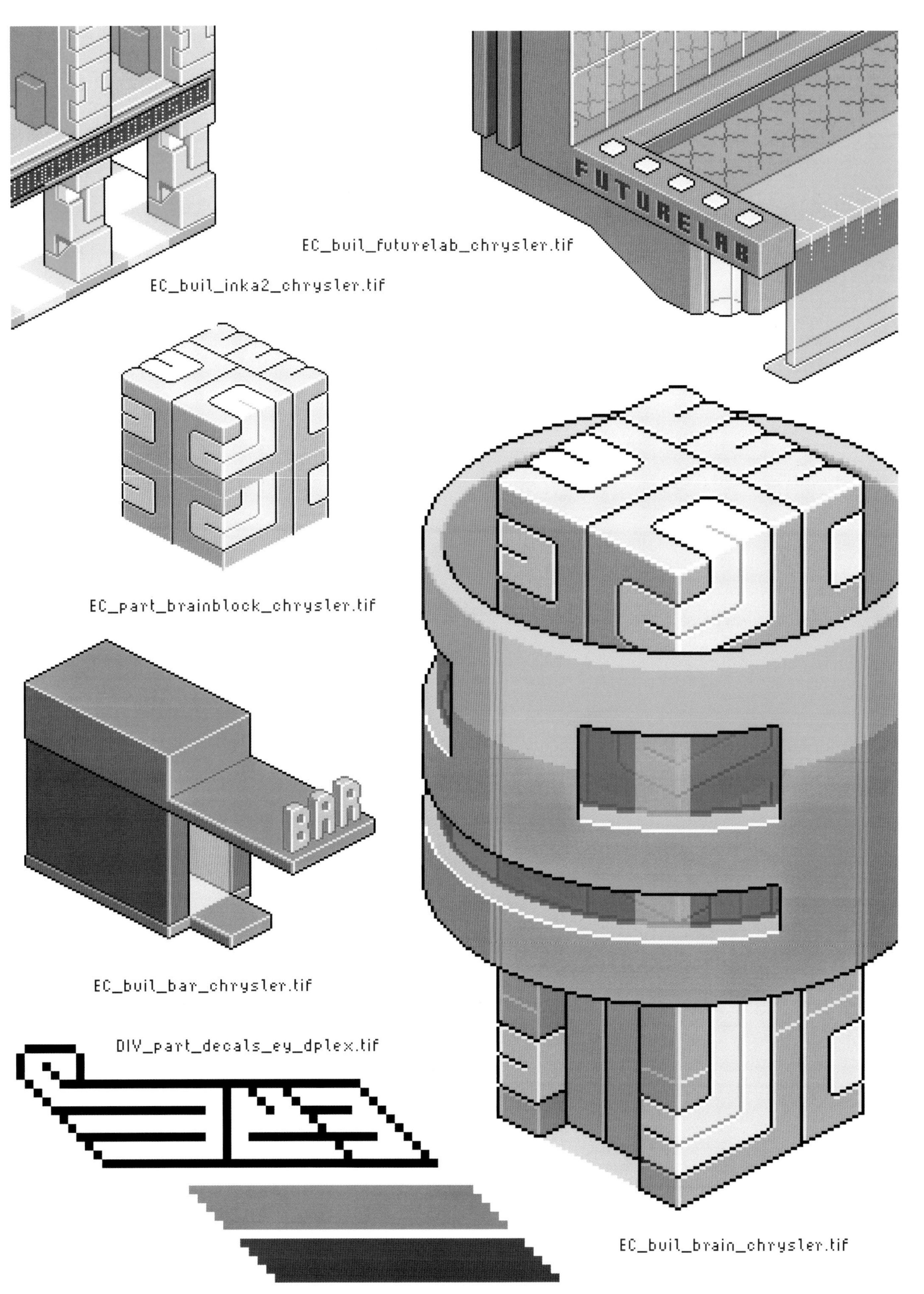

EC_buil_futurelab_chrysler.tif

EC_buil_inka2_chrysler.tif

EC_part_brainblock_chrysler.tif

EC_buil_bar_chrysler.tif

DIV_part_decals_ey_dplex.tif

EC_buil_brain_chrysler.tif

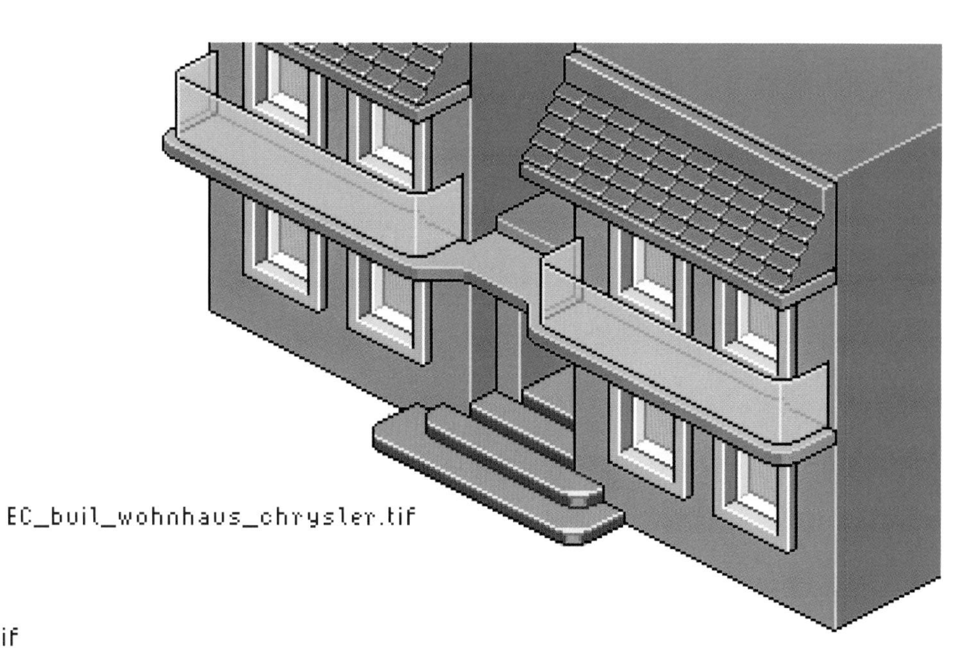

EC_buil_wohnhaus_chrysler.tif

EC_buil_musikshop_chrysler.tif

EC_buil_shop3+_chrysler.tif

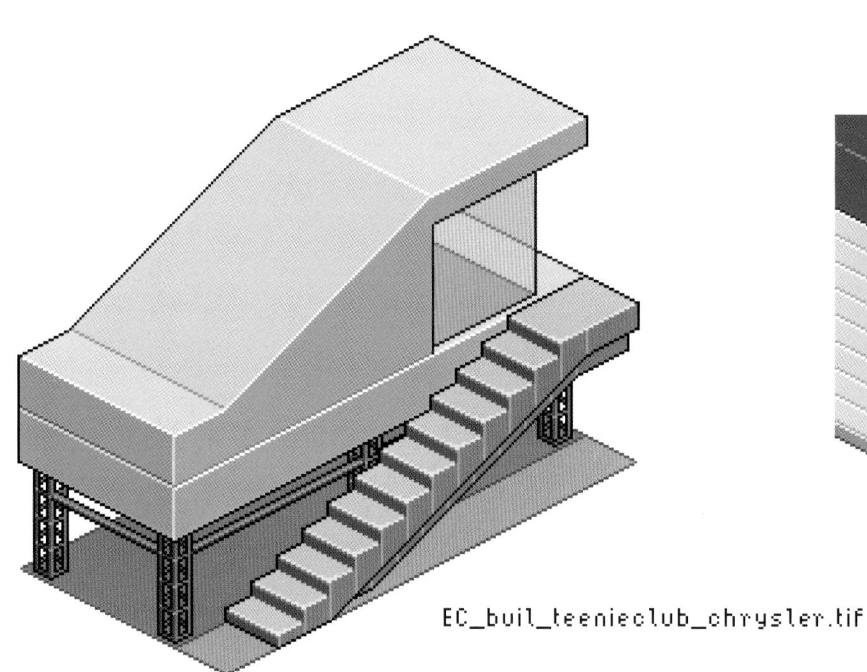

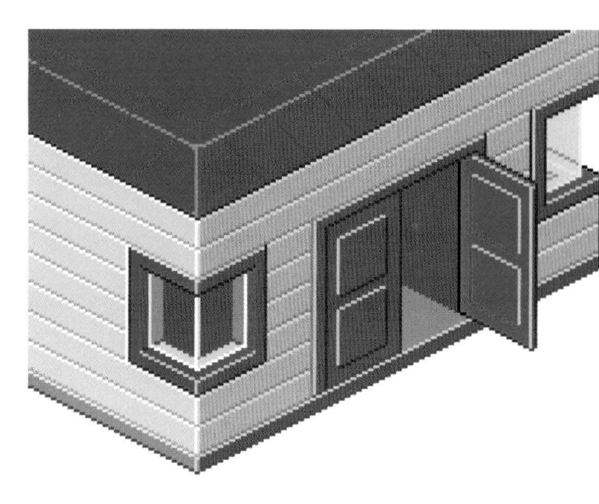

EC_buil_teenieclub_chrysler.tif

EC_buil_dj_chrysler.tif

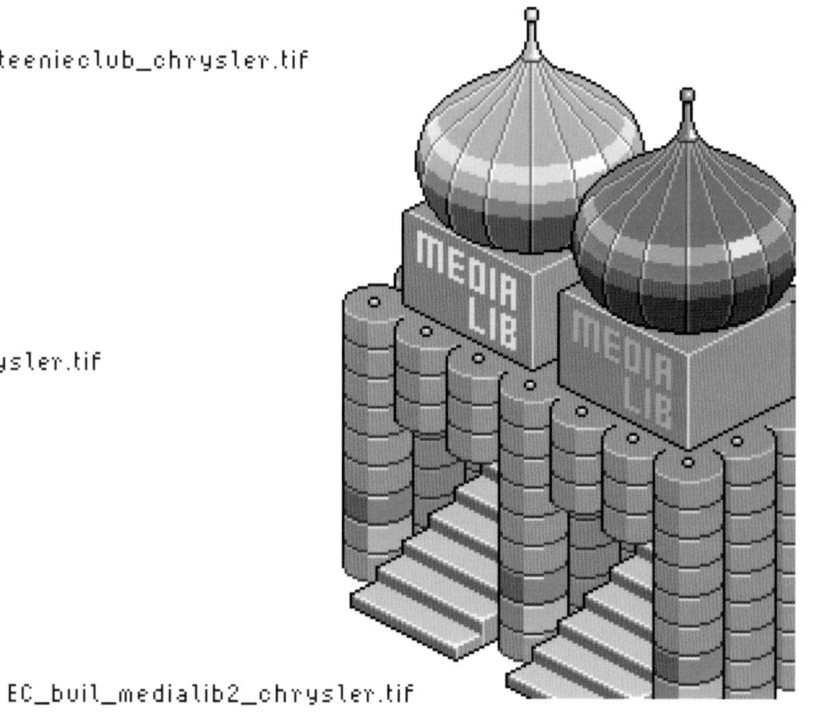

EC_buil_medialib2_chrysler.tif

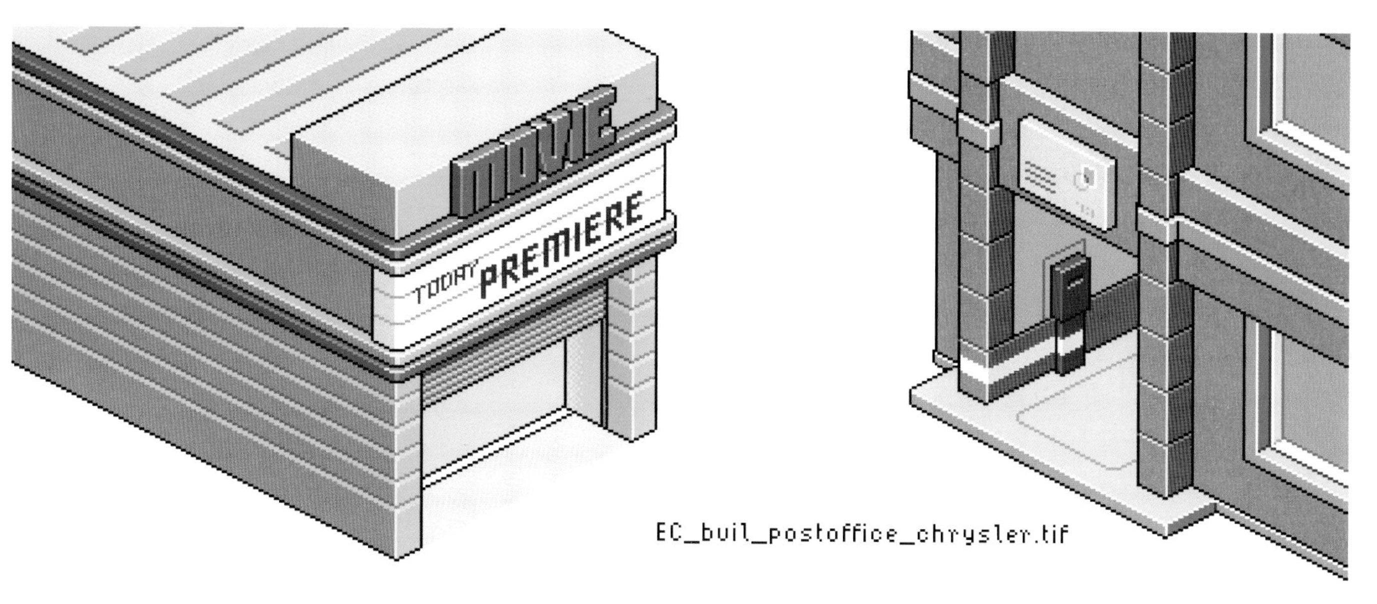

EC_buil_postoffice_chrysler.tif

EC_buil_cinema_chrysler.tif

EC_buil_china2_chrysler.tif

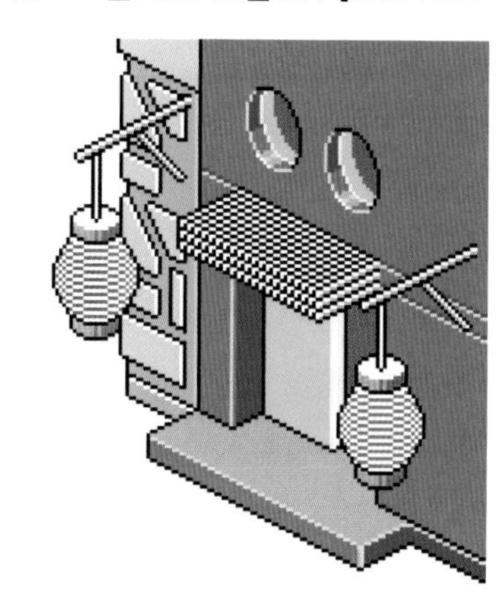

EC_buil_icecream_chrysler.tif

EC_buil_school1_chrysler.tif

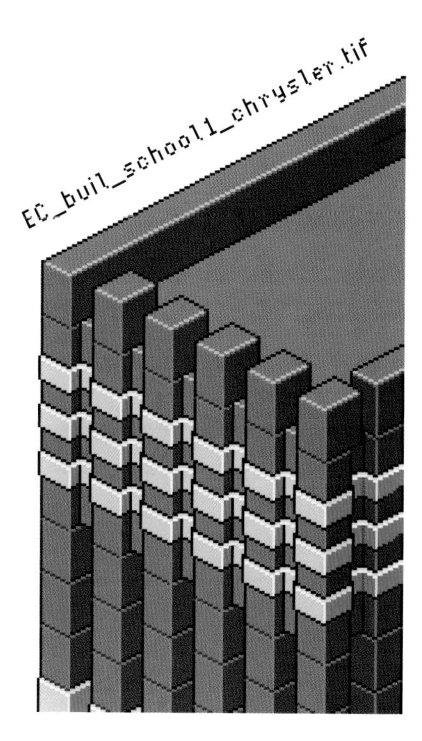

EC_buil_bikeshop_chrysler.tif

EC_buil_inka1_chrysler.tif

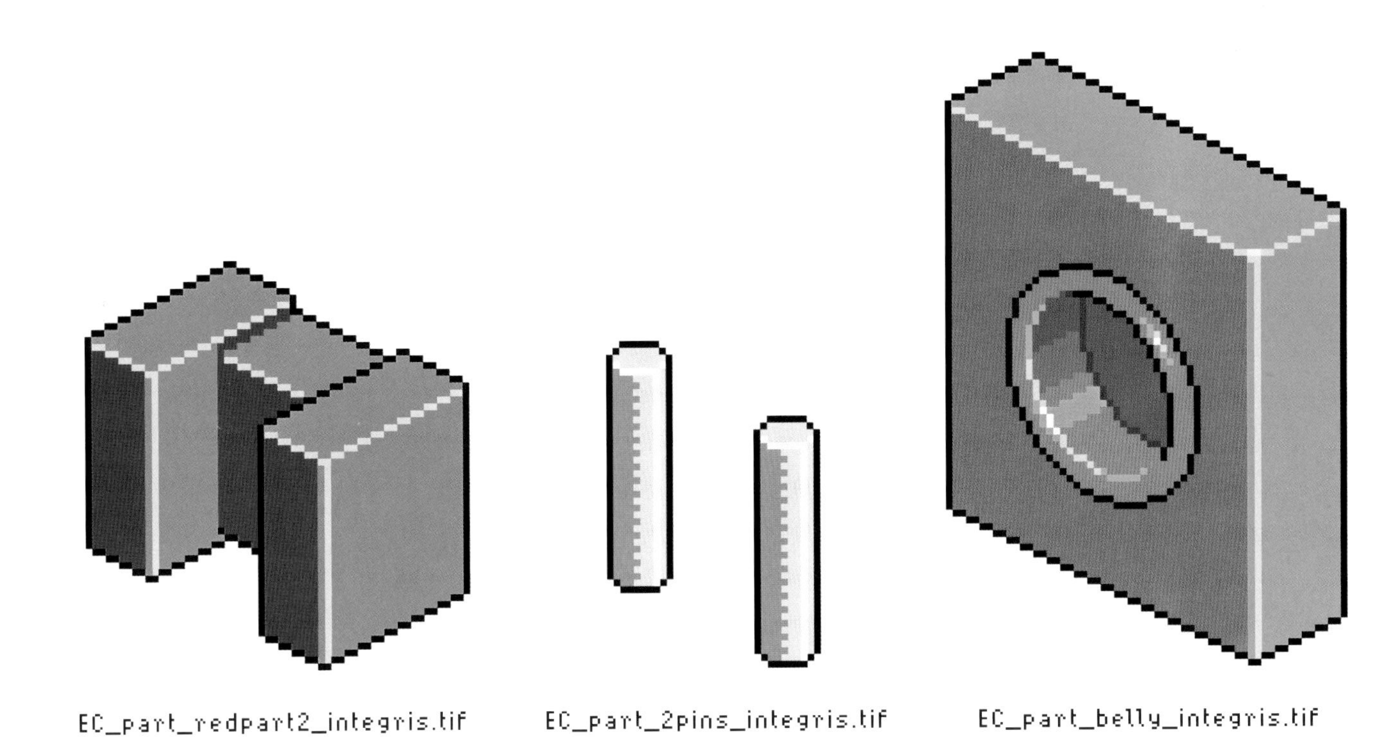

EC_part_redpart2_integris.tif EC_part_2pins_integris.tif EC_part_belly_integris.tif

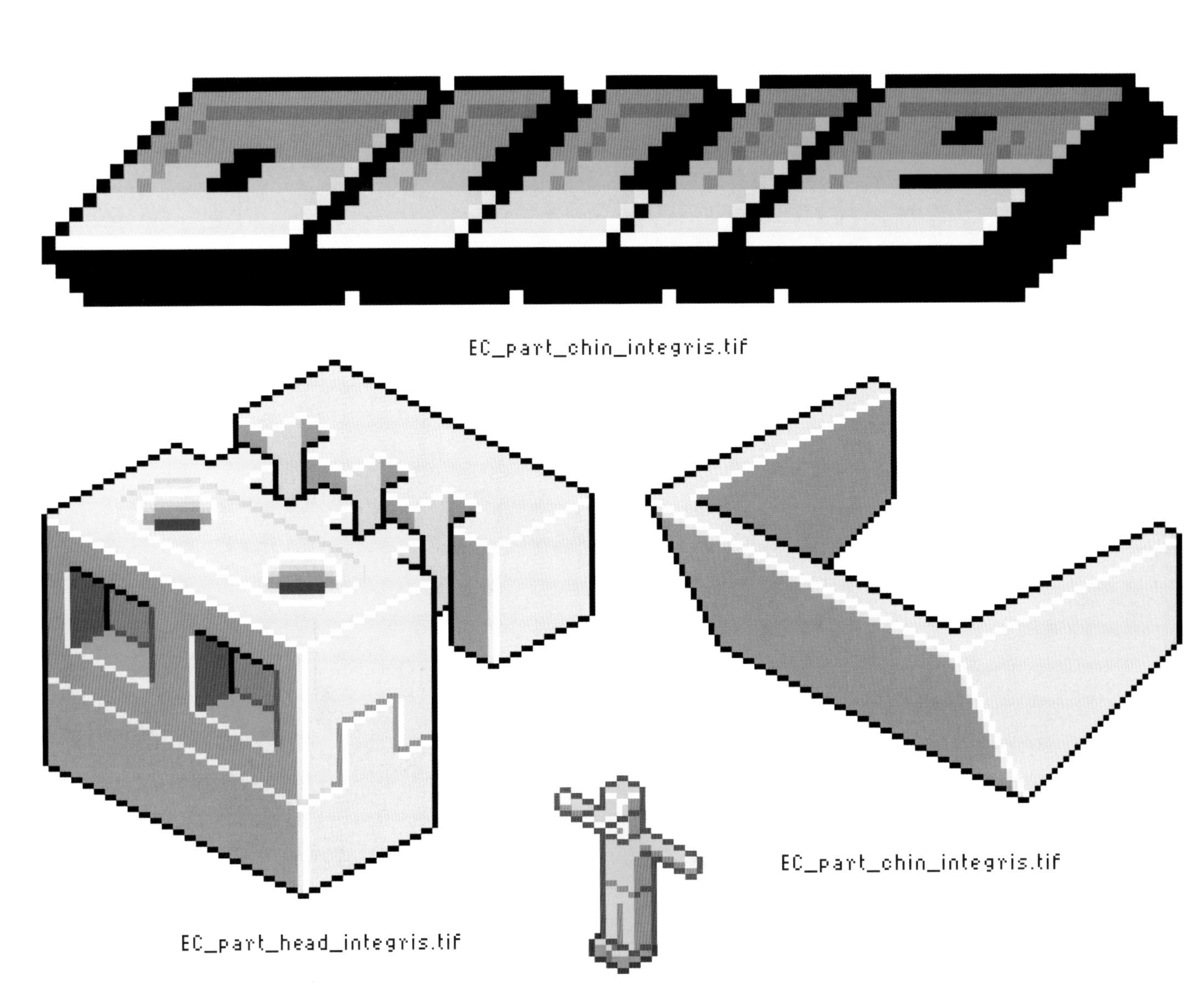

EC_part_chin_integris.tif

EC_part_chin_integris.tif

EC_part_head_integris.tif

EC_peop_worker2_integris.tif

WASTE
PLEASE
ICE
Preserve The Beauty
REDUCE REUSE RECYCLE
YOSEMITE
www.yosemitepark.com
7lbs.

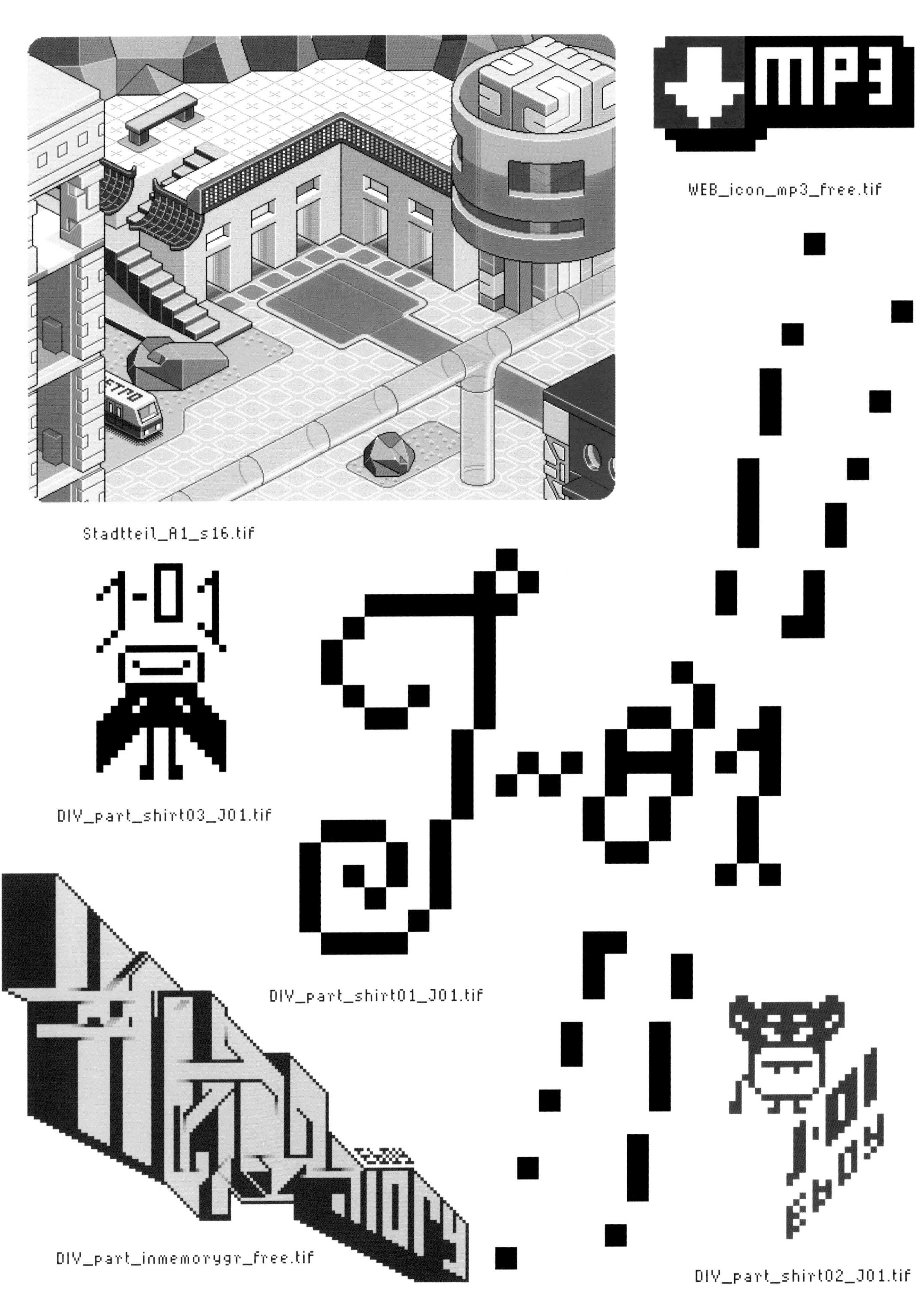

WEB_icon_mp3_free.tif

Stadtteil_A1_s16.tif

DIV_part_shirt03_J01.tif

DIV_part_shirt01_J01.tif

DIV_part_inmemorygr_free.tif

DIV_part_shirt02_J01.tif

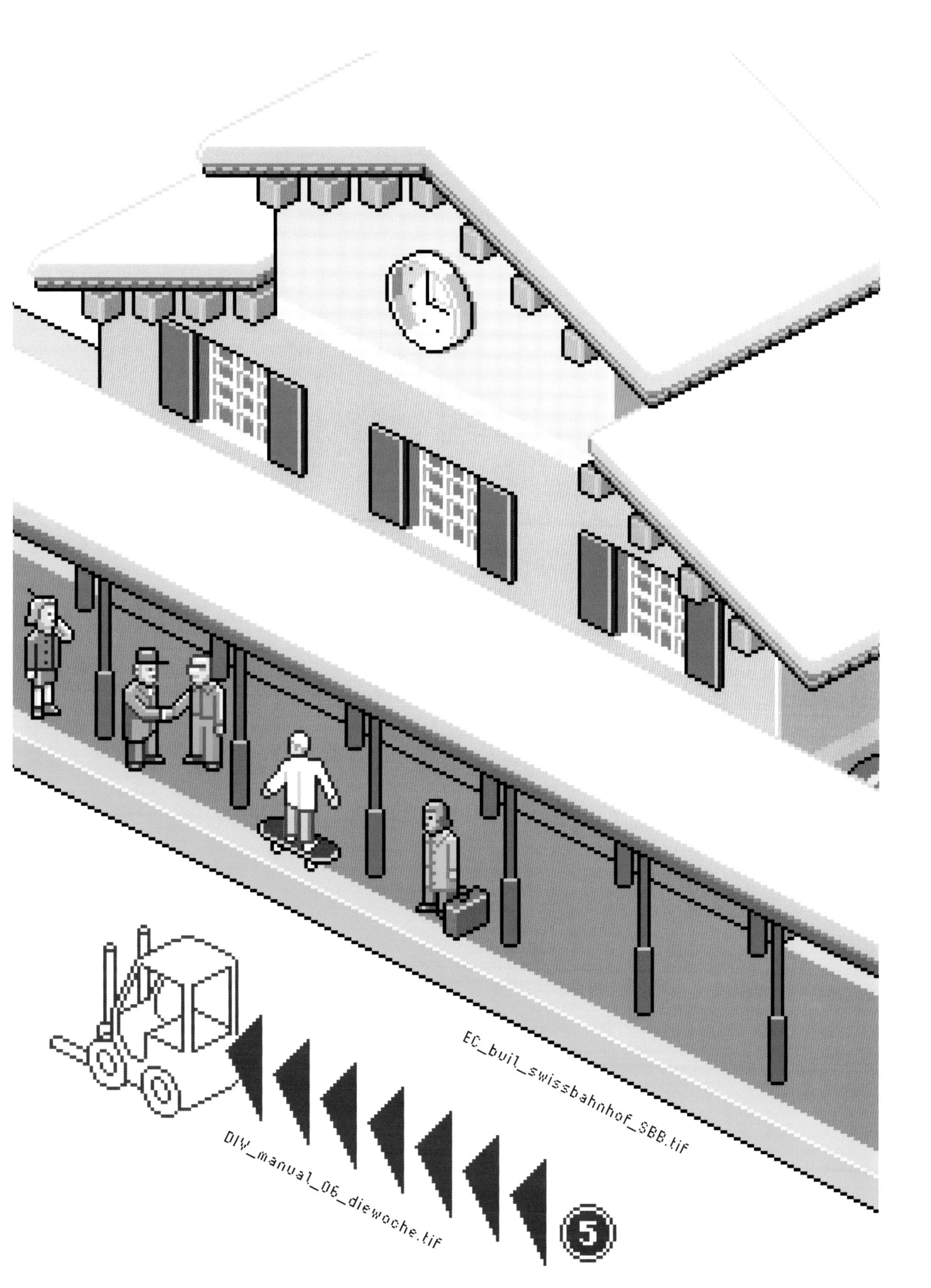
EC_buil_swissbahnhof_SBB.tif
DIV_manual_06_diewoche.tif
5

works: peecol: PEECOL-Sets

PEECOL pict sets
original idea

PEECOL font sets
PEECOL goes postscript
the ultimate toy-font

PEECOL gallery
made peecol by peecol

PEECOL open source
make your own peecols

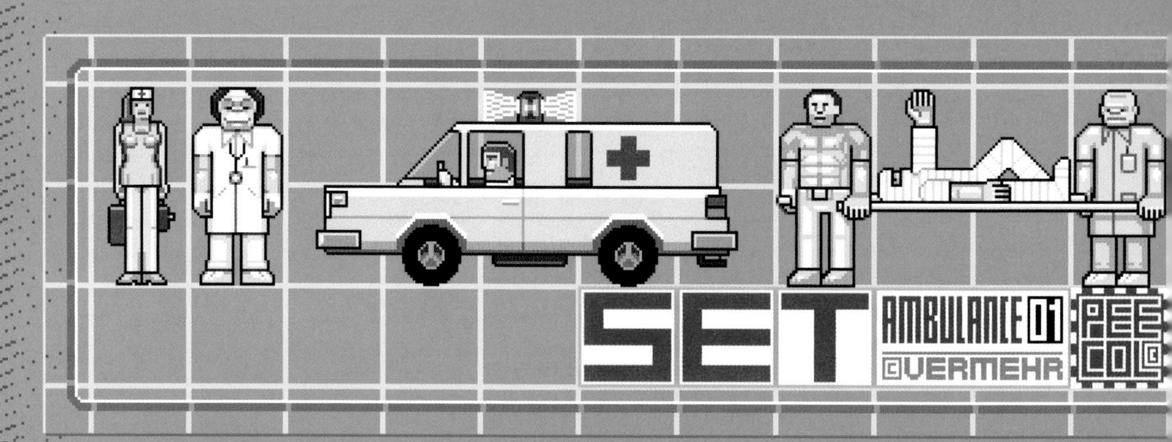

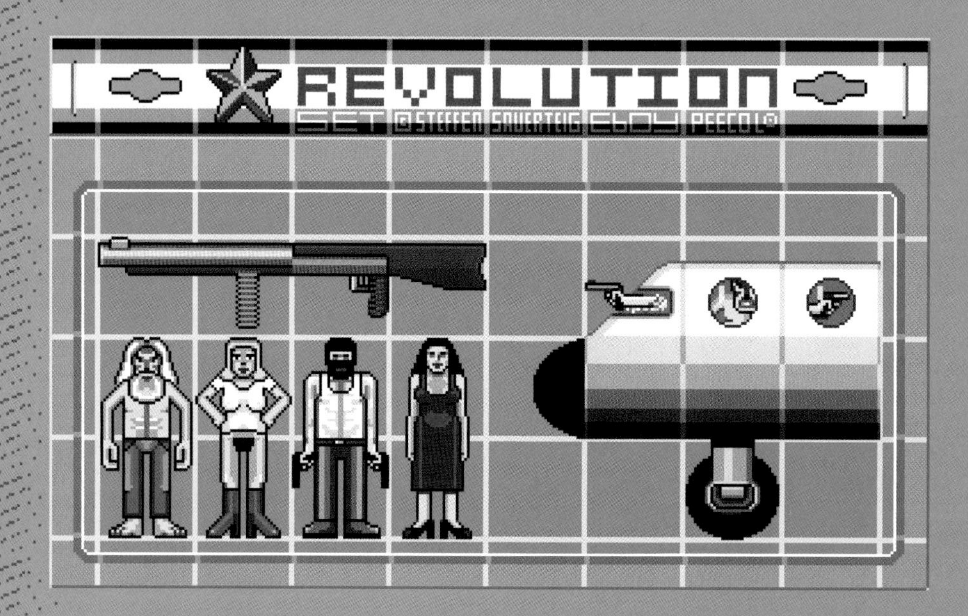

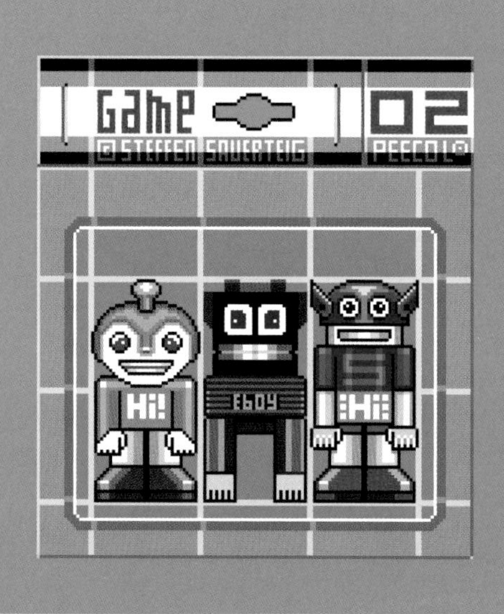

 <PEE_shot_sets_free.tif>

EC_part_sperre2_chrysler.tif

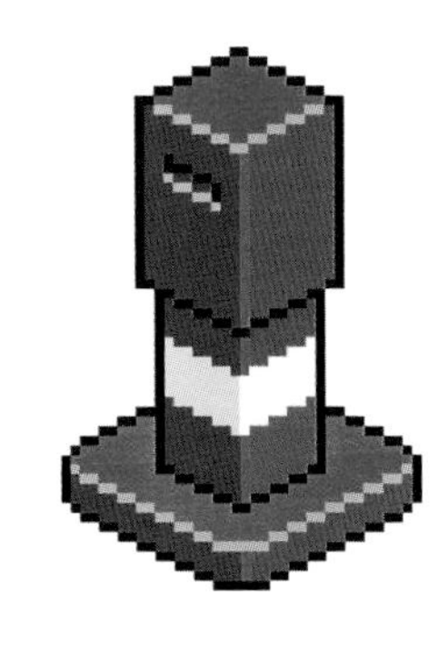
EC_part_mailbox_chrysler.tif

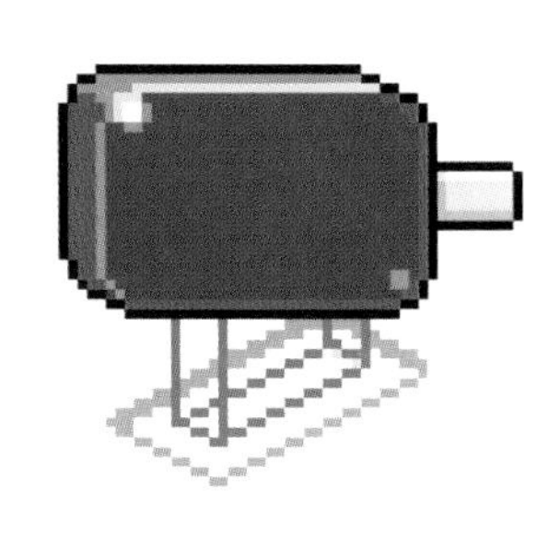
EC_part_icecream2_chrysler.tif

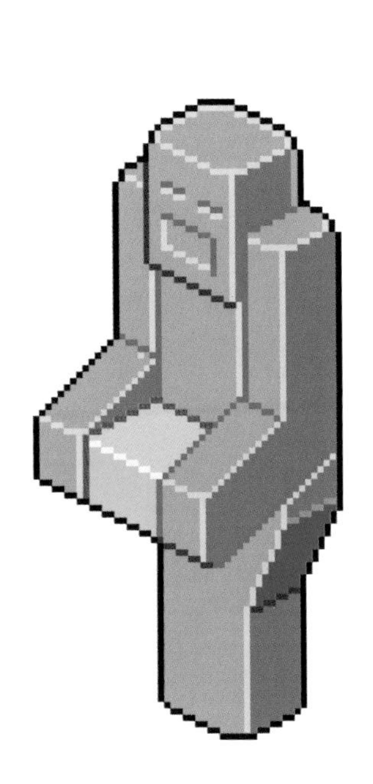
EC_part_tiki1_chrysler.tif

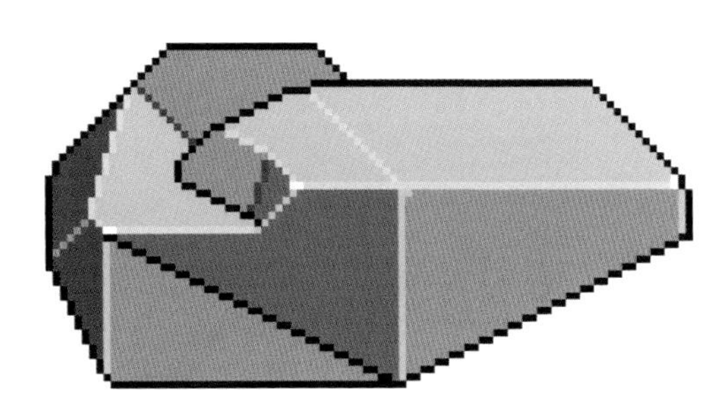
EC_part_stone1_chrysler.tif

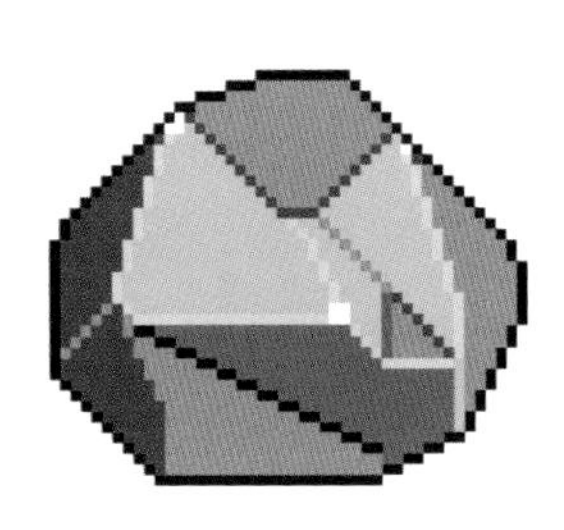
EC_part_stone2_chrysler.tif

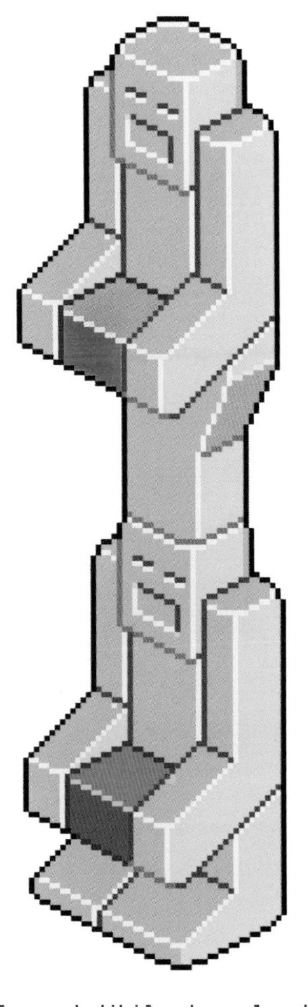
EC_part_tiki2_chrysler.tif

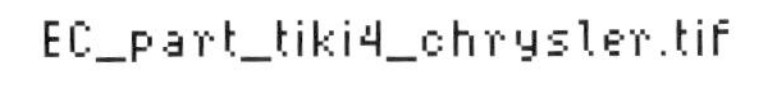
EC_part_tiki4_chrysler.tif

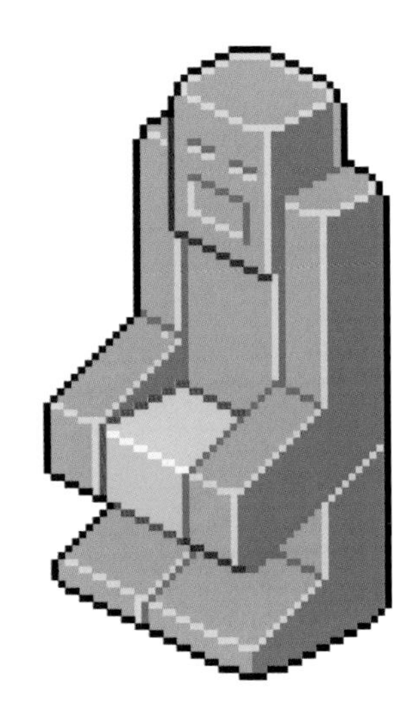
EC_part_tiki3_chrysler.tif

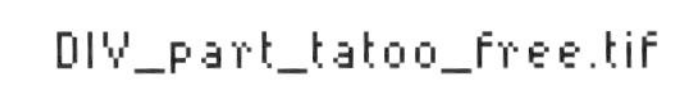
DIV_part_tatoo_free.tif

DIV_pkid_b_heads_diesel.tif

DIV_pkid_heads_diesel.tif

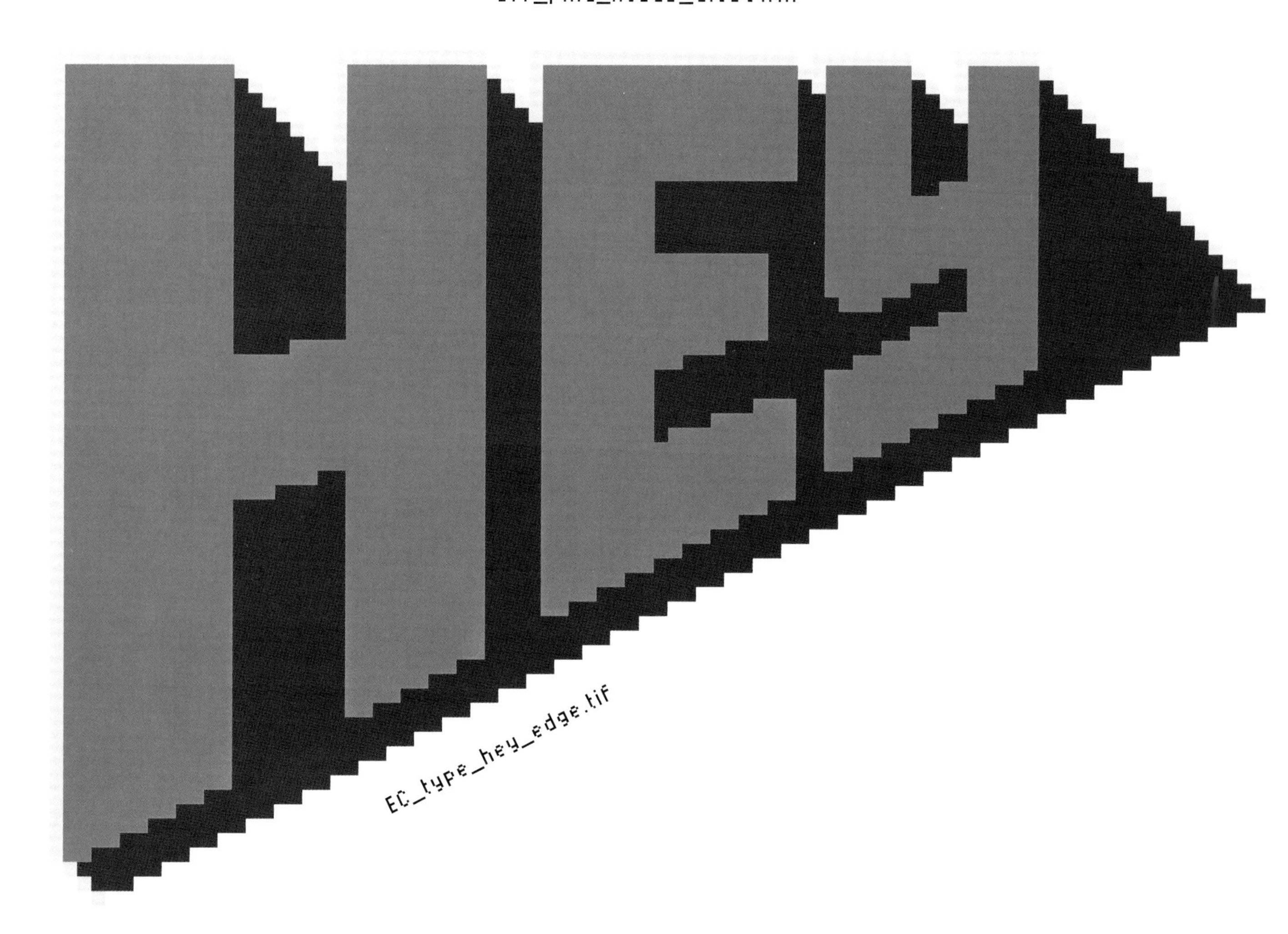

EC_type_hey_edge.tif

DIV_pkid_ls_heads_diesel.tif

DIV_pkid_rs_heads_diesel.tif

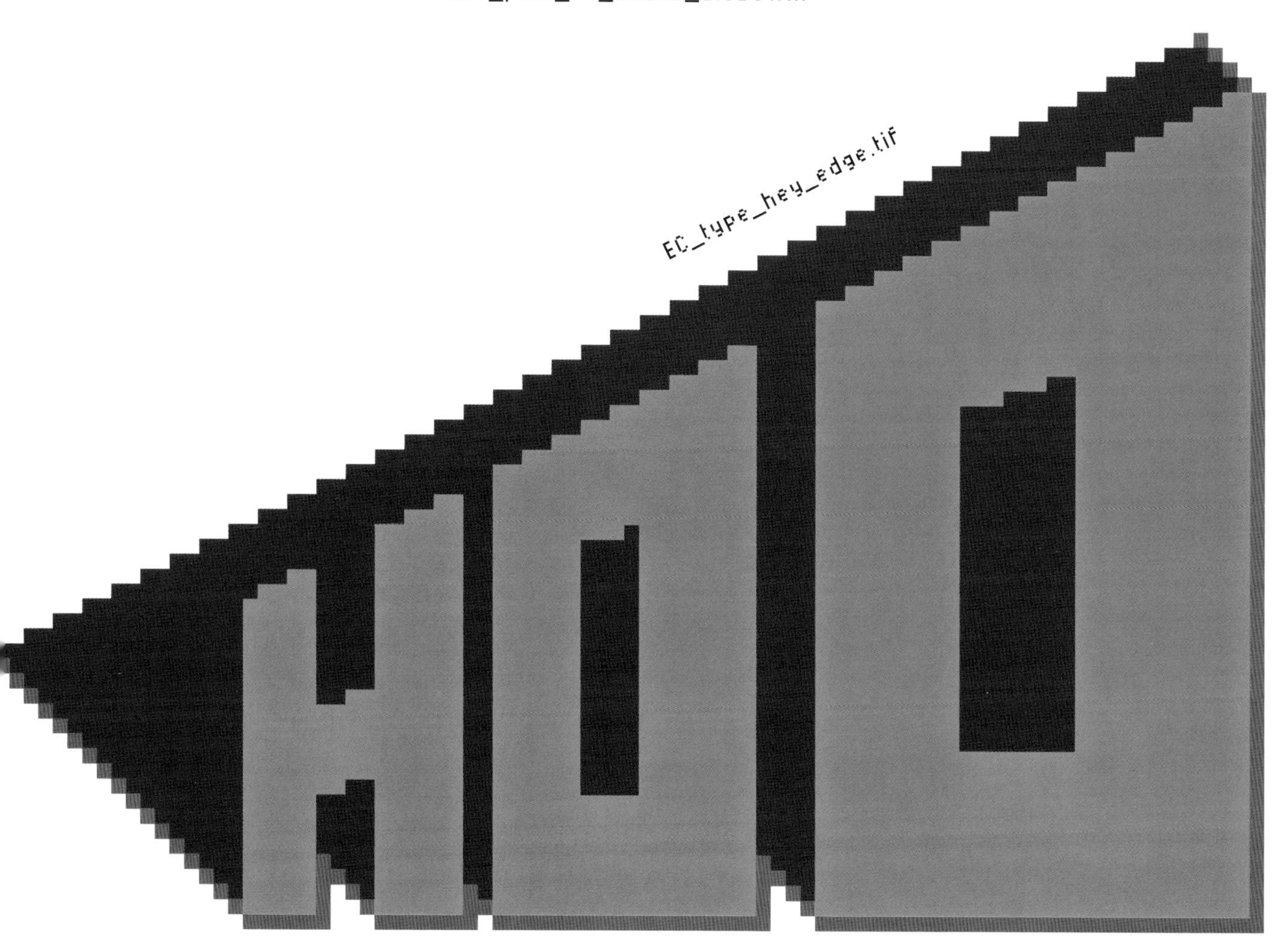

EC_type_hey_edge.tif

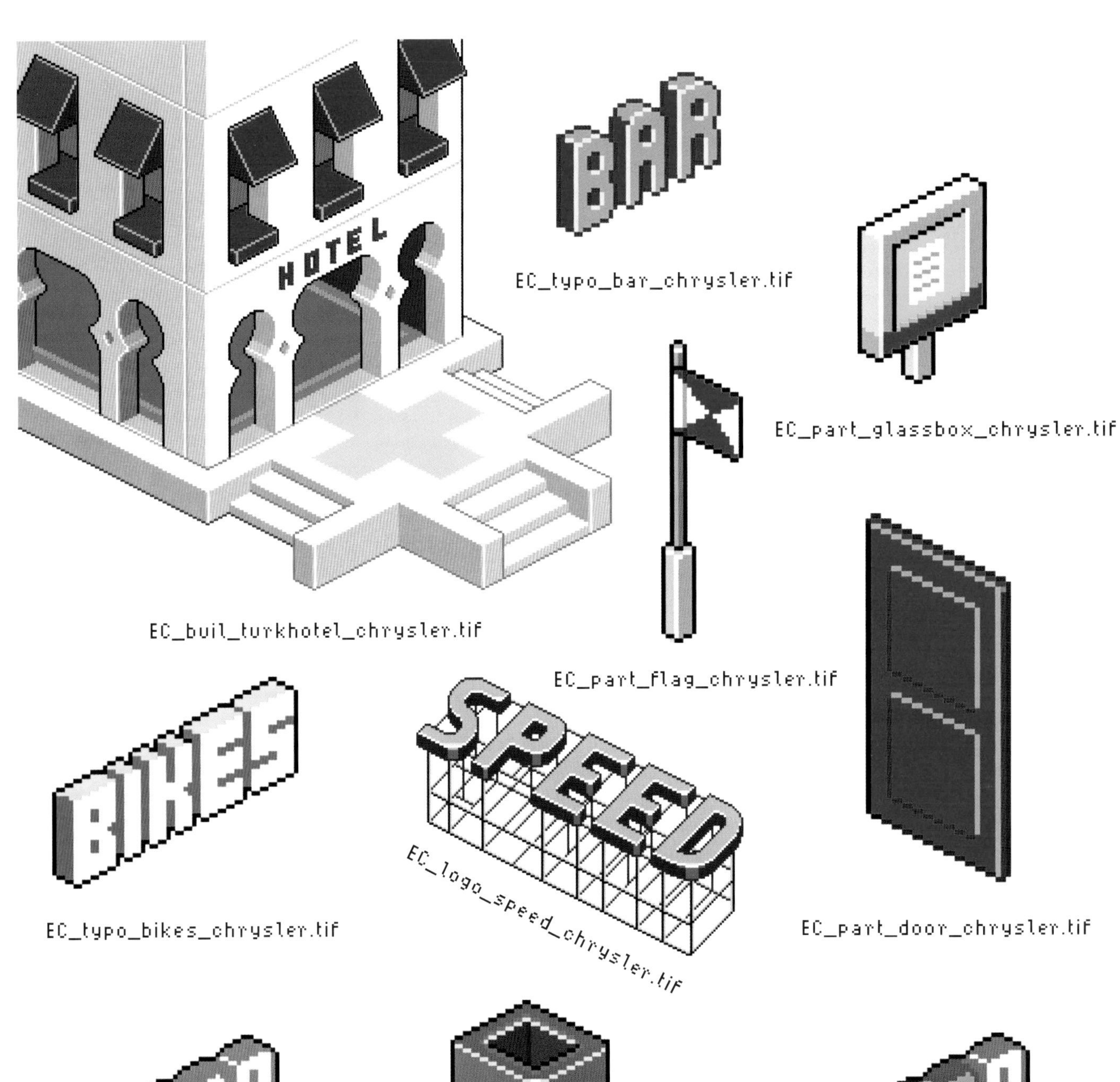

EC_typo_bar_chrysler.tif

EC_part_glassbox_chrysler.tif

EC_buil_turkhotel_chrysler.tif

EC_part_flag_chrysler.tif

EC_typo_bikes_chrysler.tif

EC_logo_speed_chrysler.tif

EC_part_door_chrysler.tif

EC_typo_shop1c_chrysler.tif

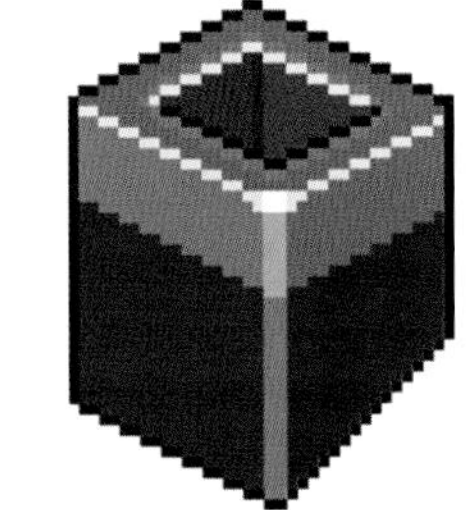

EC_part_chimney_chrysler.tif

EC_typo_shop4c_chrysler.tif

EC_part_phone_chrysler.tif

EC_part_subway_chrysler.tif

EC_part_trousers_chrysler.tif

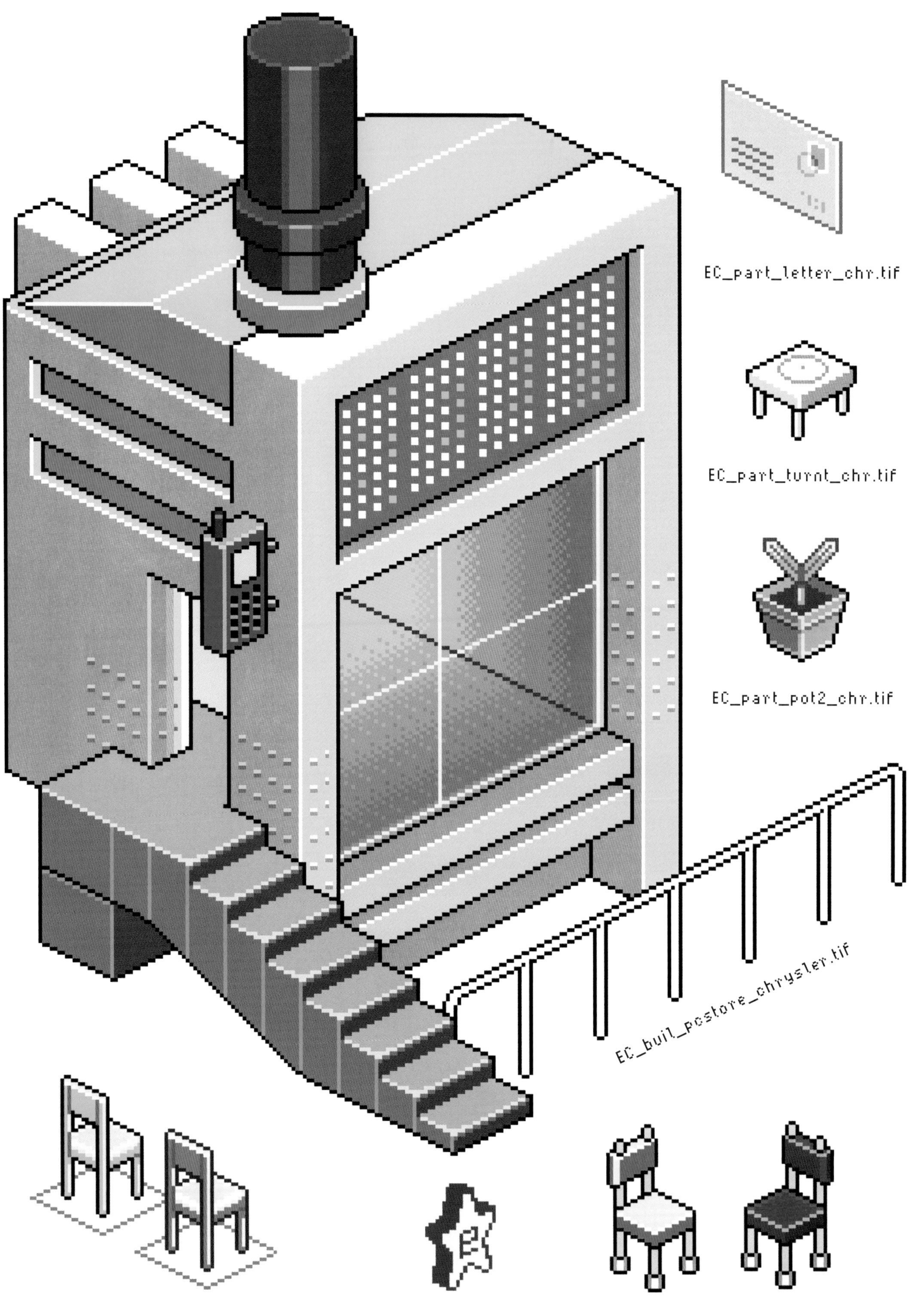
EC_part_letter_chr.tif
EC_part_turnt_chr.tif
EC_part_pot2_chr.tif
EC_buil_pcstore_chrysler.tif
EC_back_2stools_chrysler.tif
EC_part_estar_chrysler.tif
EC_part_2stools_chrysler.tif

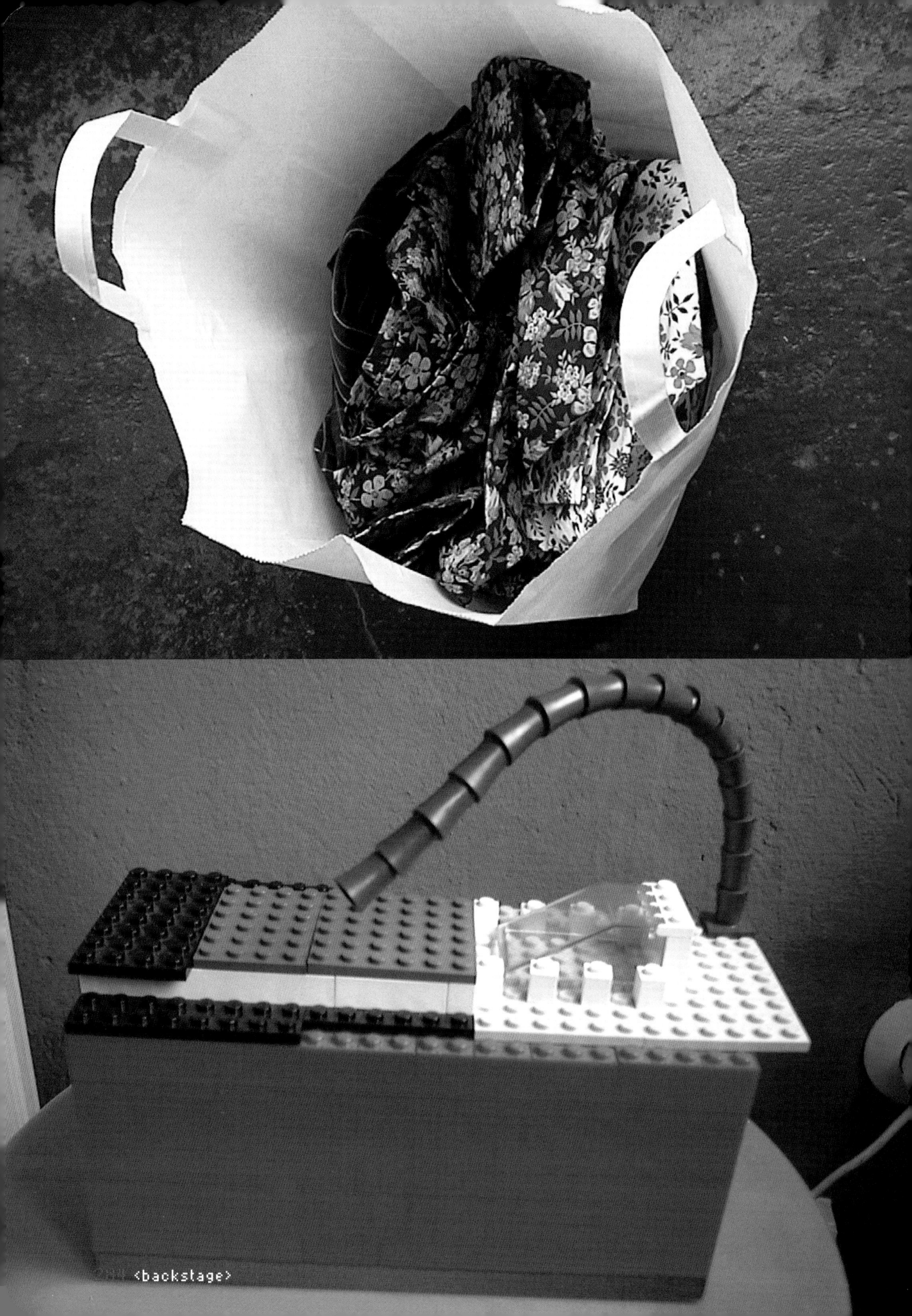
<backstage>

<familie sauerteig update eps>

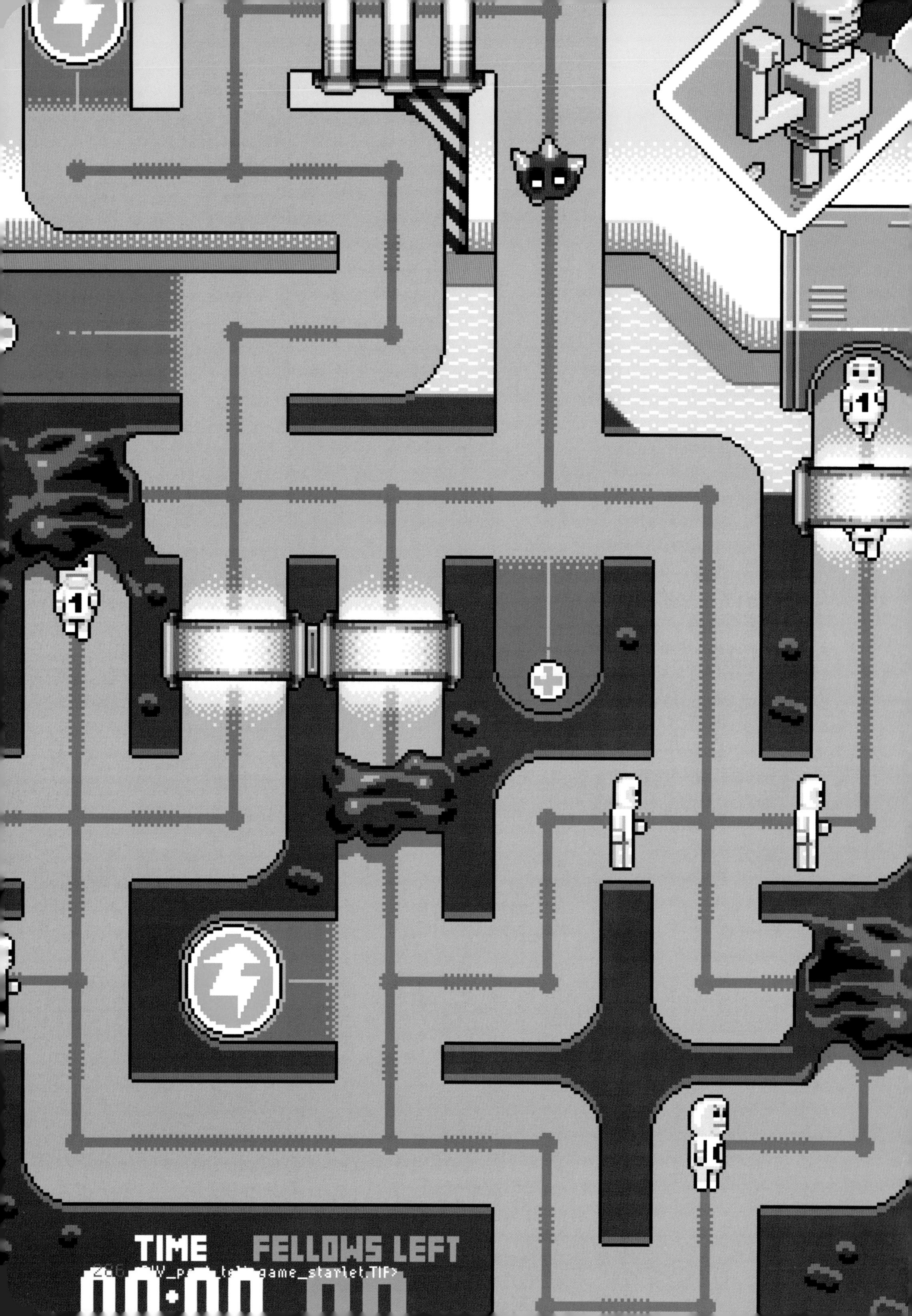
TIME
FELLOWS LEFT
00:00
00

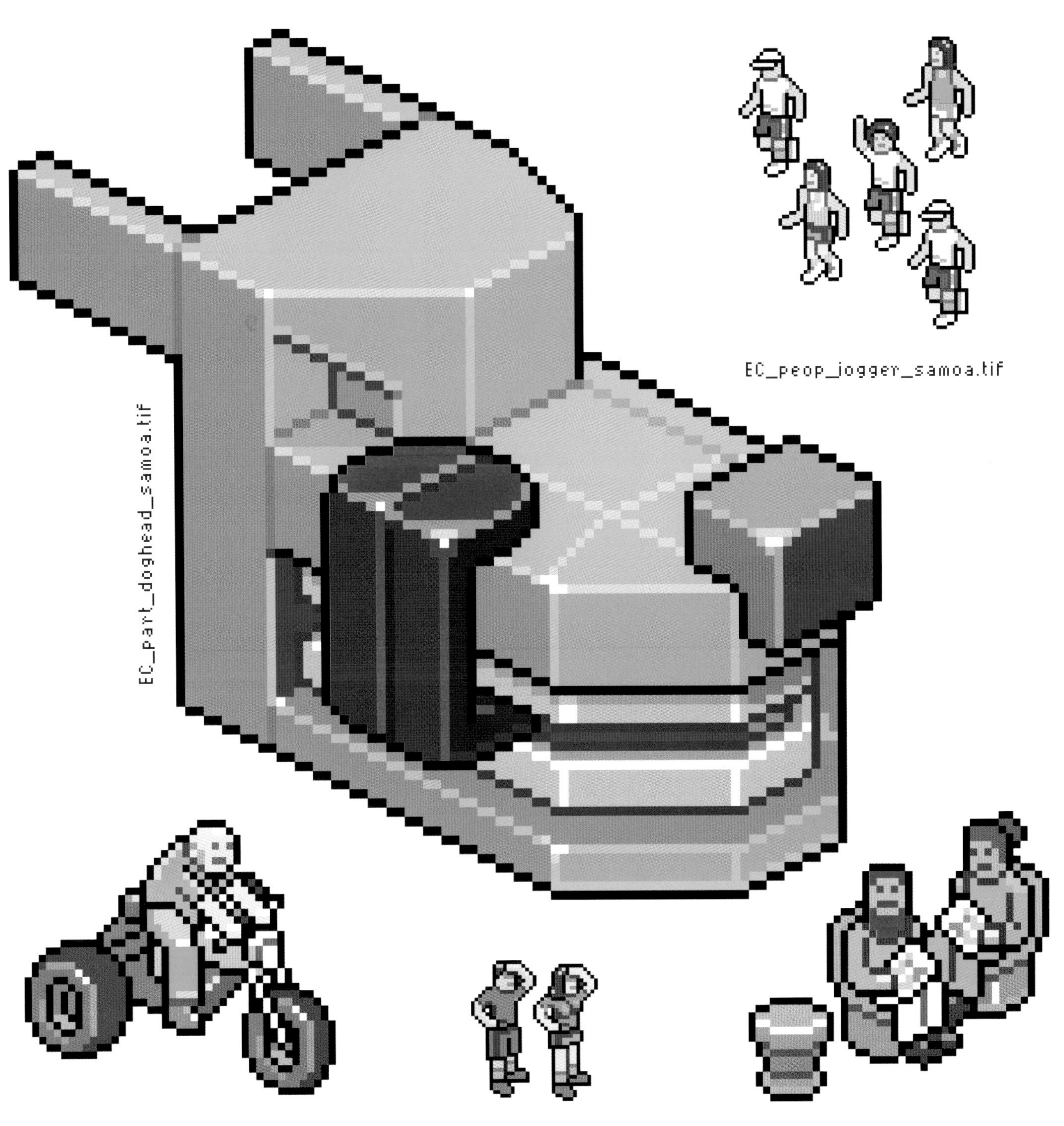

EC_part_doghead_samoa.tif

EC_peop_jogger_samoa.tif

EC_vehi_3rad_samoa.tif

EC_peop_ferngucker_samoa.tif

EC_peop_senioren_samoa.tif

EC_peop_penner1+2_samoa.tif

EC_peop_eboys+girls_samoa.tif

EC_peop_2_samoa.tif

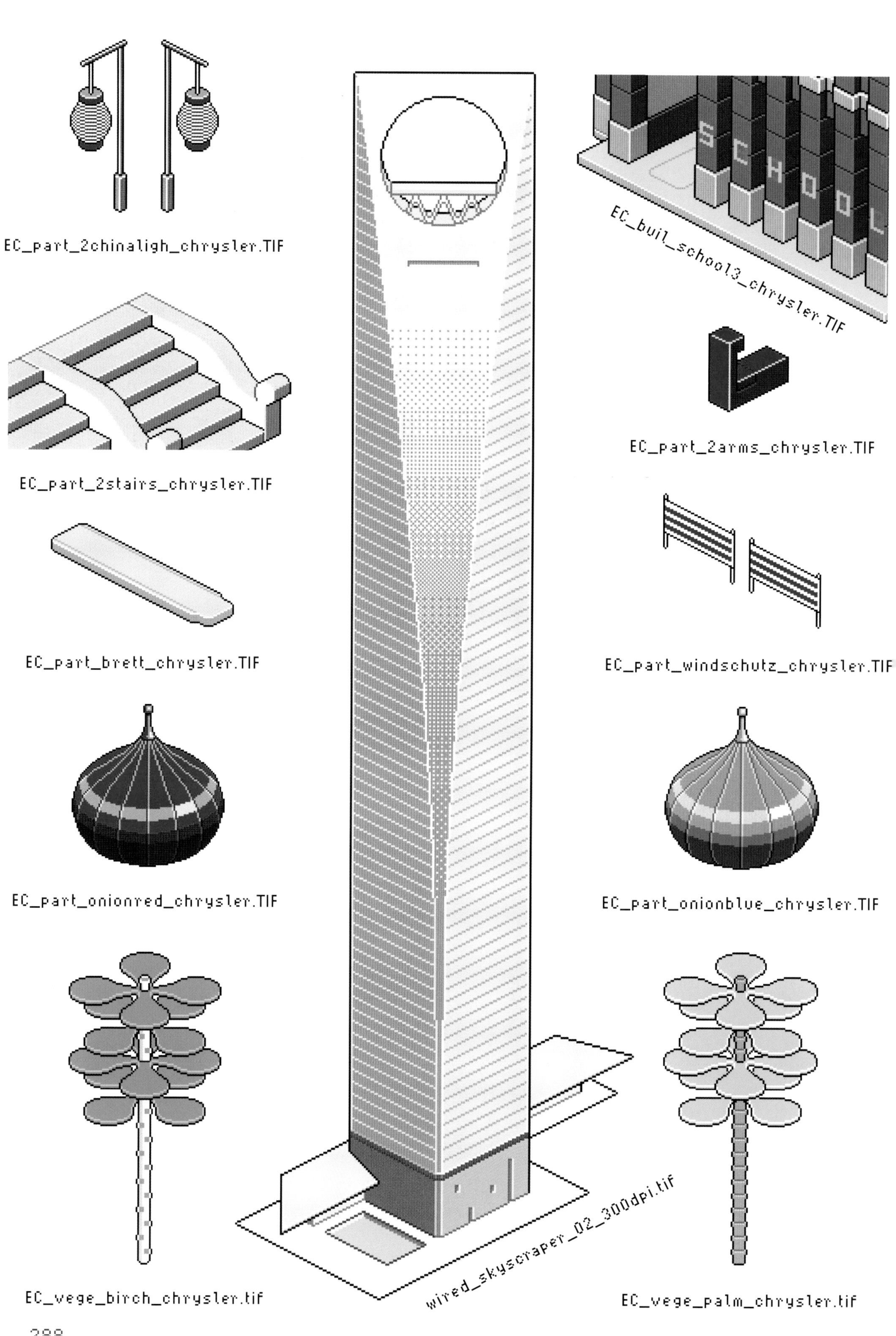
EC_part_2chinaligh_chrysler.TIF
EC_buil_school3_chrysler.TIF
SCHOOL
EC_part_2stairs_chrysler.TIF
EC_part_2arms_chrysler.TIF
EC_part_brett_chrysler.TIF
EC_part_windschutz_chrysler.TIF
EC_part_onionred_chrysler.TIF
EC_part_onionblue_chrysler.TIF
wired_skyscraper_02_300dpi.tif
EC_vege_birch_chrysler.tif
EC_vege_palm_chrysler.tif

form things EPS

form things EPS

just head > +laecheln.>eboy

CRYSTAL
alpine spring

ASK BIG MAC, SAMMY AND JUNIOR. ASK THE KID IN THE CAGE AFTER SCHOOL. ASK ANYBODY ABOUT THE GAME
TODAY, THERE'S ONLY ONE RULE: MIGHT MAKES RIGHT
power ba
There's only

AIR
e AIR
y Stuff
THE PLANE TRUTH
n afgelopen april leek voor Inter-
etfondsen de 'sky the limit'.
oezo businessconcepten en
anagementkwaliteiten? Paper
oney counts, baby! Dat is inmid-
ls wel aardig afgestraft. Wie
h als Internetfonds als 'dertien-
in het dozijn' presenteert, kan
vergeten. Door Marten Dijkstra
920-0700
318
BIG DOG CITY
SAN FRANCISCO TAXICAB

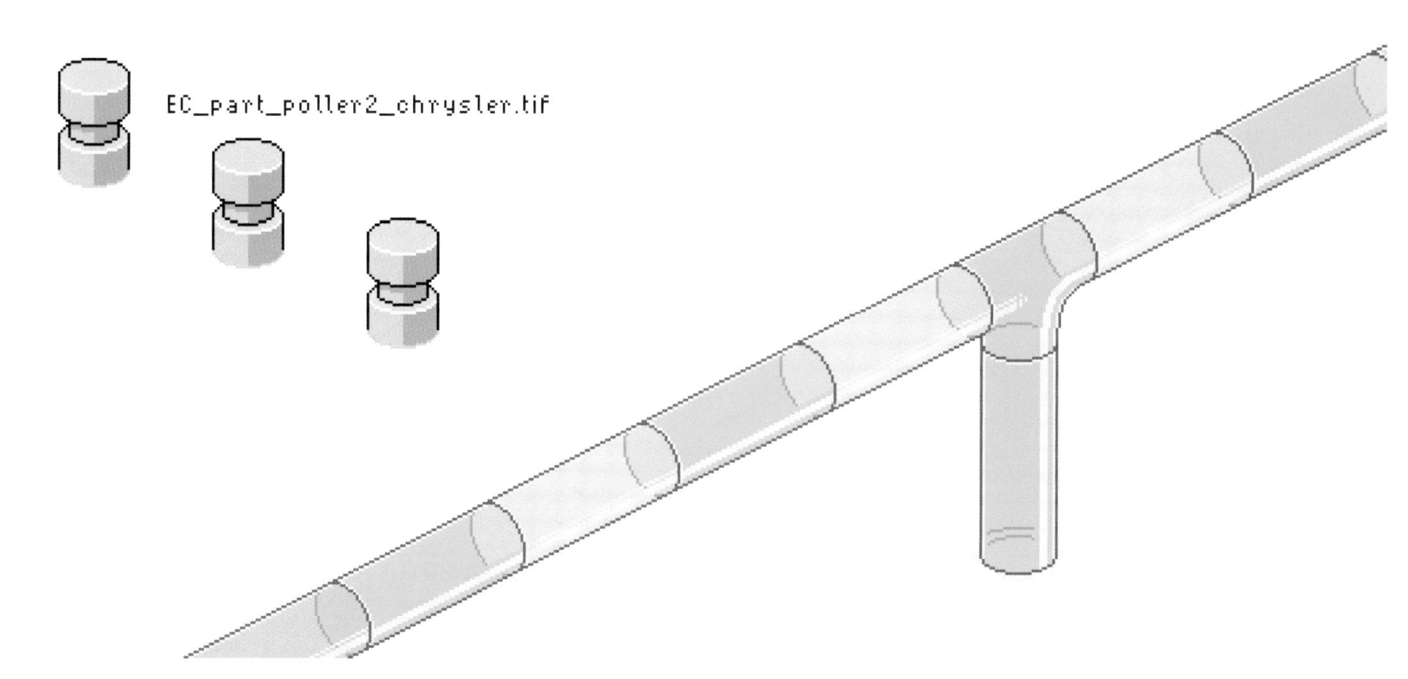
EC_part_poller2_chrysler.tif
EC_part_tube3_chrysler.tif

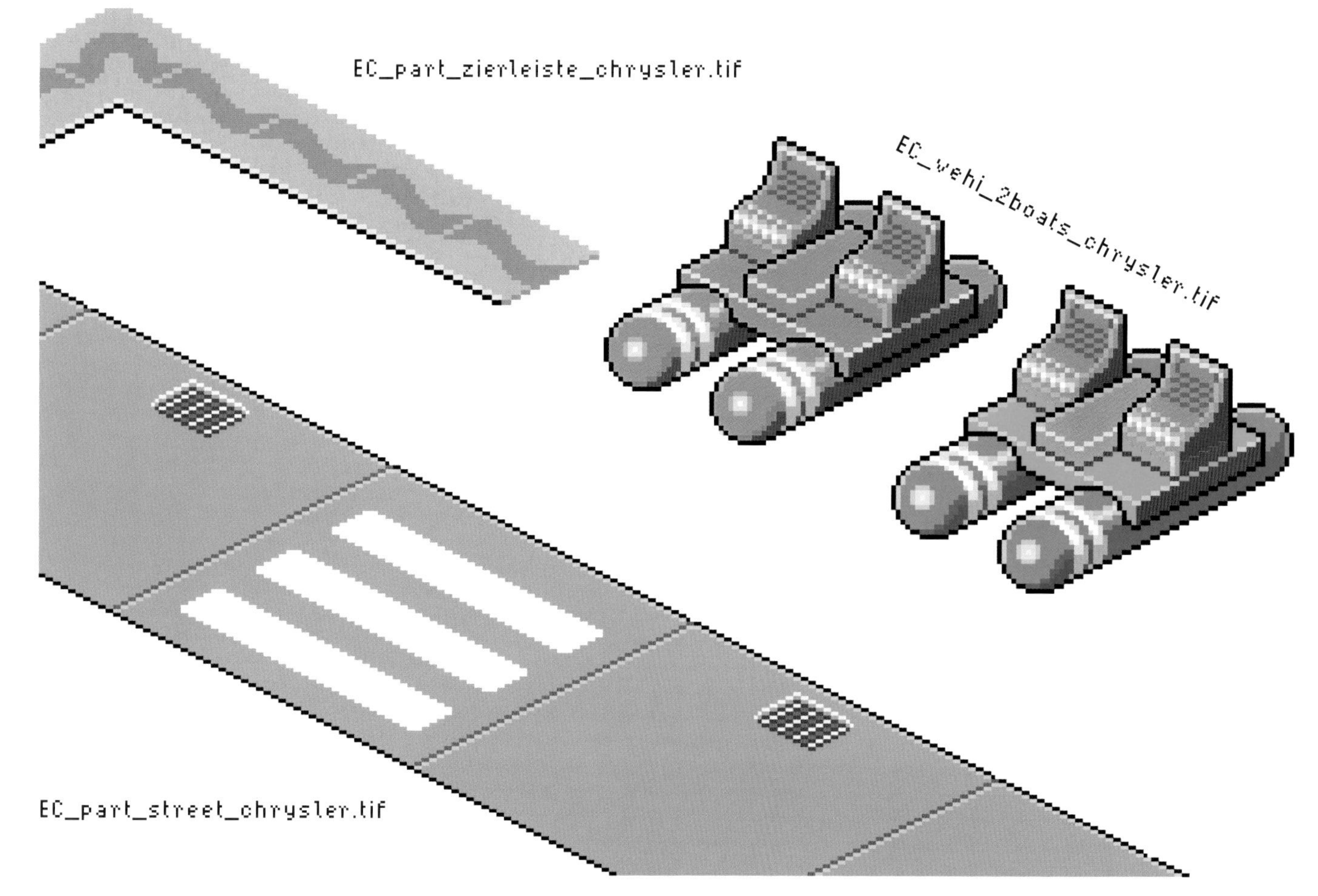
Fast'n Cheap
DIV_typo_fast'ncheap_diesel.tif
EC_part_zierleiste_chrysler.tif
EC_vehi_2boats_chrysler.tif
EC_part_street_chrysler.tif

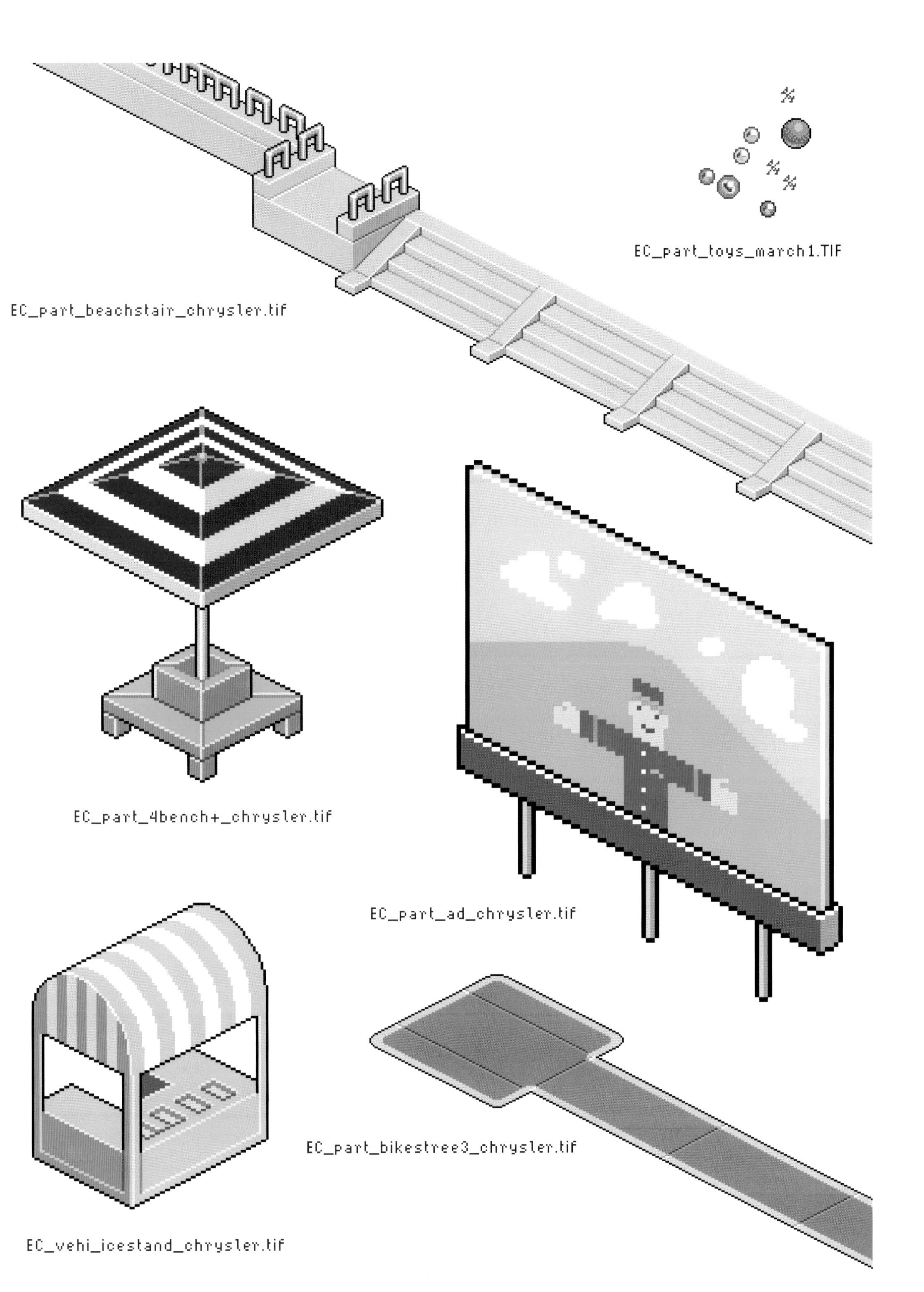

EC_part_toys_march1.TIF

EC_part_beachstair_chrysler.tif

EC_part_4bench+_chrysler.tif

EC_part_ad_chrysler.tif

EC_part_bikestree3_chrysler.tif

EC_vehi_icestand_chrysler.tif

EC_vehi_ship_chrysler.tif

DIV_typo_m''_arena.tif

EC_vehi_icecar2_chrysler.tif

EC_part_freefall_chrysler.tif

<ZORA repaired for ever !!!!.EPS>

<diana zamora traced>
<henning traced>

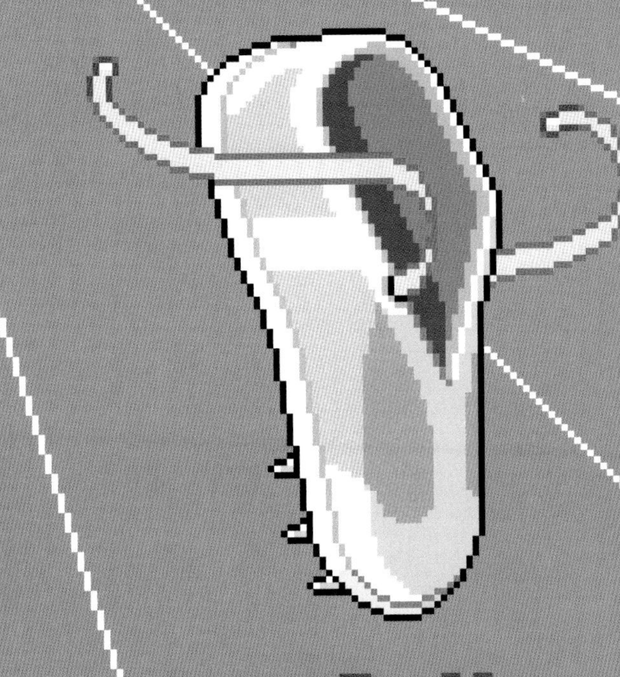

fallen
fame

sweet
comfort

<SpLife_shoe_06_SHOW copy.tif>

EC_part_bojen_chrysler.tif

EC_typo_shop2star_chrysler.tif

EC_part_2speaker_chrysler.tif

EC_part_2lights_chrysler.tif

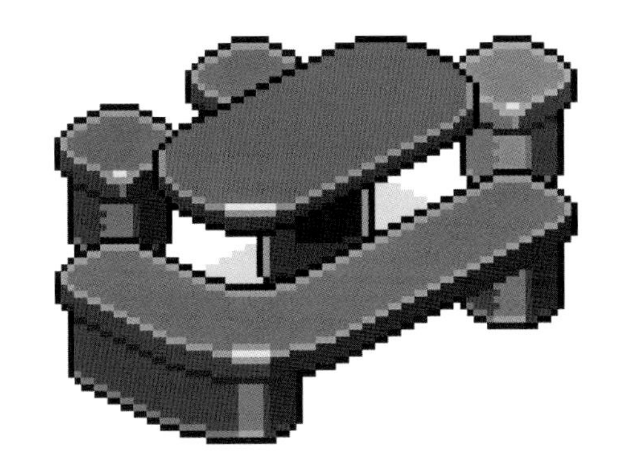

EC_part_woodstool_chrysler.tif

EC_part_woodbench_chrysler.tif

EC_typo_postoffice_chrysler.tif

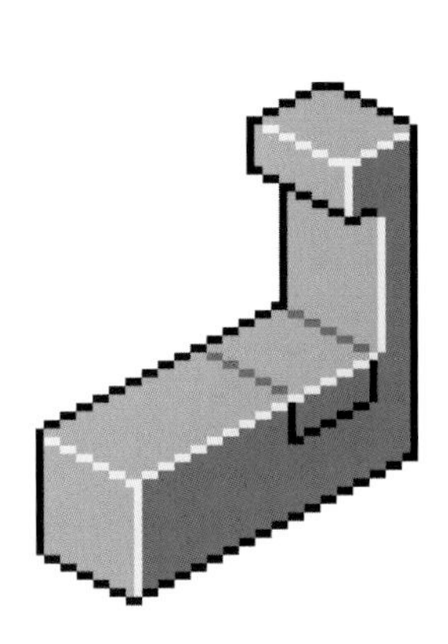

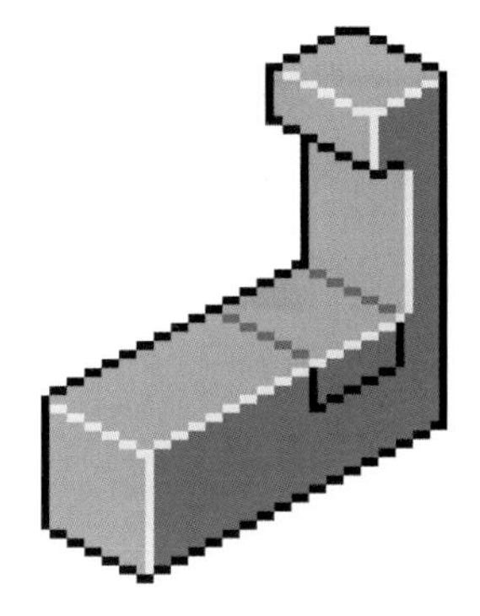

EC_part_2armsblue_chrysler.tif

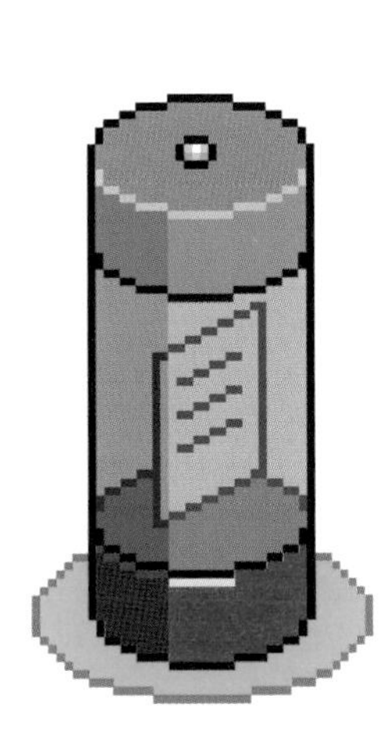

EC_part_vitrine1_chrysler.tif

EC_part_lantern_chrysler.tif

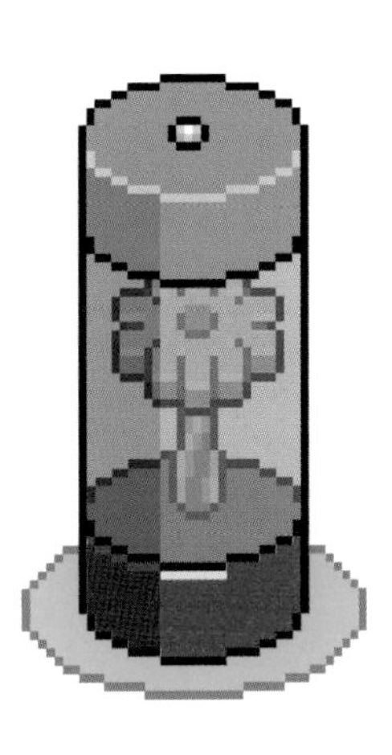

EC_part_vitrine2_chrysler.tif

 <EBOY_PET_288dpi.tif>

<brooklyn rocket.eps moon>

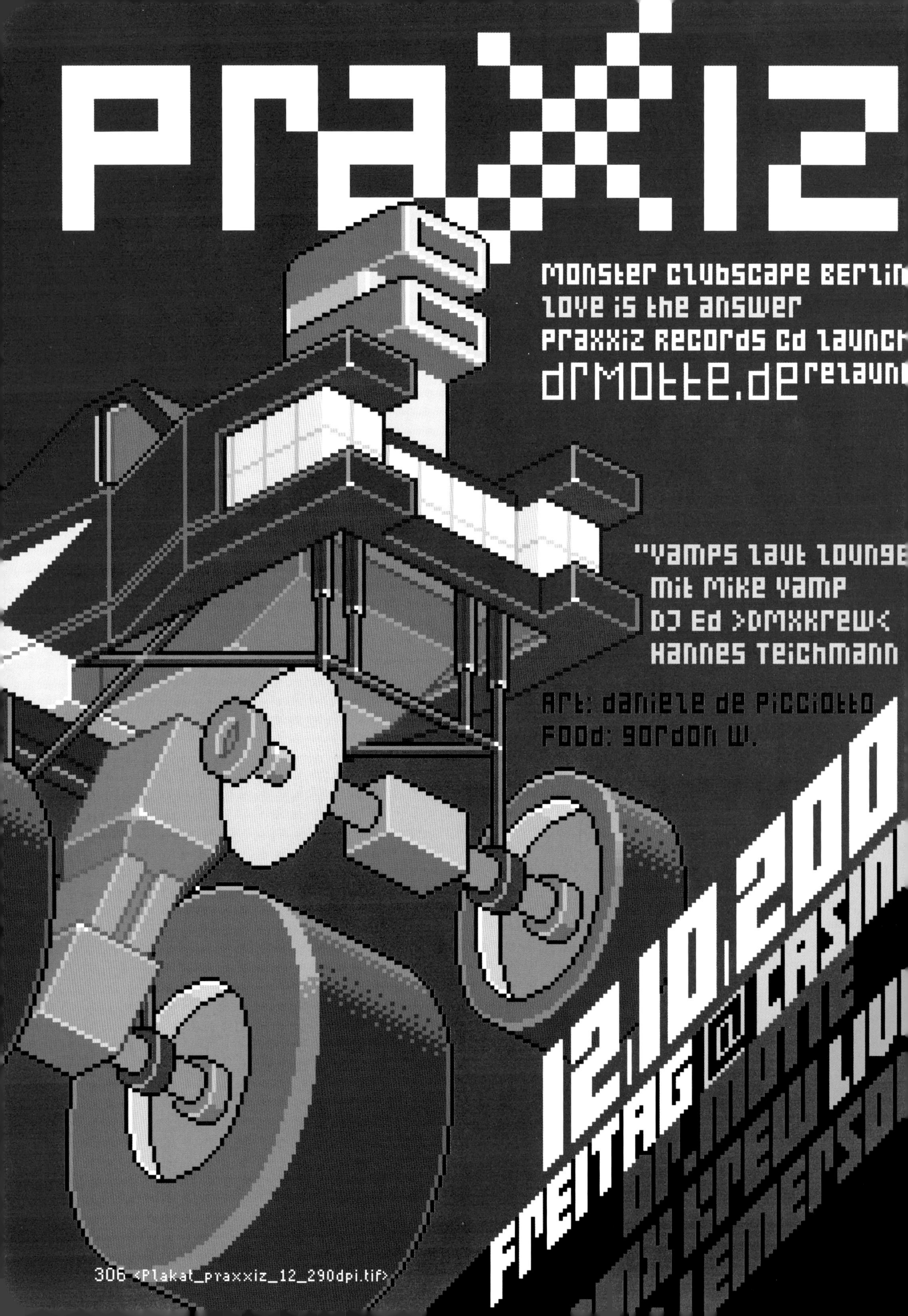

 <Plakat_praxxiz_12_290dpi.tif>

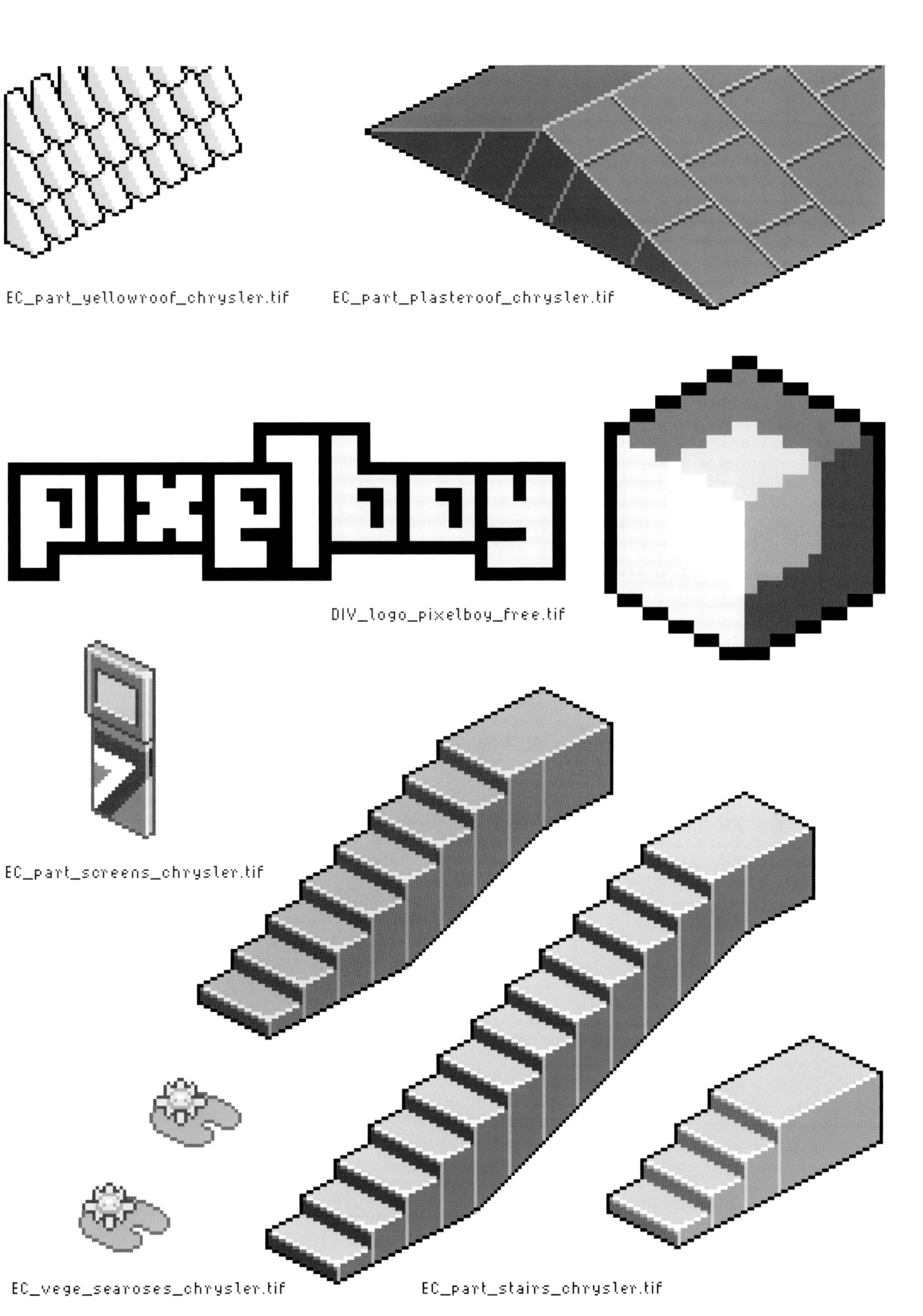

EC_part_yellowroof_chrysler.tif

EC_part_plasteroof_chrysler.tif

DIV_logo_pixelboy_free.tif

EC_part_screens_chrysler.tif

EC_vege_searoses_chrysler.tif

EC_part_stairs_chrysler.tif

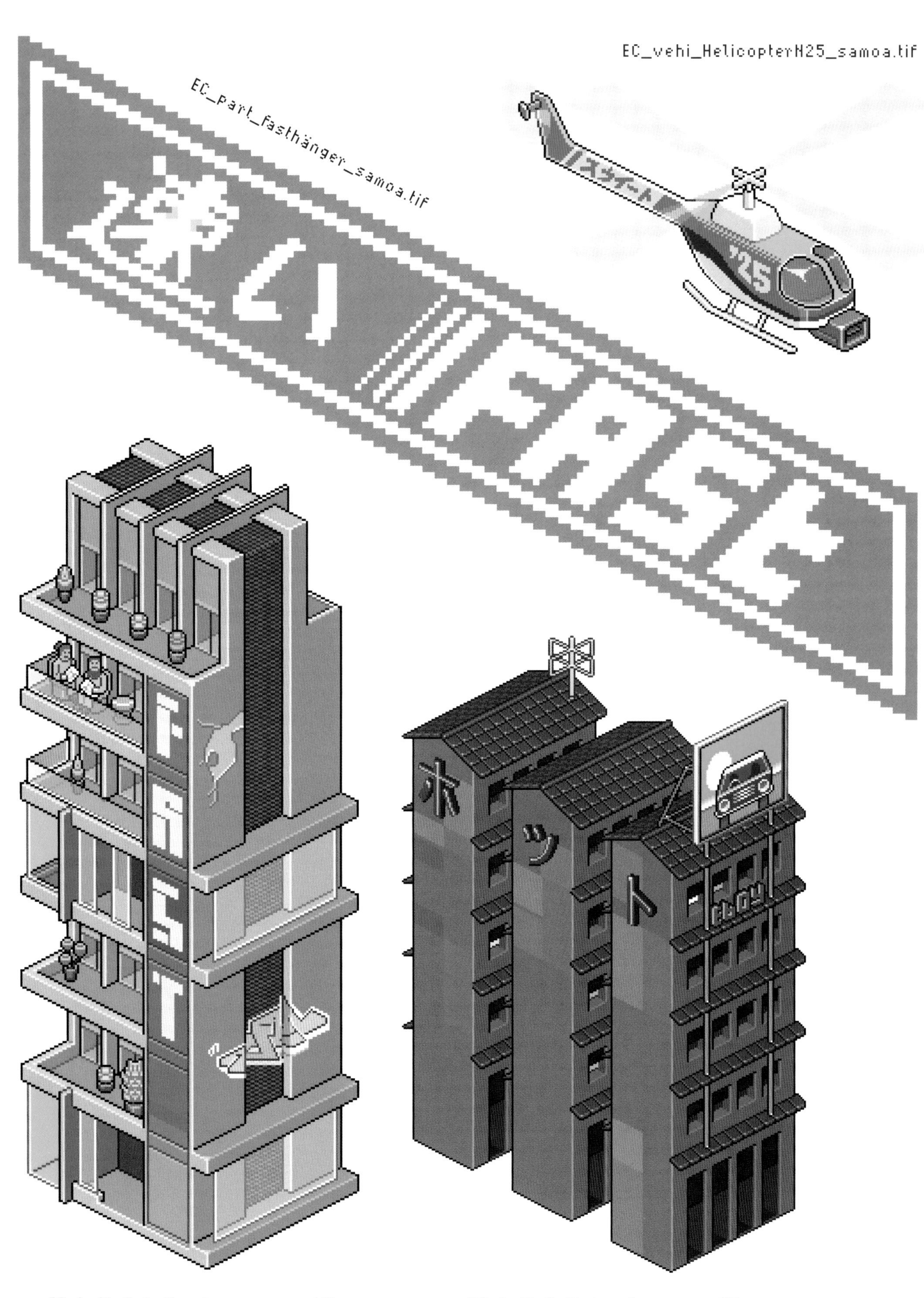

EC_vehi_HelicopterN25_samoa.tif

EC_part_fasthänger_samoa.tif

EC_buil_Scheibenhaus_samoa.tif

EC_buil_Hottripple_samoa.tif

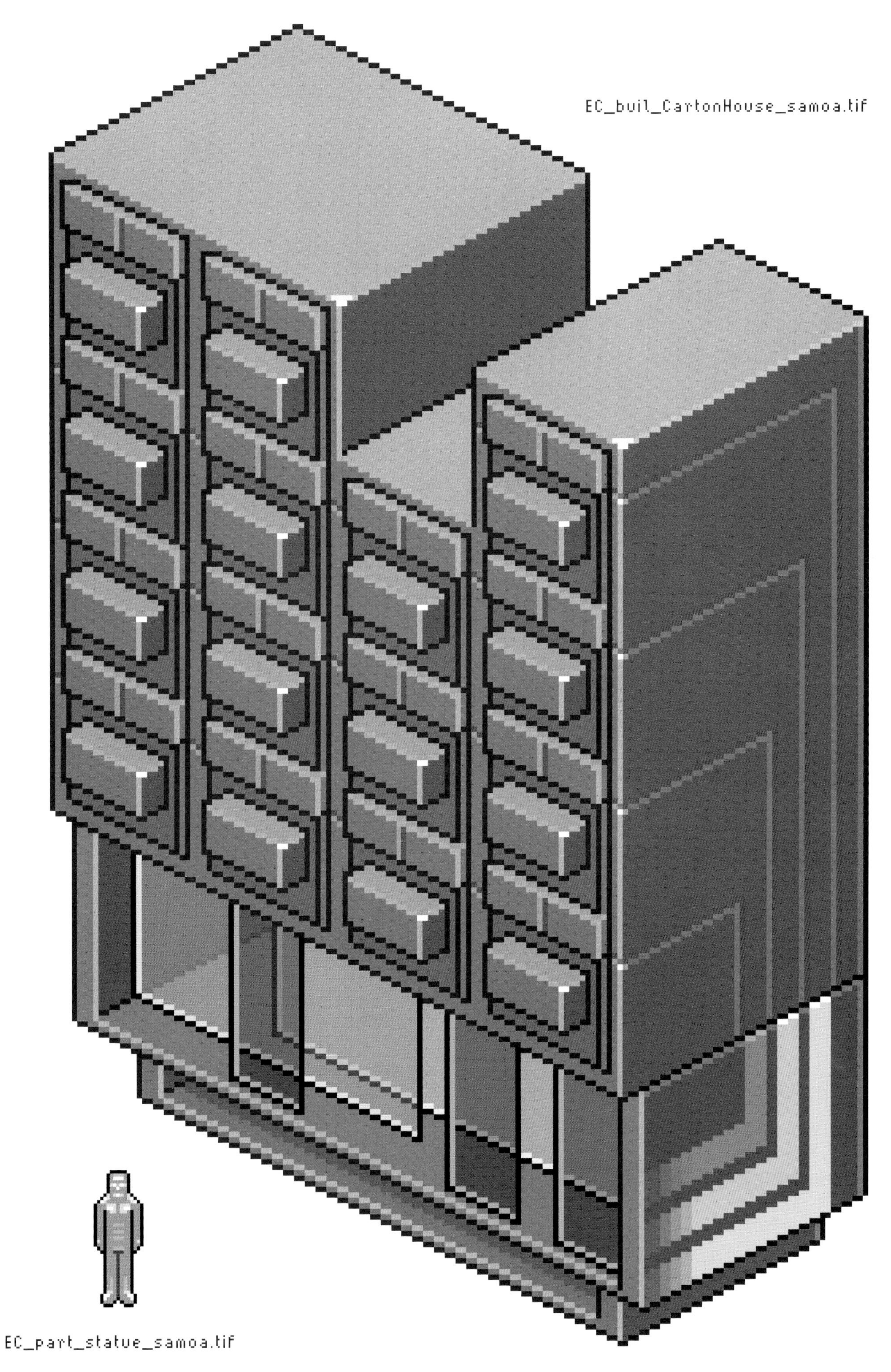

EC_buil_CartonHouse_samoa.tif

EC_part_statue_samoa.tif

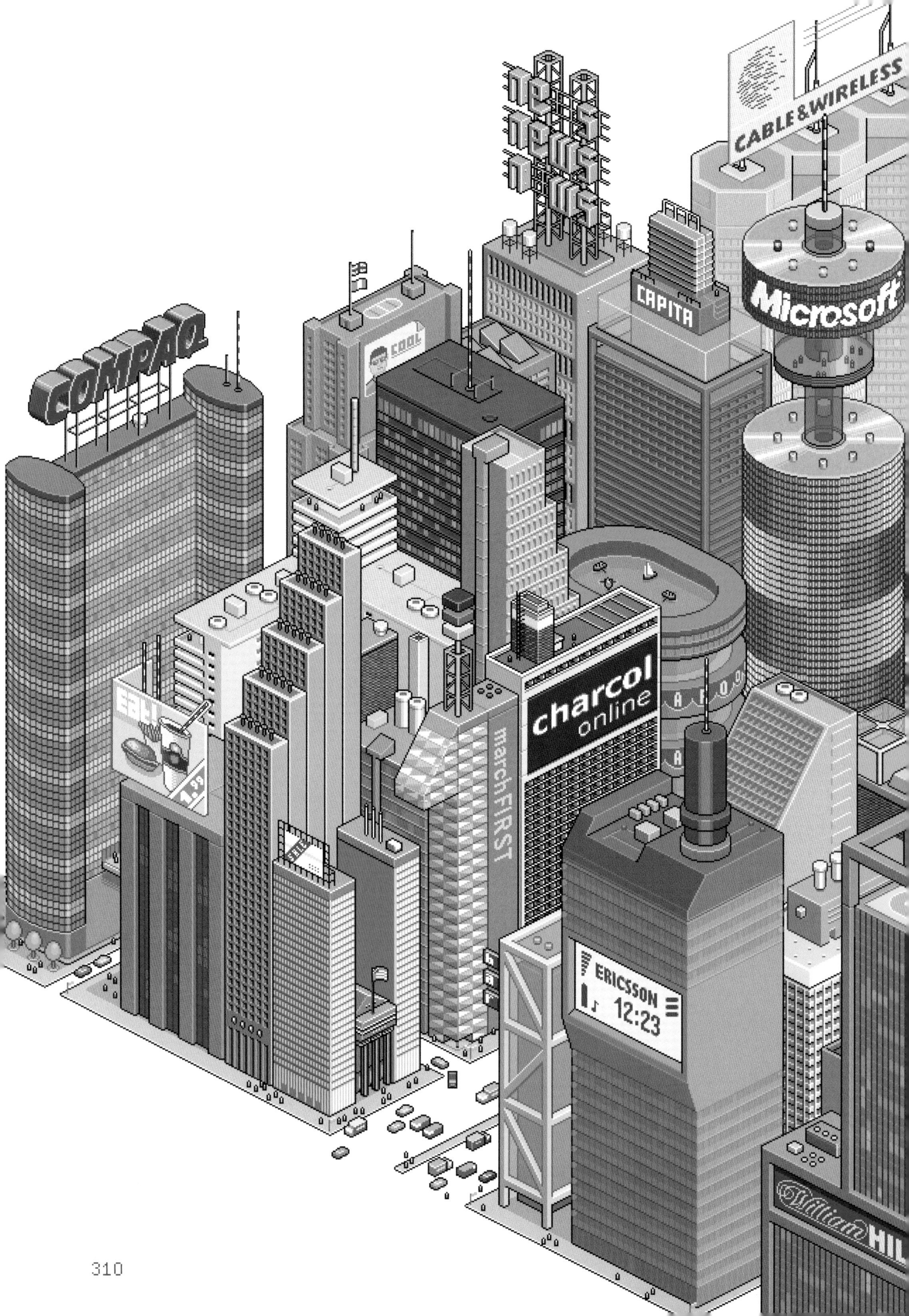
COMPAQ
news
news
news
CABLE&WIRELESS
CAPITA
Microsoft
COOL
charcol
online
marchFIRST
ERICSSON
12:23
William HIL

attenda_city_309_dpi_14.tif

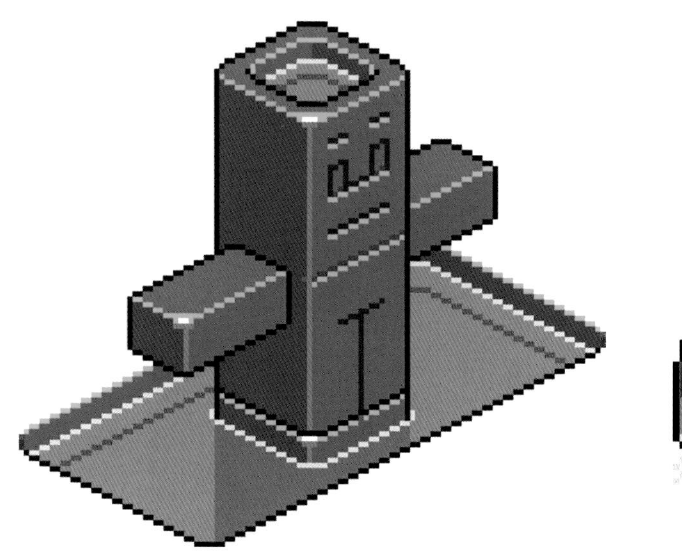

EC_part_fountain_chrysler.tif

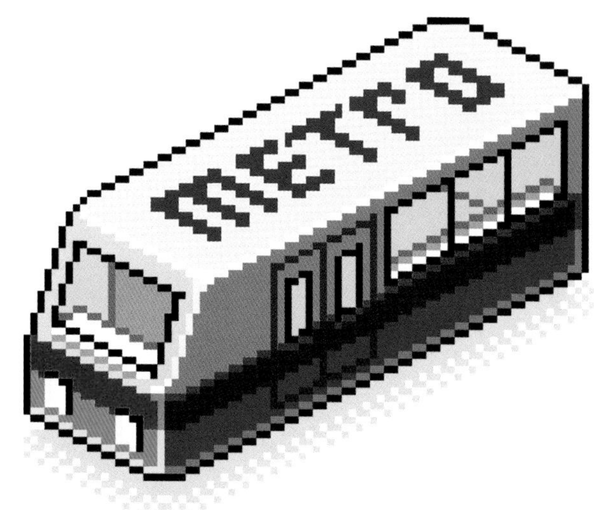

EC_vehi_metroright_chrysler.tif

DIV_logo_mute3x_free.tif

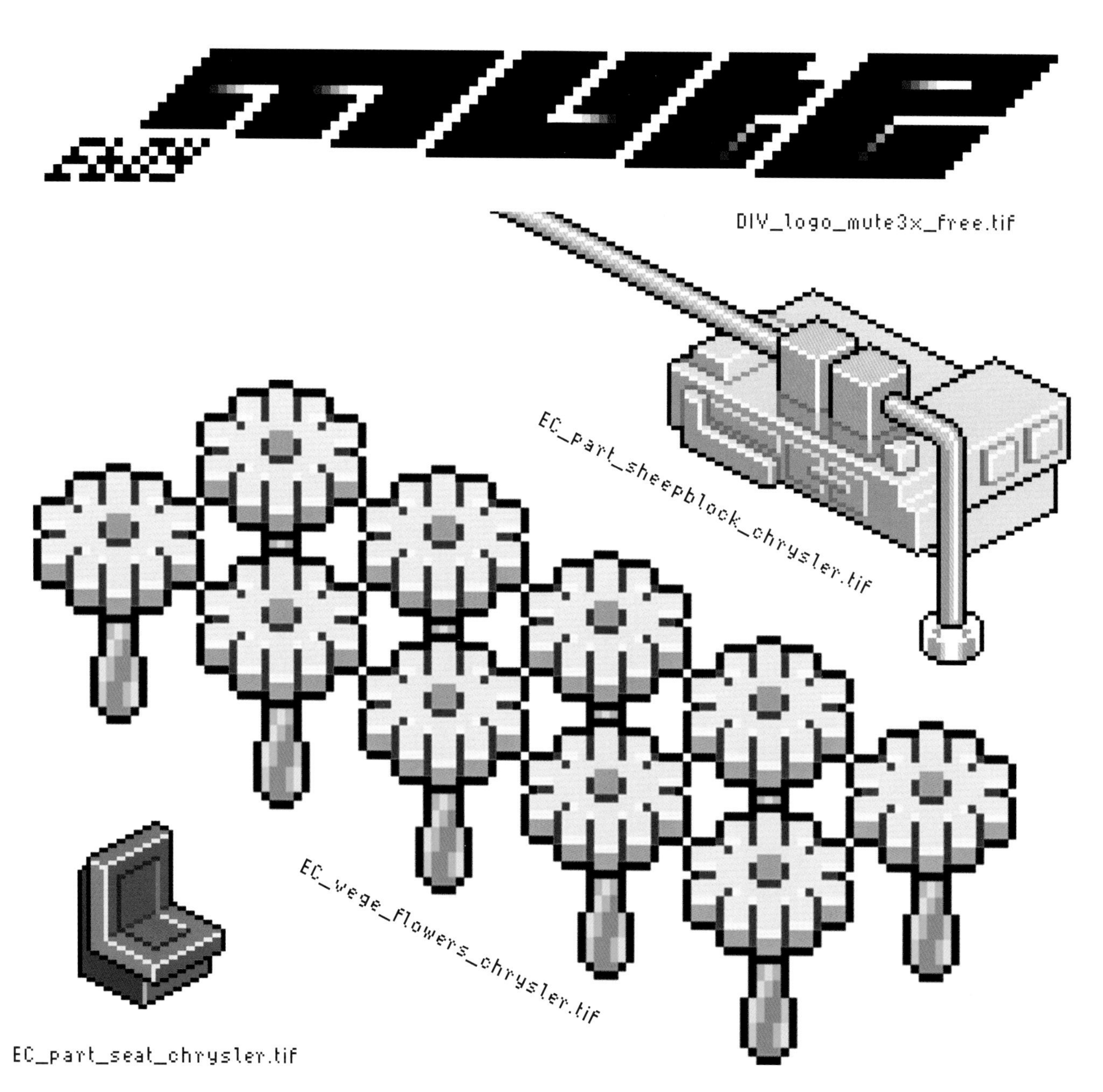

EC_part_sheepblock_chrysler.tif

EC_vege_flowers_chrysler.tif

EC_part_seat_chrysler.tif

DIV_logo_helpmoster_eboy.tif

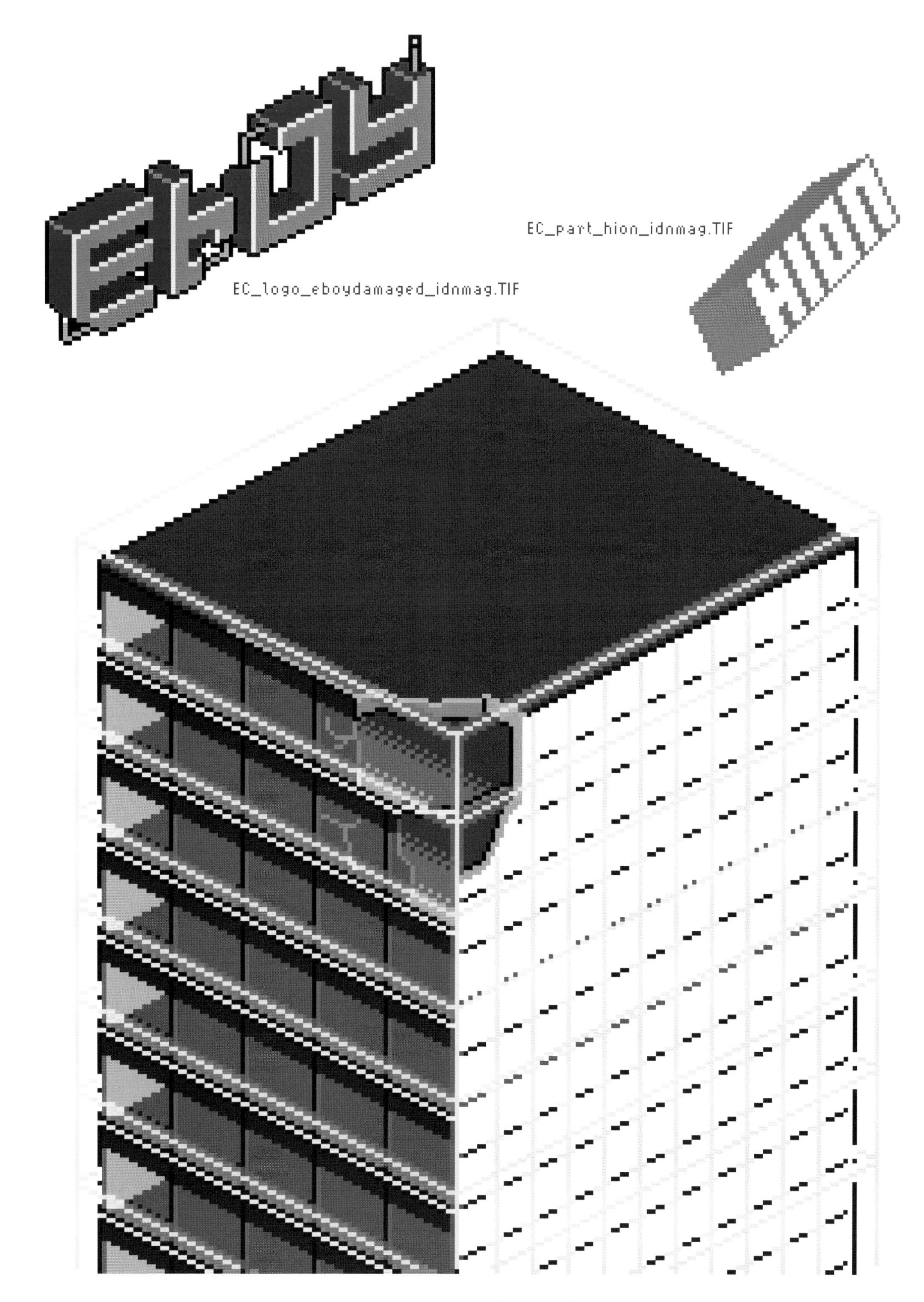

EC_logo_eboydamaged_idnmag.TIF

EC_part_hion_idnmag.TIF

EC_buil_4damage_idnmag.TIF

DIV_part_badface3_eboy.TIF

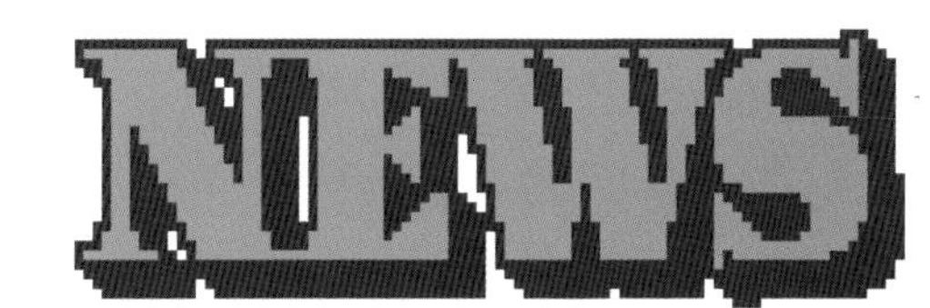

WEB_part_news3_eboy.TIF

WEB_bann_shift_eboy.TIF

WEB_part_badface1_eboy.TIF

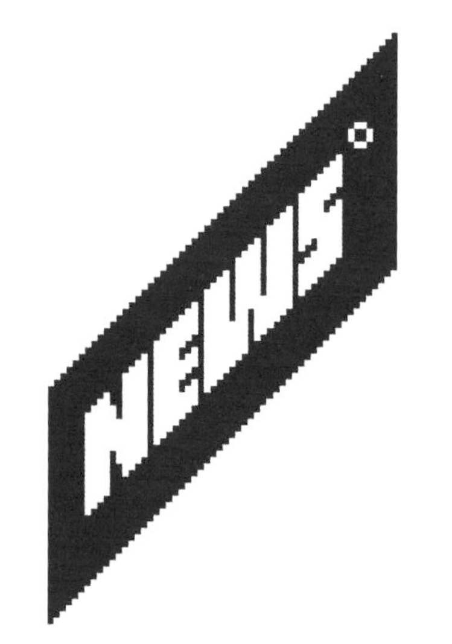

WEB_part_news4_eboy.TIF

WEB_bann_brandbots_eboy.TIF

WEB_bann_fontshop_eboy.TIF

WEB_bann_peecol_eboy.TIF

WEB_part_links3_eboy.TIF

DIV_peop_carson_mtv.TIF

<PEE_pict_boyposter3_free.tif>

 <zora playstation eps 1>

EC_vehi_helicopttarn_idnmag.TIF

EC_vehi_aircartarn_idnmag.TIF

DIV_typo_proot_idnmag.TIF

EC_part_hoeschild_idnmag.TIF

VIRGO
GEMINI

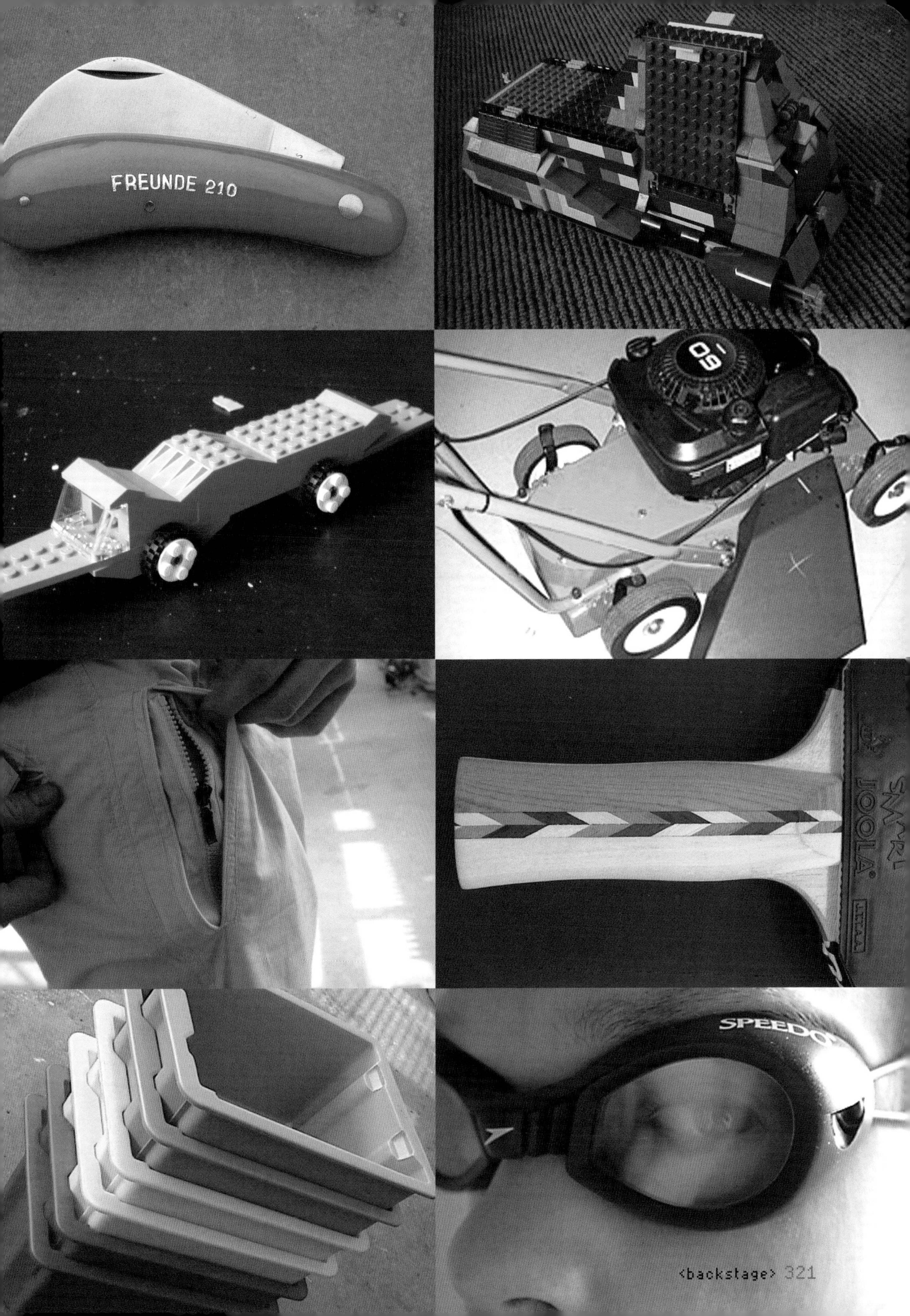
FREUNDE 210
JOOLA
SPEEDO

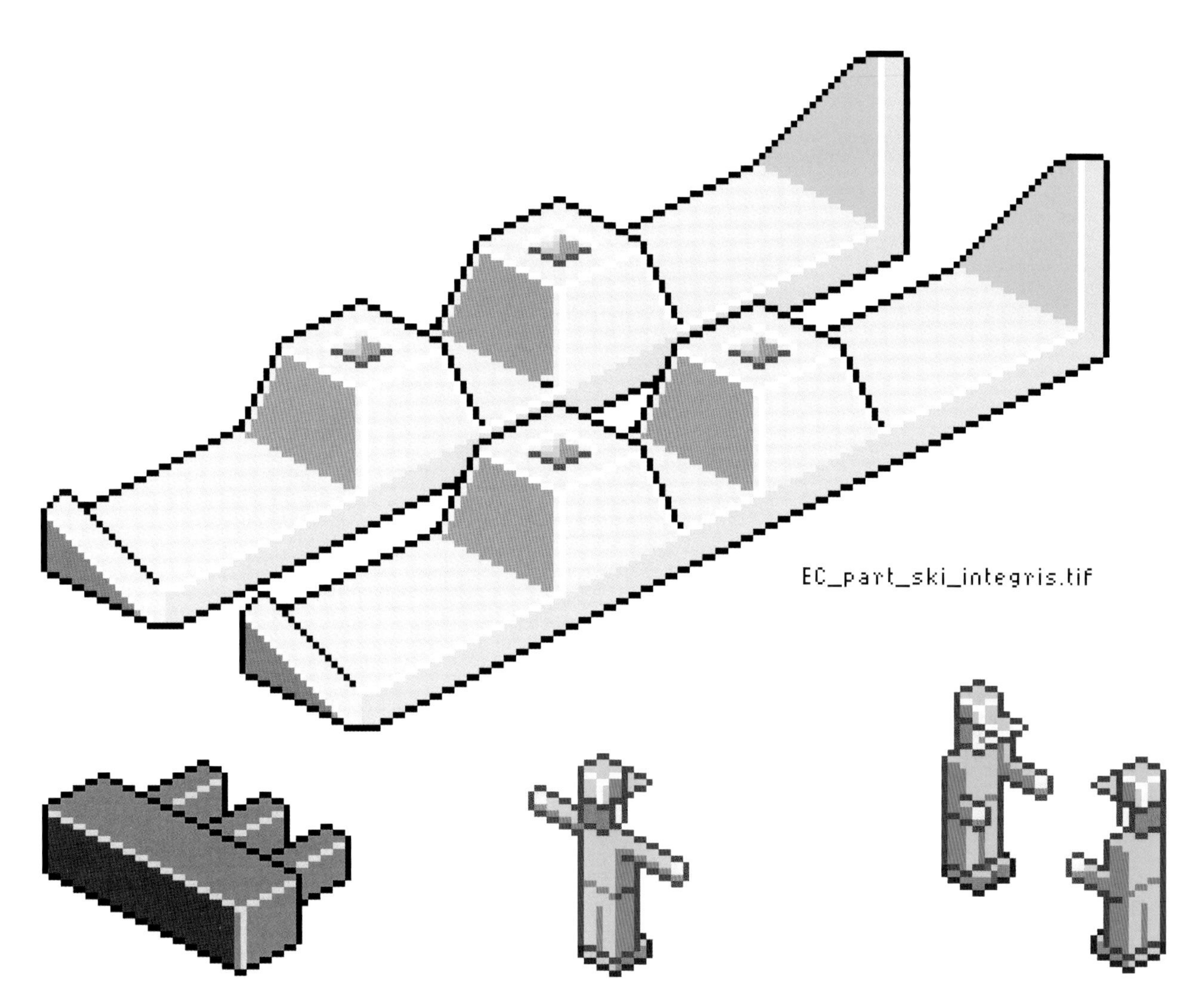

EC_part_ski_integris.tif

EC_part_3stick_integris.tif

EC_peop_worker1_integris.tif

EC_peop_worker5_integris.tif

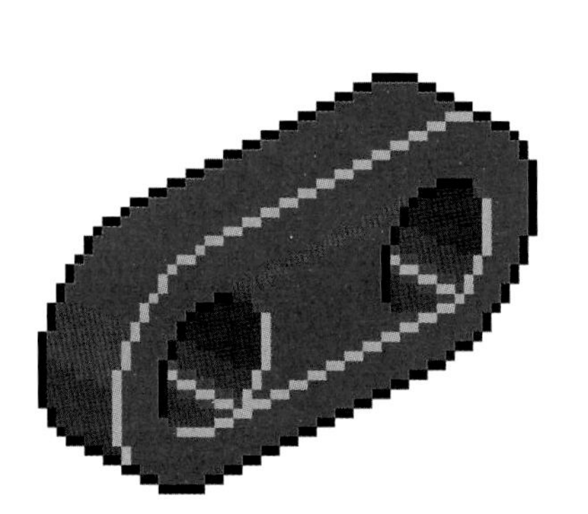

EC_part_redpart_integris.tif

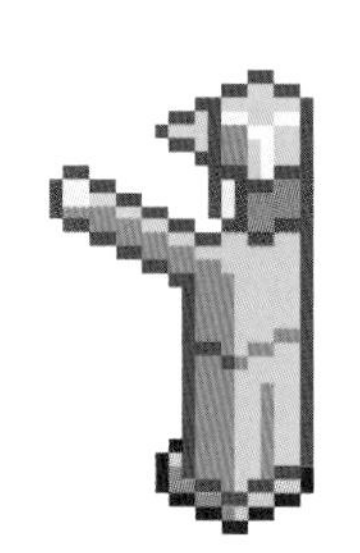

EC_peop_worker4_integris.tif

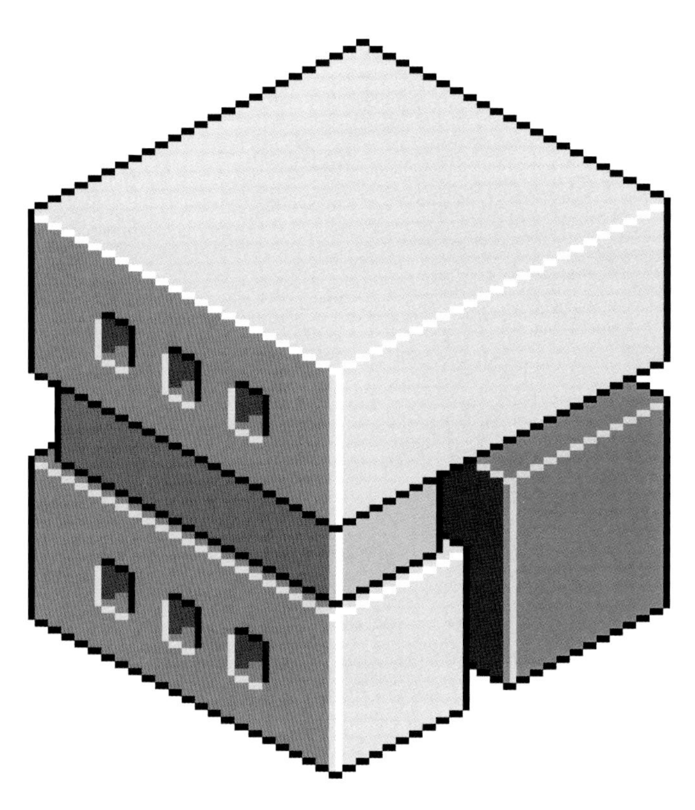

EC_part_motor2_integris.tif

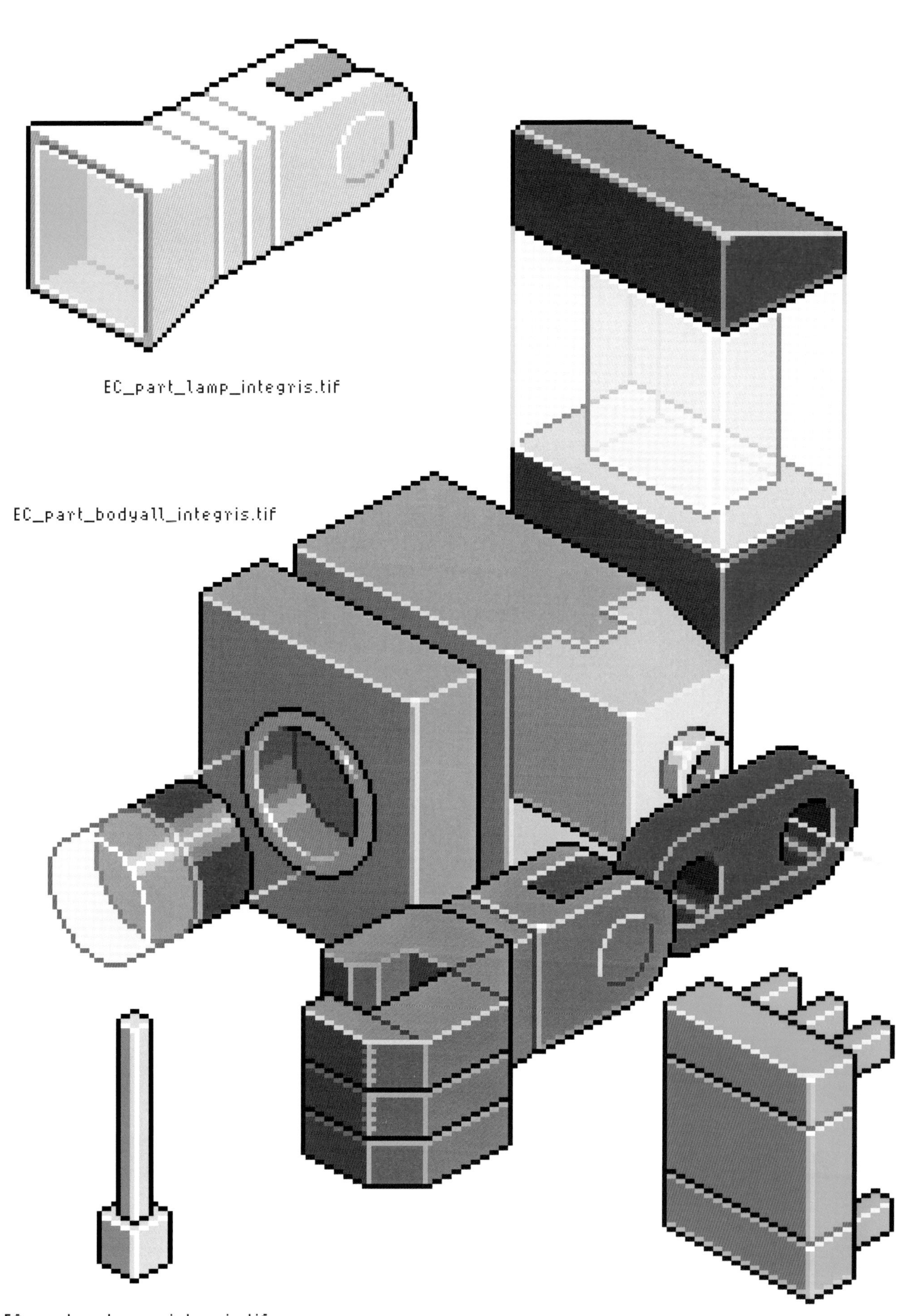
EC_part_lamp_integris.tif
EC_part_bodyall_integris.tif
EC_part_antenna_integris.tif

100%
QUALITY
CLOTHING
allrights reserved 2001 eboy
EBOY

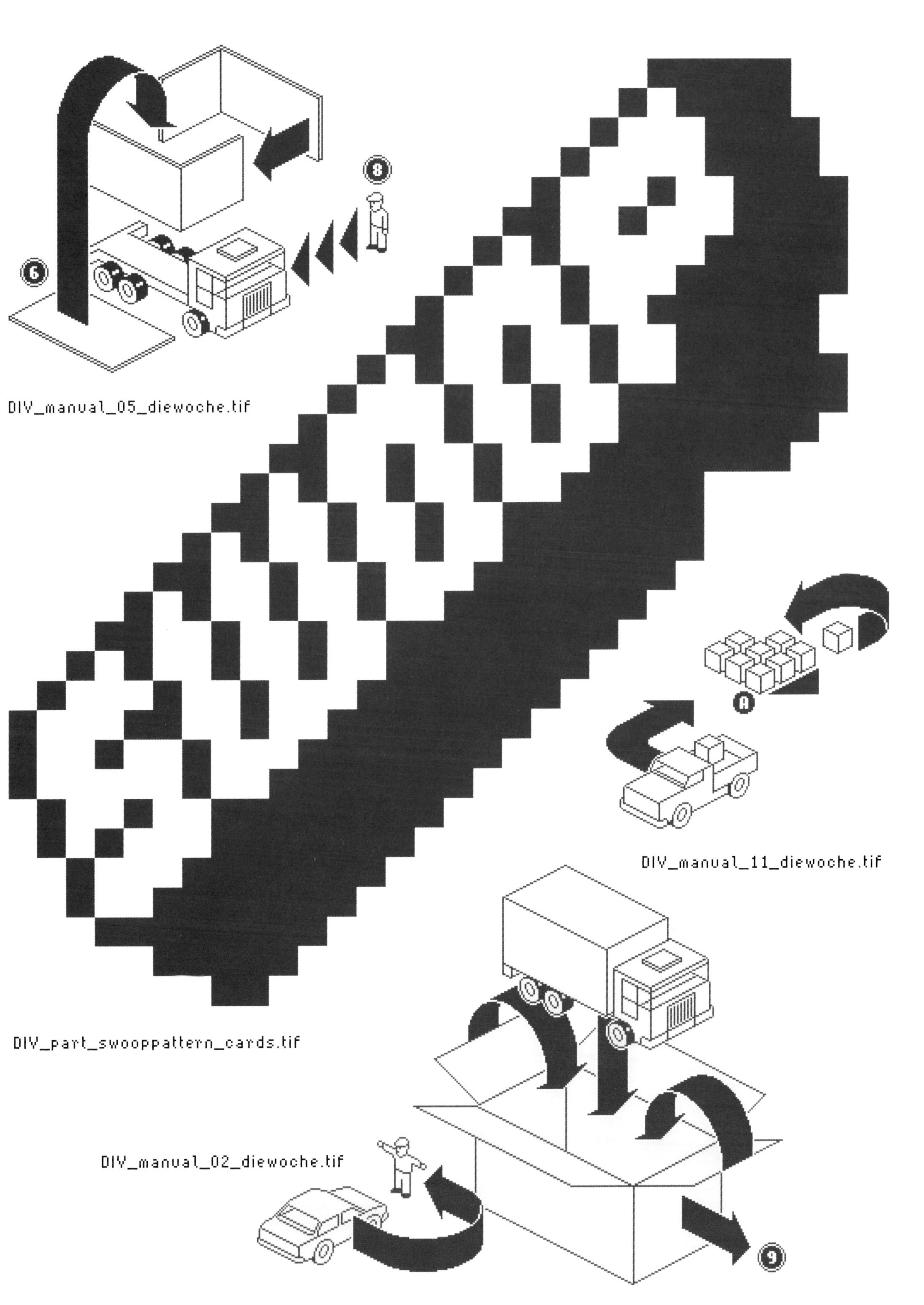

DIV_manual_05_diewoche.tif

DIV_manual_11_diewoche.tif

DIV_part_swooppattern_cards.tif

DIV_manual_02_diewoche.tif

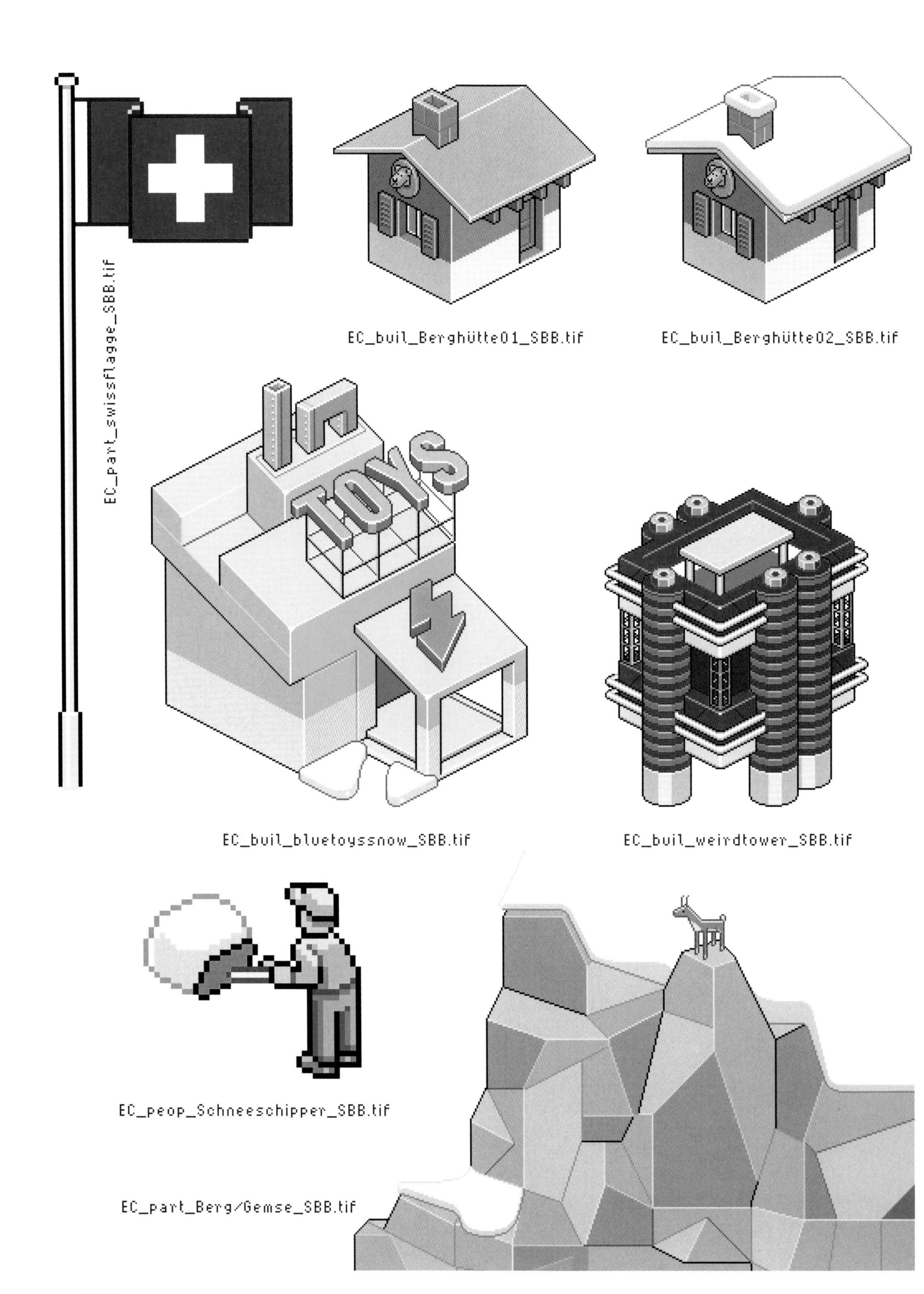

EC_part_swissflagge_SBB.tif

EC_buil_Berghütte01_SBB.tif

EC_buil_Berghütte02_SBB.tif

EC_buil_bluetoyssnow_SBB.tif

EC_buil_weirdtower_SBB.tif

EC_peop_Schneeschipper_SBB.tif

EC_part_Berg/Gemse_SBB.tif

EC_part_SBBBallon_SBB.tif
EC_buil_Bahnbrücke01_SBB.tif
DIV_ico_iddeeen_harpen.tif

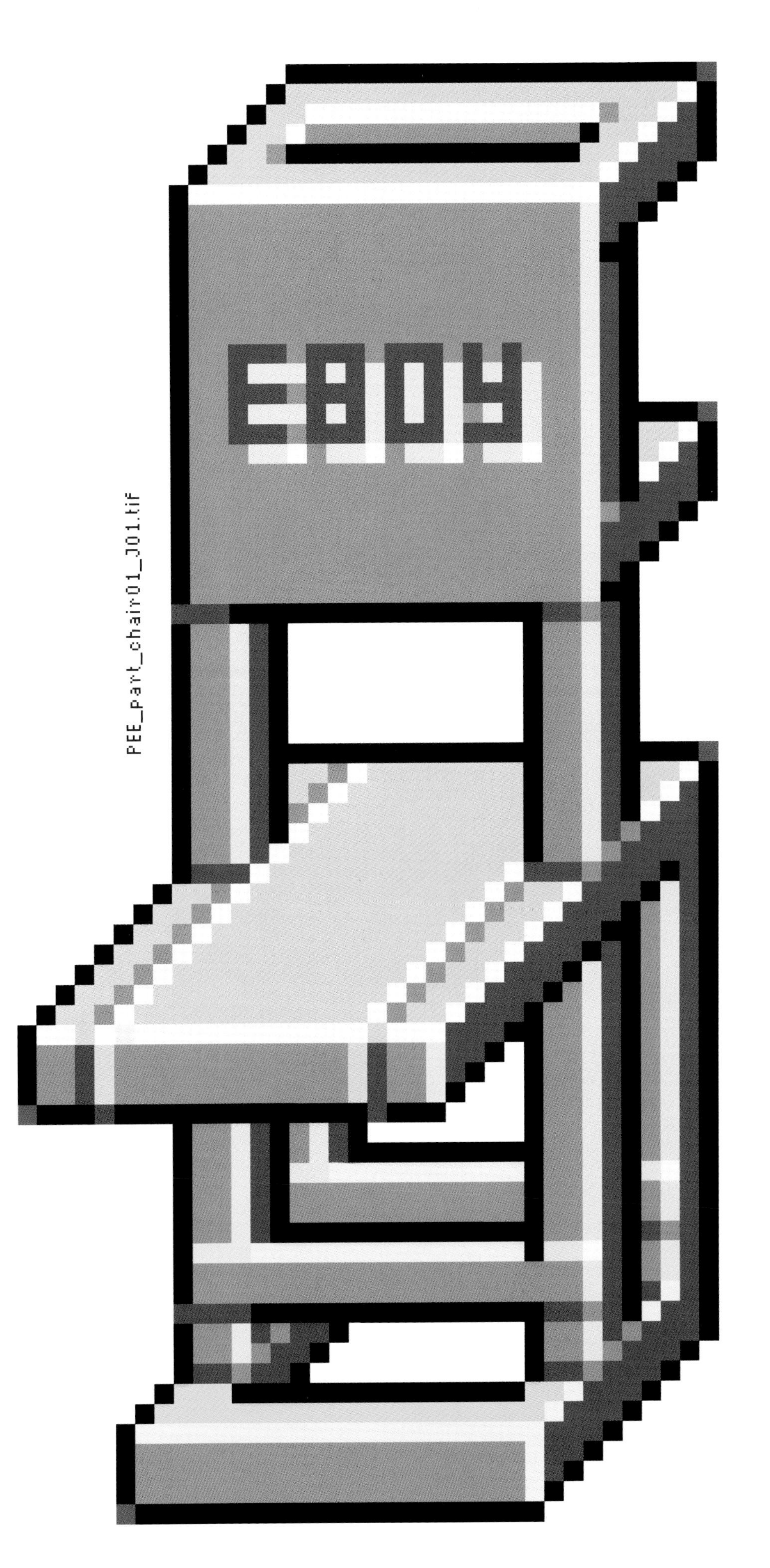

PEE_part_chair01_J01.tif

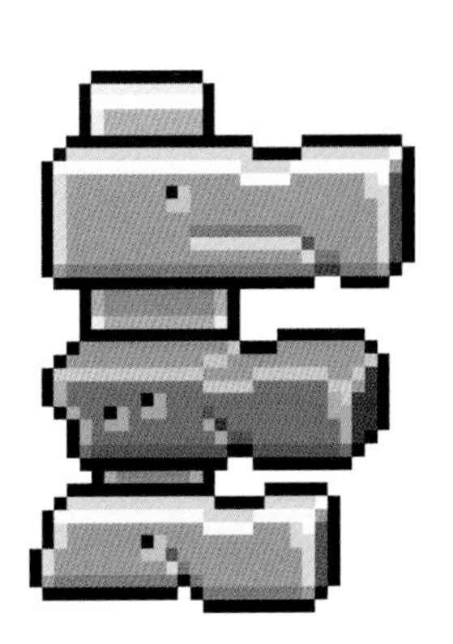

PEE_part_wood01_J01.tif

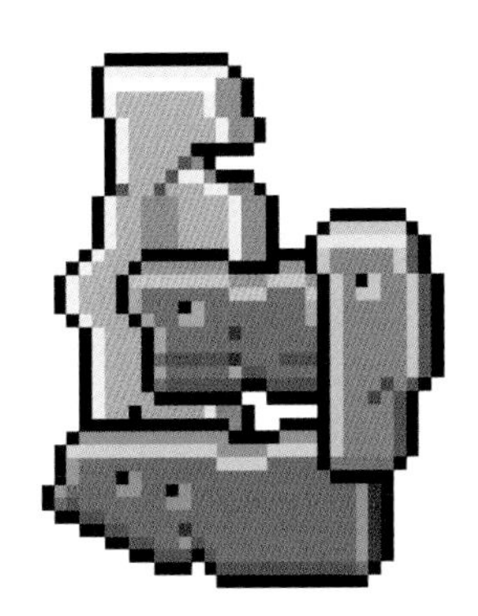

PEE_part_wood04_J01.tif

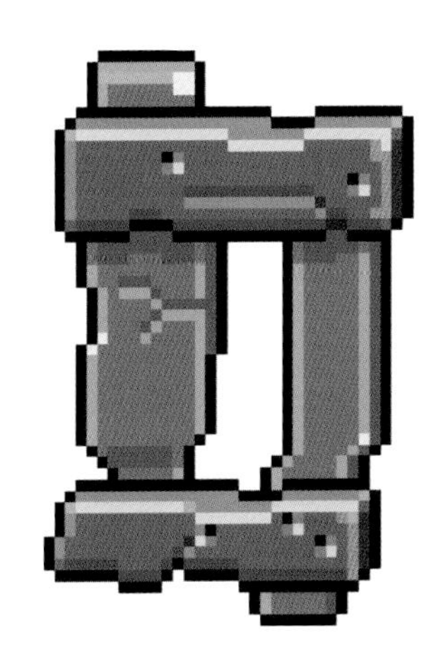

PEE_part_wood02_J01.tif

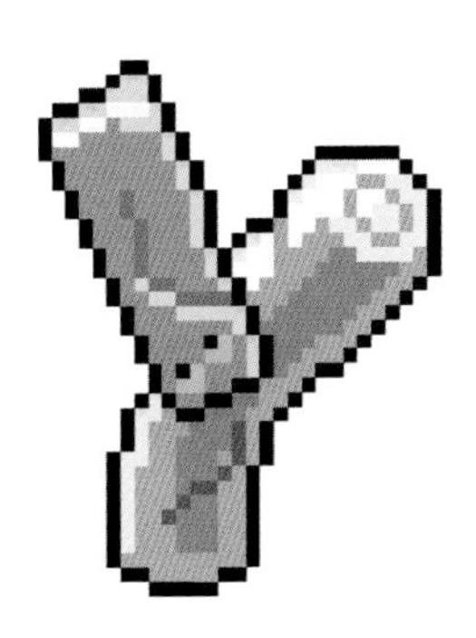

PEE_part_wood03_J01.tif

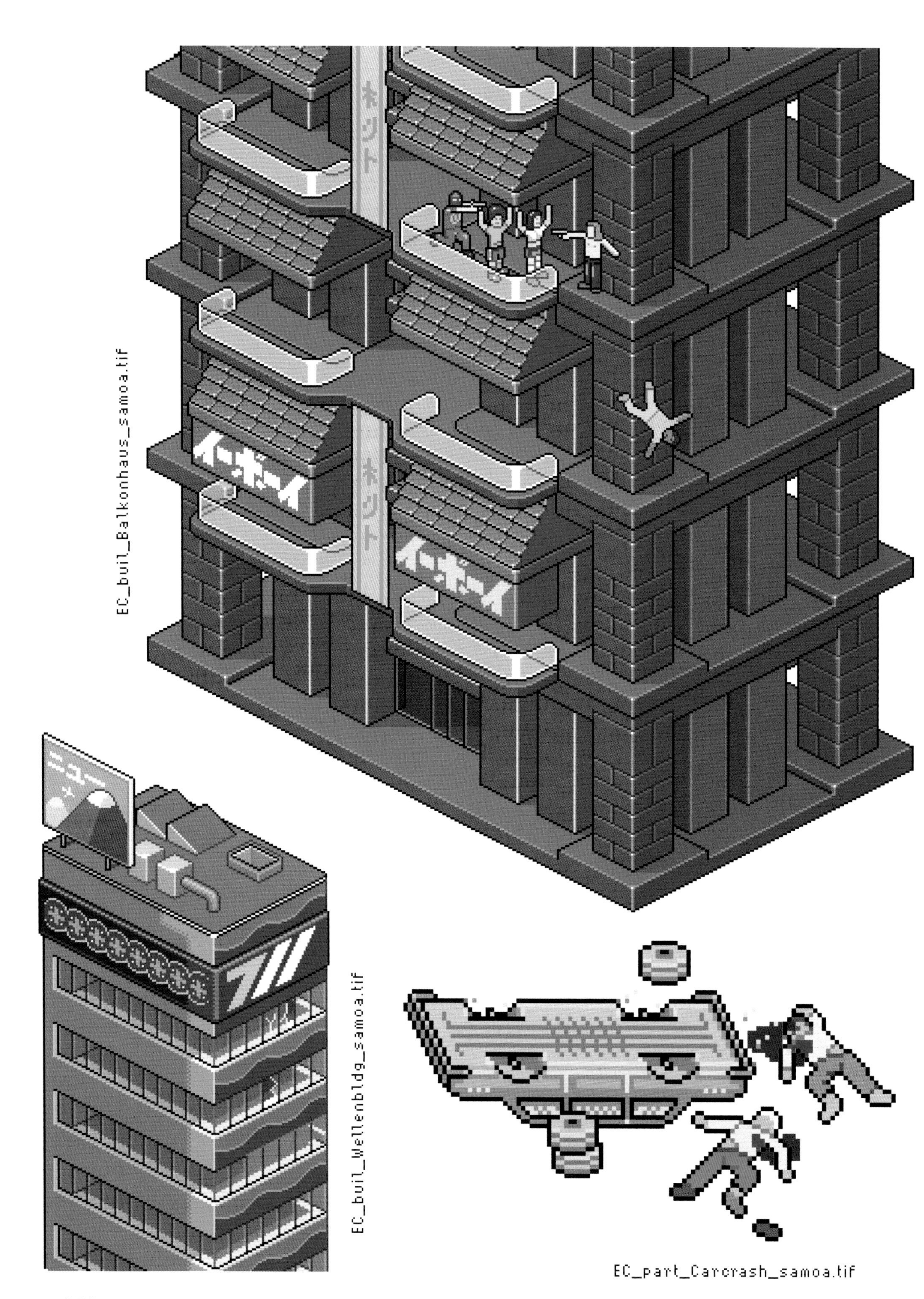

EC_buil_Balkonhaus_samoa.tif

EC_buil_Wellenbldg_samoa.tif

EC_part_Carcrash_samoa.tif

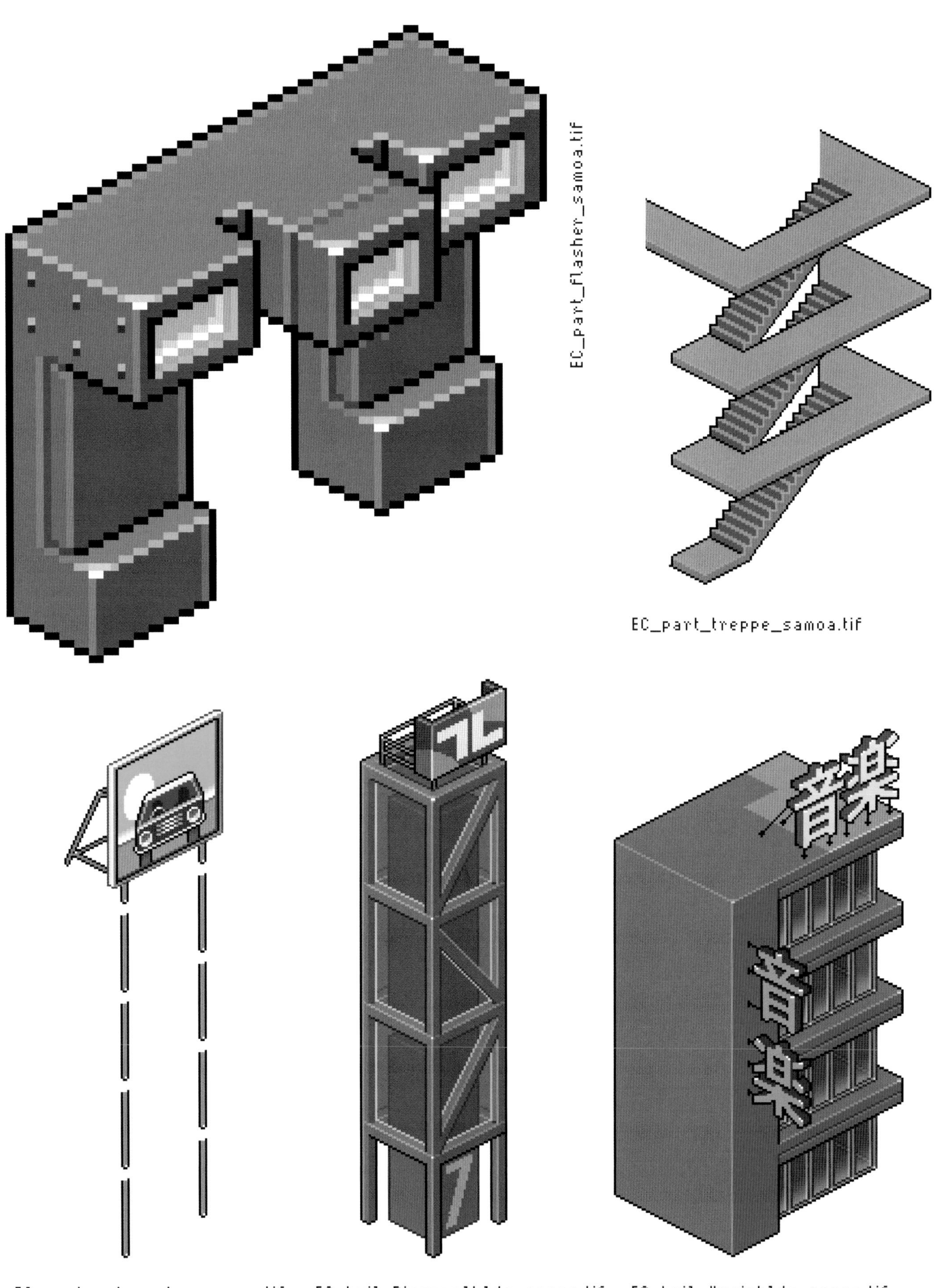

EC_part_flasher_samoa.tif

EC_part_treppe_samoa.tif

EC_part_autoposter_samoa.tif

EC_buil_Diagonalbldg_samoa.tif

EC_buil_Musicbldg_samoa.tif

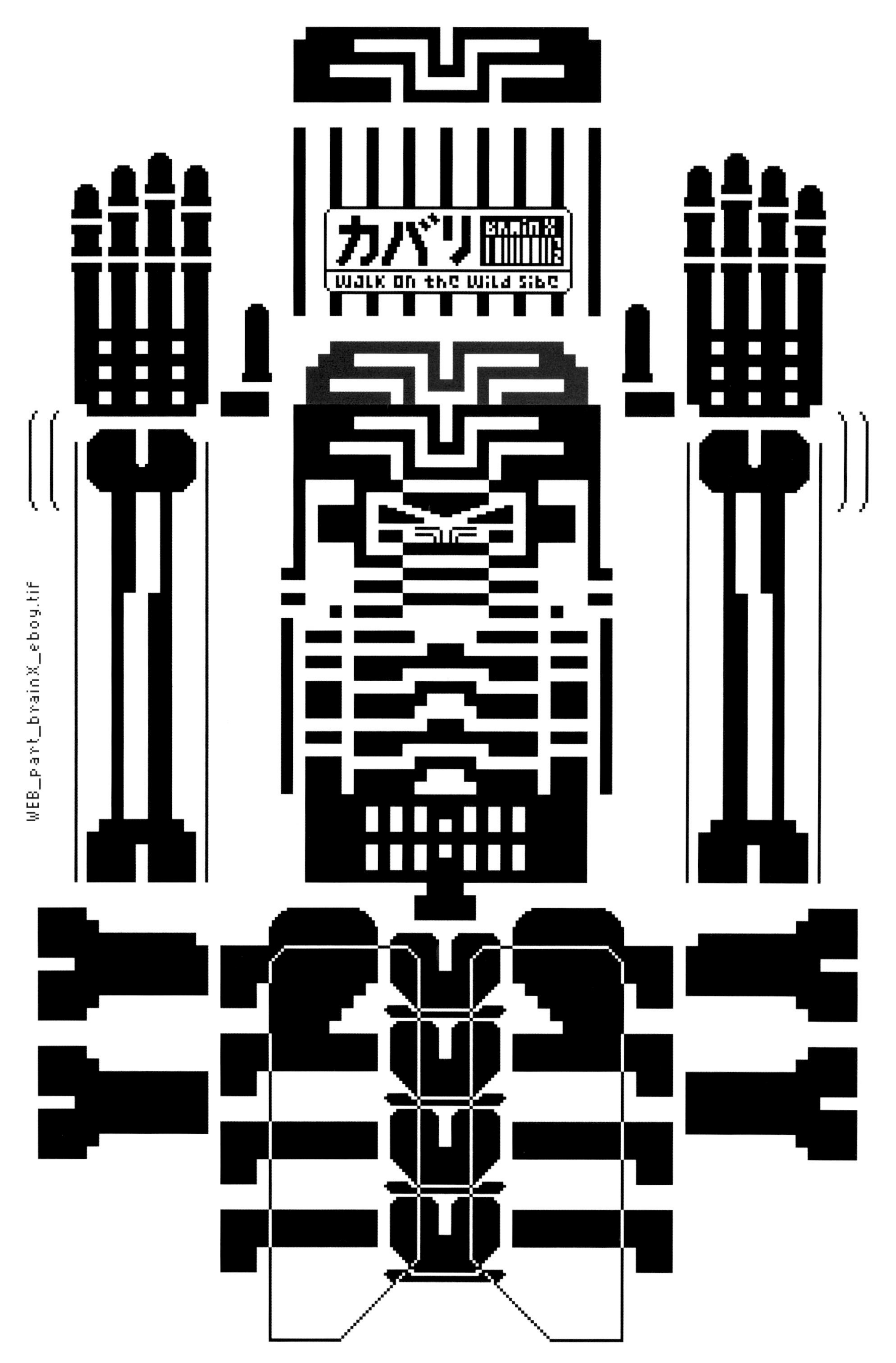

WEB_part_brainX_eboy.tif

<ritsko chai eps blue soni copy>

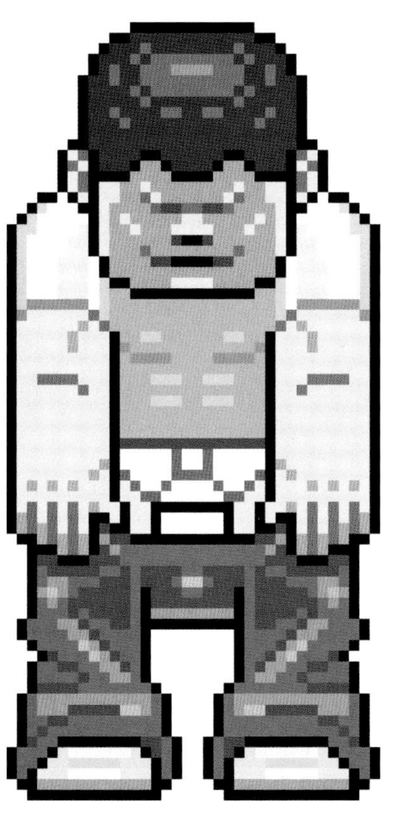

PEE_peop_change04_J01.tif

PEE_part_chair04_J01.tif

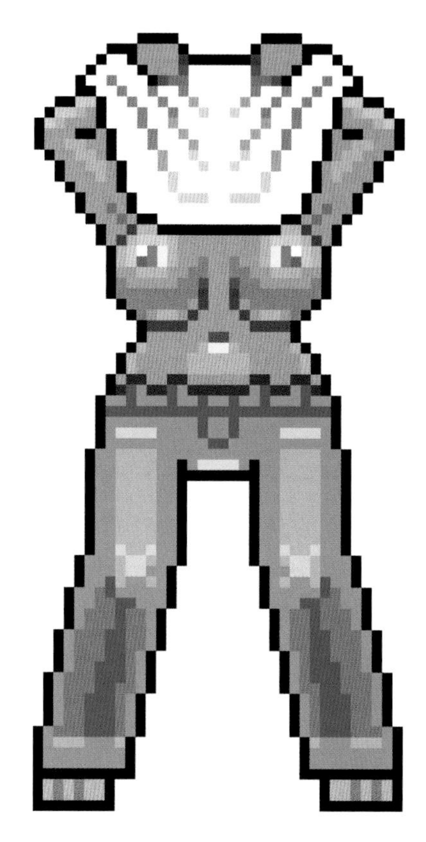

PEE_peop_change03_J01.tif

PEE_part_clothes01_J01.tif

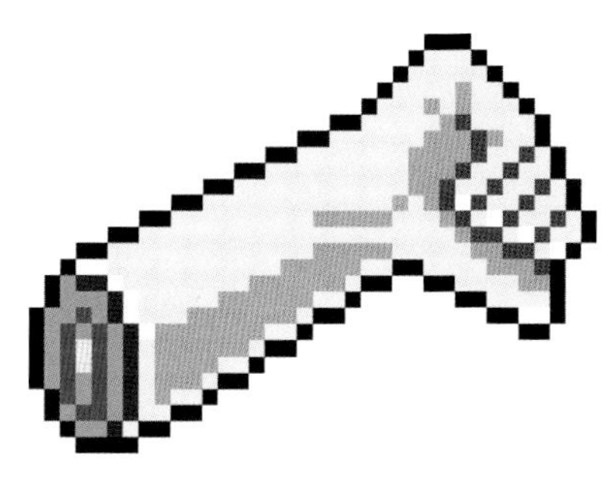

PEE_part_arm_J01.tif

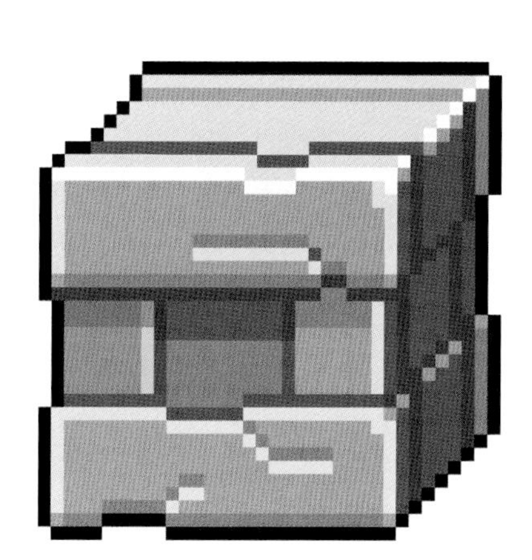

PEE_part_box_J01.tif

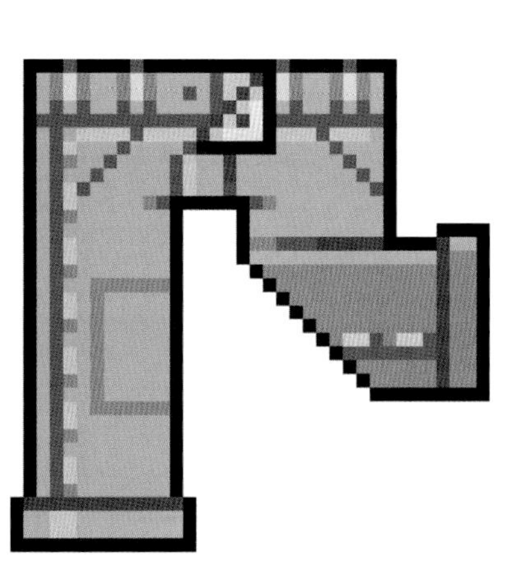

PEE_part_clothes02_J01.tif

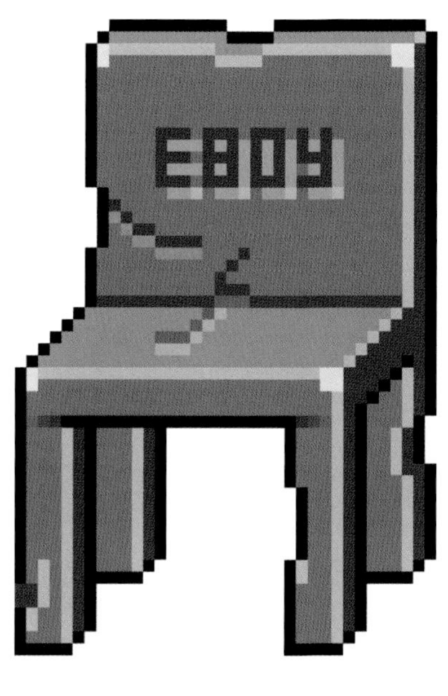

PEE_part_chair02_J01.tif

PEE_part_clothes03_J01.tif

DIV_part_eboybadge_free.tif
DIV_part_2LPs_free.tif
inmemory_camu_RGB.tif
DIV_part_usbanner_free.tif

EC_vehi_satellit3_harpen.tif
OVERVIEW
RVIEW
HTAG
ECV_peop_2arbeiter_harpen.tif
ECV_peop_womanplan_harpen.tif
STOP
22
DIV_typo_22_arena.tif
EC_part_zentrale_harpen.tif

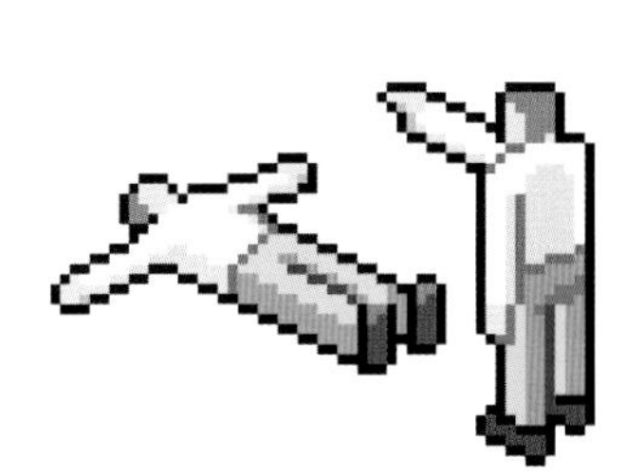

EC_peop_2men_eboy.tif

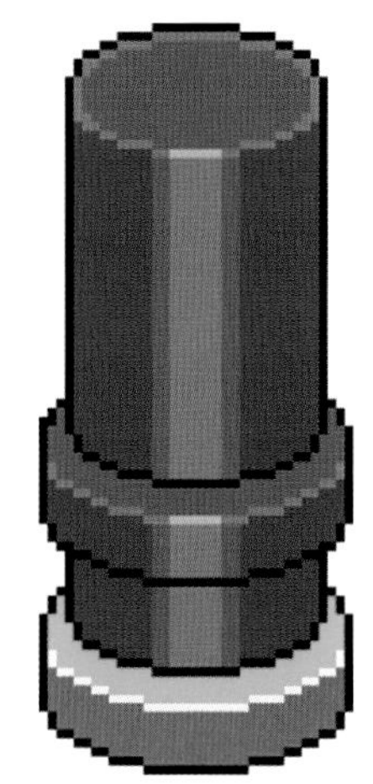

EC_part_antenna_chrysler.tif

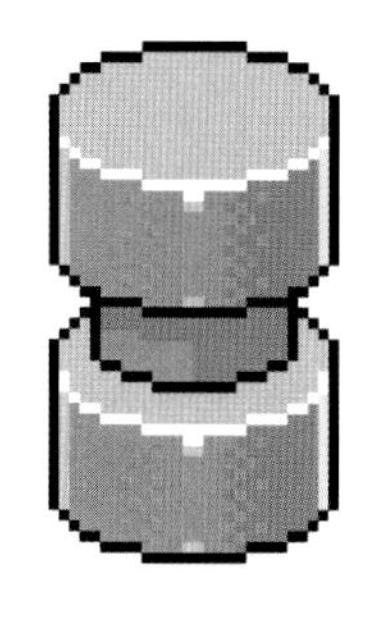

EC_part_boeppel_phunk.tif

EC_part_transmodul5_phunk.tif

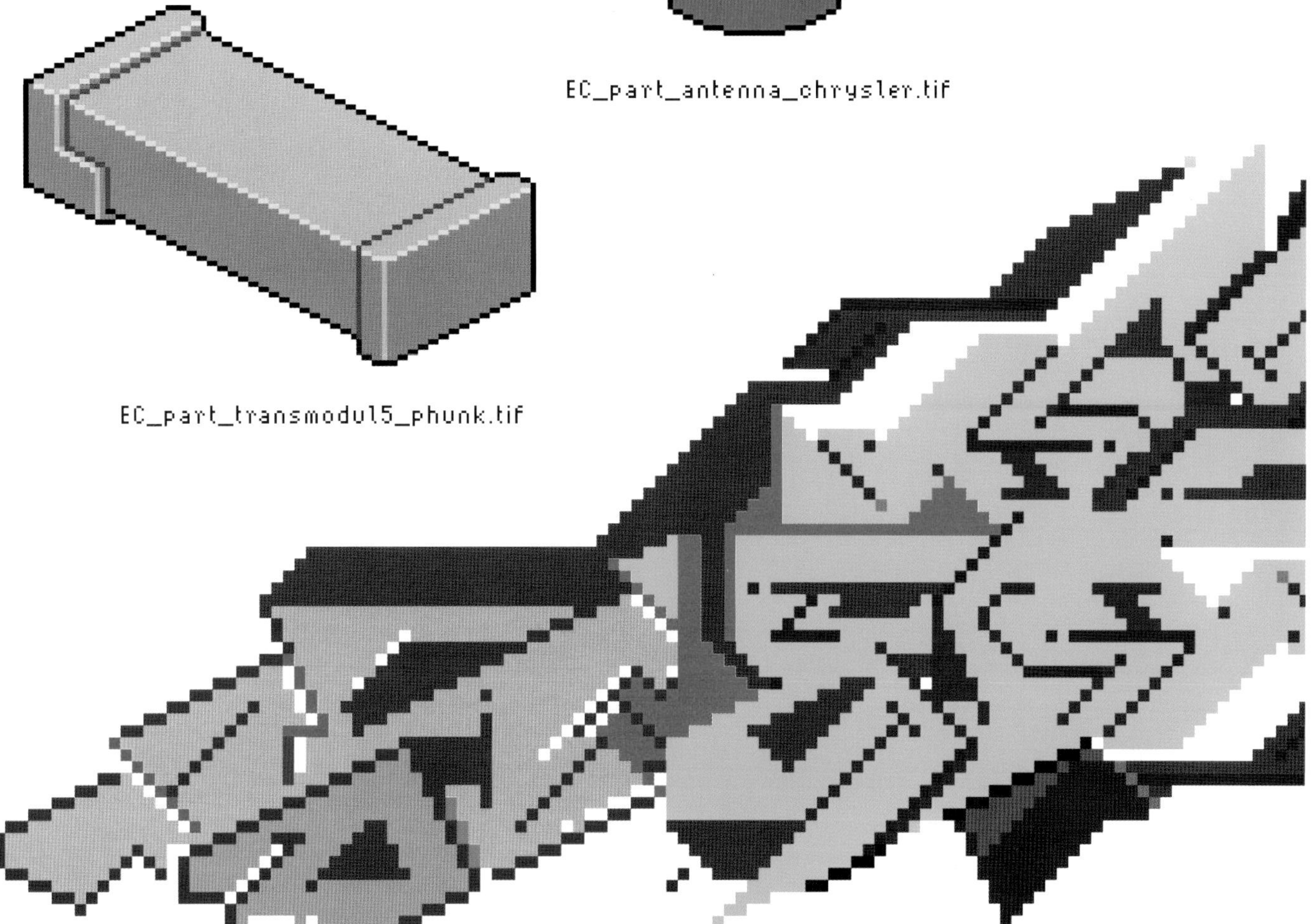

EC_part_quetzal__efitti.TIF

EC_vehi_laster01_phunk.tif

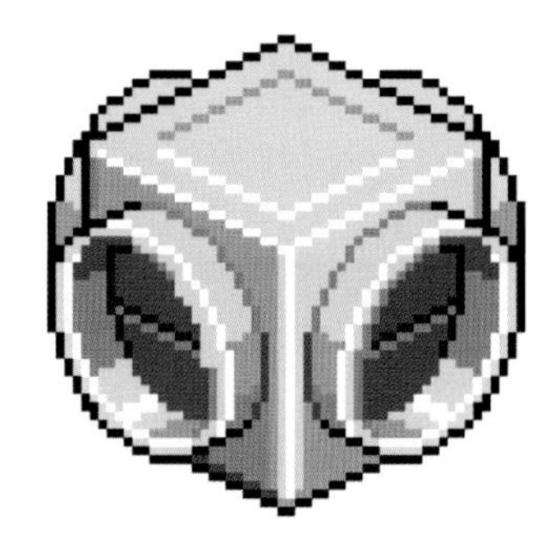

EC_part_kupplung_phunk.tif

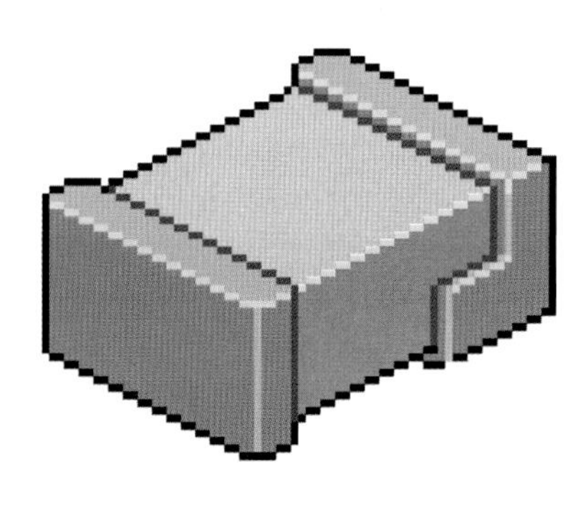

EC_part_transmodul3_phunk.tif

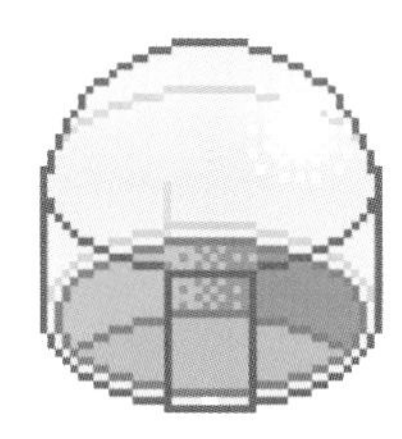

EC_part_glashaube3_harpen.tif

EC_part_imowashsign_harpen.tif

EC_peop_3guys_harpen.tif

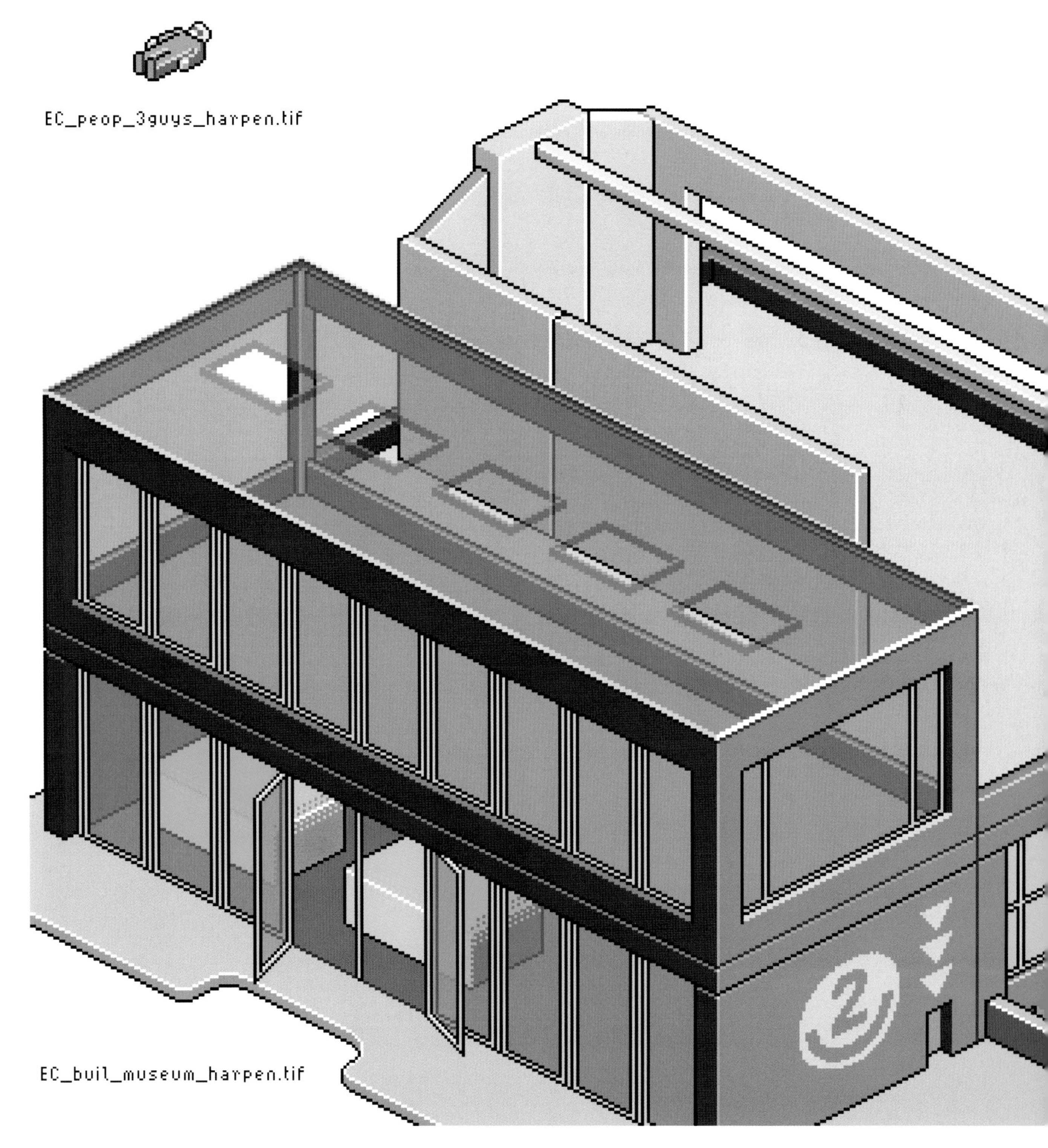

EC_buil_museum_harpen.tif

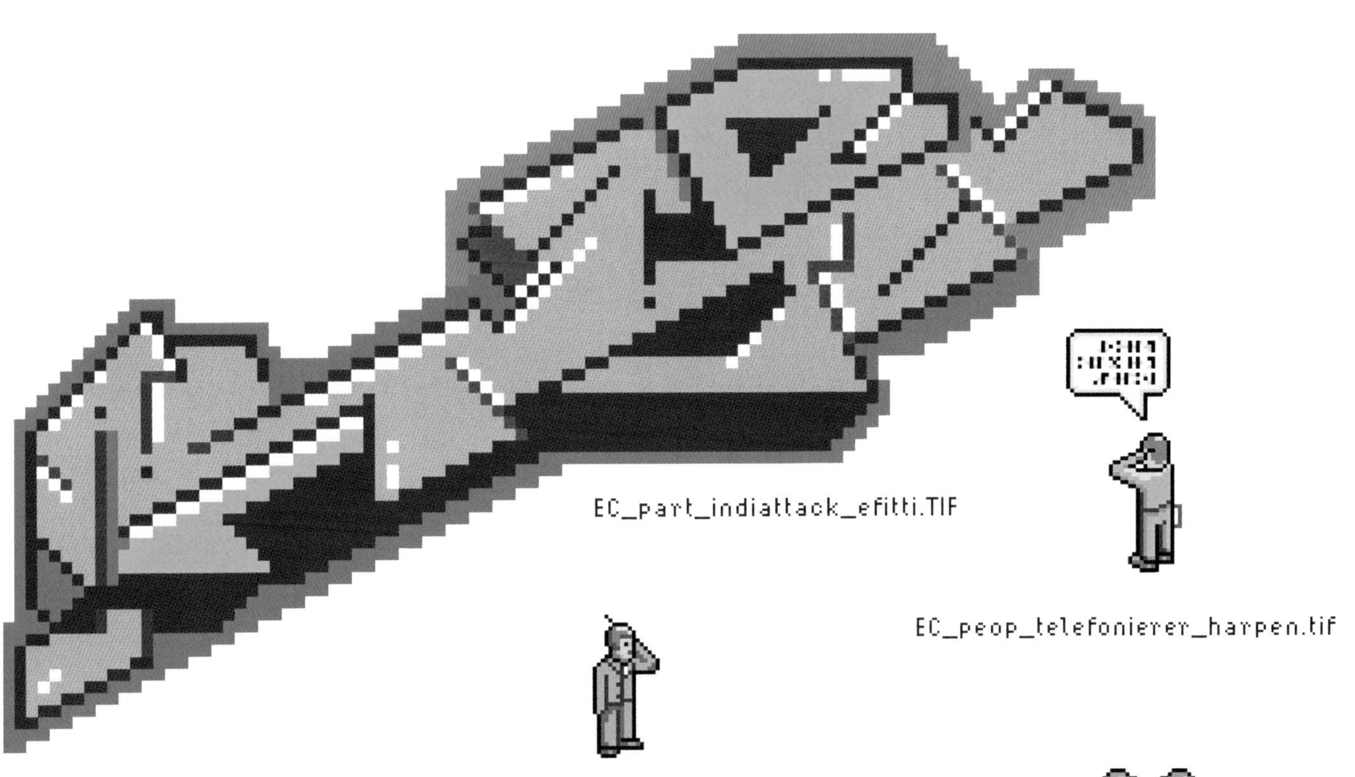

EC_part_indiattack_efitti.TIF

EC_peop_telefonierer_harpen.tif

EC_peop_handyman_harpen.tif

EC_peop_2men_harpen.tif

EC_peop_parkwächter_harpen.TIF

EC_peop_liebende_harpen.tif

EC_peop_2guys_harpen.tif

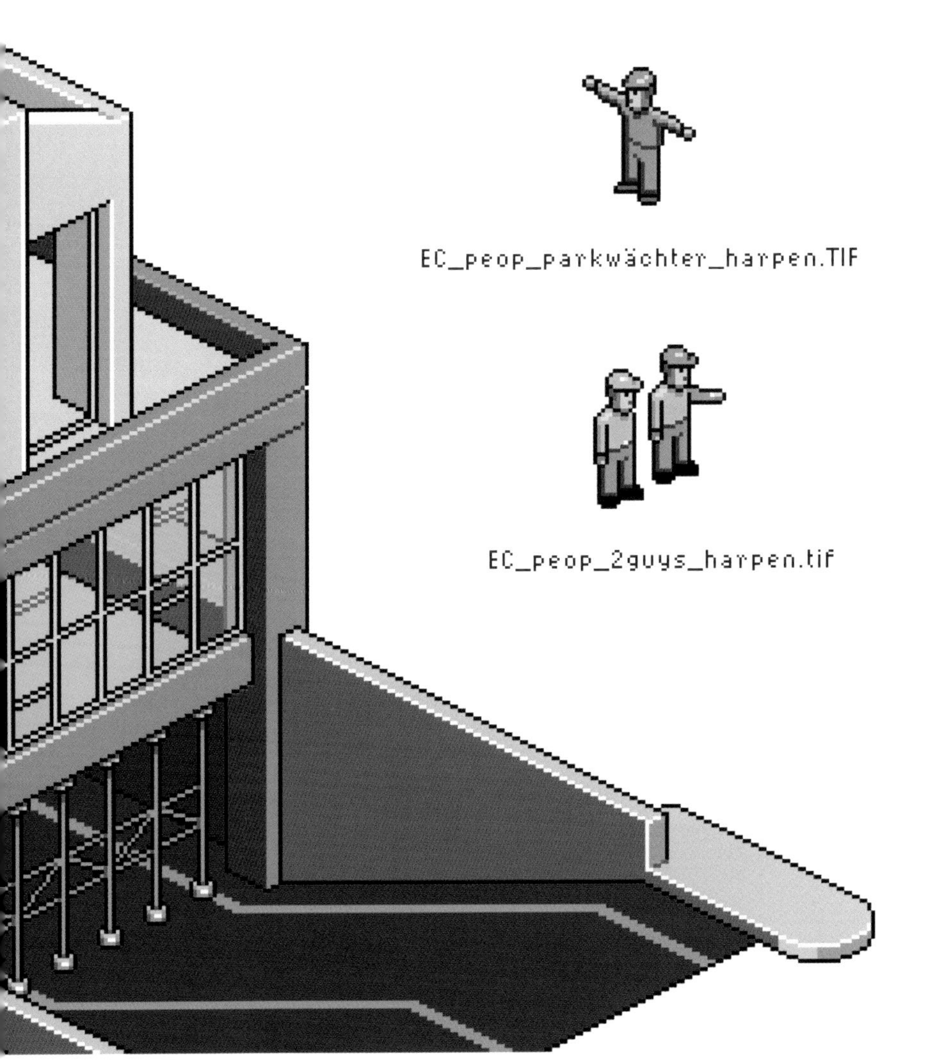

EC_peop_einweiser_harpen.tif

EC_peop_woman_harpen.tif

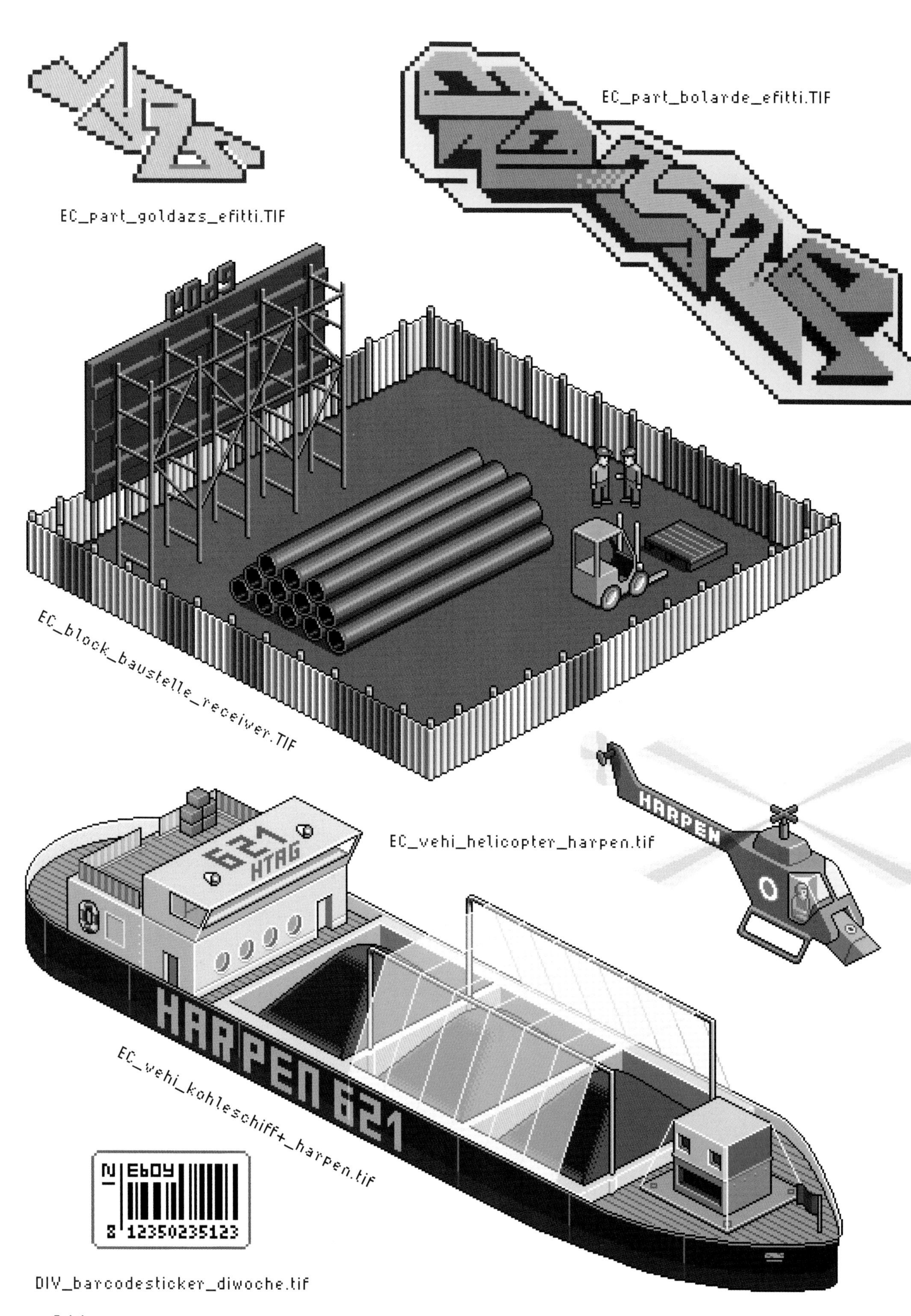

EC_part_goldazs_efitti.TIF

EC_part_bolarde_efitti.TIF

EC_block_baustelle_receiver.TIF

EC_vehi_helicopter_harpen.tif

EC_vehi_kohleschiff+_harpen.tif

DIV_barcodesticker_diwoche.tif

hion_joyboy_008.tif

HION
HOY
BEEFEE
HION - HOY # 36

hion_hoy13.tif

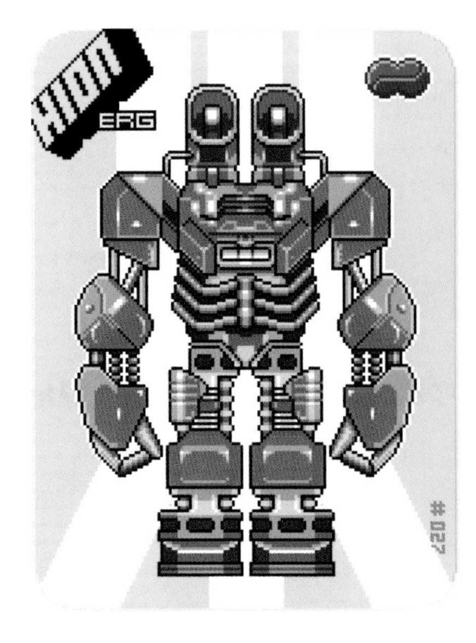

HION_erg_02.tif

GET CITRA

DIV_typo_getcitra_mtv.TIF

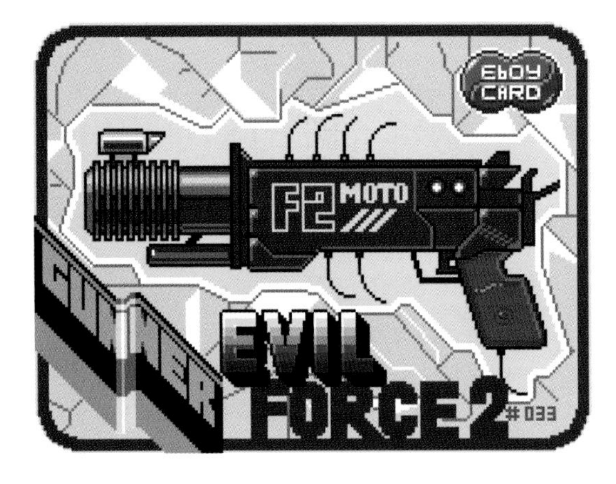

GUNNER_force2_k2.tif

GUNNER_Rop6_03.tif

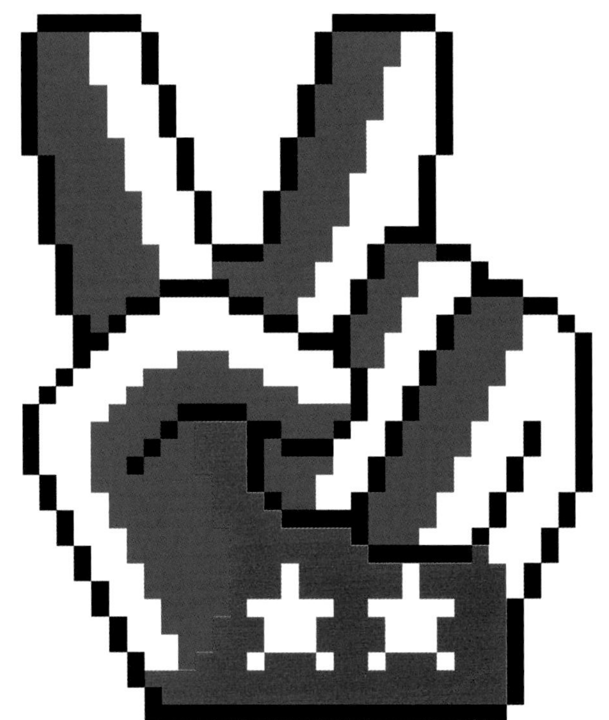

ICO_victory_eboy.tif

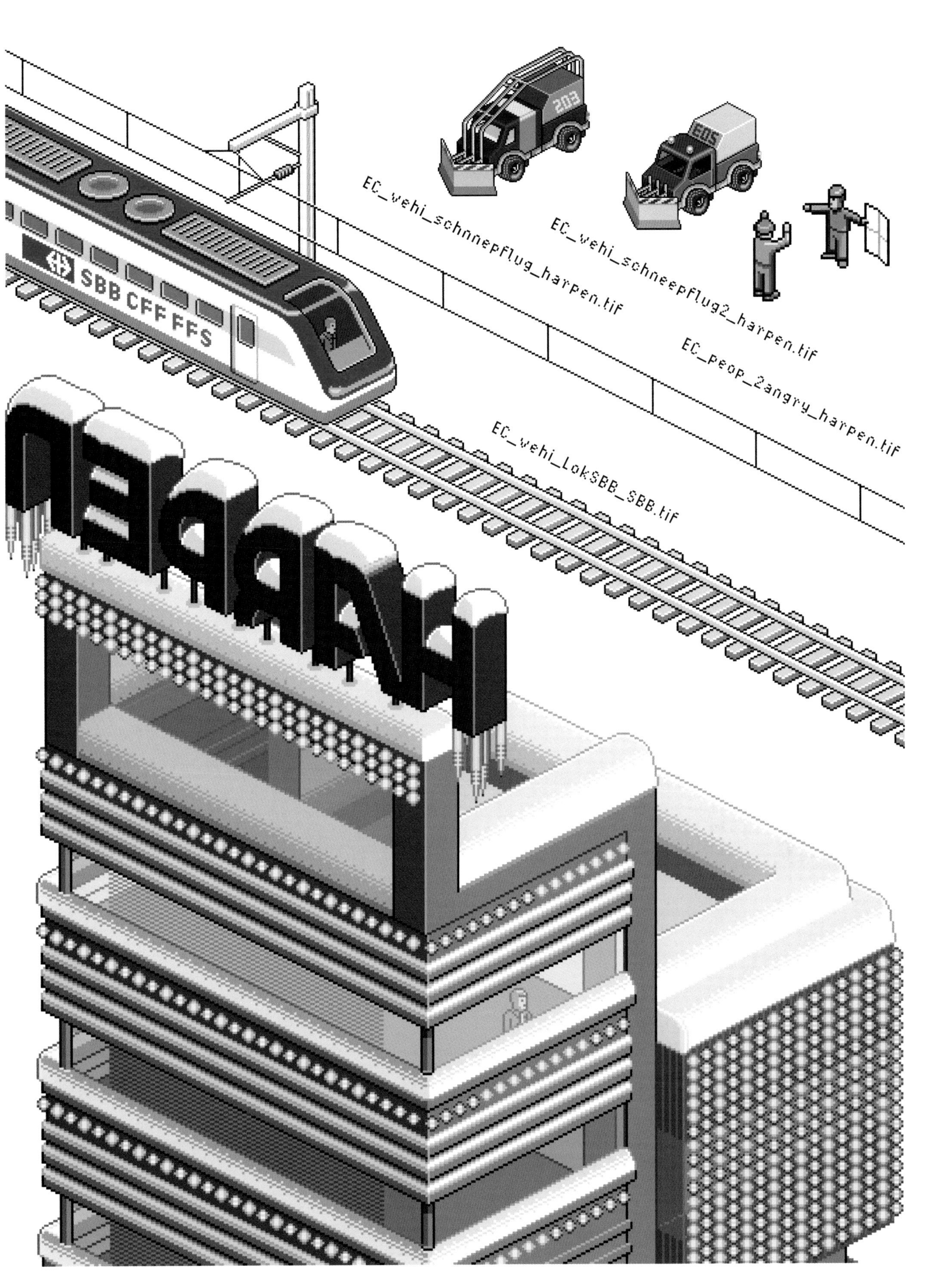

EC_buil_harpensnow_harpen.tif

 <LAX eps 1>

EC_peop_snowman_harpen.tif
EC_part_snowtree_harpen.tif
EC_part_snowtree+_harpen.tif
EC_peop_snowballbig_harpen.tif
EC_peop_skifahrer_harpen.tif
EC_peop_skifahrer_harpen.tif
EC_buil_museumsnow_harpen.tif
EC_part_treesnow_harpen.tif
EC_part_snowpart2_harpen.tif

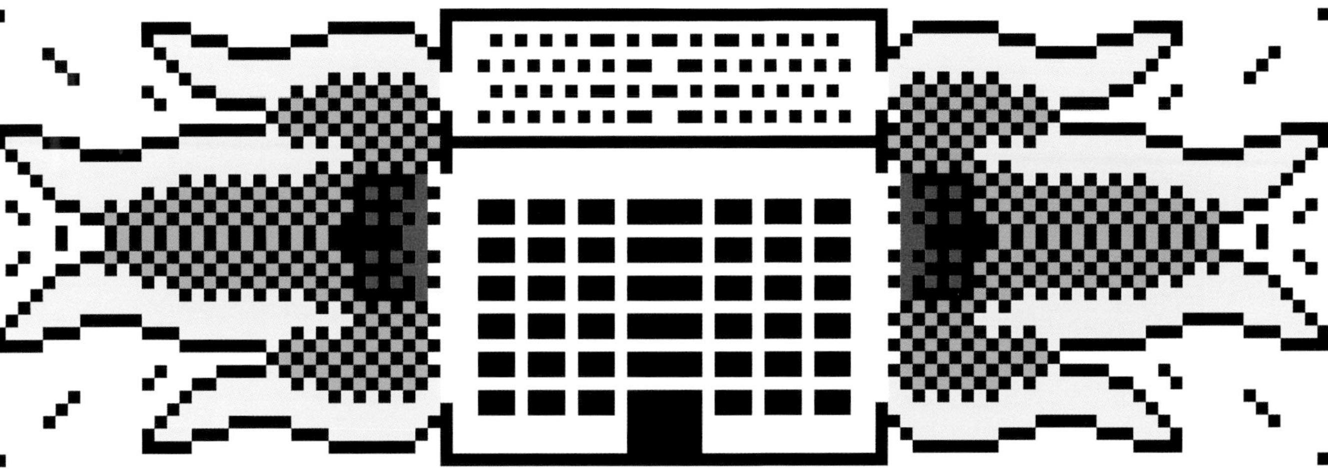

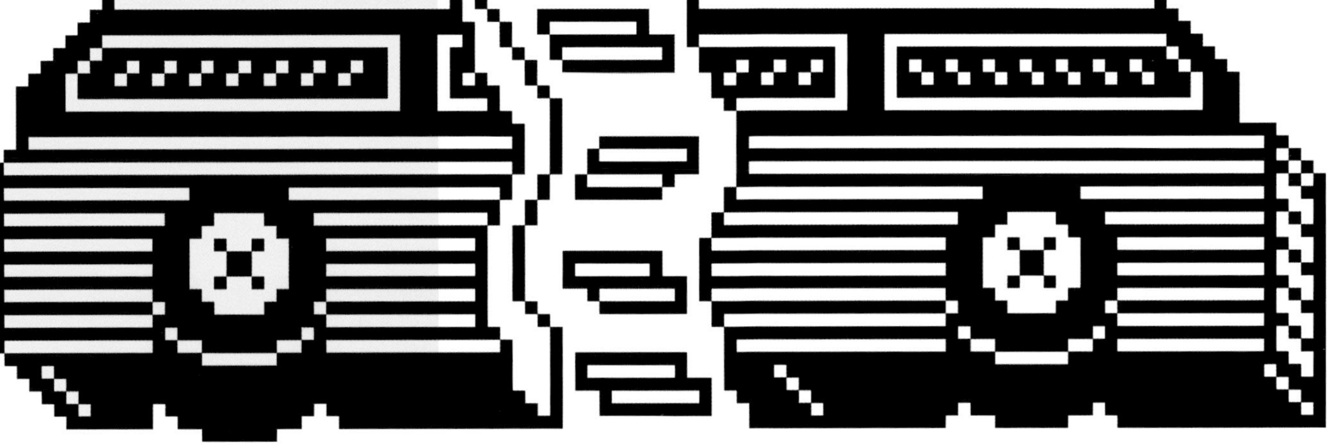

DIV_block_eboy_ad_grooves.tif

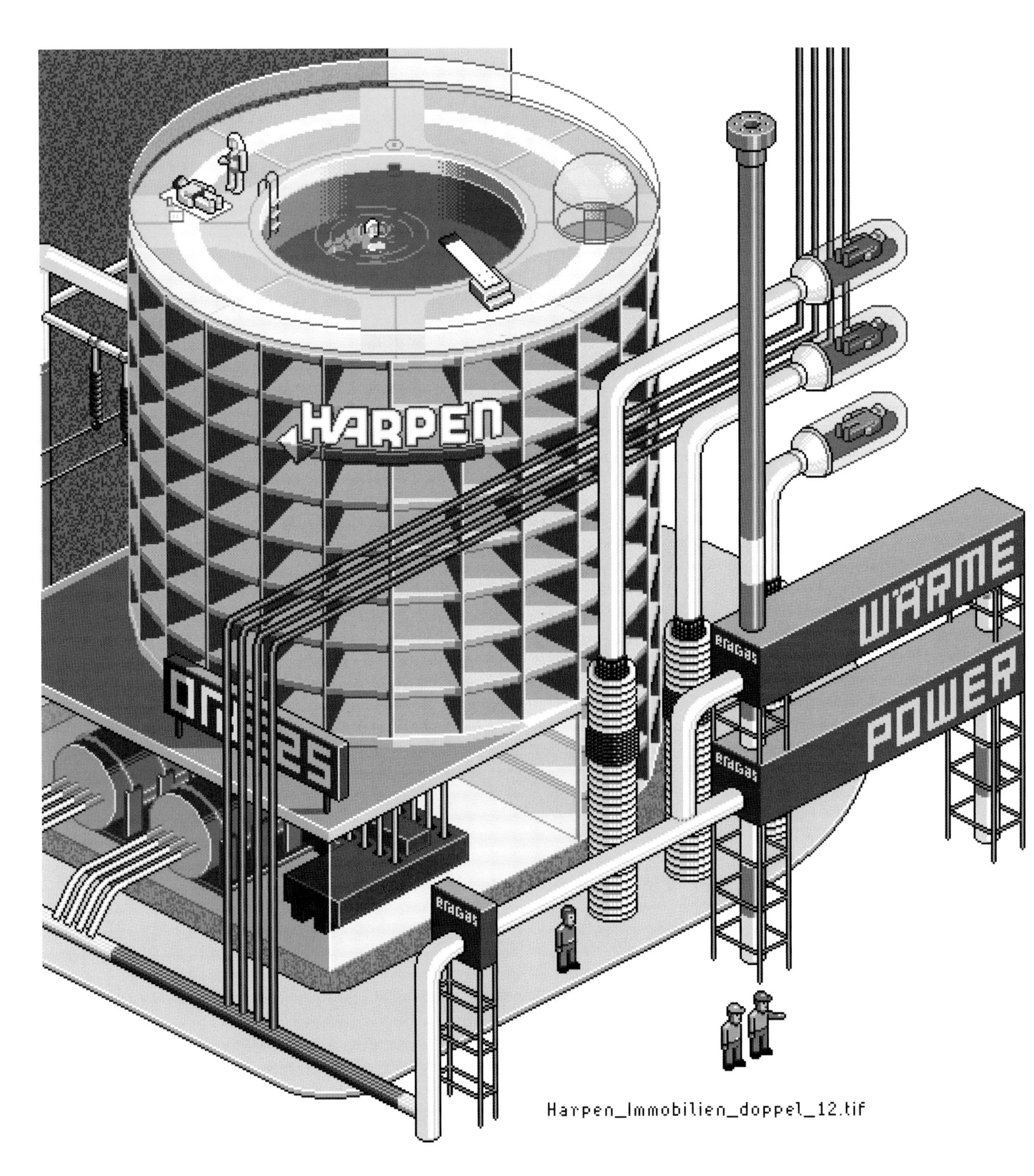

Harpen_Immobilien_doppel_12.tif

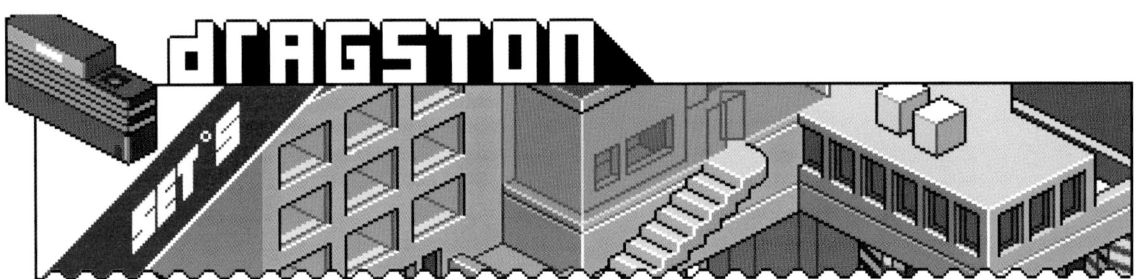

EC_icon_dragston5_eboy.TIF

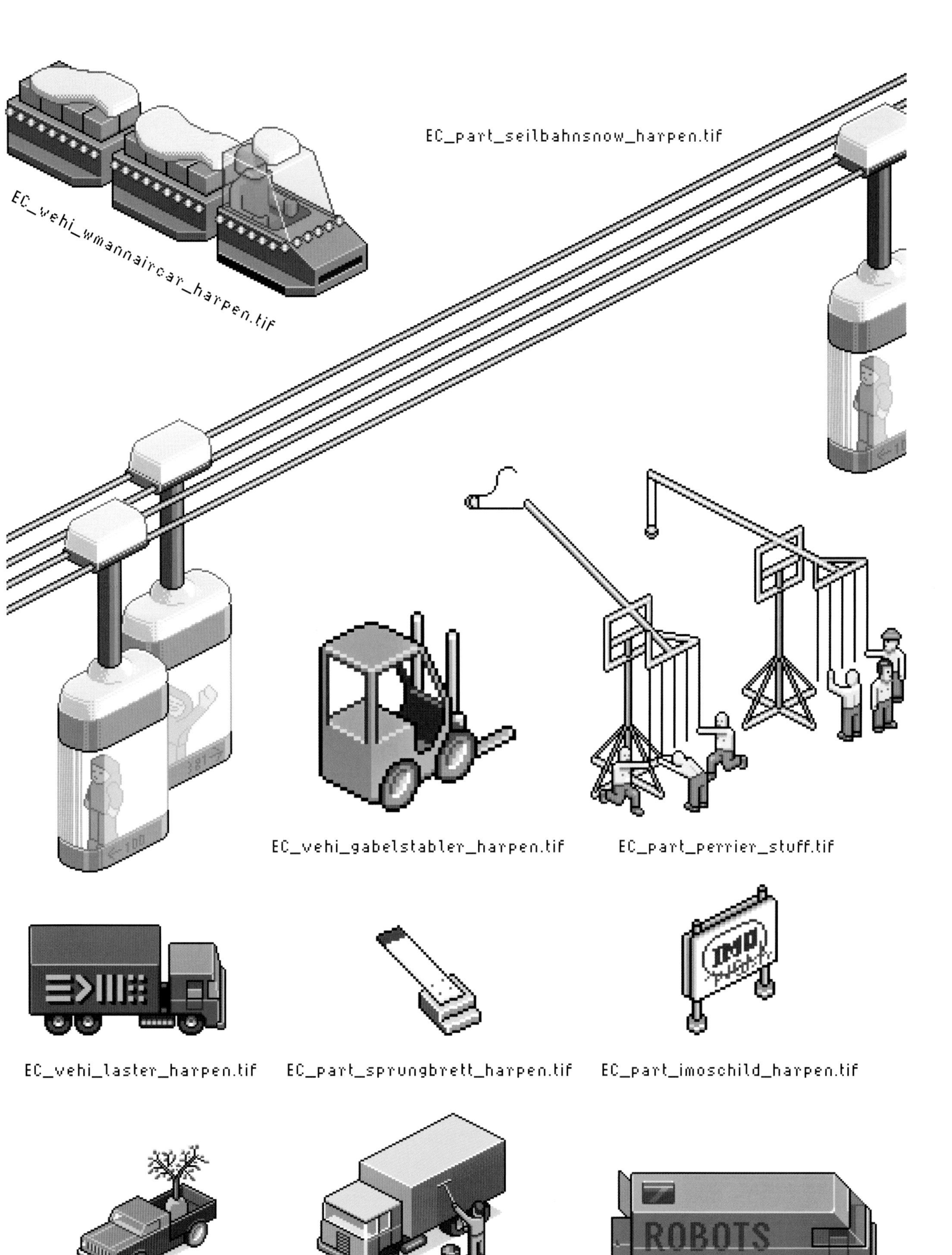

EC_vehi_wmannaircar_harpen.tif

EC_part_seilbahnsnow_harpen.tif

EC_vehi_gabelstabler_harpen.tif

EC_part_perrier_stuff.tif

EC_vehi_laster_harpen.tif

EC_part_sprungbrett_harpen.tif

EC_part_imoschild_harpen.tif

EC_vehi_pickup_harpen.tif

EC_vehi_lkw_harpen.tif

EC_vehi_robolaster_harpen.tif

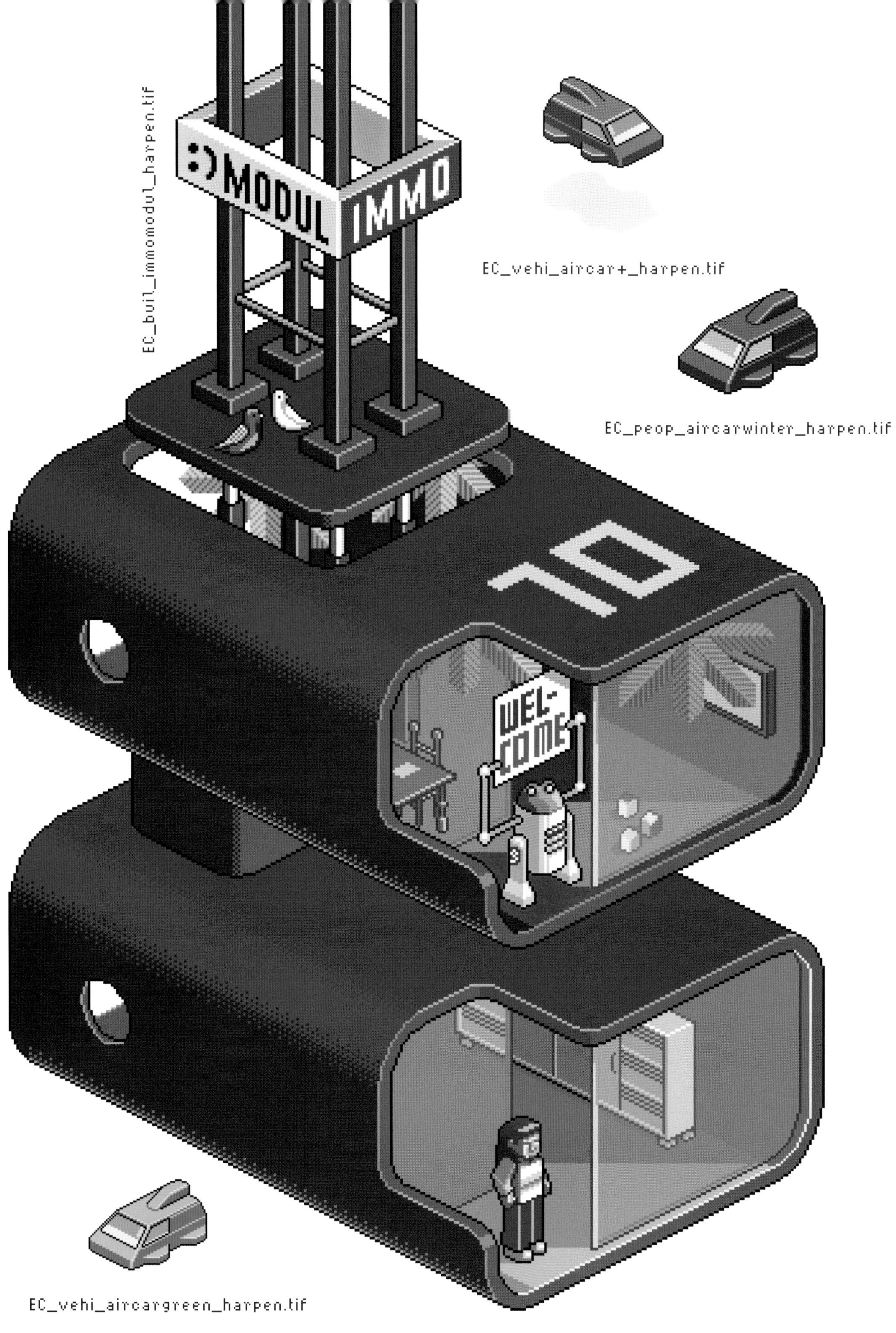

EC_buil_immomodul_harpen.tif

EC_vehi_aircar+_harpen.tif

EC_peop_aircarwinter_harpen.tif

EC_vehi_aircargreen_harpen.tif

DIV_logo_dunkdeep_free.tif
EC_peop_2worker_harpen.tif
EC_peop_telefonier2_harpen.tif
EC_peop_2_harpen.tif
EC_peop_guysampool_harpen.tif
EC_peop_2worker+plan_harpen.tif
EC_vehi_cardirty_harpen.tif
EC_peop_fahnenmann_harpen.tif

STARBUCKS
COFFEE
LUNCH
AT STARBUCKS

<alex hungate EPS> <Jacky EPS copy> <SNAKE EYES FINAL> <JE >NY mag.>

 <pchome_search_22_58dpi.tif>

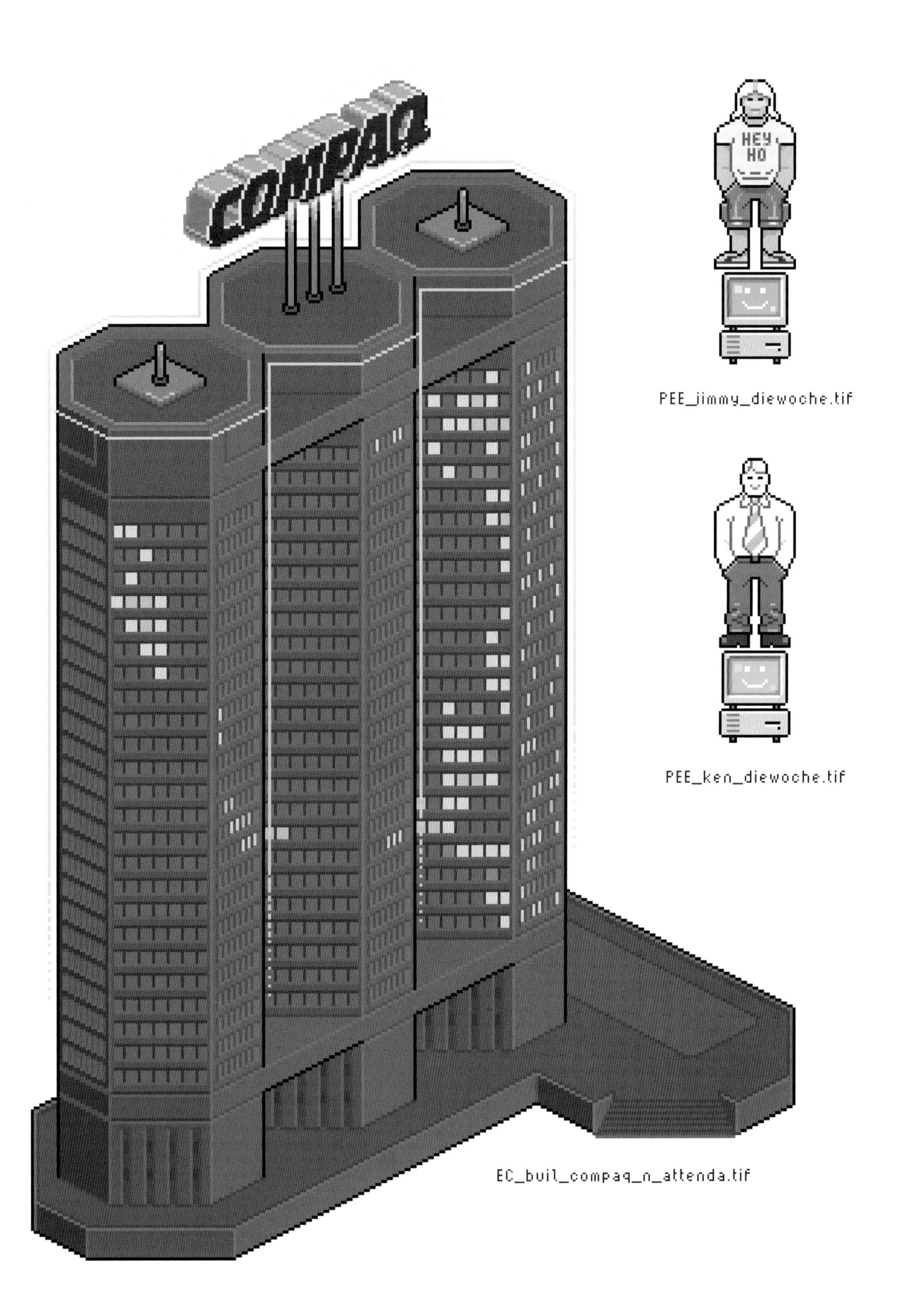

PEE_jimmy_diewoche.tif

PEE_ken_diewoche.tif

EC_buil_compaq_n_attenda.tif

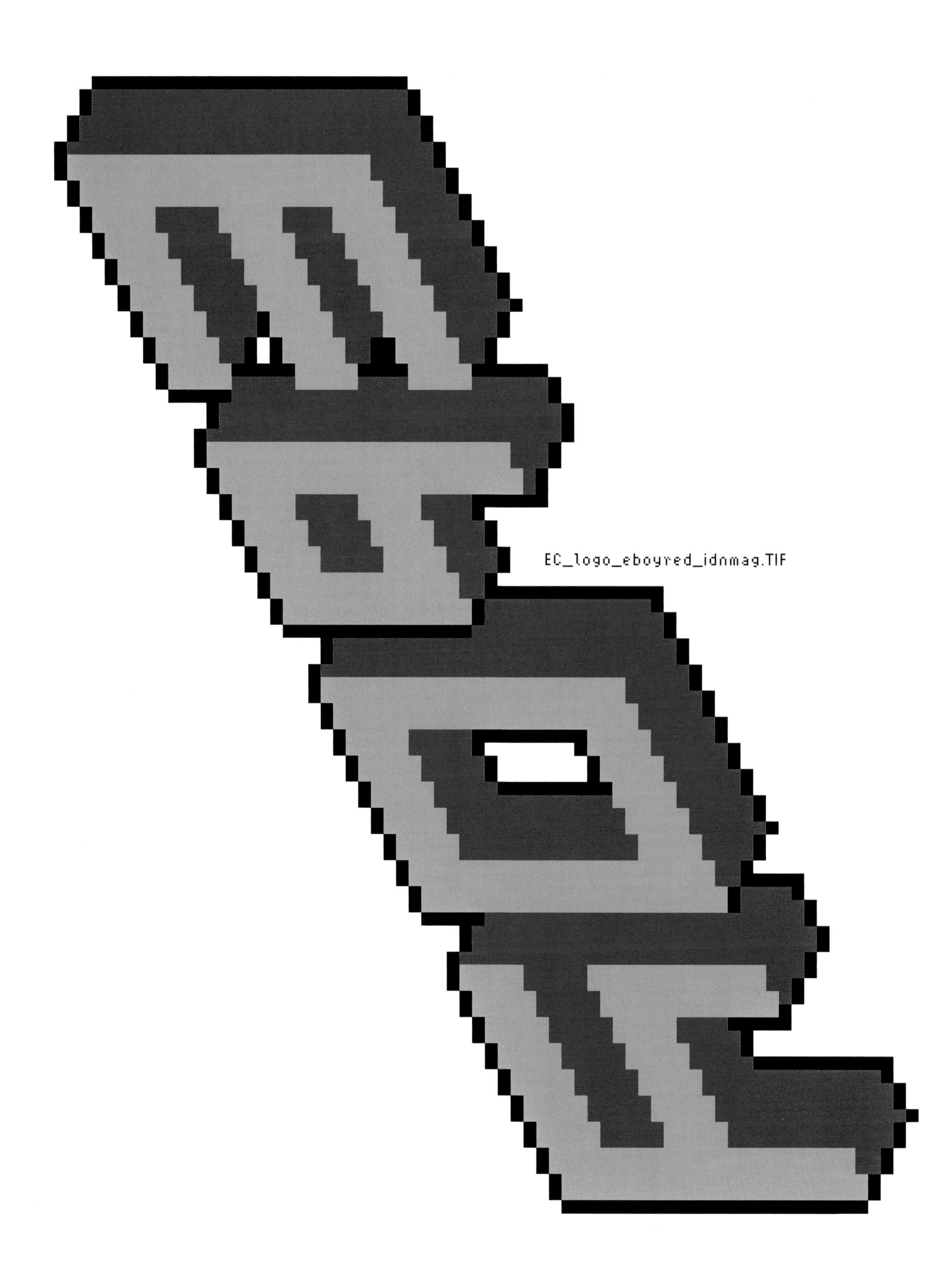

EC_logo_eboyred_idnmag.TIF

happy birthday

eBoy?

swoop_face.tif

swoop_jumper_007.tif

eCars_025.tif

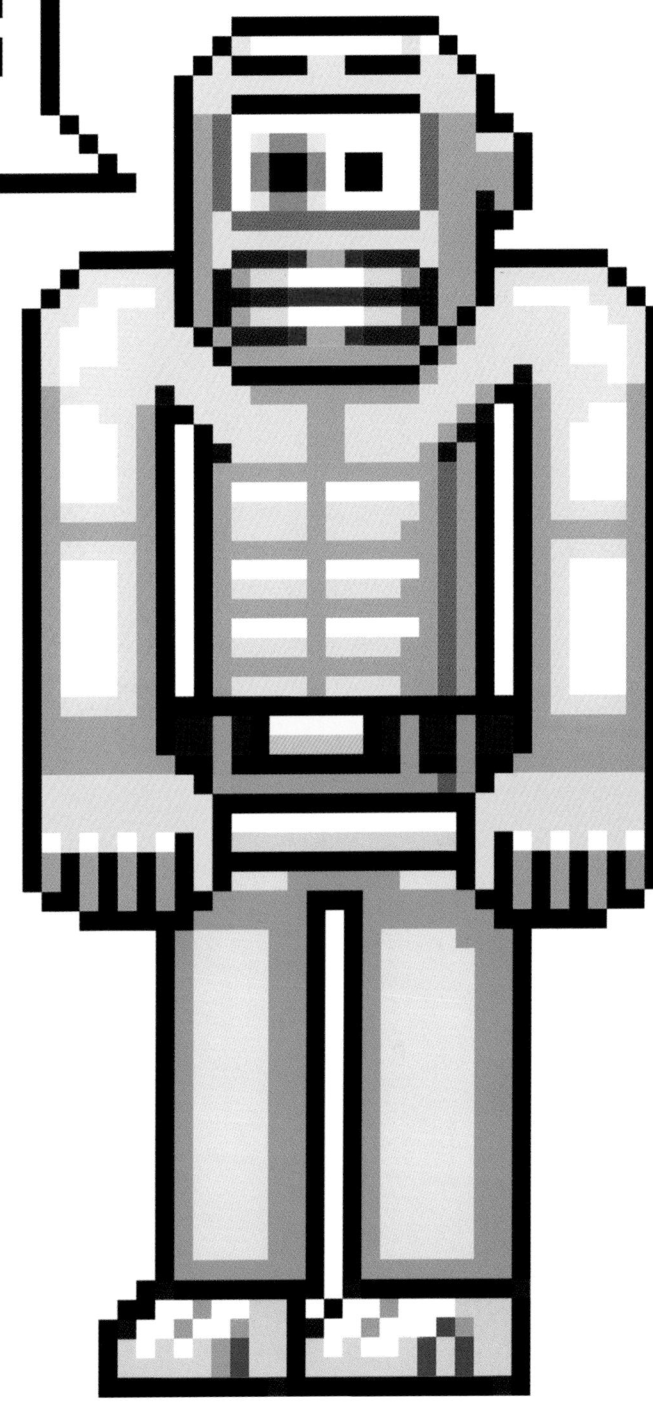

DIV_peop_eboy?_peecol.tif

WEB_part_links2_eboy.tif

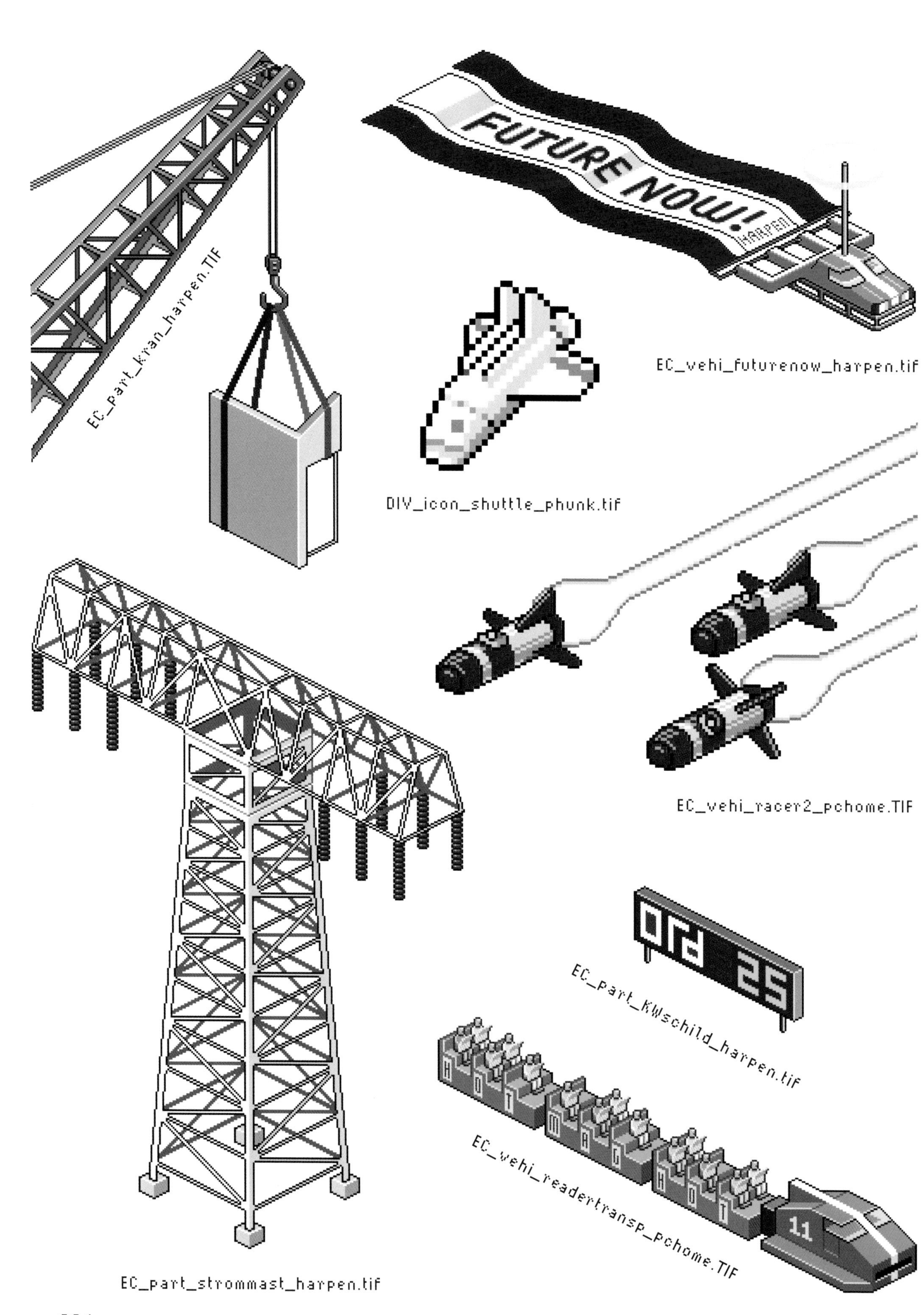

EC_part_kran_harpen.TIF

EC_vehi_futurenow_harpen.tif

DIV_icon_shuttle_phunk.tif

EC_vehi_racer2_pchome.TIF

EC_part_KWschild_harpen.tif

EC_vehi_readertransp_pchome.TIF

EC_part_strommast_harpen.tif

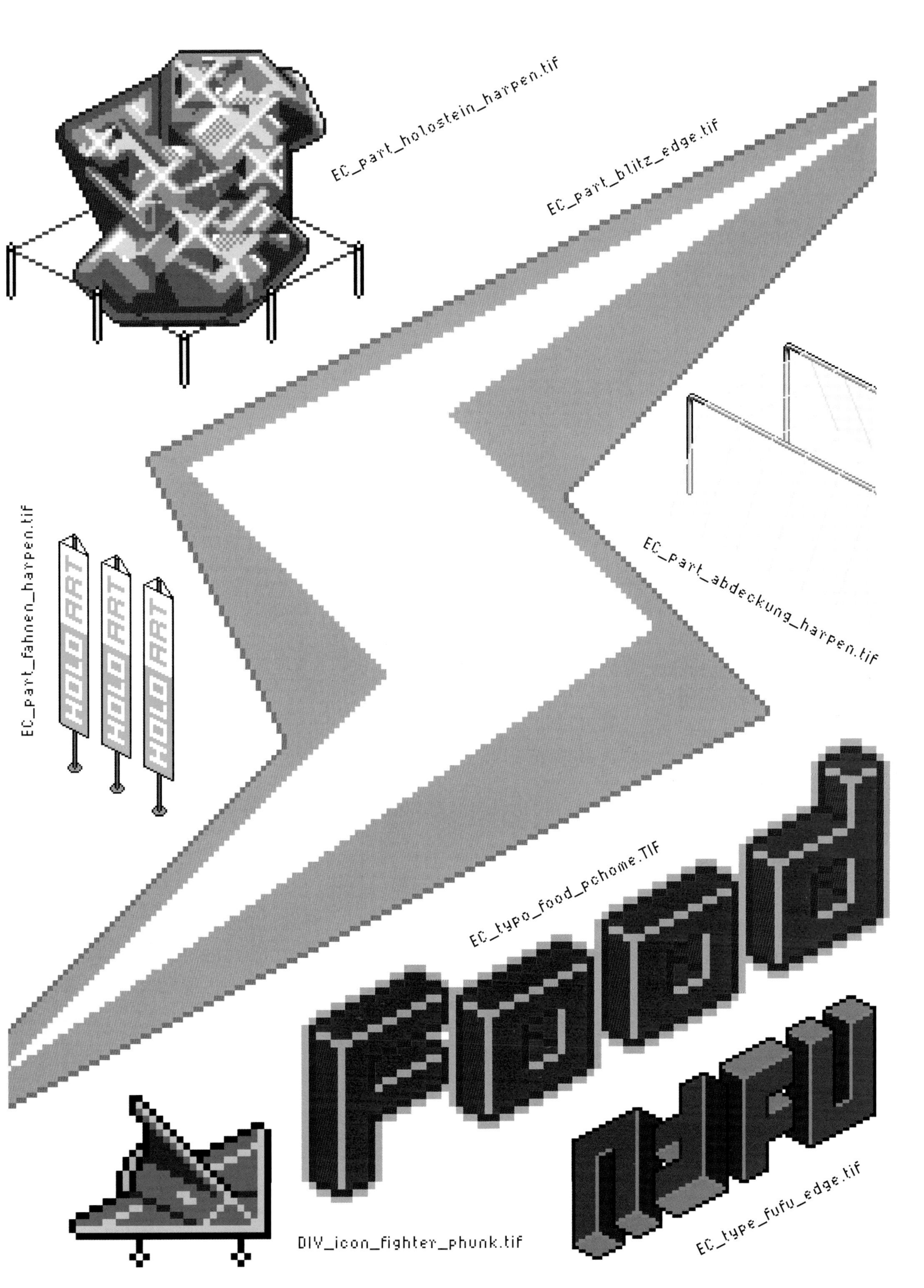
EC_part_holostein_harpen.tif
EC_part_blitz_edge.tif
EC_part_fahnen_harpen.tif
HOLOART
HOLOART
HOLOART
EC_part_abdeckung_harpen.tif
EC_typo_food_pchome.TIF
DIV_icon_fighter_phunk.tif
EC_type_fufu_edge.tif

DIV_face_tense_iturf.tif

DIV_face_spacedout_iturf.tif

DIV_face_estatic_iturf.tif

DIV_part_cloud_iturf.tif

DIV_face_mischievous_iturf.tif

DIV_face_lustful_iturf.tif

DIV_face_17.1_iturf.tif

DIV_face_confused_iturf.tif

DIV_face_10_scull_iturf.tif

DIV_face_11.1_iturf.tif

DIV_part_sump_iturf.tif

DIV_part_ball_iturf.tif

DIV_part_2flashes_iturf.tif

DIV_part_skateboard_iturf.tif

 <mary at night .eps copy> <BUSTY 2 eps+++ > <bw gal like nana> <NEWWW BEACH GIRl eps cop

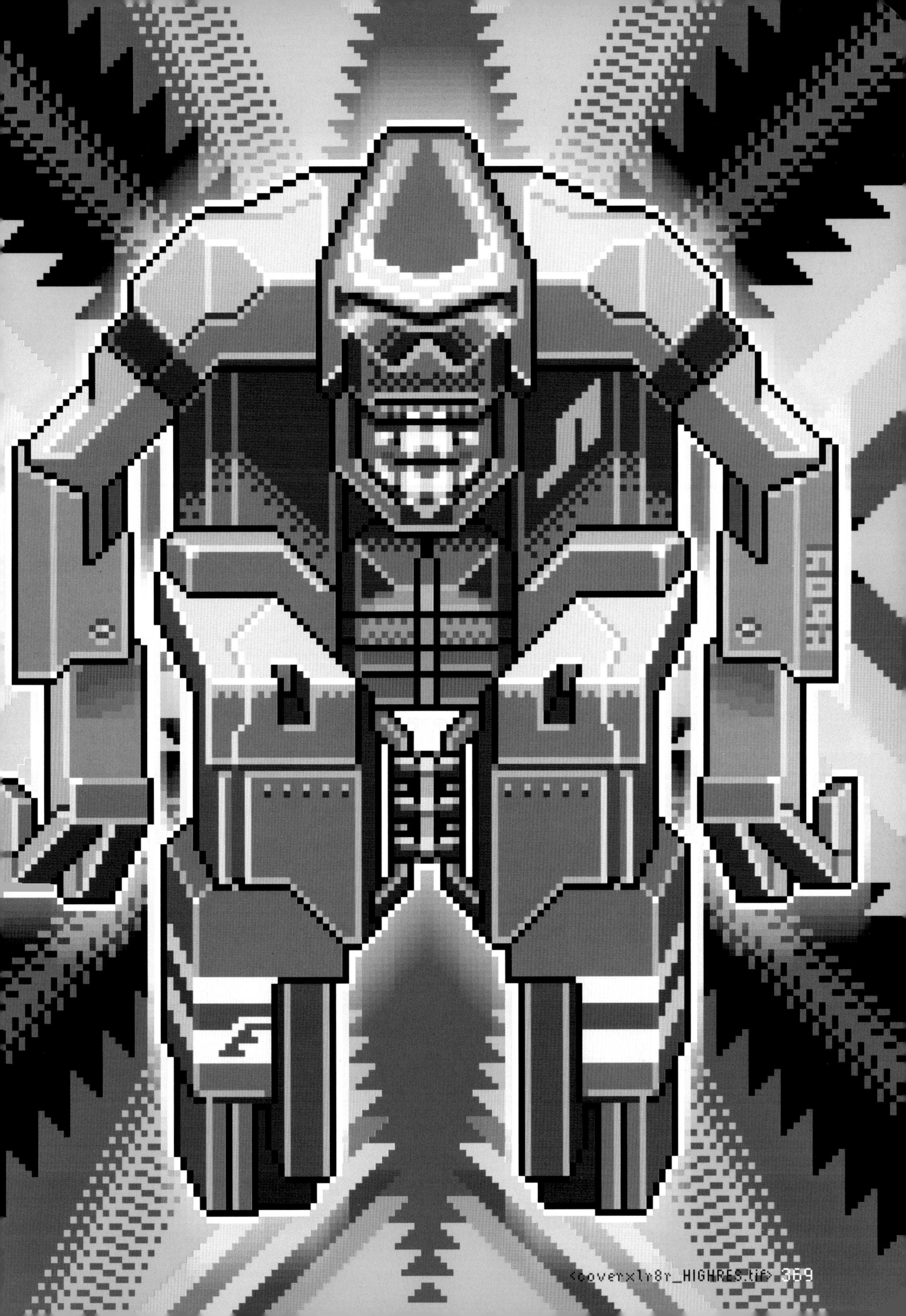

<coverxlr8r_HIGHRES.tif>

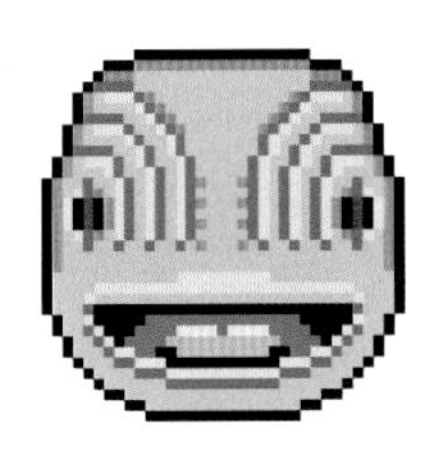

DIV_face_13.1_iturf.tif

DIV_face_15.2_iturf.tif

DIV_face_07.2_iturf.tif

DIV_face_01.1_iturf.tif

DIV_face_19_iturf.tif

DIV_face_19.1_iturf.tif

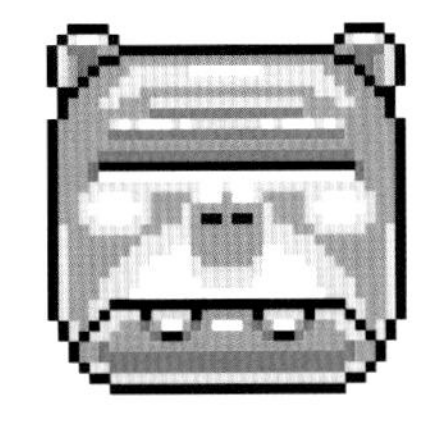

DIV_face_12.1_iturf.tif

DIV_face_07.1_iturf.tif

DIV_face_02.1_iturf.tif

DIV_face_20.2_iturf.tif

DIV_face_14_iturf.tif

DIV_face_10.2_scull_iturf.tif

DIV_face_09_iturf.tif

DIV_face_16_iturf.tif

DIV_face_08_iturf.tif

DIV_face_05.2_iturf.tif

DIV_face_04.1_iturf.tif

DIV_face_grouchy_iturf.tif

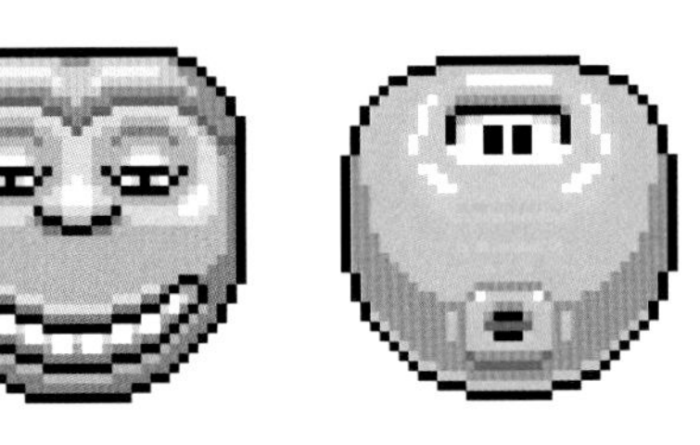

DIV_face_femalehappy_iturf.tif

DIV_face_08.1_iturf.tif

DIV_face_19.2_iturf.tif

DIV_face_04_iturf.tif

DIV_face_18_iturf.tif

DIV_face_18.1_iturf.tif

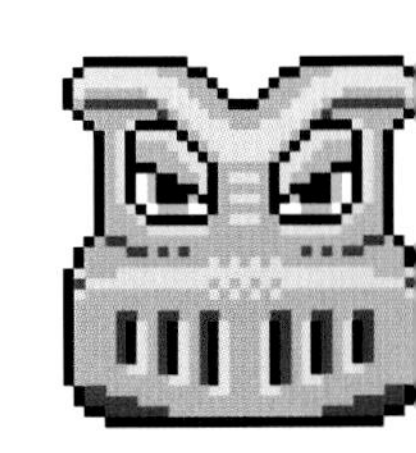

DIV_face_15.1_iturf.tif

DIV_face_happy_iturf.tif

DIV_face_14.2_iturf.tif

DIV_face_18.3_iturf.tif

DIV_face_11.2_iturf.tif

DIV_face_13.2_iturf.tif

GG_Arnette_02.tif

GG_Denia_01.tif

GG_Zoel_01.tif

GG_Mai_02tif

GG_Mary_01.tif

GG_Konia_01.tif

ICON_krokodil_hidden.tif

ICON_batman_hidden.tif

ICON_wurm01_hidden.tif

ICON_bones_hidden.tif

ICON_auto/opfer_hidden.tif

ICON_rauchauto_hidden.tif

ICON_bones02_hidden.tif

ICON_tier01_hidden.tif

ICON_auto/opfer_hidden.tif

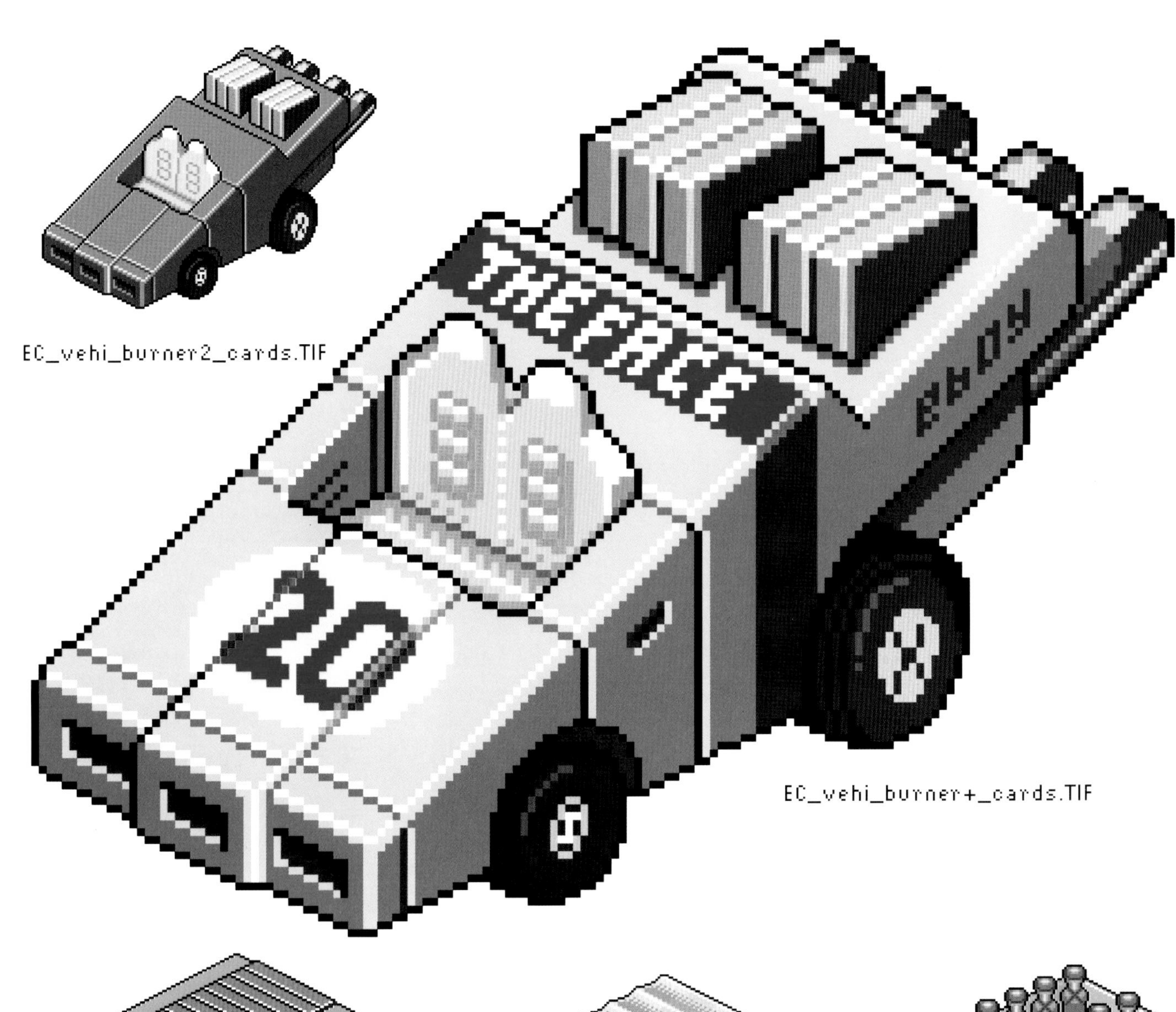

EC_vehi_burner2_cards.TIF

EC_vehi_burner+_cards.TIF

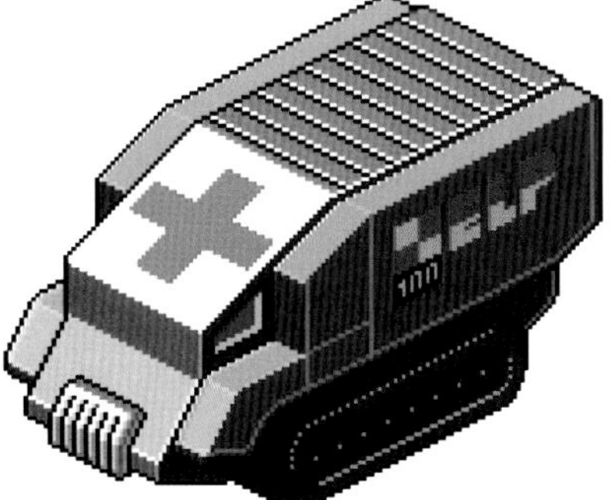

EC_vehi_helper+_cards.TIF

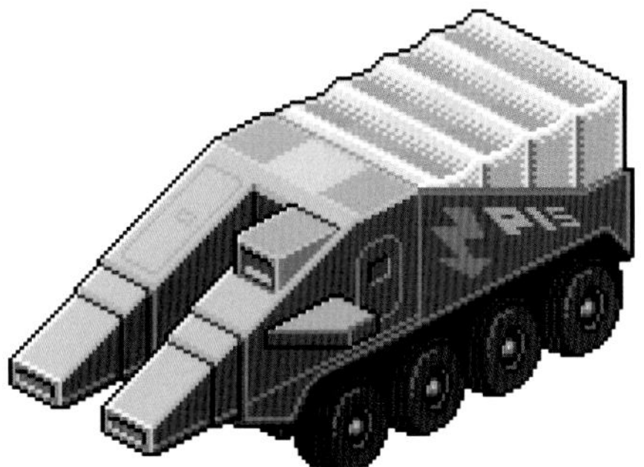

EC_vehi_terror+_cards.TIF

EC_vehi_storer+_cards.TIF

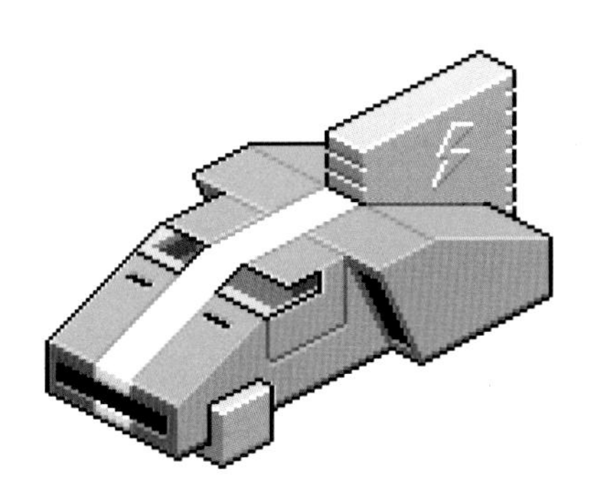

EC_vehi_superF1_cards.TIF

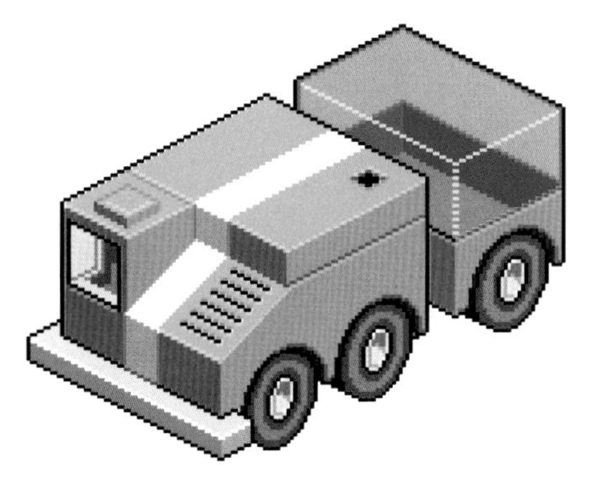

EC_vehi_proto2_cards.TIF

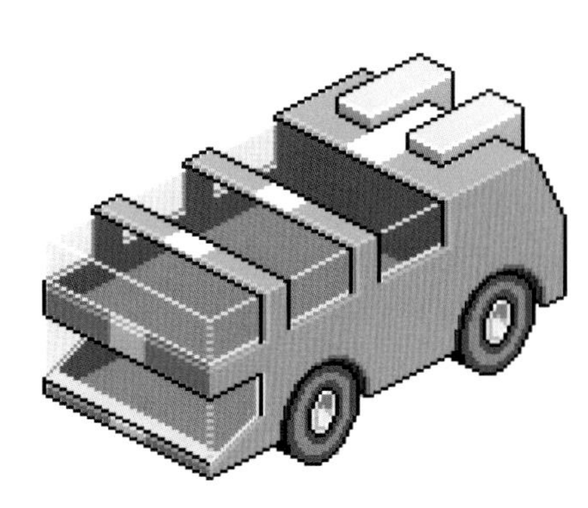

EC_vehi_proto8_cards.TIF

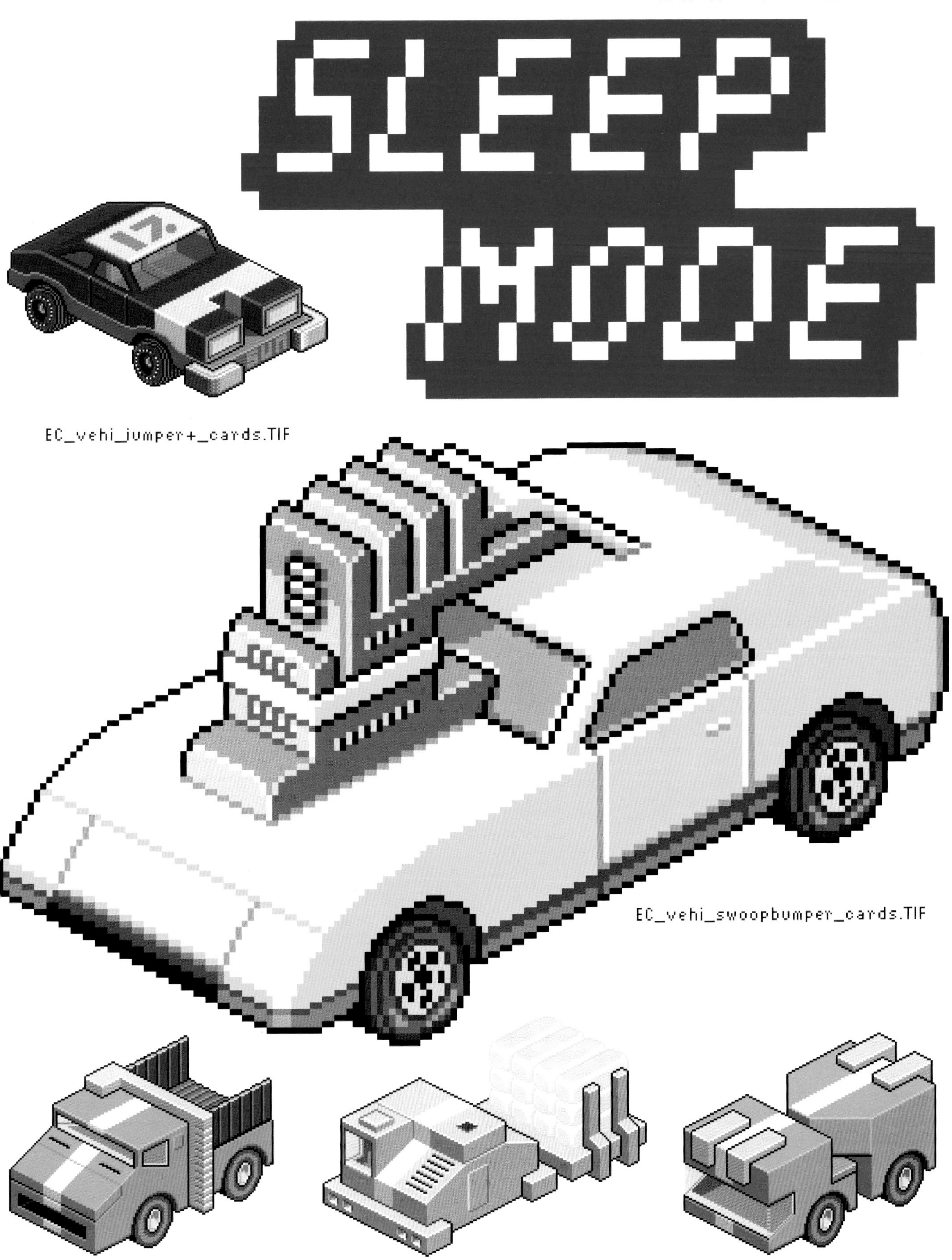

DIV_typo_sleepmode2_mtv.TIF

EC_vehi_jumper+_cards.TIF

EC_vehi_swoopbumper_cards.TIF

EC_vehi_proto6_cards.TIF

EC_vehi_swooptransp_cards.TIF

EC_vehi_proto7_cards.TIF

DIV_logo_eboycard2_cards.TIF

HOT
PROOT
COLLECTIBLES
BY EBOY

DIV_typo_hotproot_cards.TIF

DIV_typo_evil2_cards.TIF

DIV_logo_cardslilac_cards.TIF

NUDITY!
COLLECTIBLES
BY EBOY

DIV_typo_nud2_cards.TIF

DIV_typo_superF_cards.tif

DIV_logo_icecard_cards.TIF

DIV_part_28face_cards.TIF

DIV_typo_scripthot_cards.TIF

HYPE

DIV_typo_hype4c_cards.TIF

ROB.6
FAST LEVEL

DIV_typo_rob6hype_cards.TIF

DIV_typo_f2moto_cards.TIF

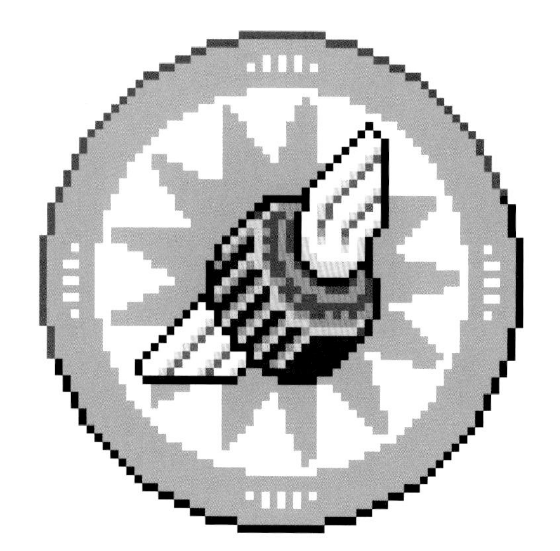

DIV_logo_wheel3_cards.TIF

FORCE 2

DIV_typo_force2red_cards.TIF

PEEL 22

DIV_typo_peelcardlogo_cards.TIF

EC_buil_lager_alex.tif

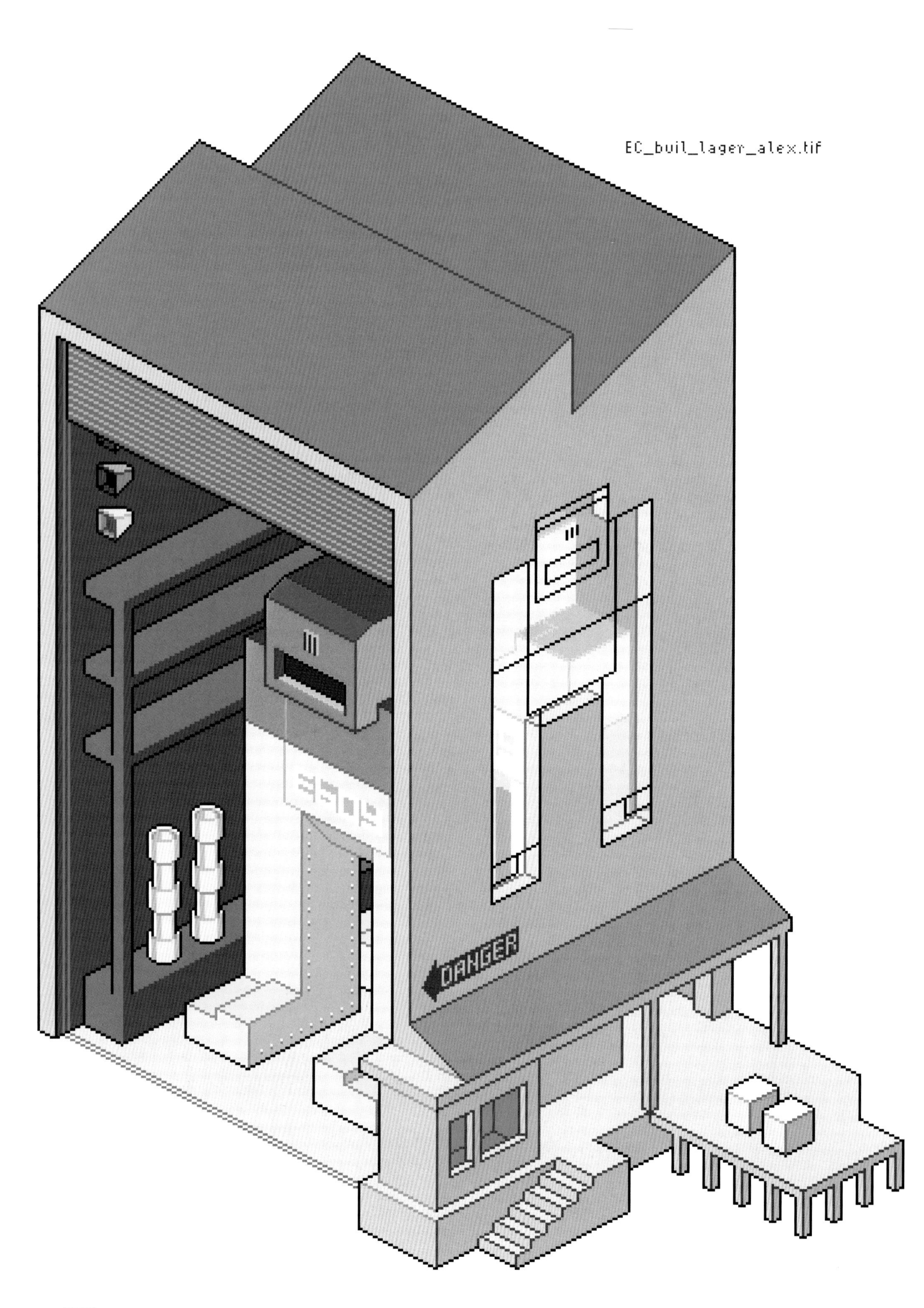

PROOT_Teon_08.tif

PROOT_Govor_k16.tif

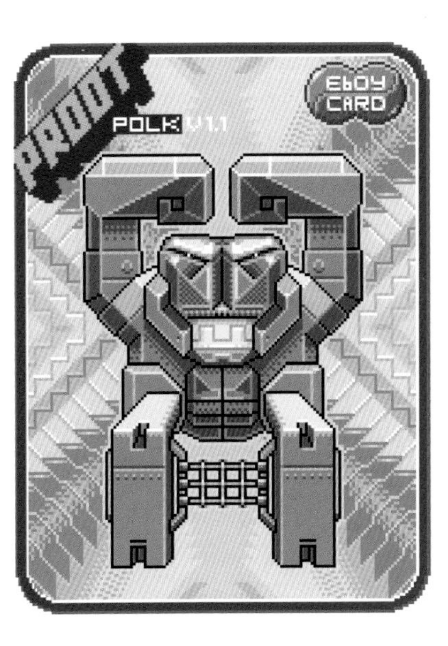

PROOT_Polk_07.tif

<WEB_pict_popuptoyhelp1_eboy.tif>

 <familie sauerteig update eps>

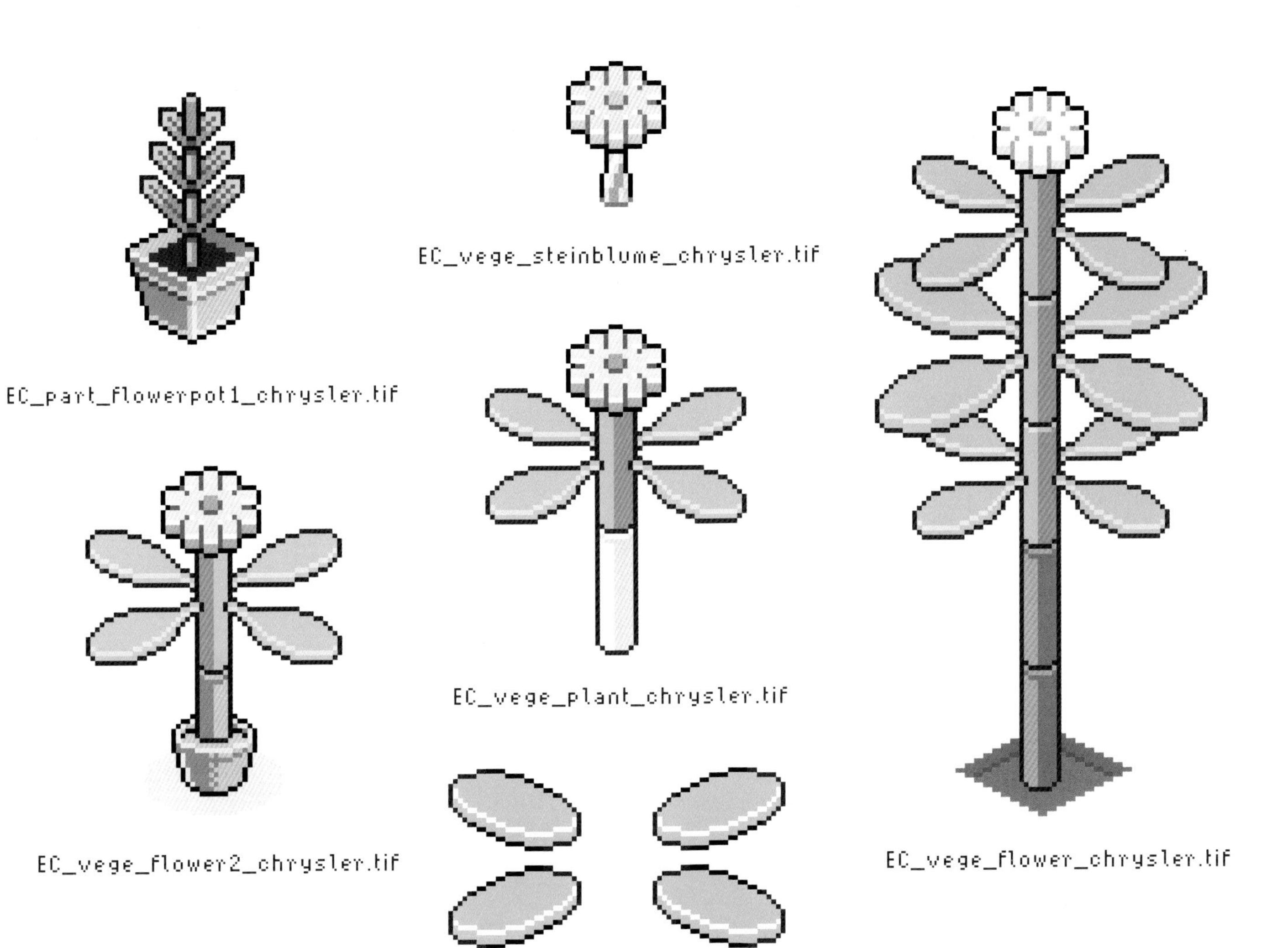
EC_part_flowerpot1_chrysler.tif

EC_vege_steinblume_chrysler.tif

EC_vege_plant_chrysler.tif

EC_vege_flower2_chrysler.tif

EC_part_bar_chrysler.tif

EC_vege_flower_chrysler.tif

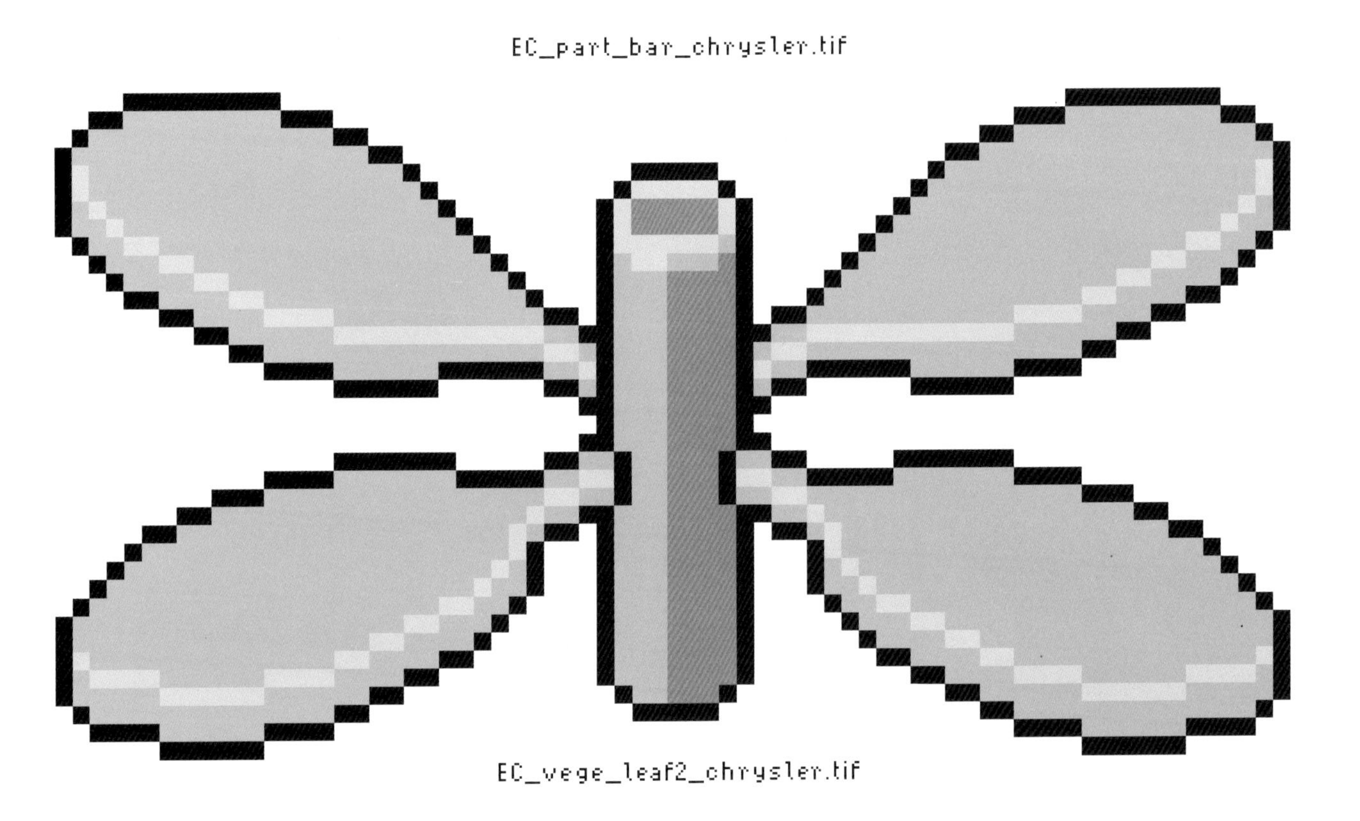
EC_vege_leaf2_chrysler.tif

EC_virus_bouncer_geo.tif
WEB_icon_ogdigscone_eboy.TIF
part_pfeil_SBB.tif
DIV_typo_hionfinhoon_face.tif
EC_virus_lilaflipper_geo.tif

DIV_logo_ecity_gameover.tif

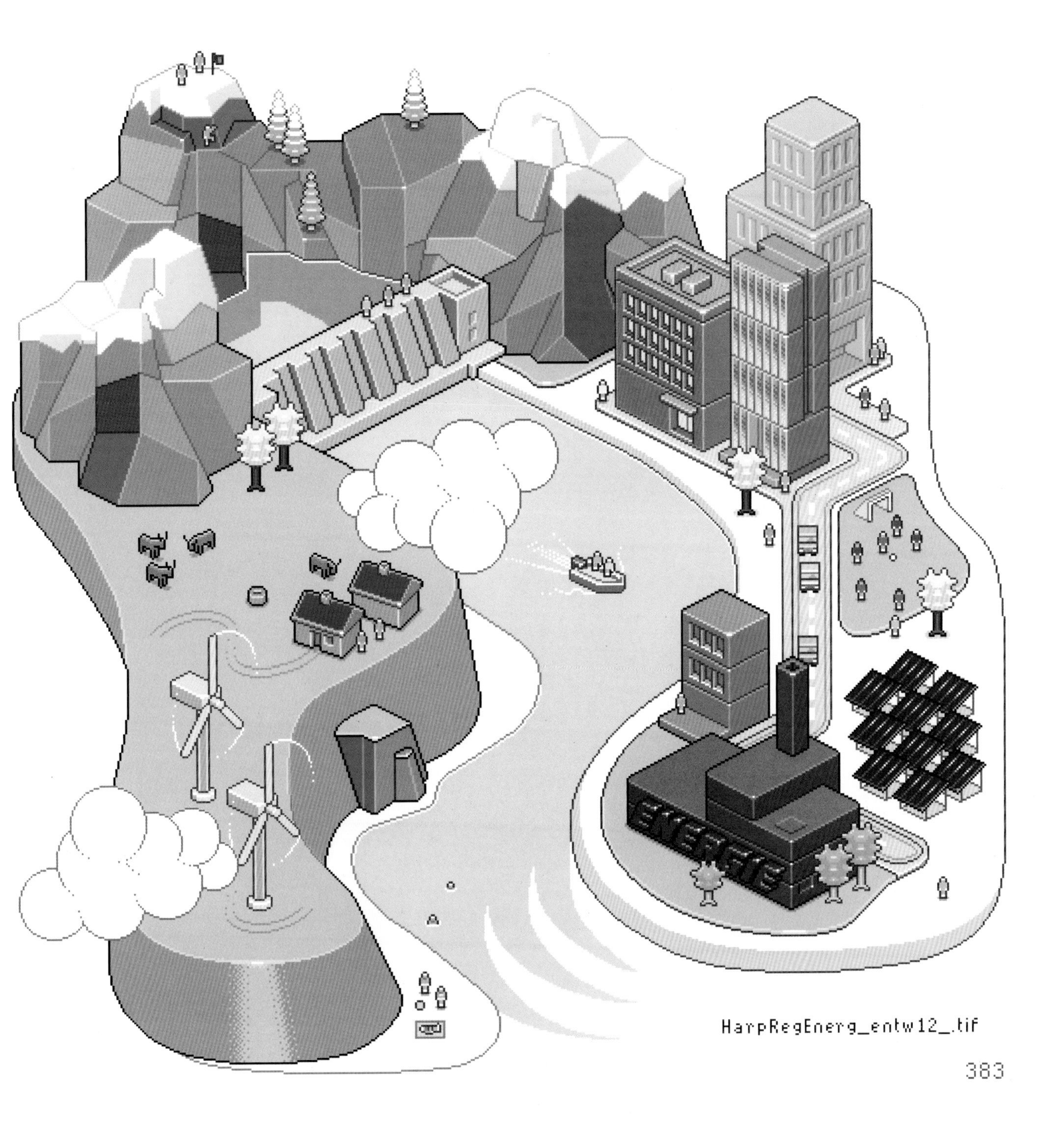

HarpRegEnerg_entw12_.tif

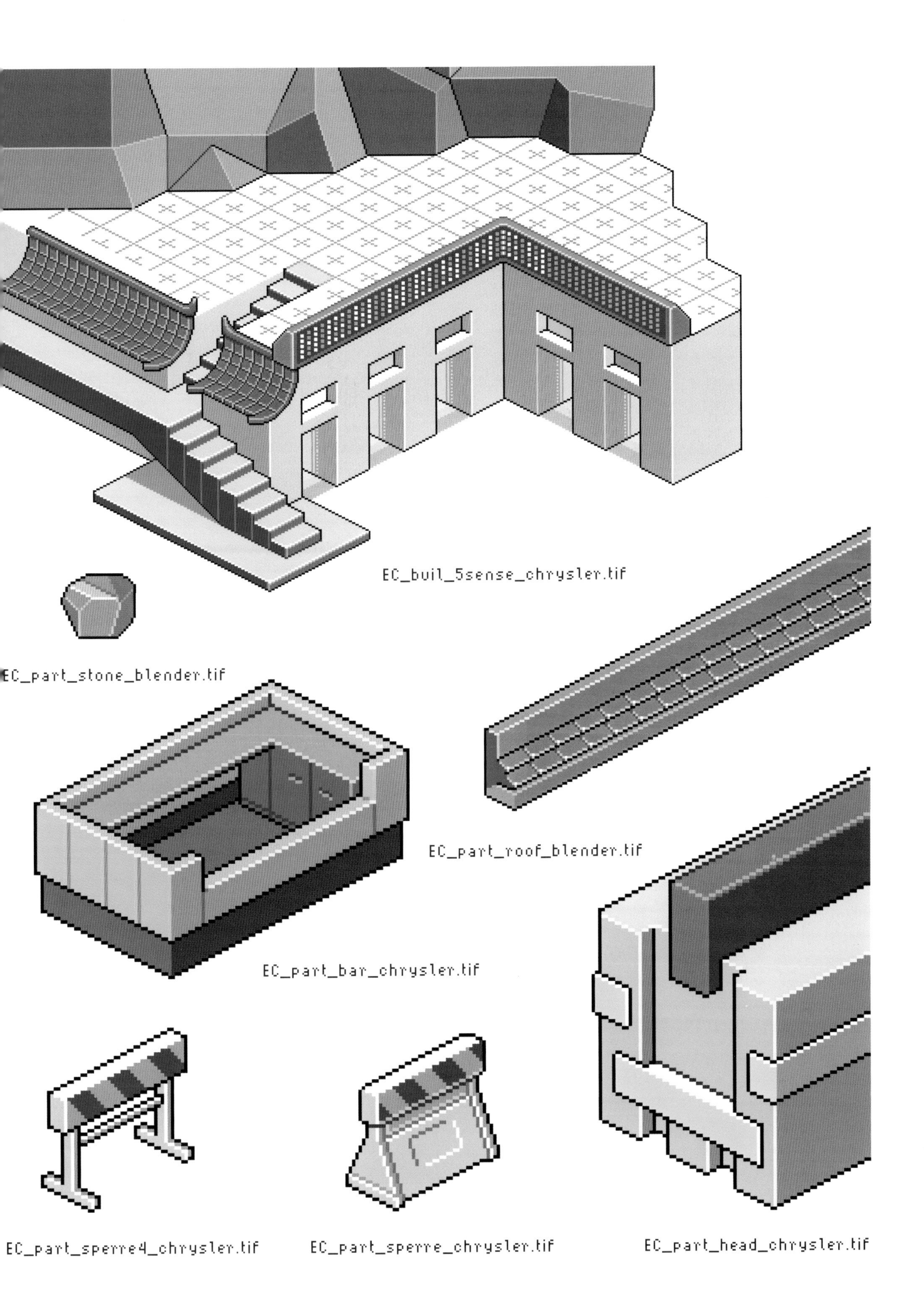

EC_buil_5sense_chrysler.tif

EC_part_stone_blender.tif

EC_part_roof_blender.tif

EC_part_bar_chrysler.tif

EC_part_sperre4_chrysler.tif

EC_part_sperre_chrysler.tif

EC_part_head_chrysler.tif

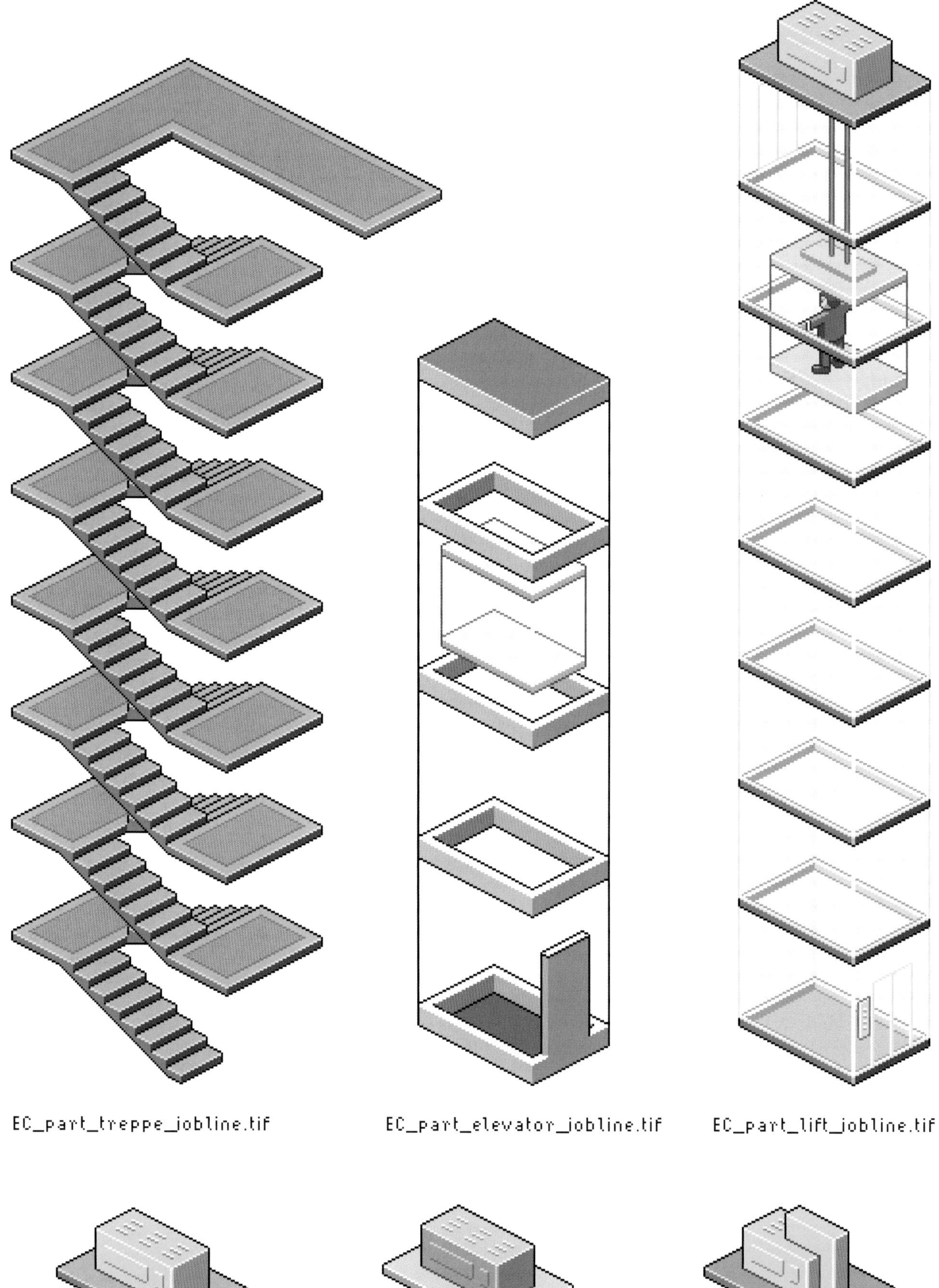

EC_part_treppe_jobline.tif

EC_part_elevator_jobline.tif

EC_part_lift_jobline.tif

EC_part_gelbebox_jobline.tif

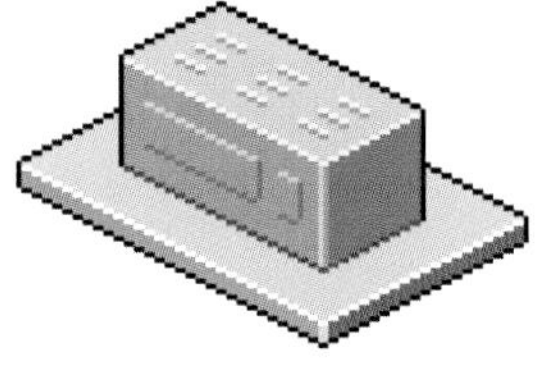

EC_part_lilabox_jobline.tif

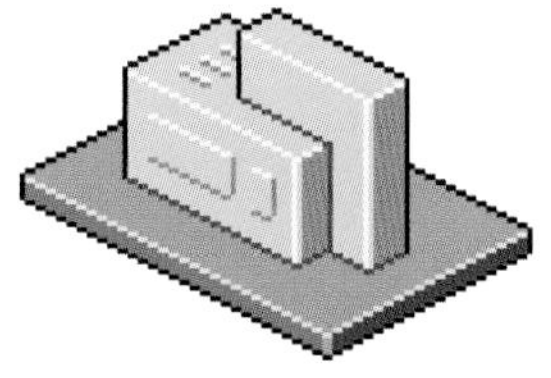

EC_part_gelbebox1_jobline.tif

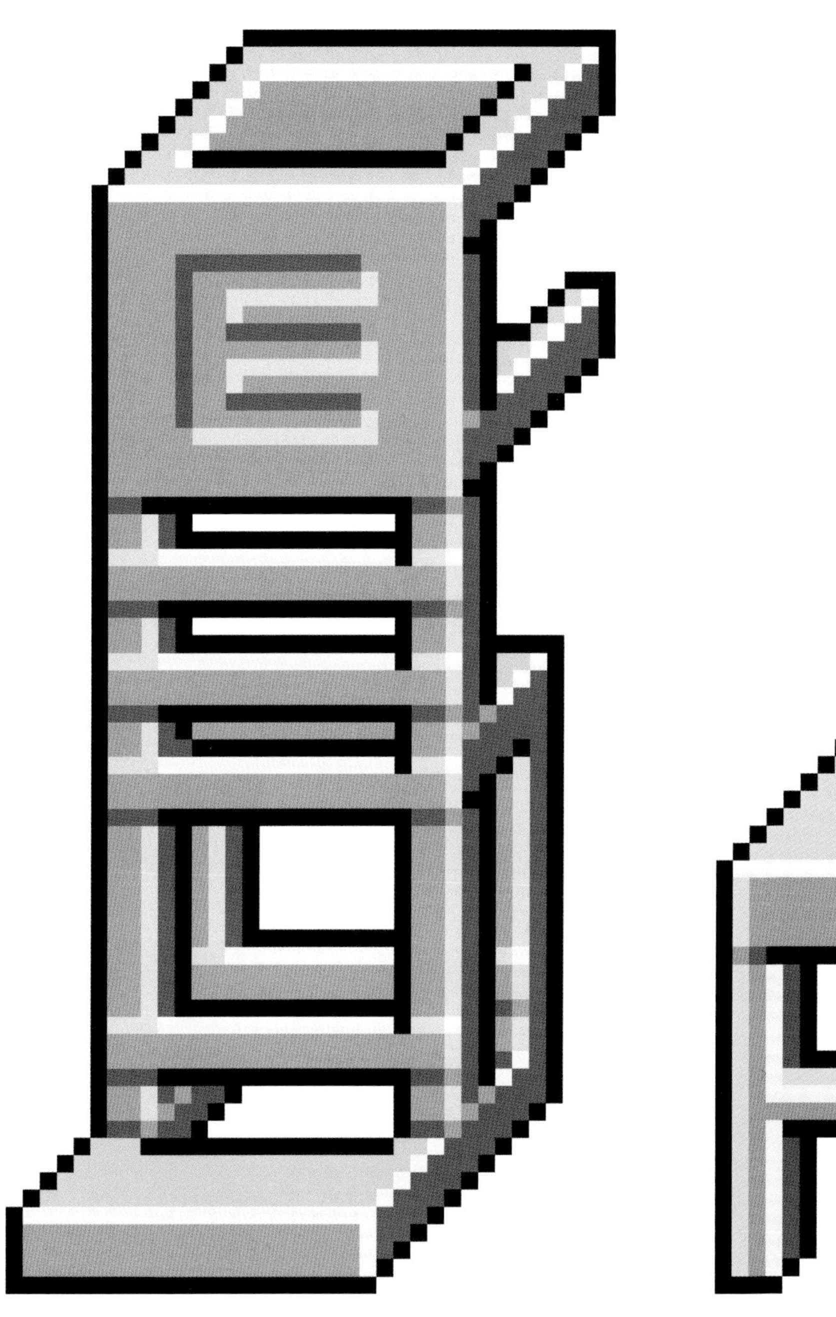

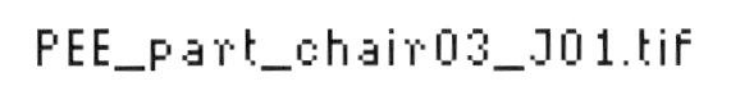

PEE_part_chair03_J01.tif

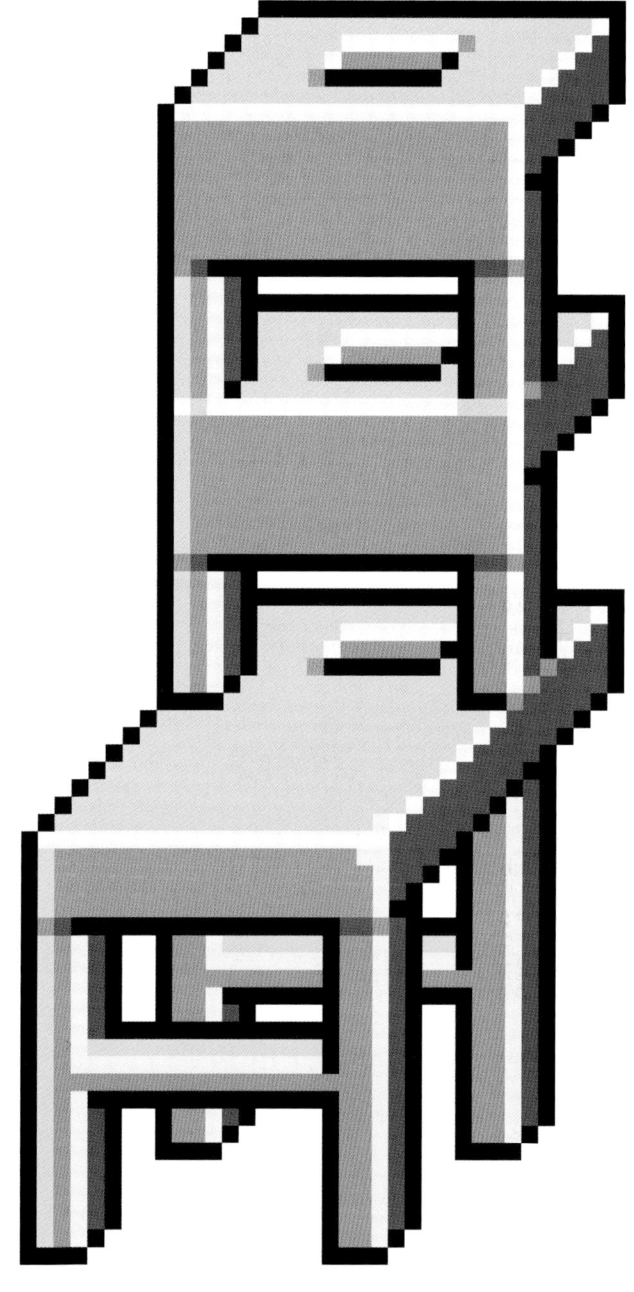

PEE_part_chair05_J01.tif

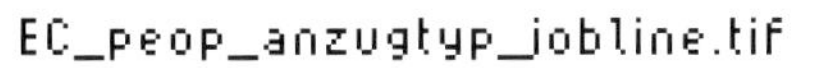

EC_peop_anzugtyp_jobline.tif

EC_part_flag_harpen.tif

EC_peop_womanbig_harpen.tif

EC_part_r2d2_harpen.tif

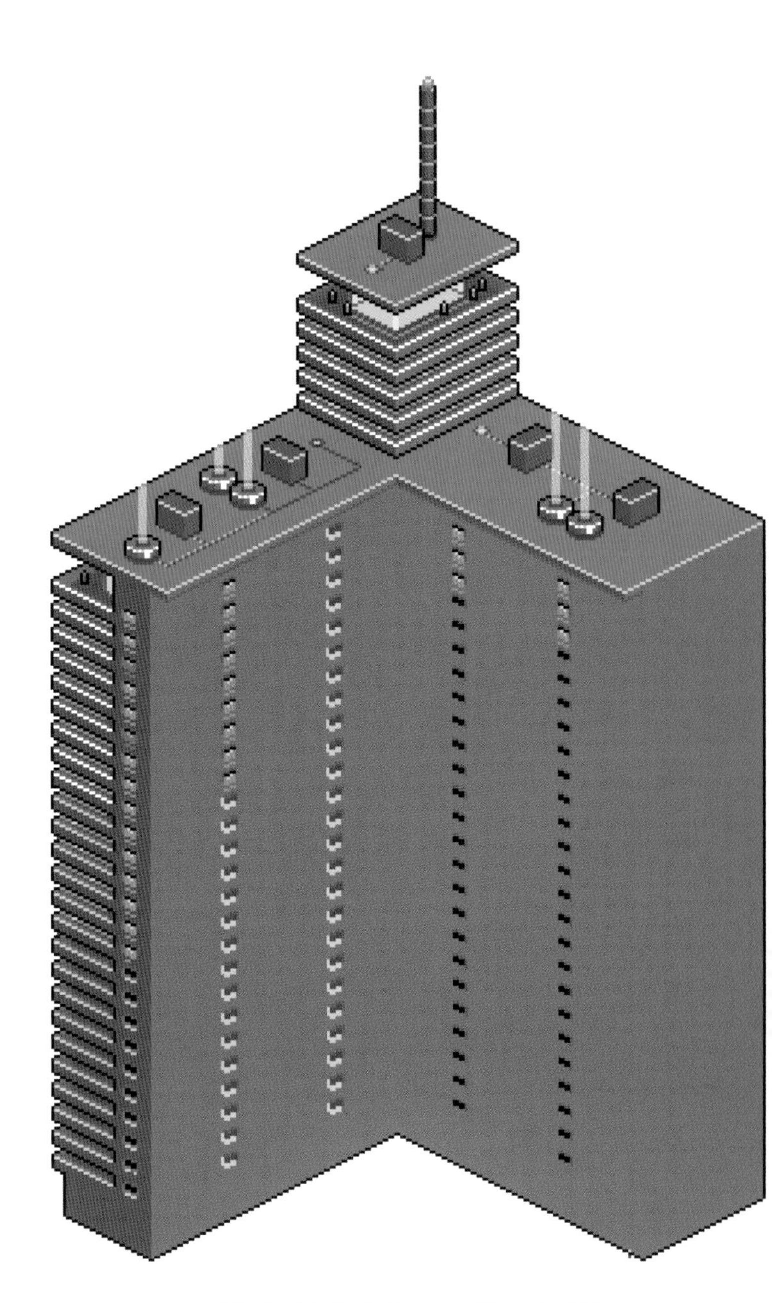

EC_buil_belair_n_attenda.tif

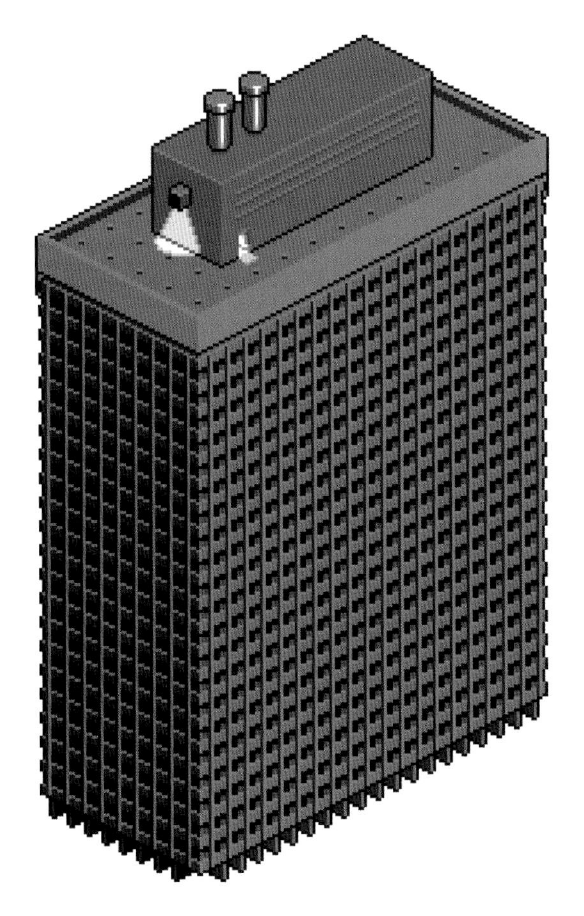

EC_buil_sharp_n_attenda.tif

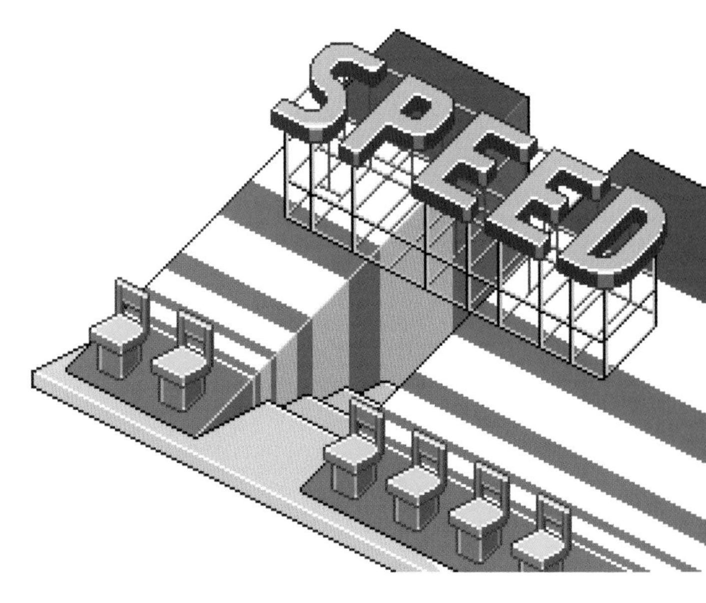

EC_buil_speed2_chrysler.tif

DIV_logo_swoopdragg_cards.TIF

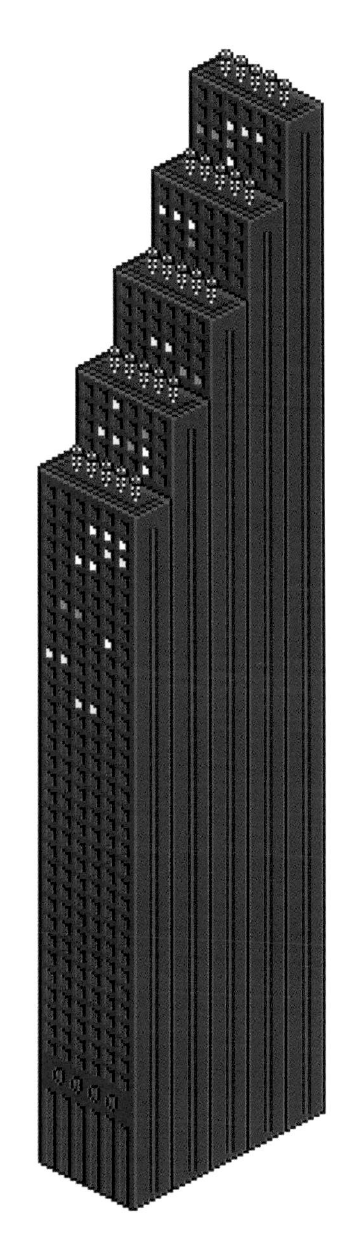

EC_buil_stairway_n_attenda.tif

DIV_logo_hionthething_cards.TIF

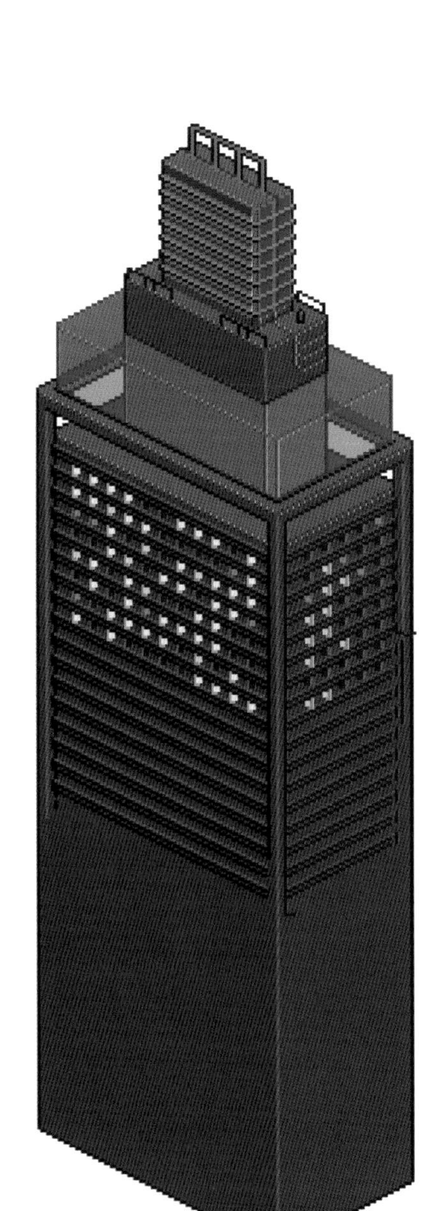

EC_buil_olddebben_n_attenda.tif

DIV_logo_prootelk_cards.TIF

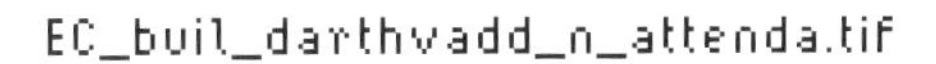

EC_buil_darthvadd_n_attenda.tif

ec_gunnerback_CMYK_288.tif

ec_hionback_CMYK_288

ec_prootback_CMYK_288

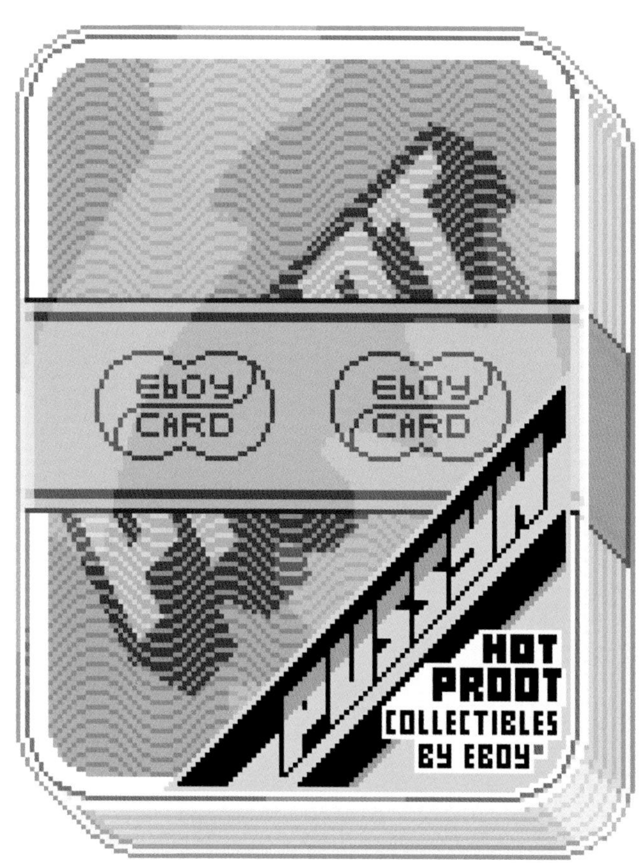

ec_swoopback_CMYK_288

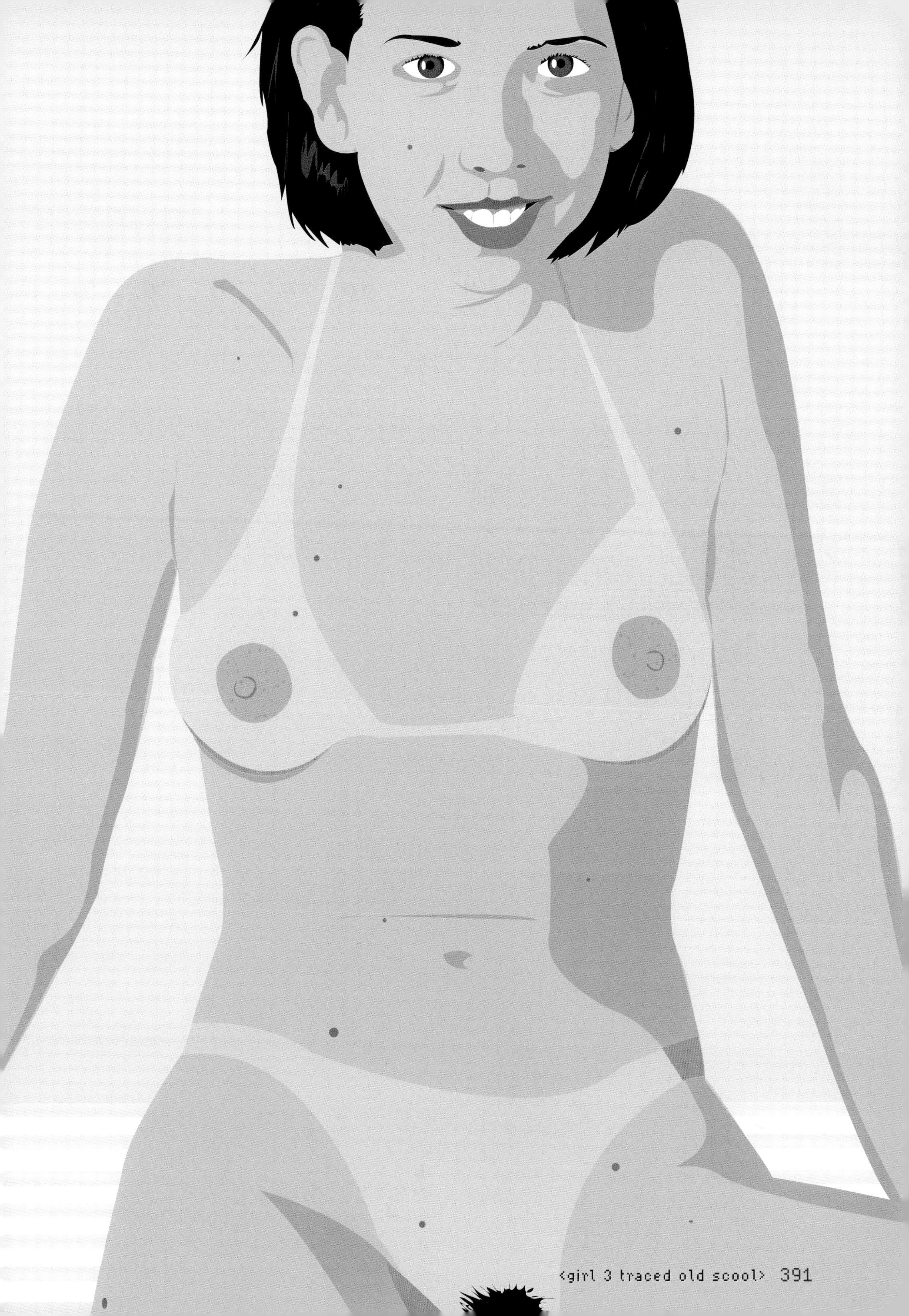

<girl 3 traced old scool>

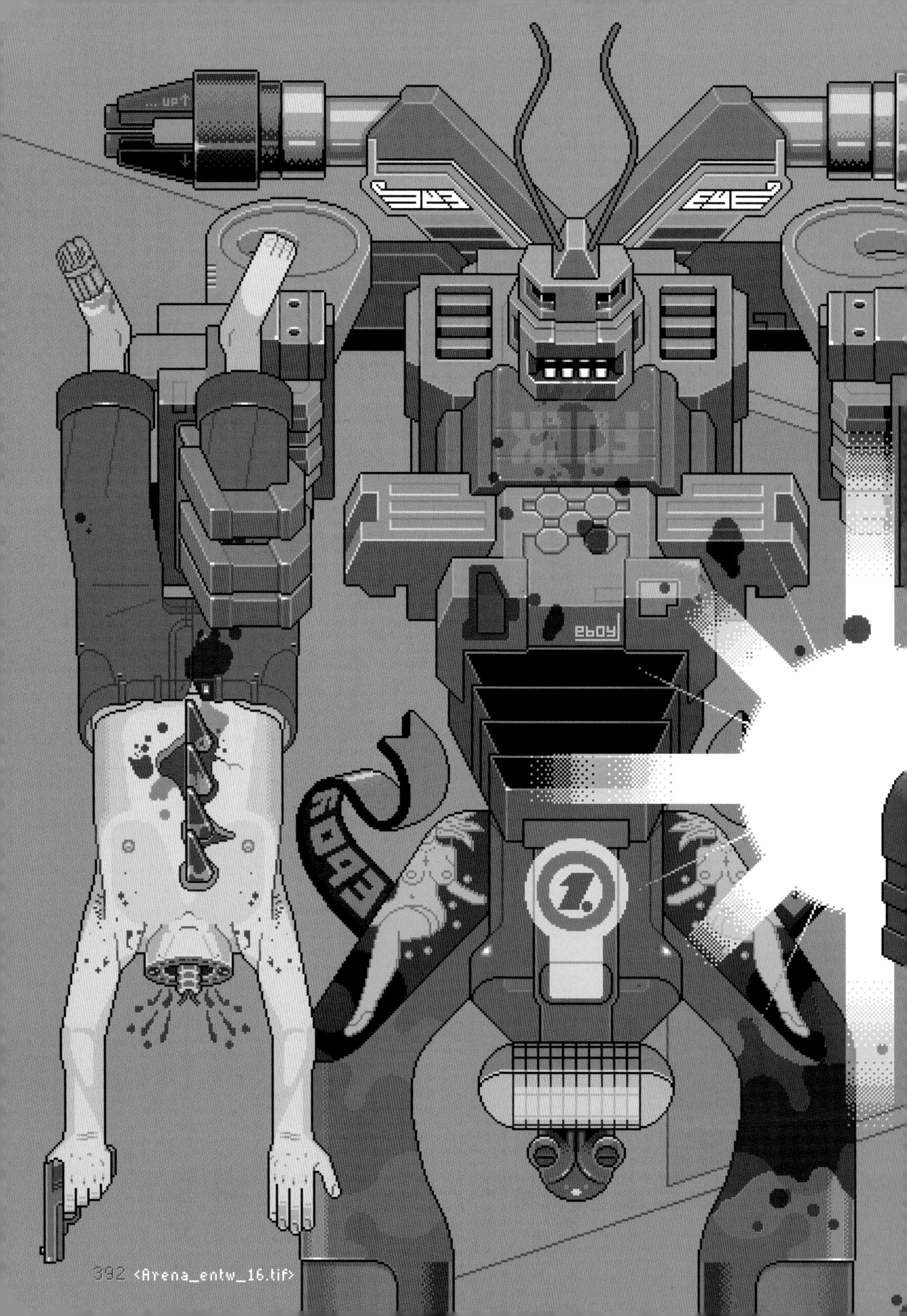
eboy

EC_peop_mrs_march1.TIF

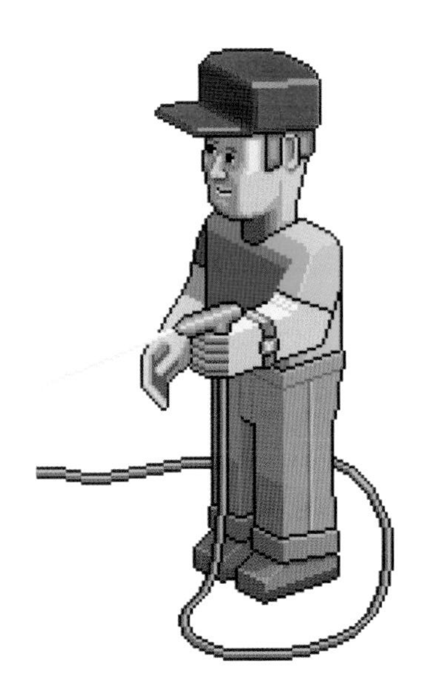

DIV_peop_papa2_march1.TIF

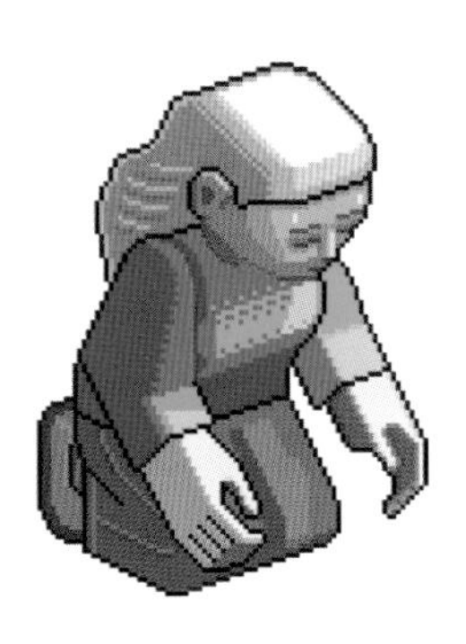

EC_part_mama2_march1.TIF

PEE_pict_help_free.TIF

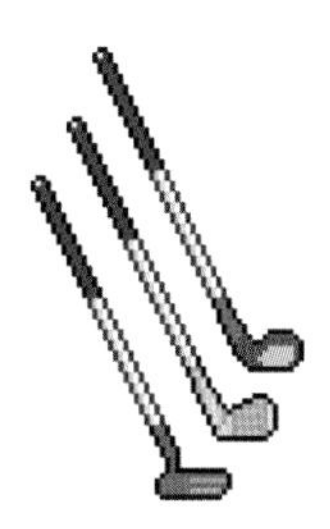

DIV_part_golfbats_march1.TIF

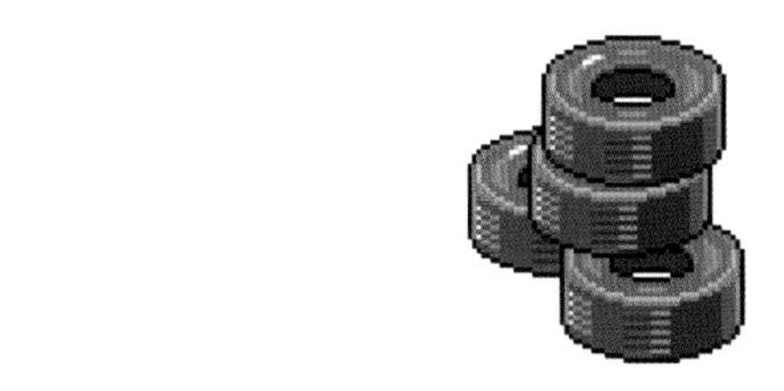

EC_part_tires_march1.TIF

ECV_part_schippeball_march1.TIF

EC_part_kiste_march1.TIF

DIV_vehi_bike_march1.TIF

EC_part_blumentopf_march1.TIF

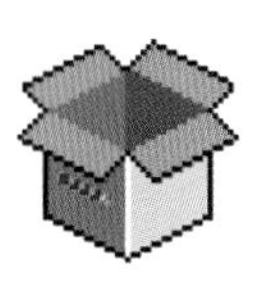

EC_part_boxopen_march1.TIF

DIV_part_angel_march1.TIF

DIV_part_zweigsmall_march1.TIF

DIV_part_gabel_march1.TIF

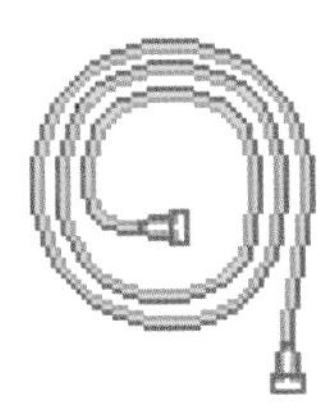

DIV_part_schlauch_march1.TIF

DIV_part_blumentöpfe_march1.TIF

EC_part_töpfe_march1.TIF

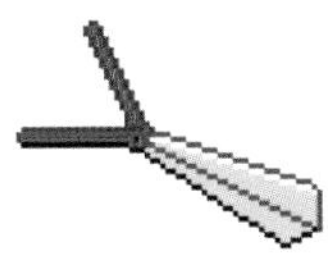

EC_part_schere_march1.TIF

DIV_part_chainsaw_march1.TIF

DIV_part_pczoom_march1.TIF

EC_part_eimer_march1.TIF

EC_part_lawnmover_march1.TIF

EC_logo_scull_march1.TIF

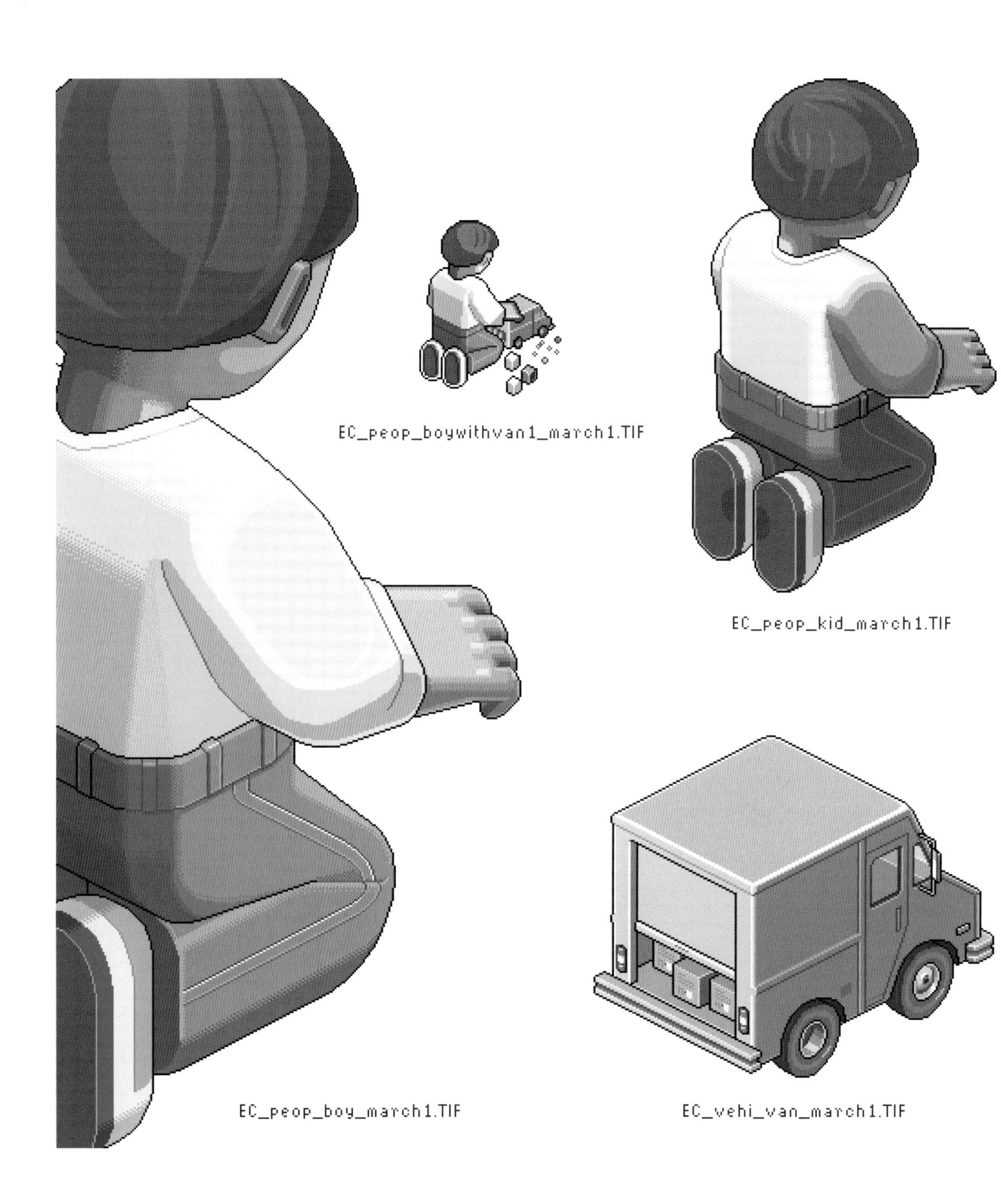

EC_peop_boywithvan1_march1.TIF

EC_peop_kid_march1.TIF

EC_peop_boy_march1.TIF

EC_vehi_van_march1.TIF

EC_vehi_lkwtires_march1.TIF

EC_vehi_lkwhoses_march1.TIF

EC_part_cube_march1.TIF

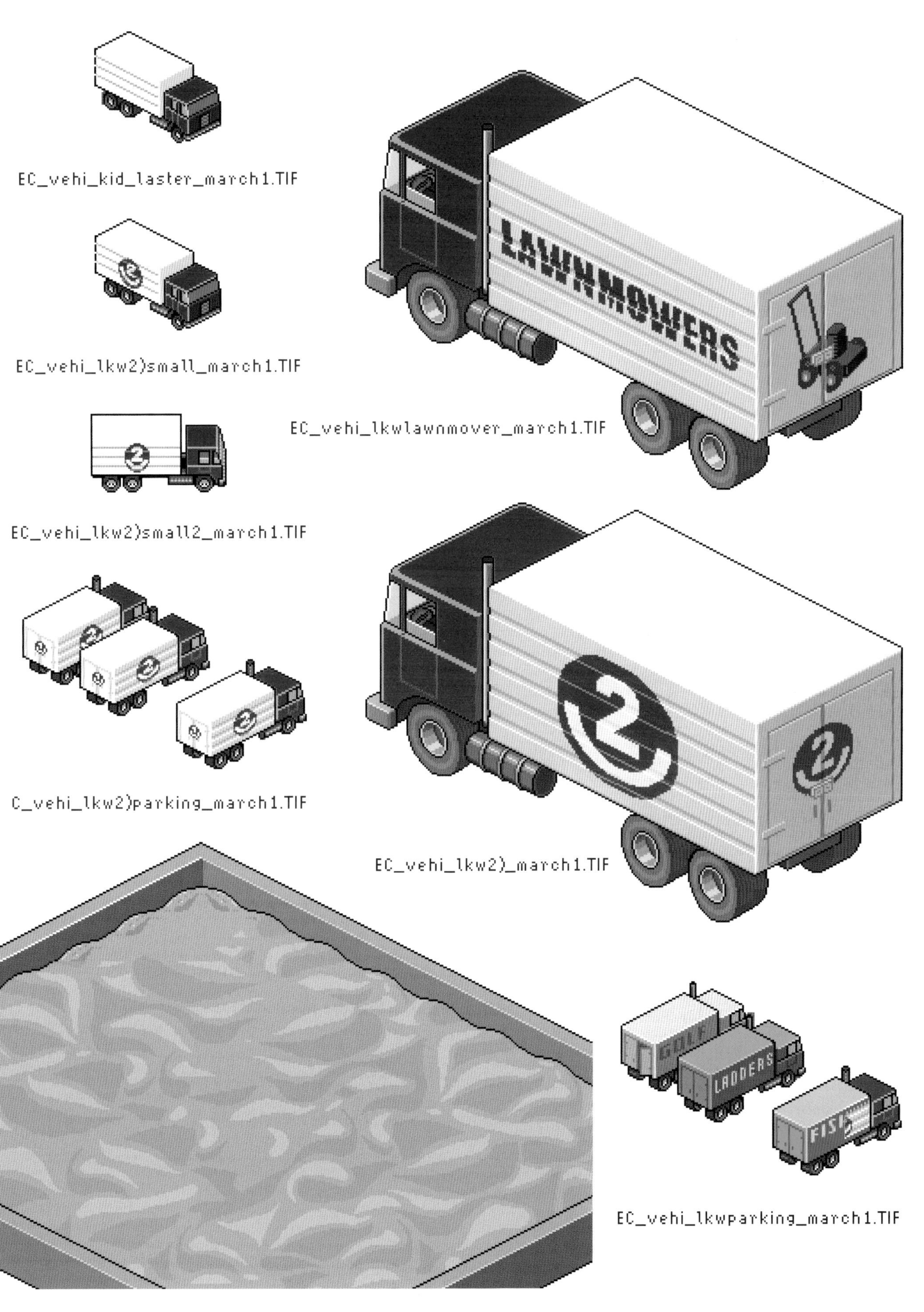

EC_vehi_kid_laster_march1.TIF

EC_vehi_lkw2)small_march1.TIF

EC_vehi_lkw2)small2_march1.TIF

C_vehi_lkw2)parking_march1.TIF

EC_vehi_lkwlawnmover_march1.TIF

EC_vehi_lkw2)_march1.TIF

EC_vehi_lkwparking_march1.TIF

EC_part_sandpit_march1.TIF

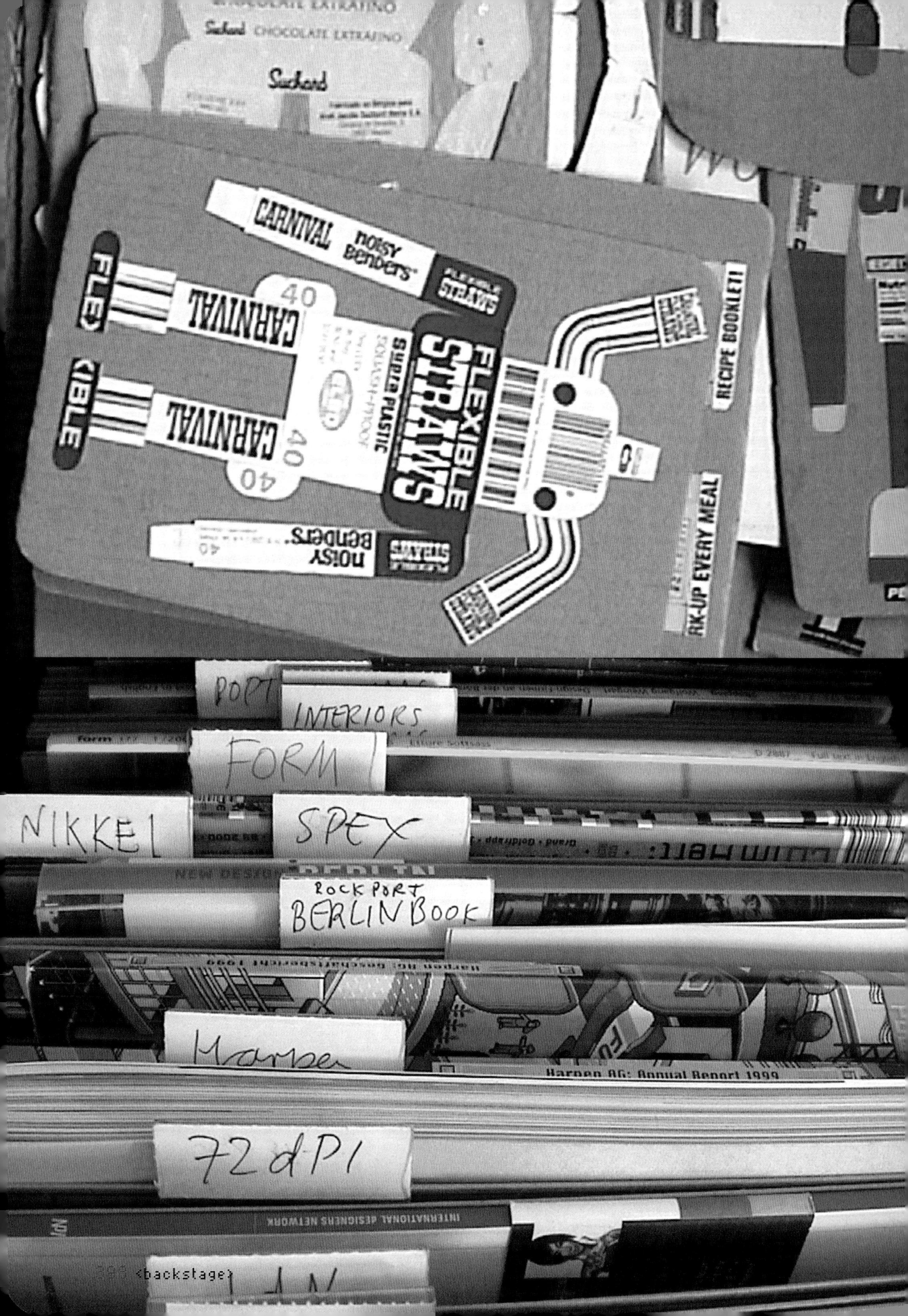
Suchard CHOCOLATE EXTRAFINO
Suchard
CARNIVAL
noisy Benders
FLEXIBLE STRAWS
RECIPE BOOKLET!
INTERIORS
FORM
NIKKEL
SPEX
ROCK PORT
BERLIN BOOK
Harpen AG: Annual Report 1999
72dPI
INTERNATIONAL DESIGNERS NETWORK

<RITSKO copy>

Eboy
Open Late

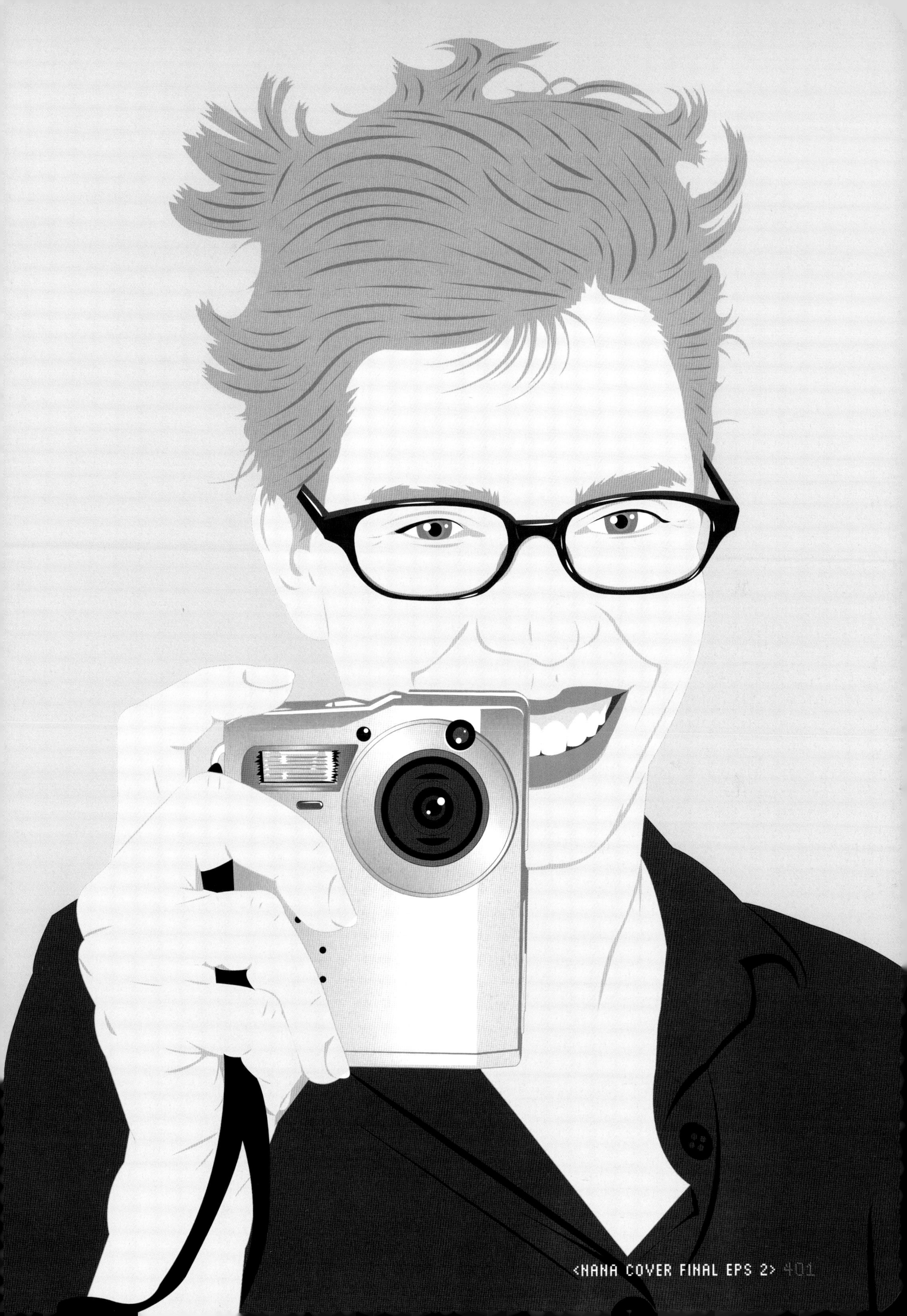

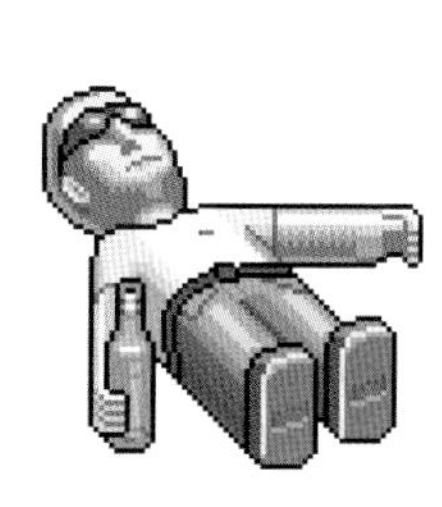

EC_peop_mildenberger_pchome.TIF

EC_peop_yolafin_pchome.TIF

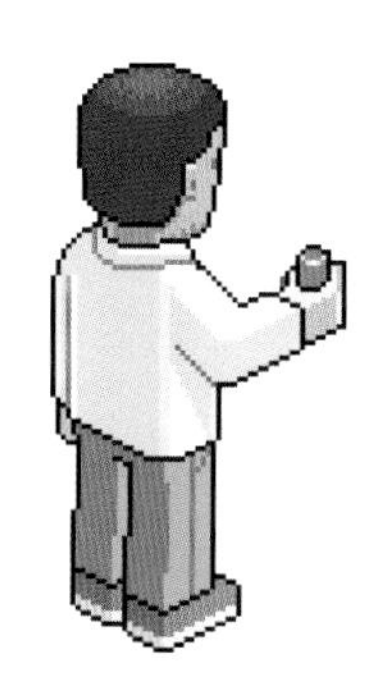

EC_peop_guyback_pchome.TIF

EC_part_vitrine_pchome.TIF

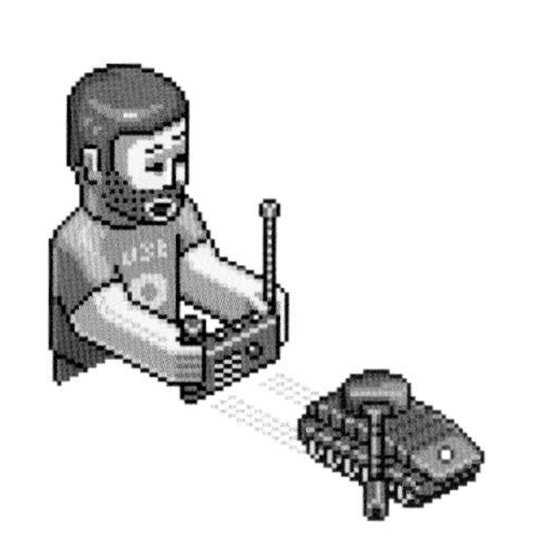

EC_peop_guy+tanktoy_pchome.TIF

EC_peop_punk_pchome.TIF

EC_peop_womanfishguy_pchome.TIF

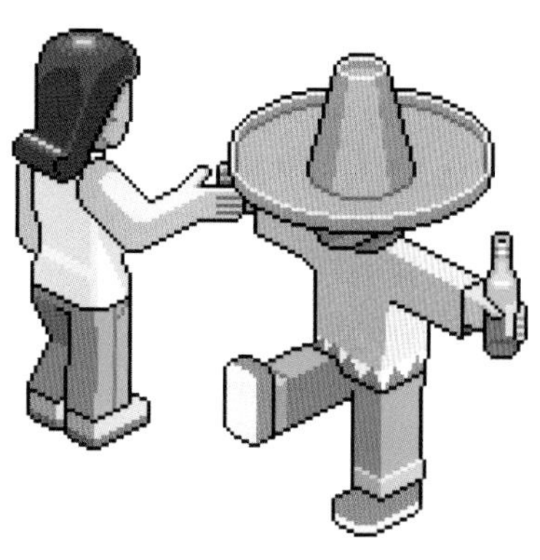

EC_peop_dancer_pchome.TIF

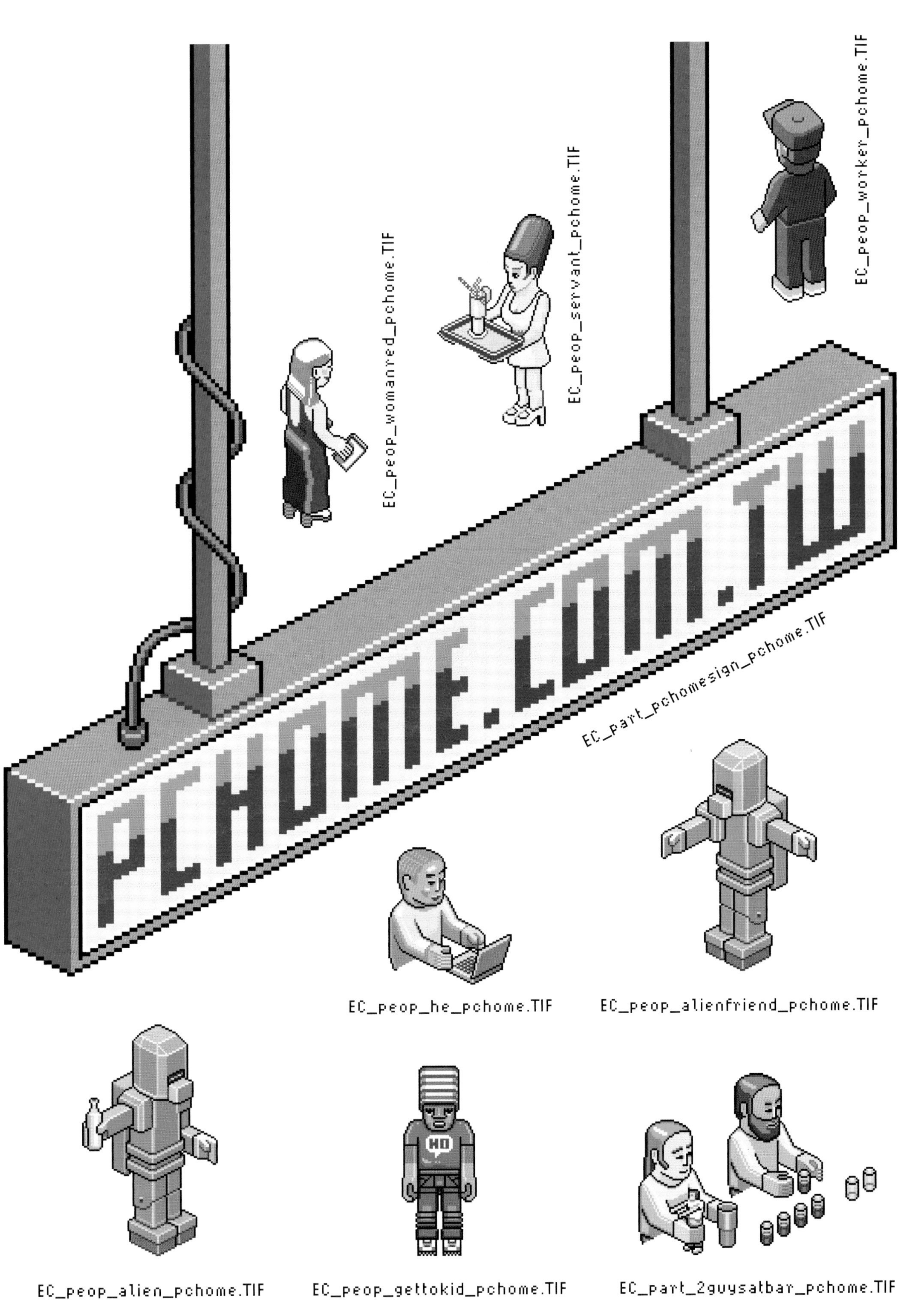

EC_peop_worker_pchome.TIF
EC_peop_servant_pchome.TIF
EC_peop_womanred_pchome.TIF
PCHOME.COM.TW
EC_part_pchomesign_pchome.TIF
EC_peop_he_pchome.TIF
EC_peop_alienfriend_pchome.TIF
HO
EC_peop_alien_pchome.TIF
EC_peop_gettokid_pchome.TIF
EC_part_2guysatbar_pchome.TIF

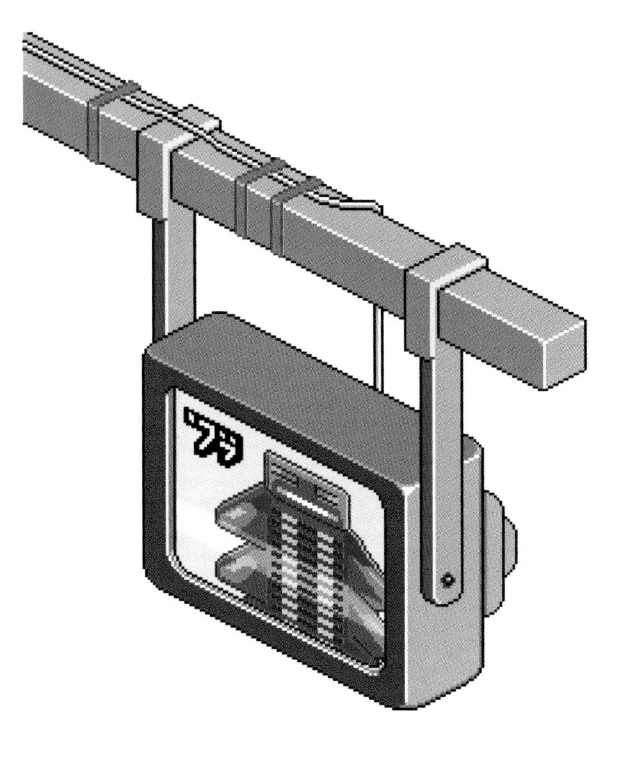

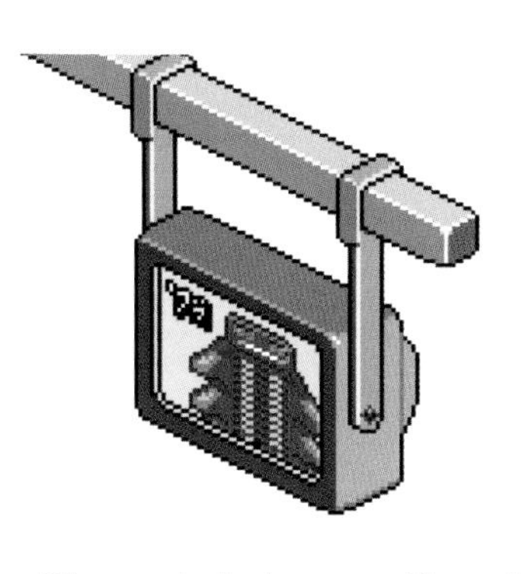

EC_part_tvtopsmall_pchome.TIF

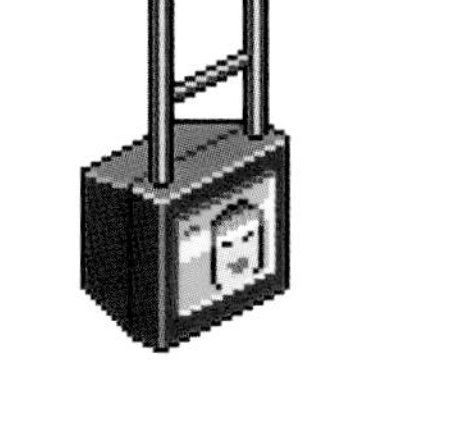

EC_peop_TVred_pchome.TIF

EC_part_tvontop_pchome.TIF

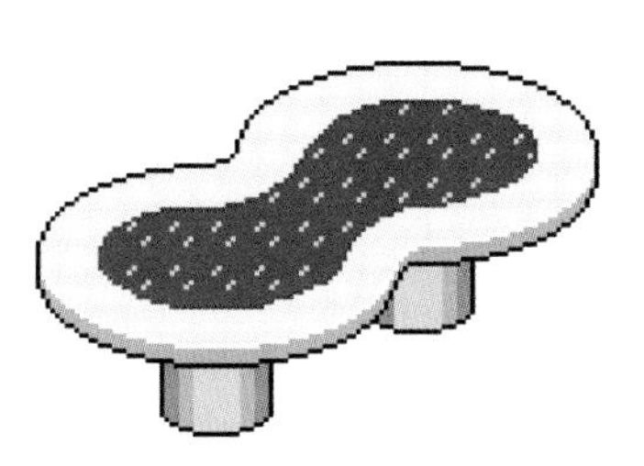

EC_part_8table_pchome.TIF

EC_part_barhocker_pchome.TIF

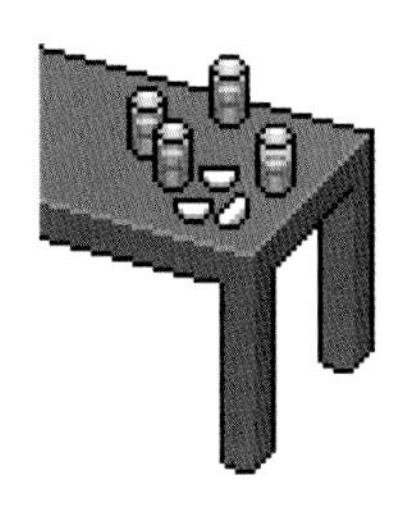

EC_part_table2_pchome.TIF

EC_part_table_pchome.TIF

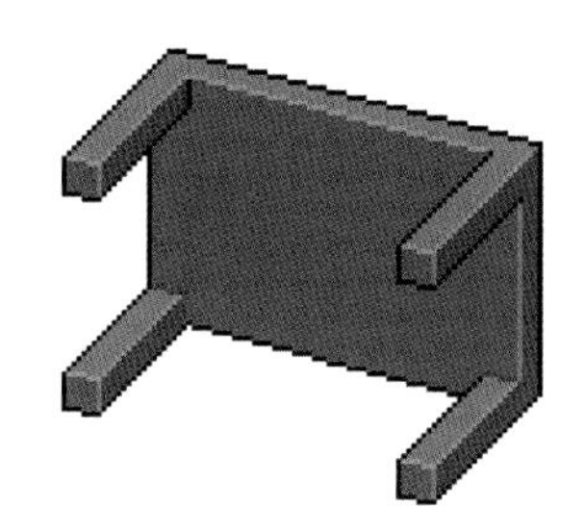

EC_part_tischumgekip_pchome.TIF

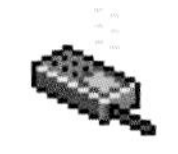

EC_part_handy_pchome.TIF

EC_part_book_pchome.TIF

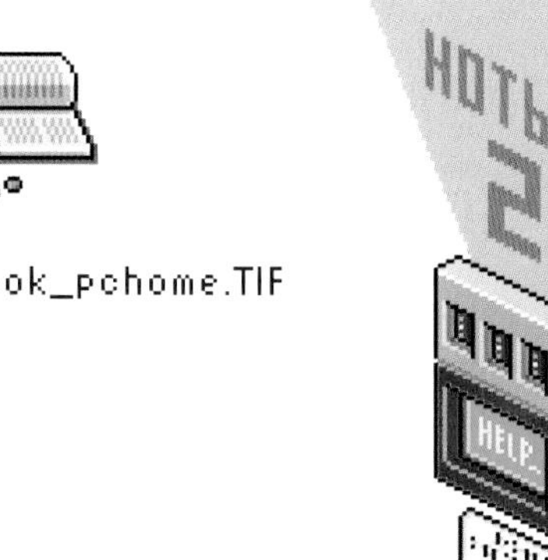

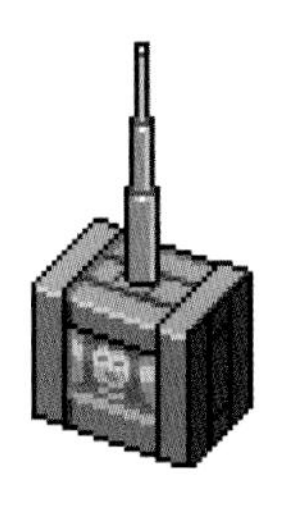

EC_part_TV1_pchome.TIF

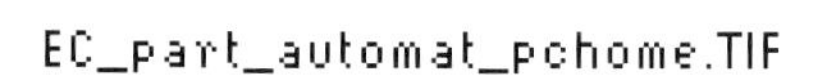

EC_part_automat_pchome.TIF

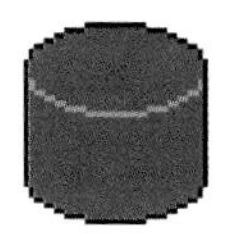

EC_part_hockerrot_pchome.TIF

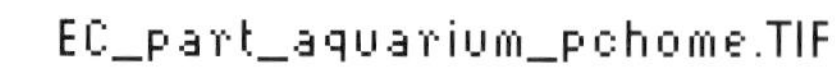

EC_part_aquarium_pchome.TIF

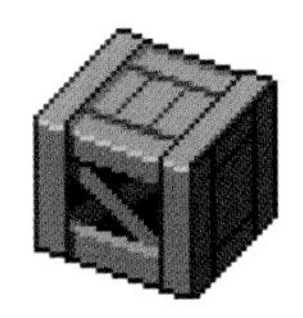

EC_part_kiste_pchome.TIF

EC_part_hocker_pchome.TIF

EC_part_barstuff_pchome.TIF

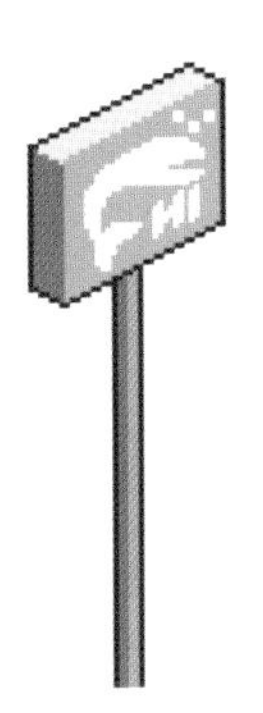

EC_part_fishsign_pchome.TIF

EC_peop_kistenstapel_pchome.TIF

EC_peop_boxer_pchome.TIF

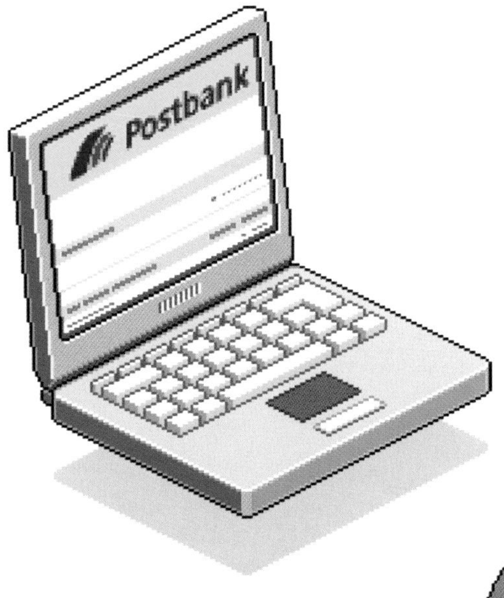

EC_part_pcblau_jobline.TIF

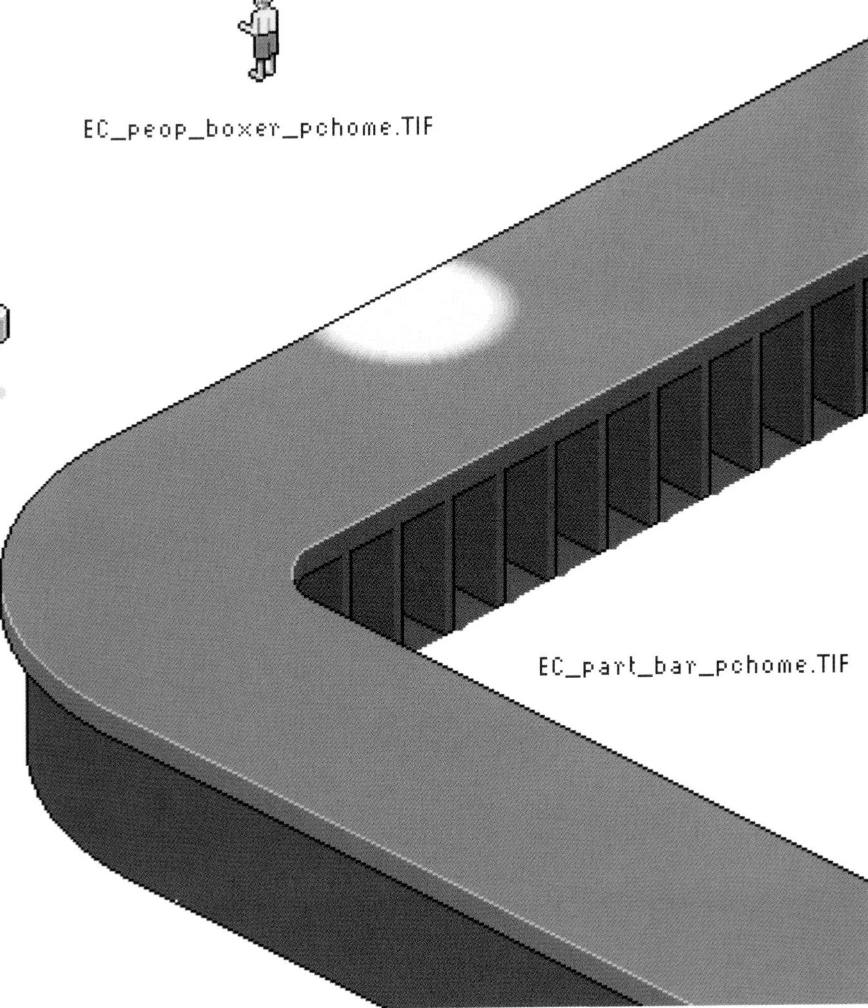

EC_part_bar_pchome.TIF

EC_part_laptop_pchome.TIF

EC_part_magazine_pchome.TIF

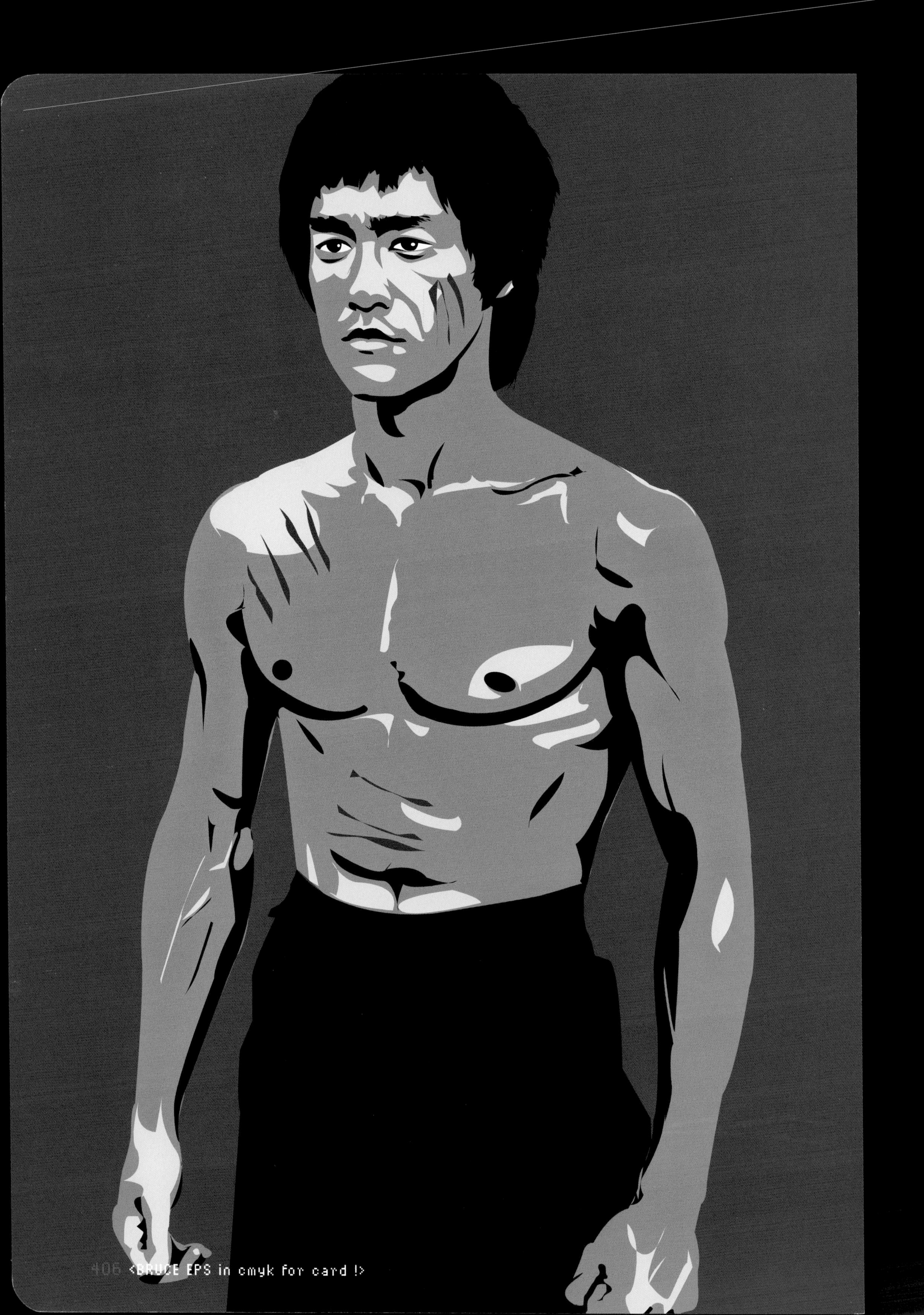

 <BRUCE EPS in cmyk for card !>

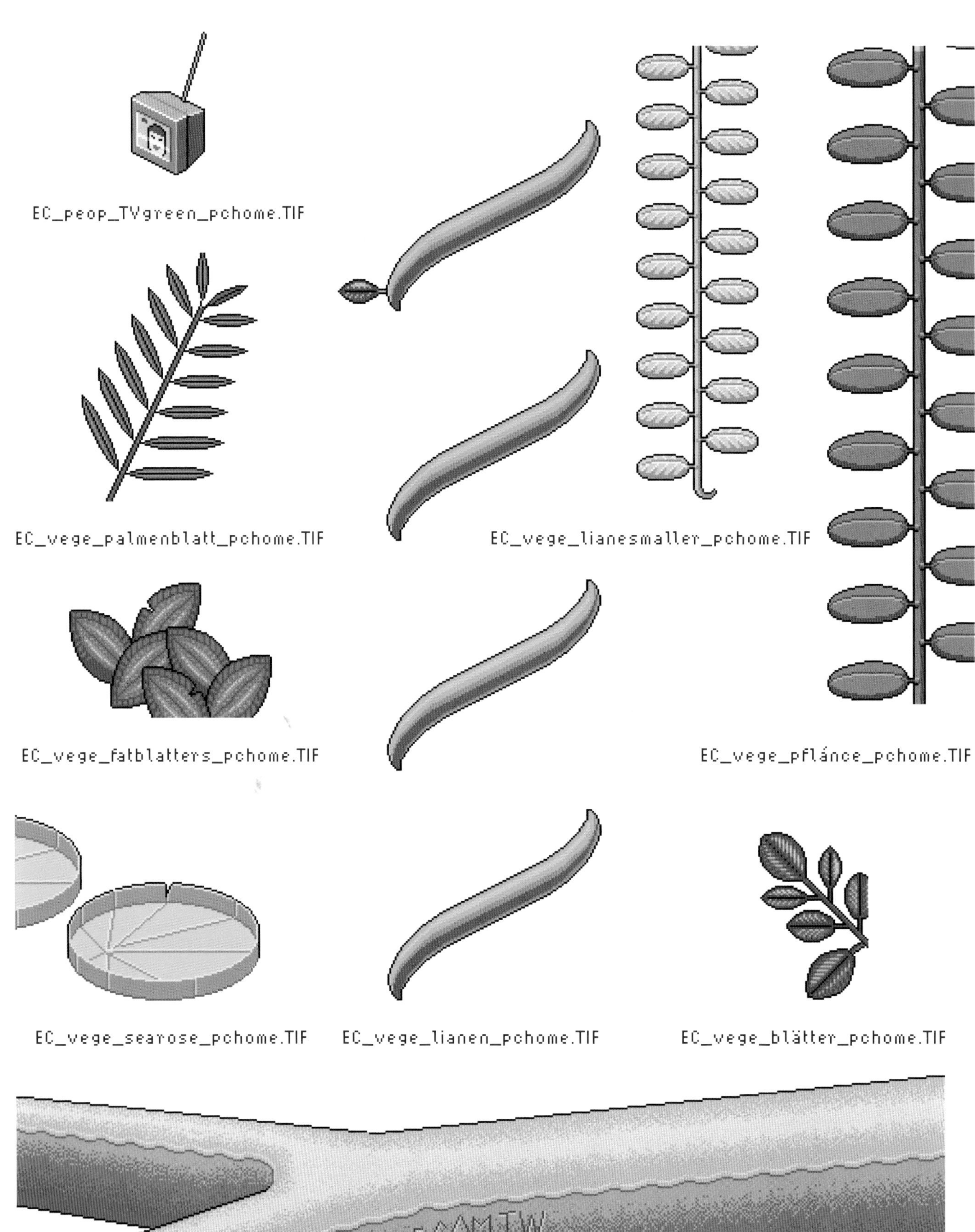

EC_peop_TVgreen_pchome.TIF

EC_vege_palmenblatt_pchome.TIF

EC_vege_lianesmaller_pchome.TIF

EC_vege_fatblatters_pchome.TIF

EC_vege_pflánce_pchome.TIF

EC_vege_searose_pchome.TIF

EC_vege_lianen_pchome.TIF

EC_vege_blätter_pchome.TIF

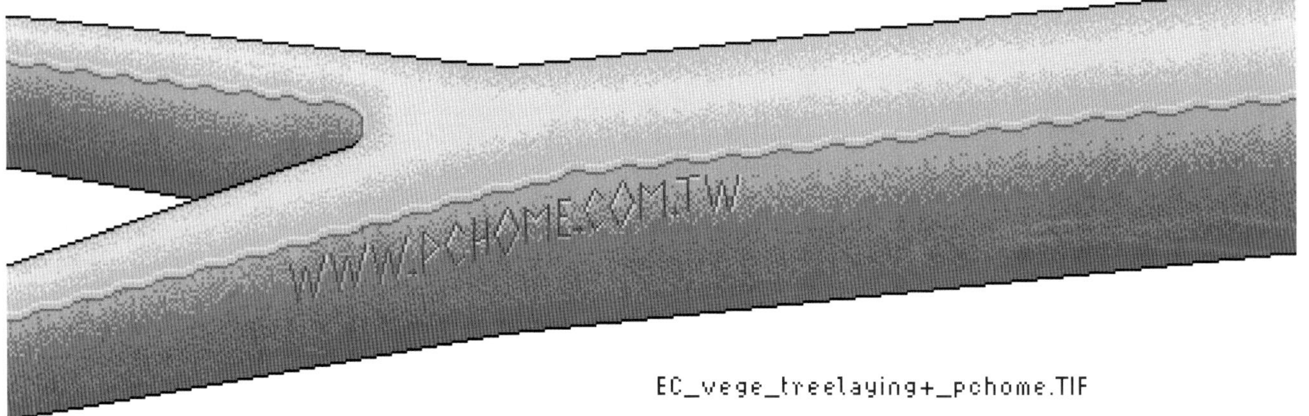

EC_vege_treelaying+_pchome.TIF

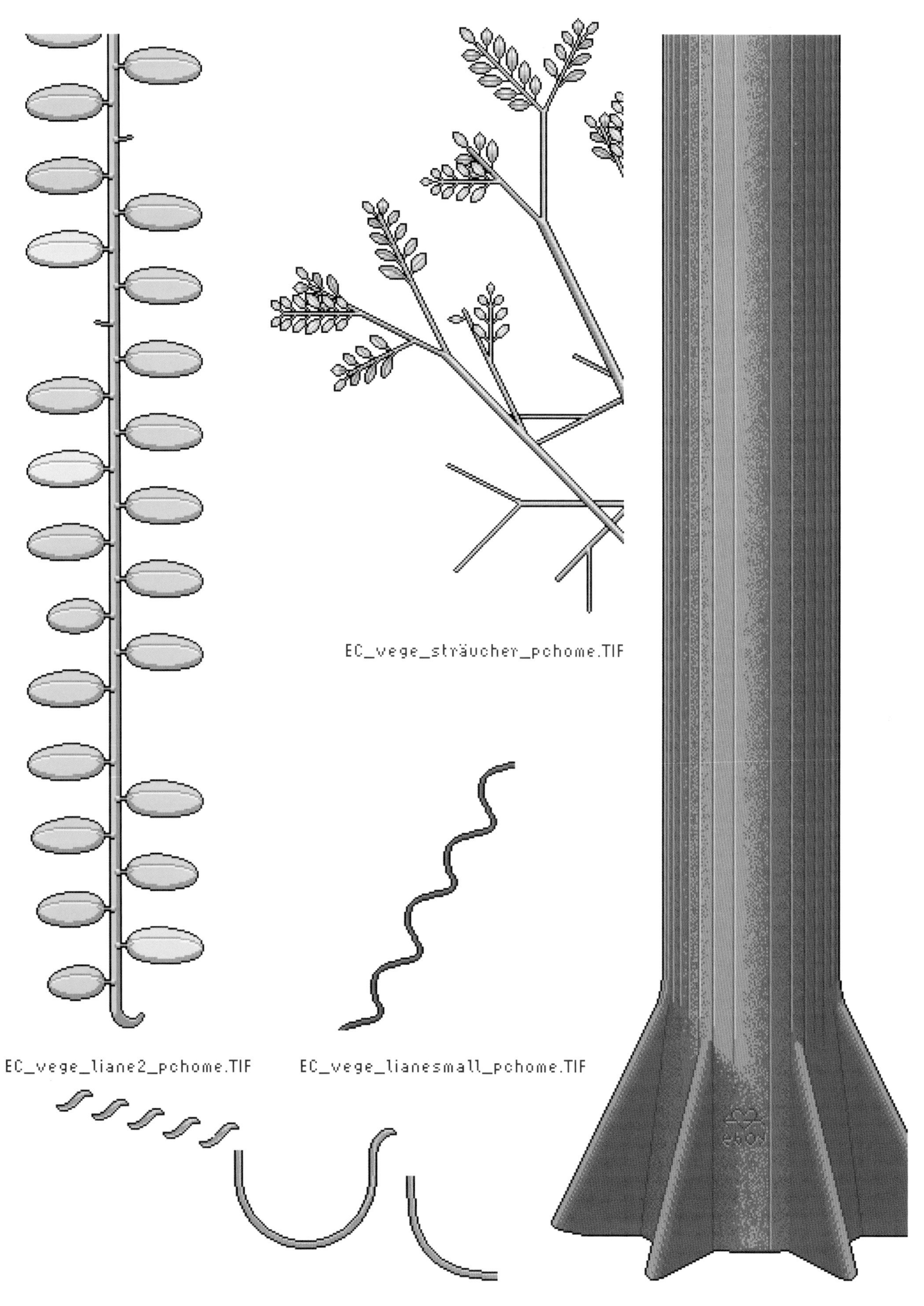

EC_vege_sträucher_pchome.TIF

EC_vege_liane2_pchome.TIF

EC_vege_lianesmall_pchome.TIF

EC_vege_lianensmalle_pchome.TIF

EC_vege_hugetree_pchome.TIF

EC_vege_orchidee_pchome.TIF

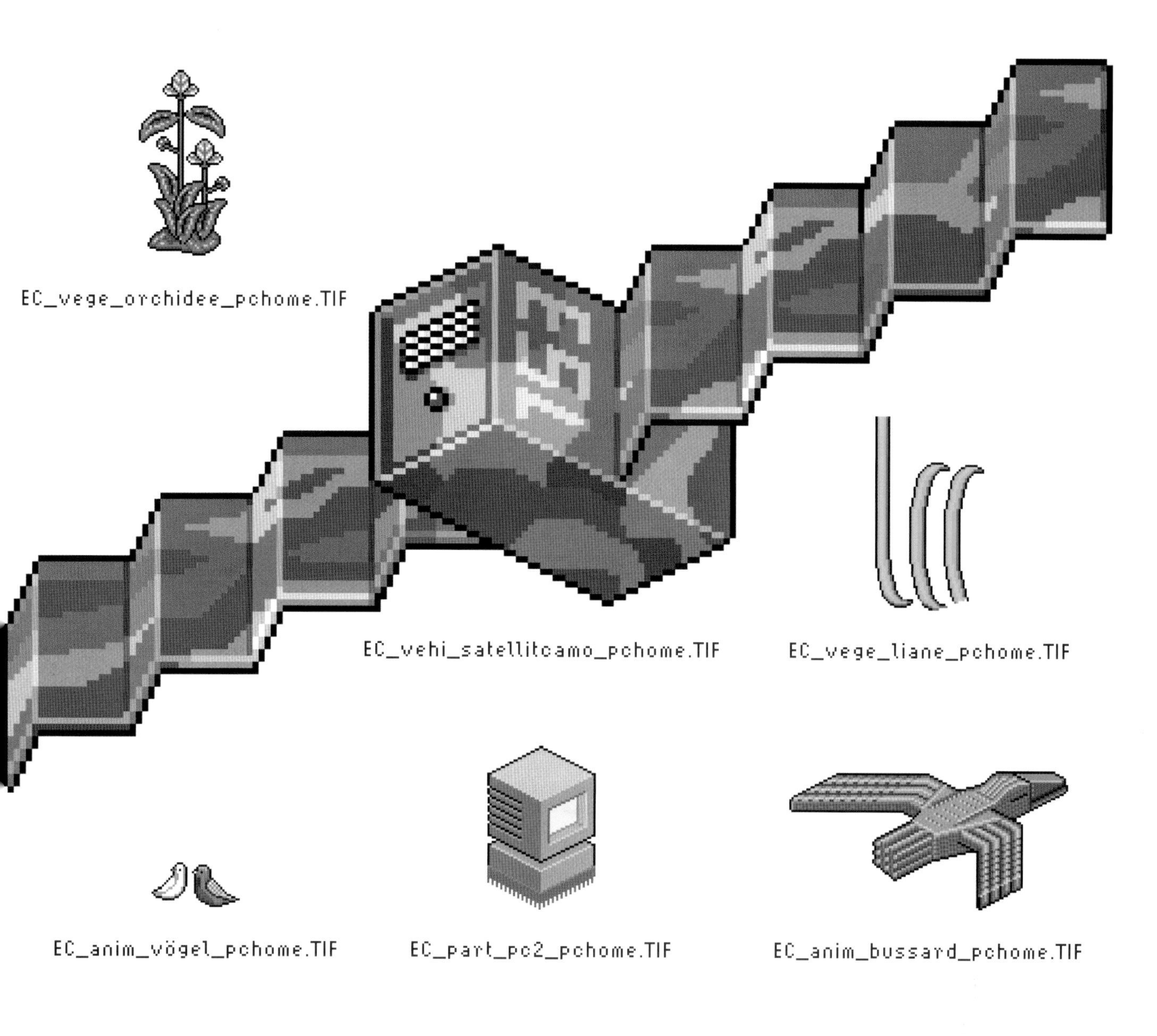

EC_vehi_satellitcamo_pchome.TIF

EC_vege_liane_pchome.TIF

EC_anim_vögel_pchome.TIF

EC_part_pc2_pchome.TIF

EC_anim_bussard_pchome.TIF

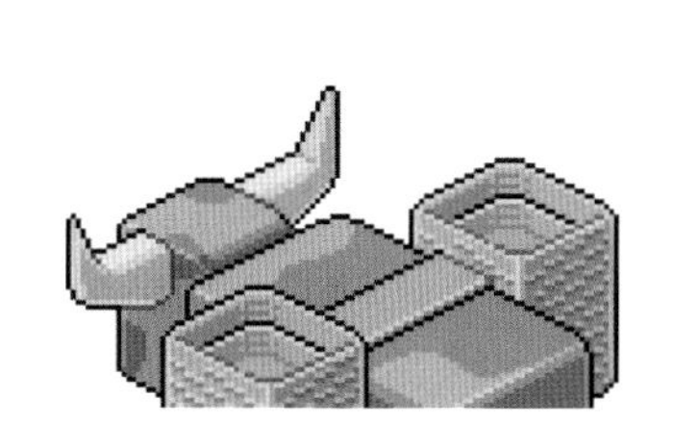

EC_anim_cow_pchome.TIF

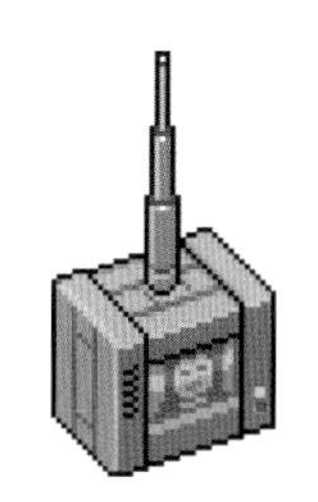

EC_part_TV2_pchome.TIF

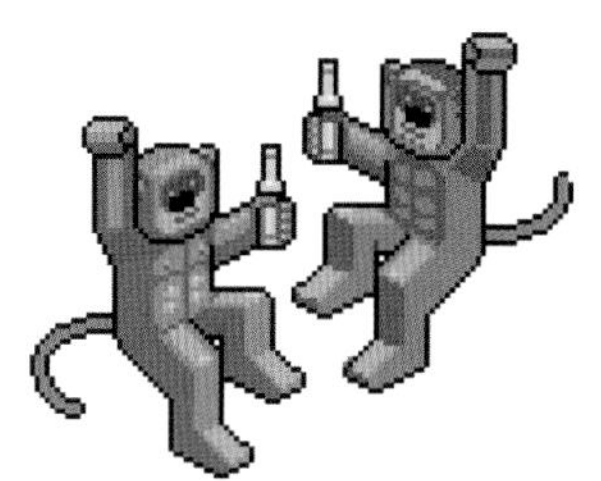

EC_anim_apes_pchome.TIF

EC_peop_typavec_pchome.TIF

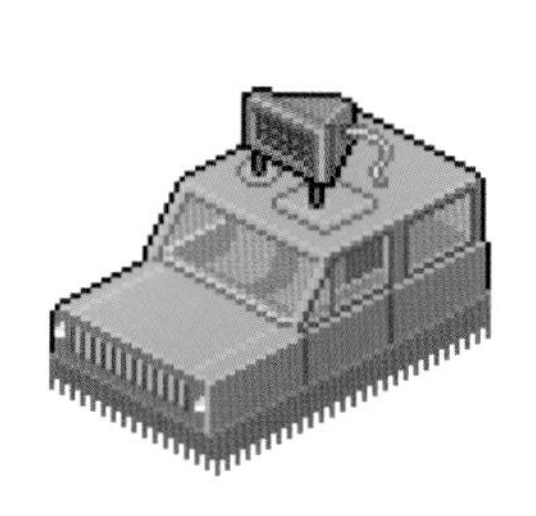

EC_vehi_jeep_pchome.TIF

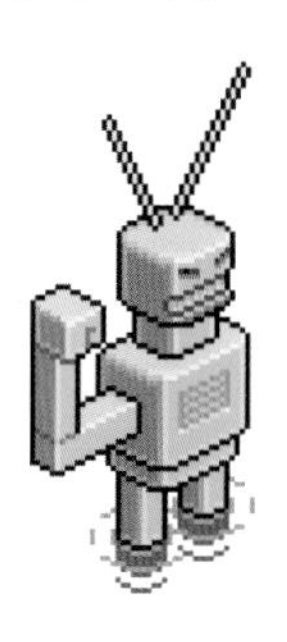

EC_part_leroboque_pchome.TIF

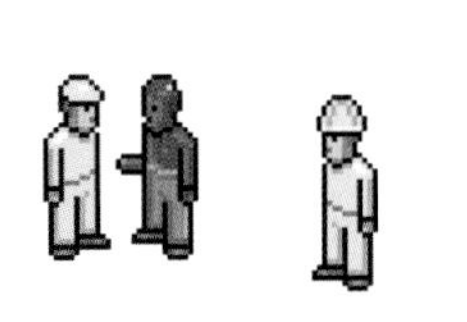

EC_peop_3colleages_pchome.TIF

EC_peop_he3_pchome.TIF

EC_peop_he2_pchome.TIF

EC_anim_raupe_pchome.TIF

EC_anim_butterfly2_pchome.TIF

EC_anim_butterfly1_pchome.TIF

EC_anim_schnecke1_pchome.TIF

EC_anim_schnecke2_pchome.TIF

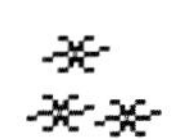

EC_anim_ameisen_pchome.TIF

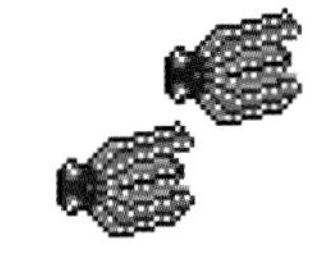

EC_anim_lilafishes_pchome.TIF

EC_anim_schwarm_pchome.TIF

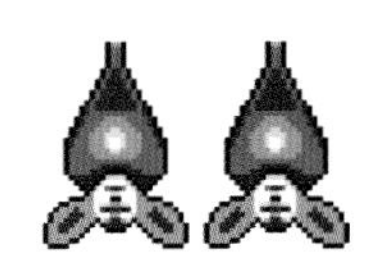

EC_anim_fledermäuse_pchome.TIF

EC_anim_ape_pchome.TIF

EC_part_radio_pchome.TIF

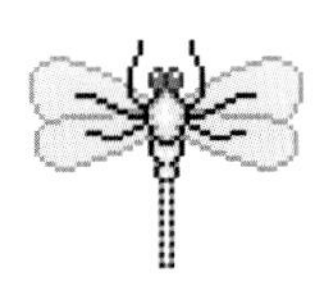

EC_anim_libelle_pchome.TIF

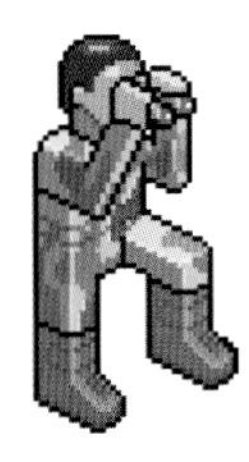

EC_peop_typfernglas_pchome.TIF

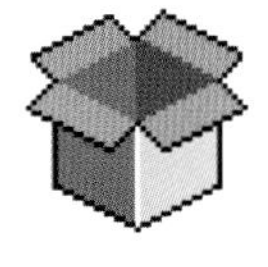

EC_part_karton_pchome.TIF

EC_part_pc_pchome.TIF

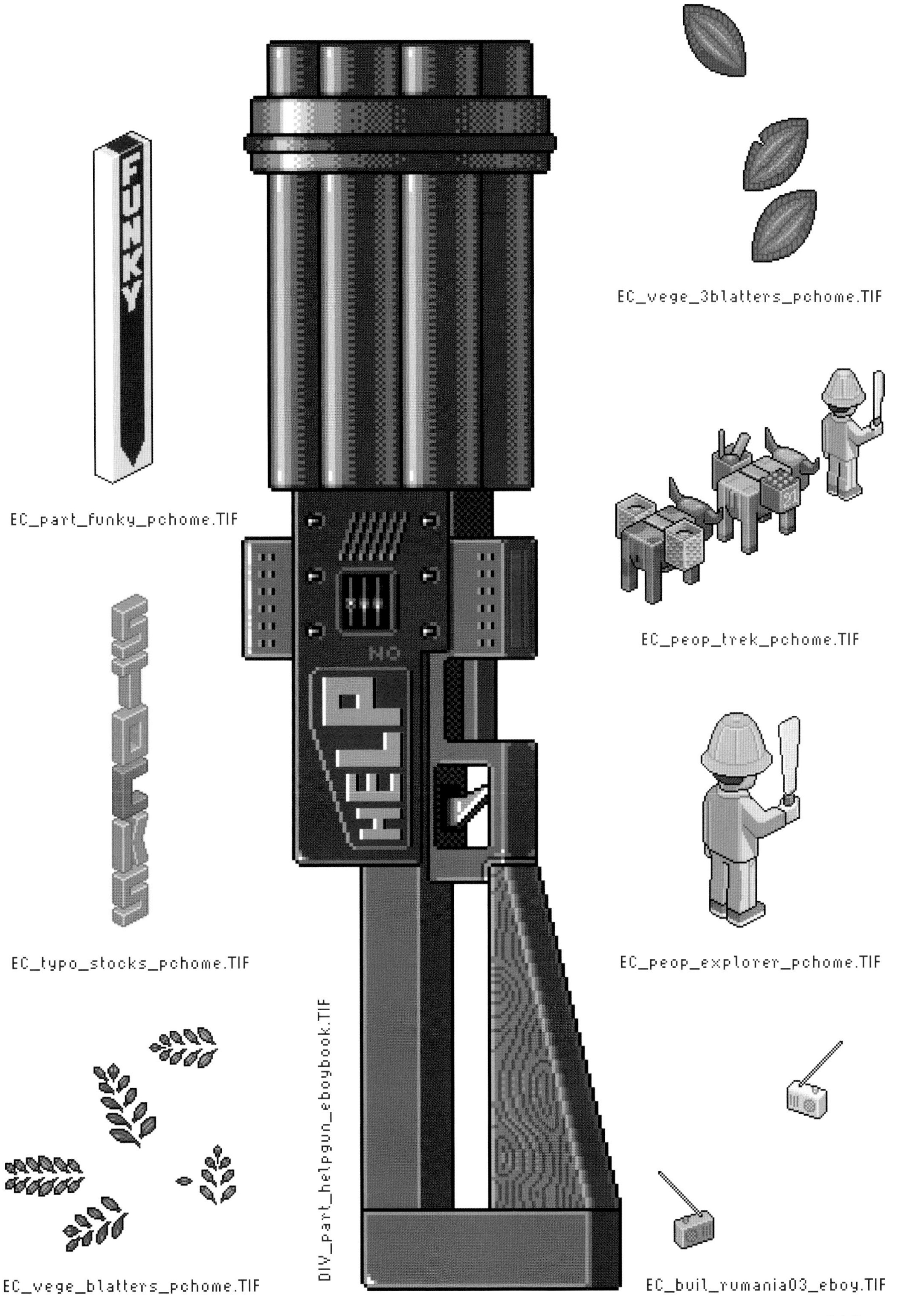

EC_part_funky_pchome.TIF

EC_typo_stocks_pchome.TIF

EC_vege_blatters_pchome.TIF

DIV_part_helpgun_eboybook.TIF

EC_vege_3blatters_pchome.TIF

EC_peop_trek_pchome.TIF

EC_peop_explorer_pchome.TIF

EC_buil_rumania03_eboy.TIF

PlayStation 2
SONY
Eboy
Carrasco
CONTAMOS CON 3 PISOS DE JUGUETES
MAS de 2000
JUGUETERIA
Valeria
Eco

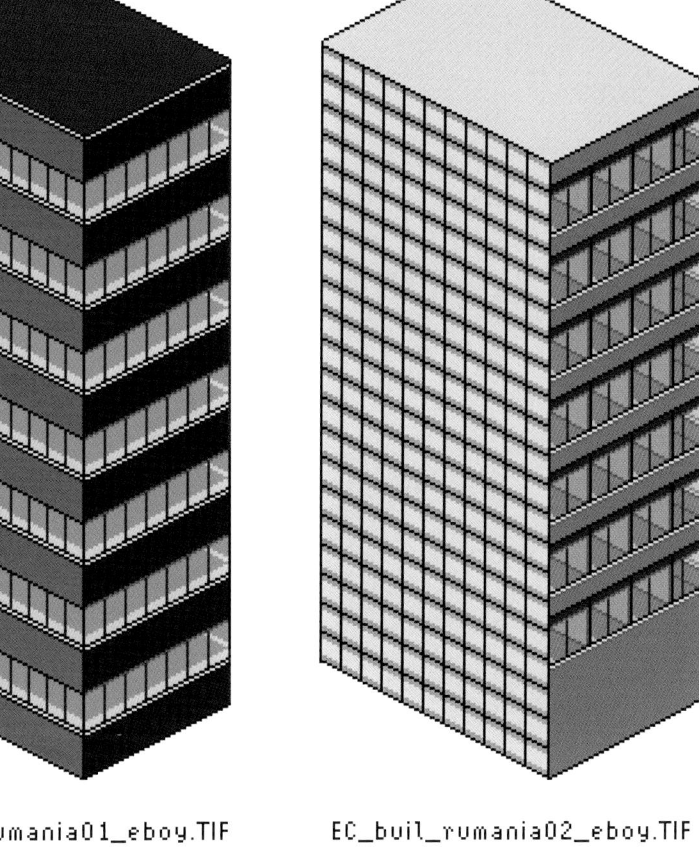

EC_buil_rumania03_eboy.TIF

EC_buil_rumania01_eboy.TIF

EC_buil_rumania02_eboy.TIF

EC_vehi_cars_receiver.TIF

EC_buil_bluetower2_pchome.TIF

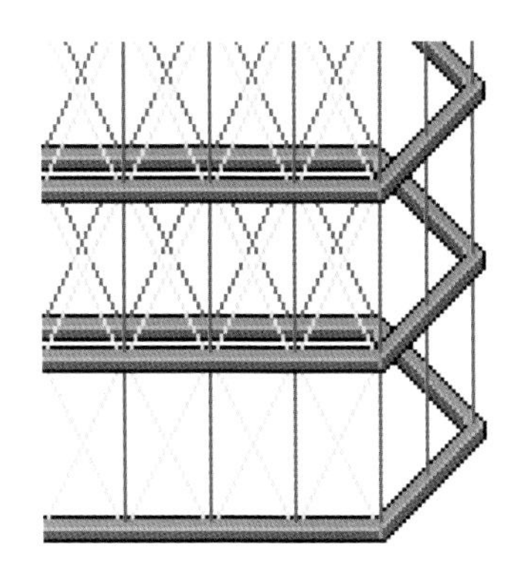

EC_part_aufsatz_pchome.TIF

EC_peop_diversmall_pchome.TIF

EC_part_waterstone_pchome.TIF

EC_peop_diver_pchome.TIF

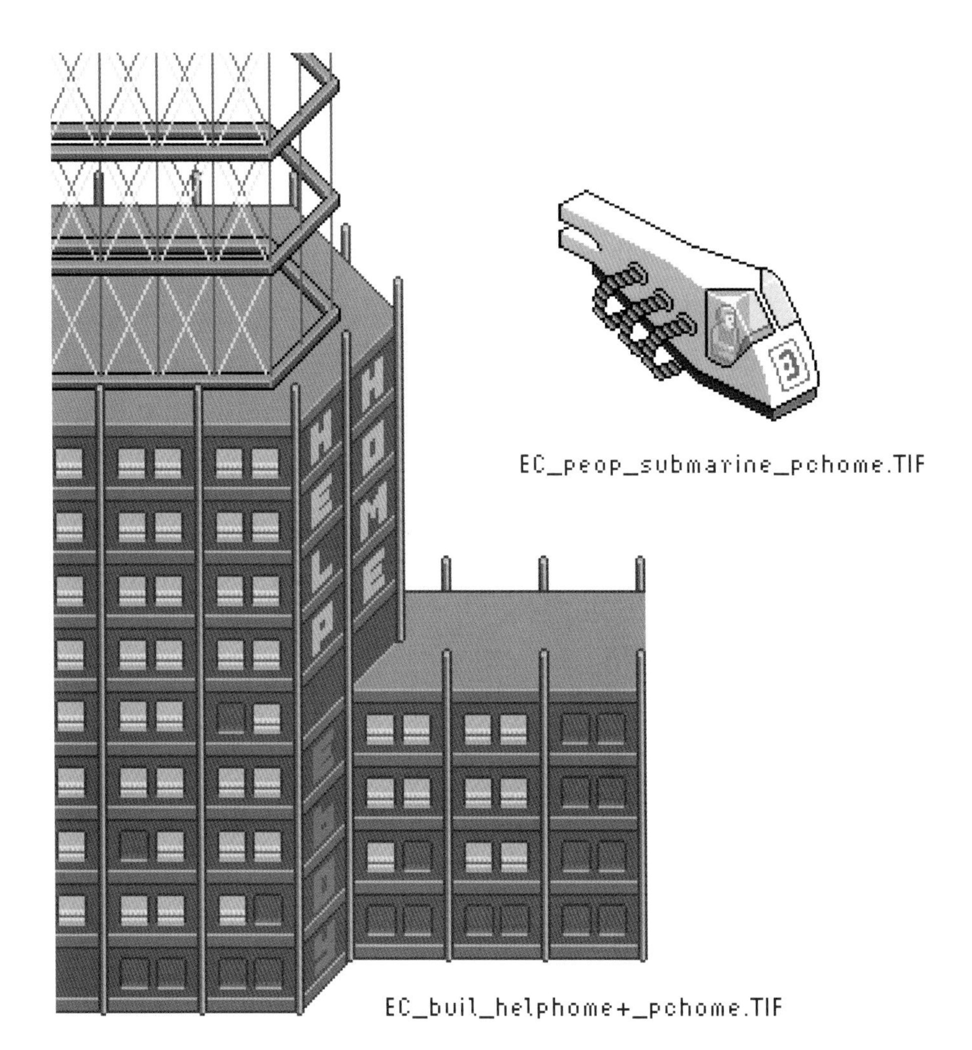

EC_peop_submarine_pchome.TIF

EC_buil_helphome+_pchome.TIF

EC_buil_pctower_pchome.TIF

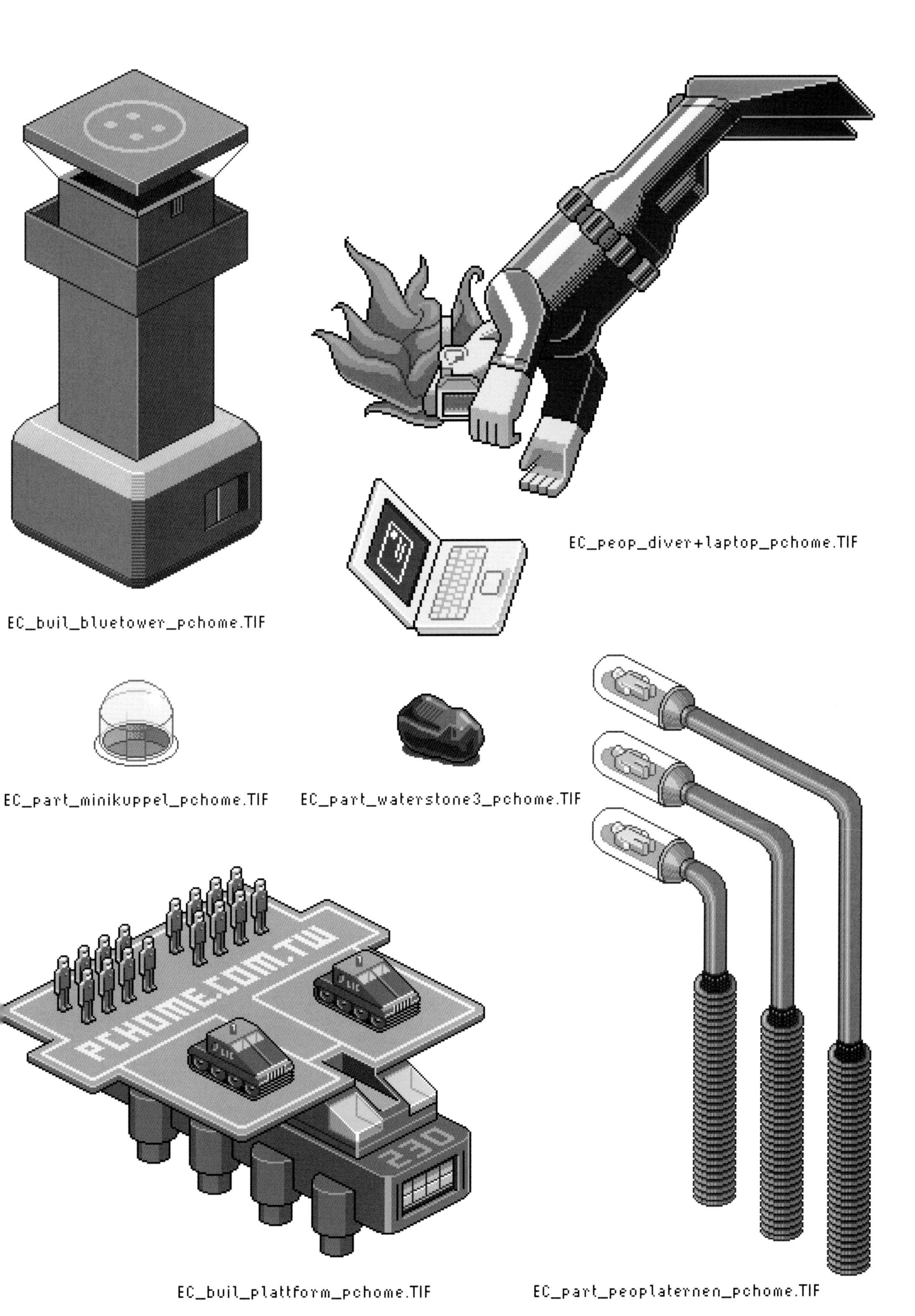

EC_buil_bluetower_pchome.TIF

EC_peop_diver+laptop_pchome.TIF

EC_part_minikuppel_pchome.TIF

EC_part_waterstone3_pchome.TIF

EC_part_peoplaternen_pchome.TIF

EC_buil_plattform_pchome.TIF

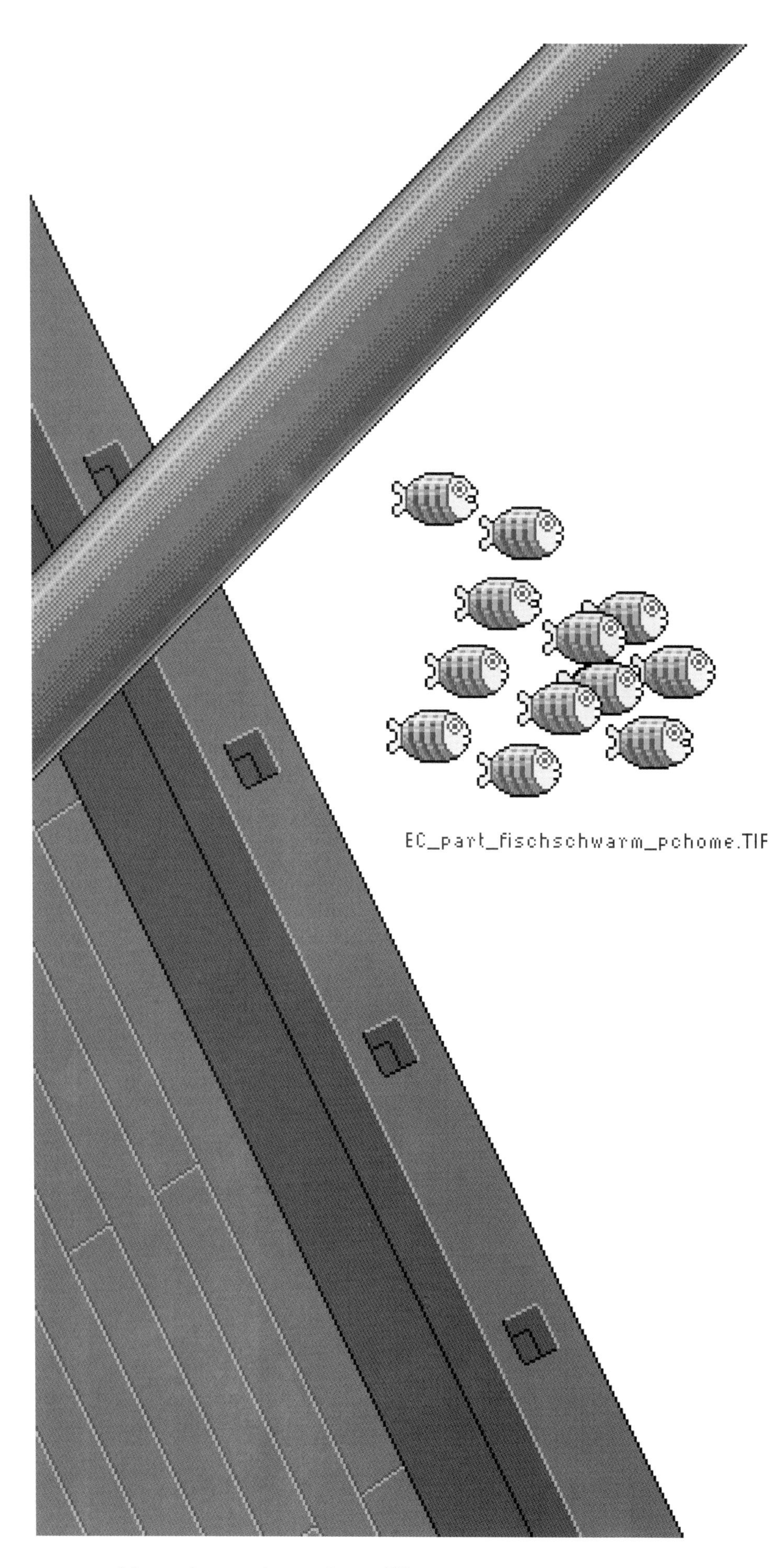

EC_part_fischschwarm_pchome.TIF

EC_part_wrack+_pchome.TIF

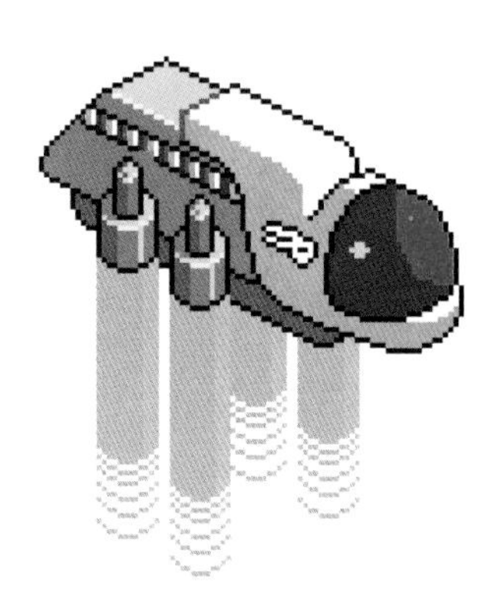

EC_vehi_uboot_pchome.TIF

EC_anim_walfish_pchome.TIF

EC_part_pflanze_pchome.TIF

EC_part_seestern_pchome.TIF

EC_part_waterpflanze_pchome.T

DIV_back_GG_cards.TIF

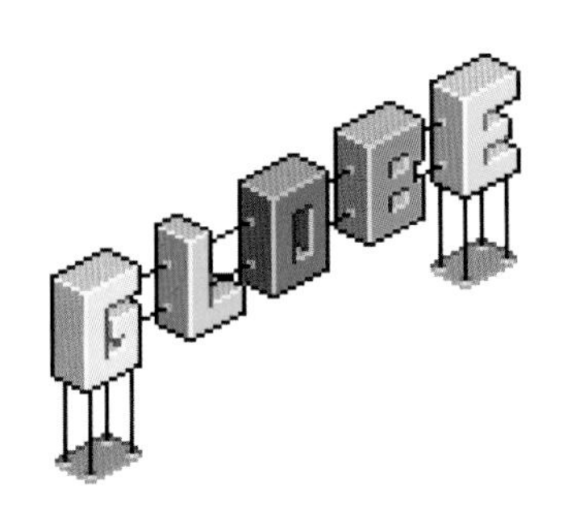

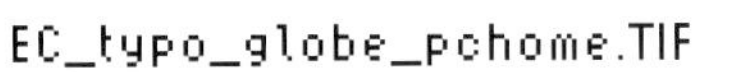

EC_typo_globe_pchome.TIF

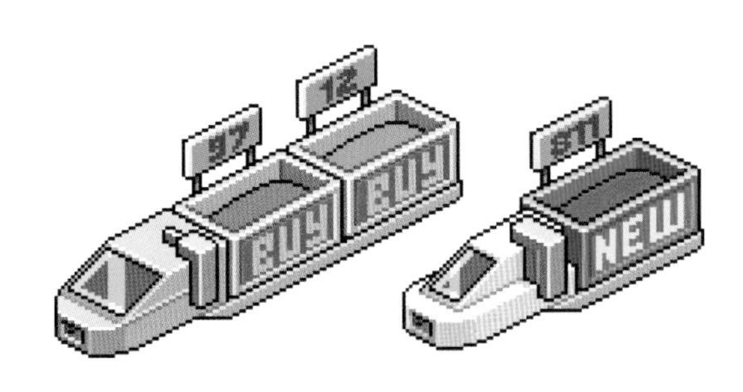

EC_vehi_2buynew_pchome.TIF

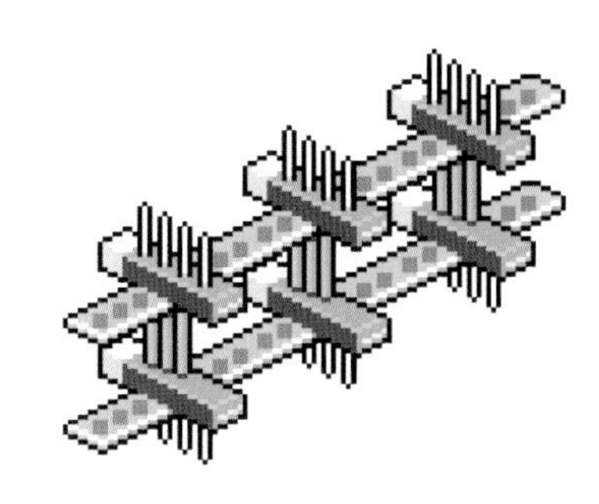

EC_vehi_satellit2_pchome.TIF

DIV_part_gun_arena.tif

EC_part_fire_pchome.TIF

EC_logo_eboy_pchome.TIF

EC_vehi_smart2_pchome.TIF

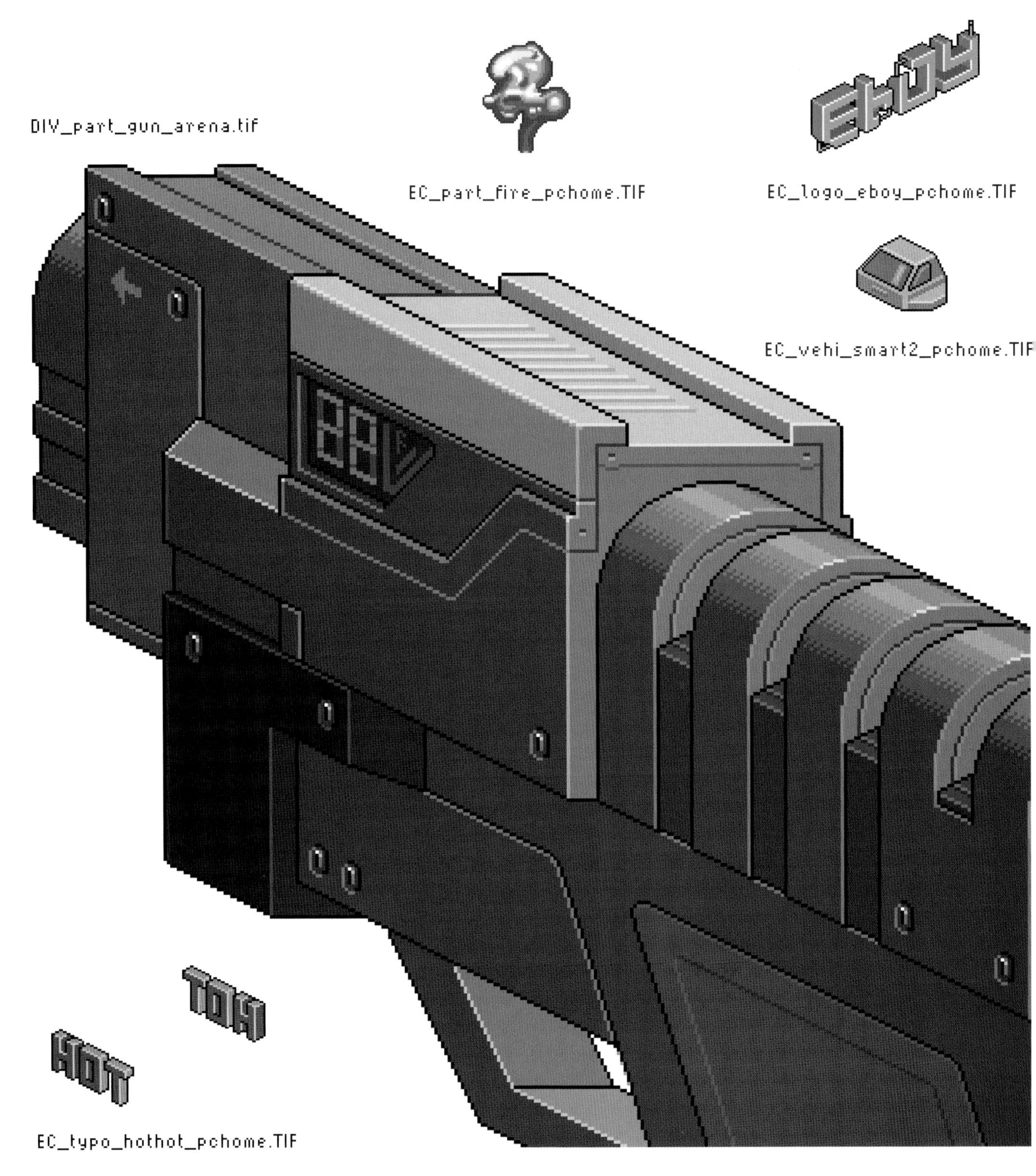

EC_typo_hothot_pchome.TIF

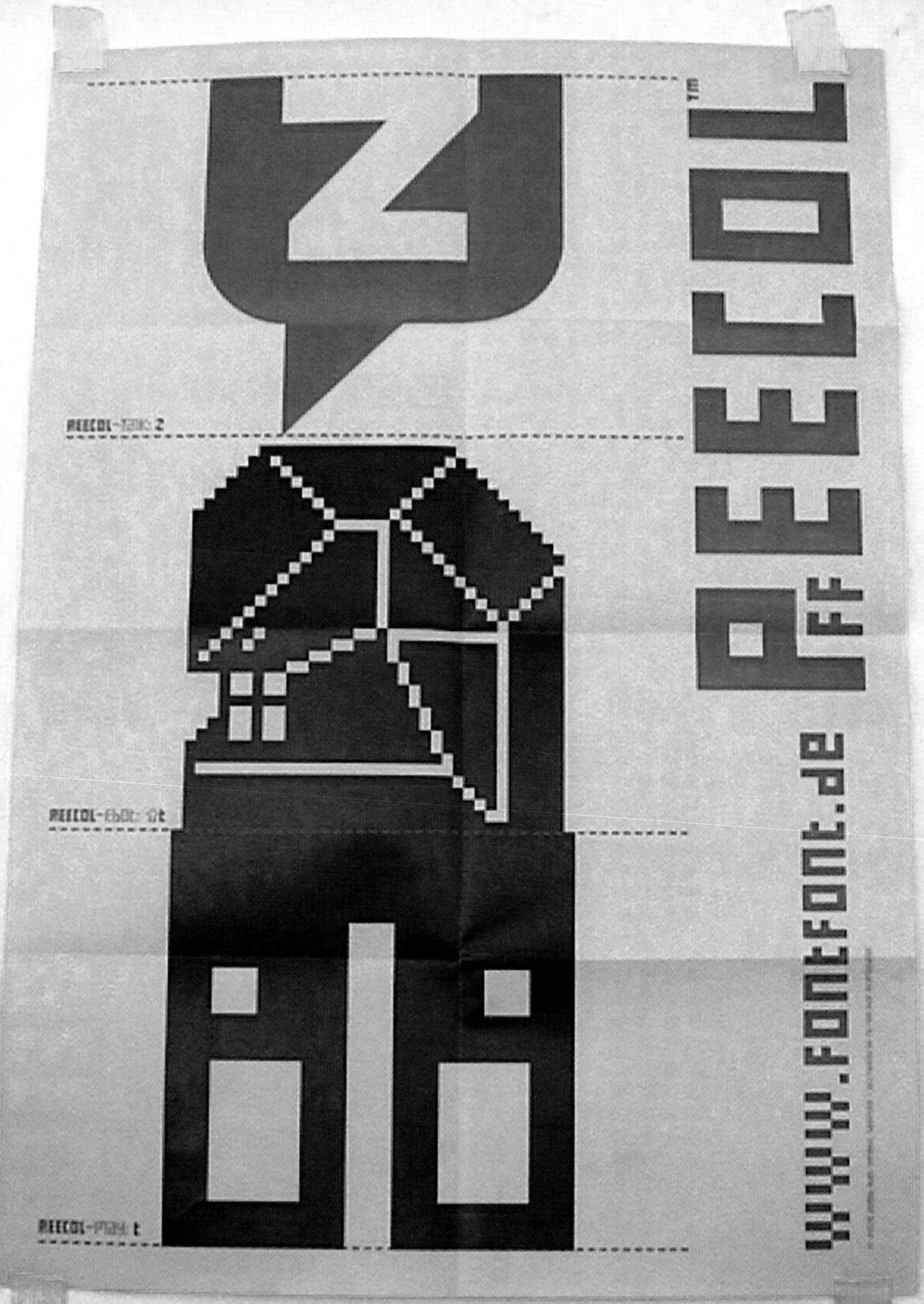

<peecolposter_HIRES.tif>

EXIT
reception

DIV_logo_eboybanderole_eboy.TIF

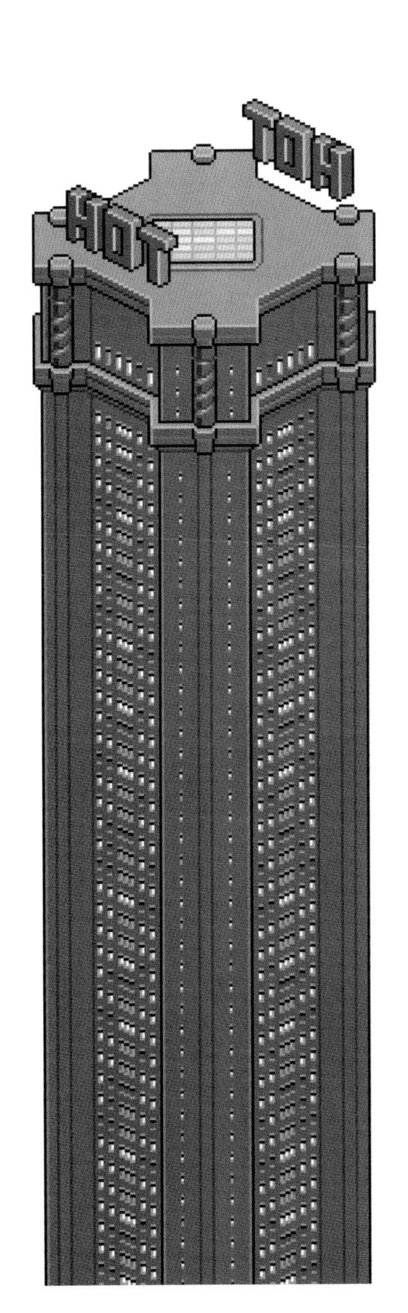

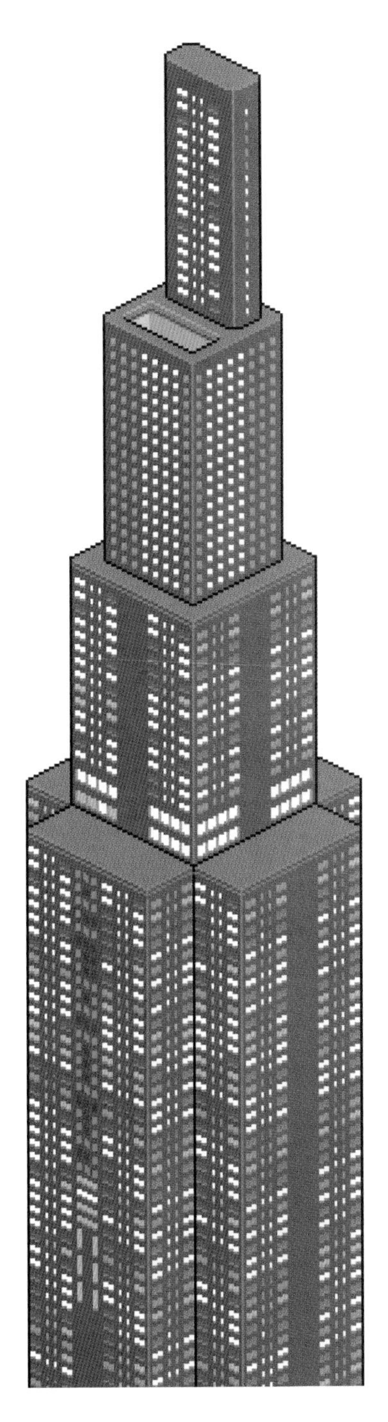

EC_buil_hothot+_pchome.TIF

EC_buil_skyscraper_pchome.TIF

EC_buil_quickhoney_pchome.TIF

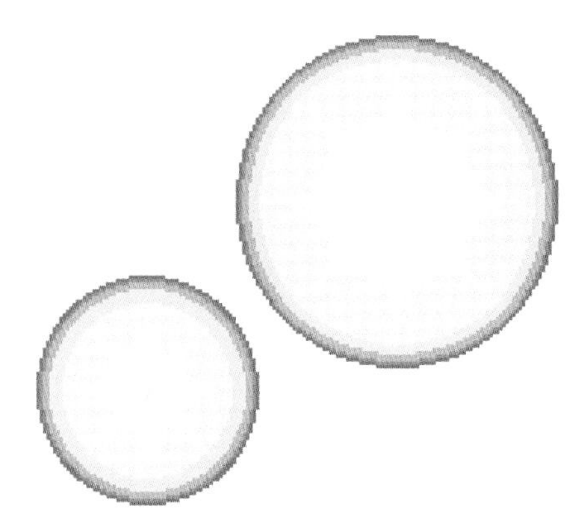

EC_part_2suns_pchome.TIF

PEE_logo_marke_free.TIF

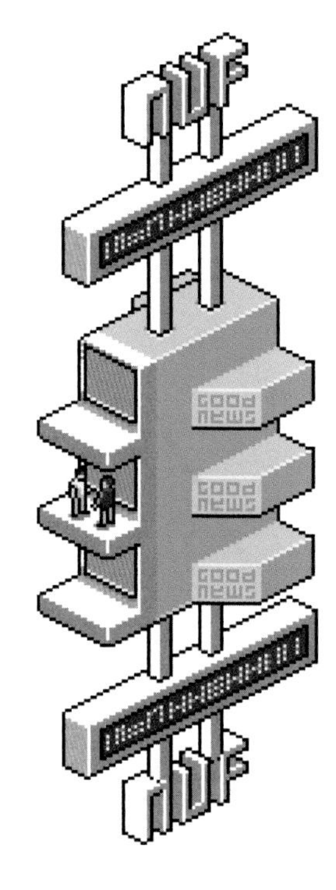

EC_buil_flughaus_pchome.TIF

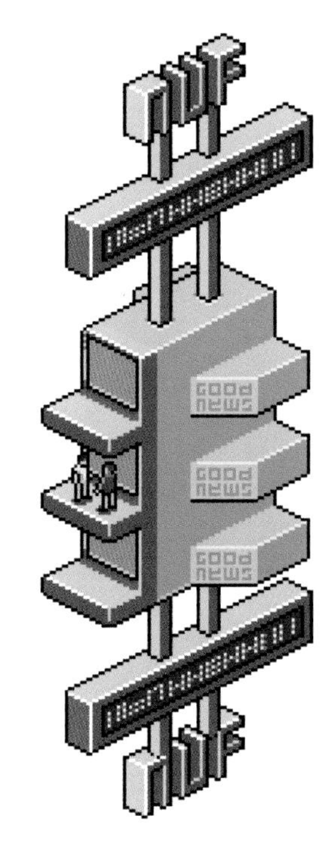

EC_buil_flughaus3_pchome.TIF

EC_part_newsad_pchome.TIF

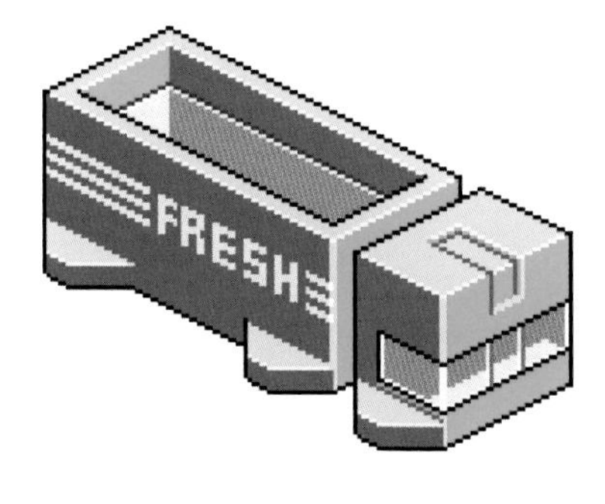

EC_vehi_freshlaster_pchome.TIF

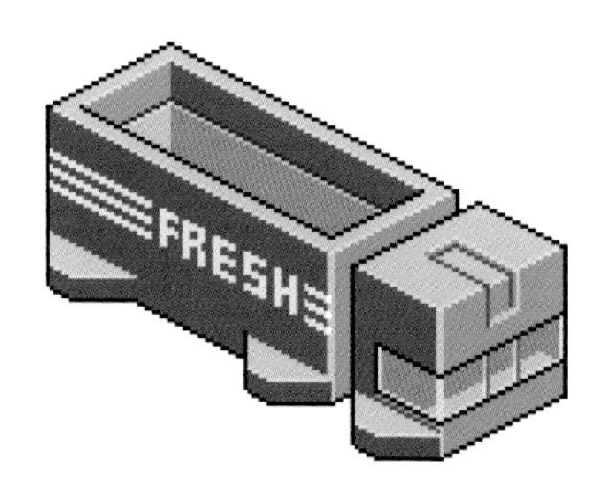

EC_vehi_fresh_pchome.TIF

EC_part_xscreenfast_pchome.TIF

WEB_part_eboyfonts_eboy.TIF

EC_peop_reader2_pchome.TIF

DIV_part_fire_arena.tif

DIV_part_ship_dplex.tif

EC_monstertruck_sm_praxxis.tif

DIV_typo_fr:f_arena.tif

 <alicia wi .EPS>

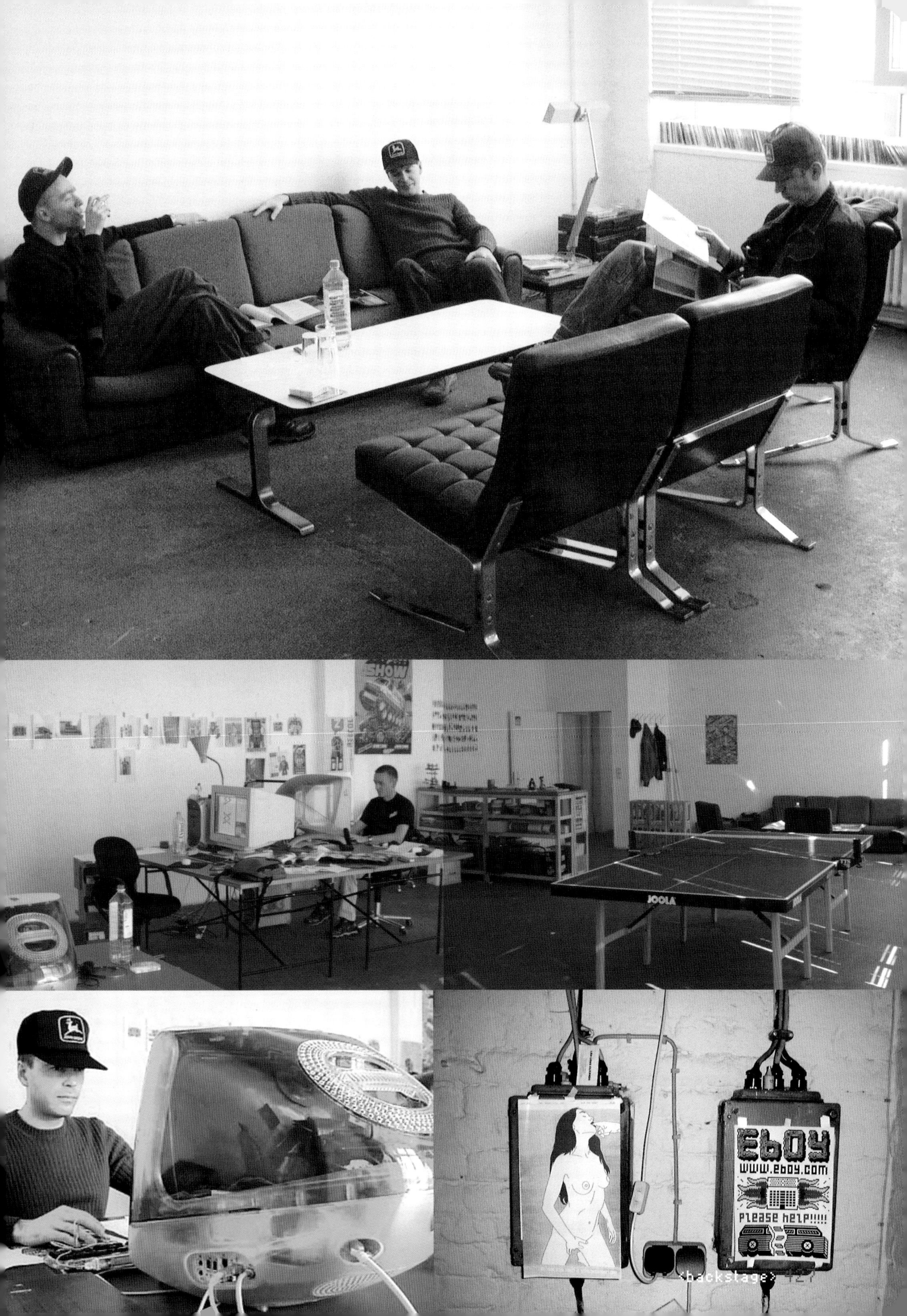
SHOW
JOOLA
EBOY
www.eboy.com
PLEASE HELP!!!!!

 <cornfield girl EPS>

EC_logo_poastone_ofapes.TIF

EC_buil_poa_ofapes.TIF

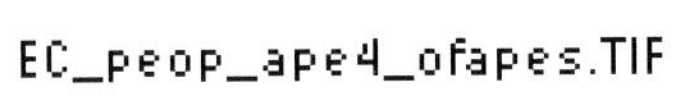

EC_peop_ape4_ofapes.TIF

EC_peop_ape7_ofapes.TIF

EC_peop_ape5_ofapes.TIF

EC_peop_ape2_ofapes.TIF

EC_peop_ape6_ofapes.TIF

EC_peop_ape8_ofapes.TIF

EC_peop_ape9_ofapes.TIF

EC_peop_ape10_ofapes.TIF

EC_peop_ape3_ofapes.TIF

DIV_peop_cowboy_mc.TIF

DIV_peop_samurai_mc.TIF

DIV_anim_apeok_hidden.TIF

DIV_peop_godzilla_mc.TIF

DIV_vehi_tank_mc.TIF

ANI_peop_soldierdancing5_mc.TIF

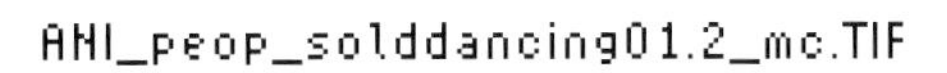

ANI_peop_solddancing01.2_mc.TIF

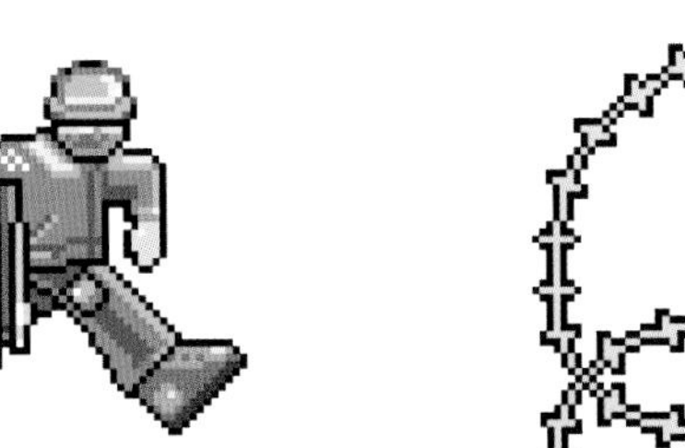

ANI_peop_solddancing01.1_mc.TIF

ANI_peop_solddancing01.4_mc.TIF

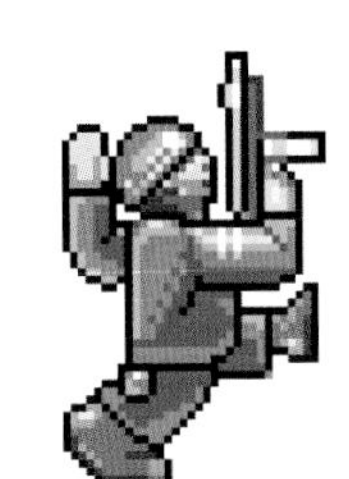

ANI_peop_solddancing01.3_mc.TIF

ANI_peop_solddancing01.5_mc.TIF

DIV_part_barbwire2_mc.TIF

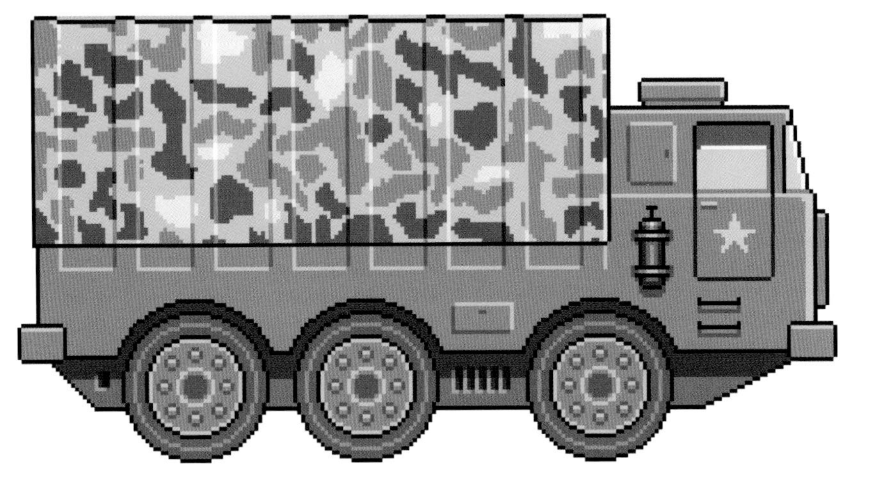

DIV_vehi_armytruck_mc.TIF

ANI_peop_soldierdancin11_mc.TIF

ANI_peop_soldierdancing7_mc.TIF

ICO_peop_worker_seven.tif

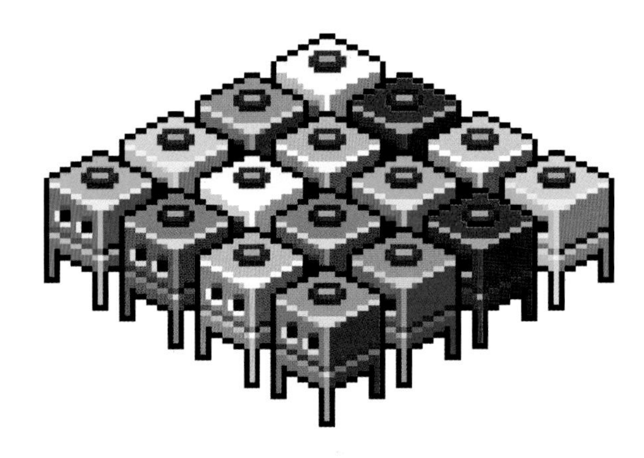

EC_part_cubes_seven.tif

ICO_peop_content_seven.tif

EC_part_gateway_seven.tif

EC_part_thirdparty_seven.tif

ICO_peop_it2_seven.tif

EC_peop_cellphoneguy_seven.tif

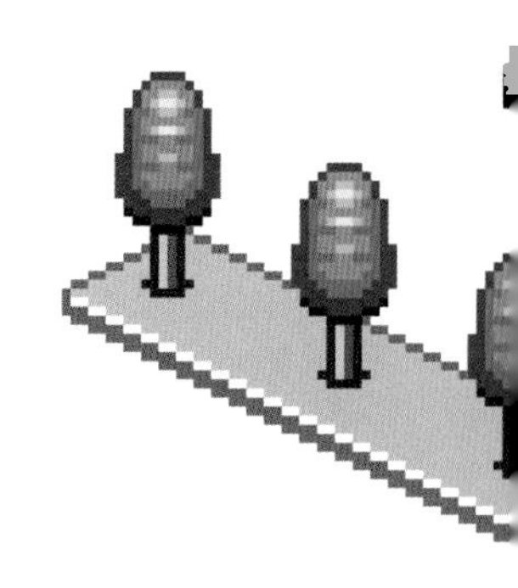

EC_peop_laptopguy_seven.tif

ICO_peop_it_seven.tif

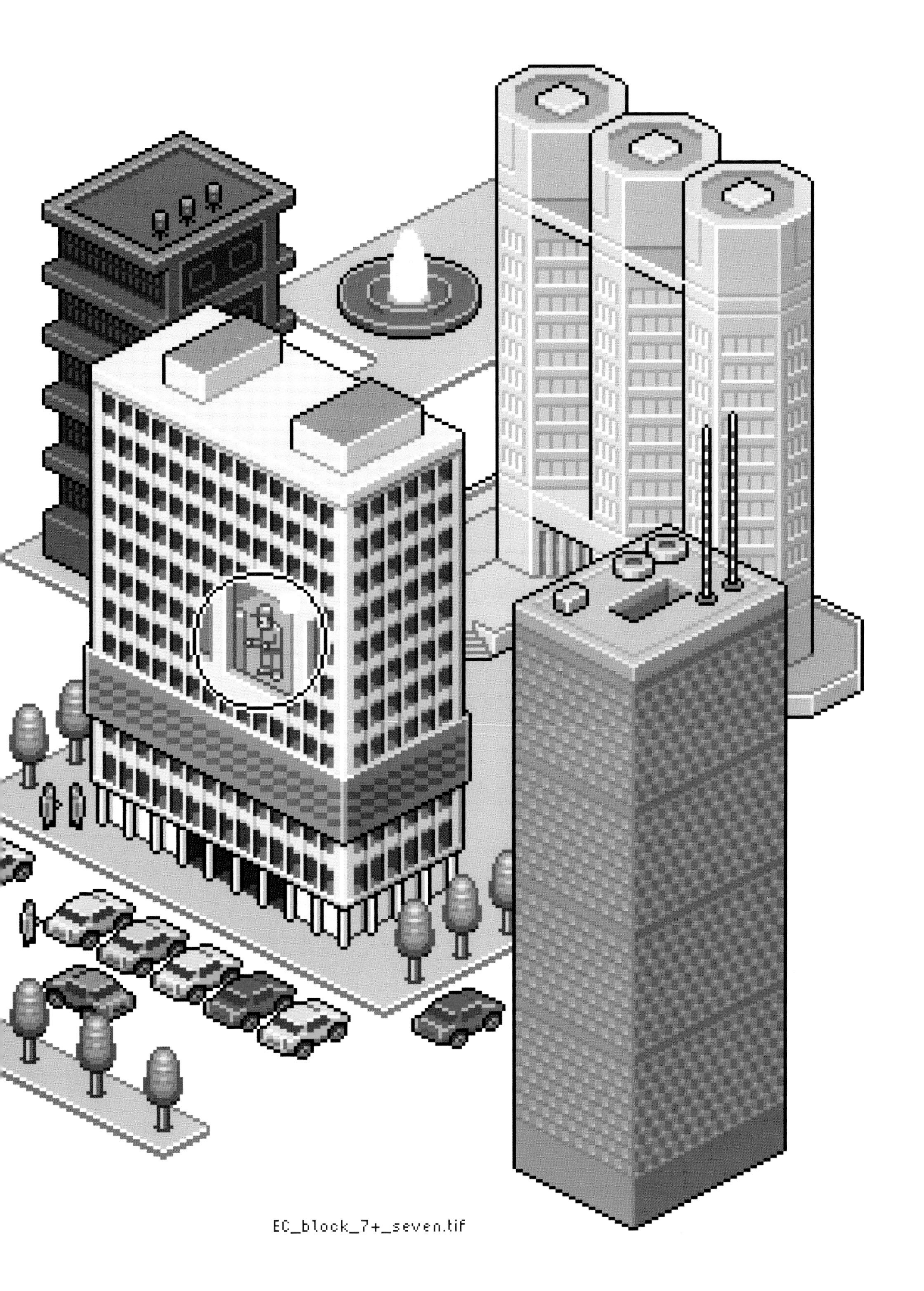

EC_block_7+_seven.tif

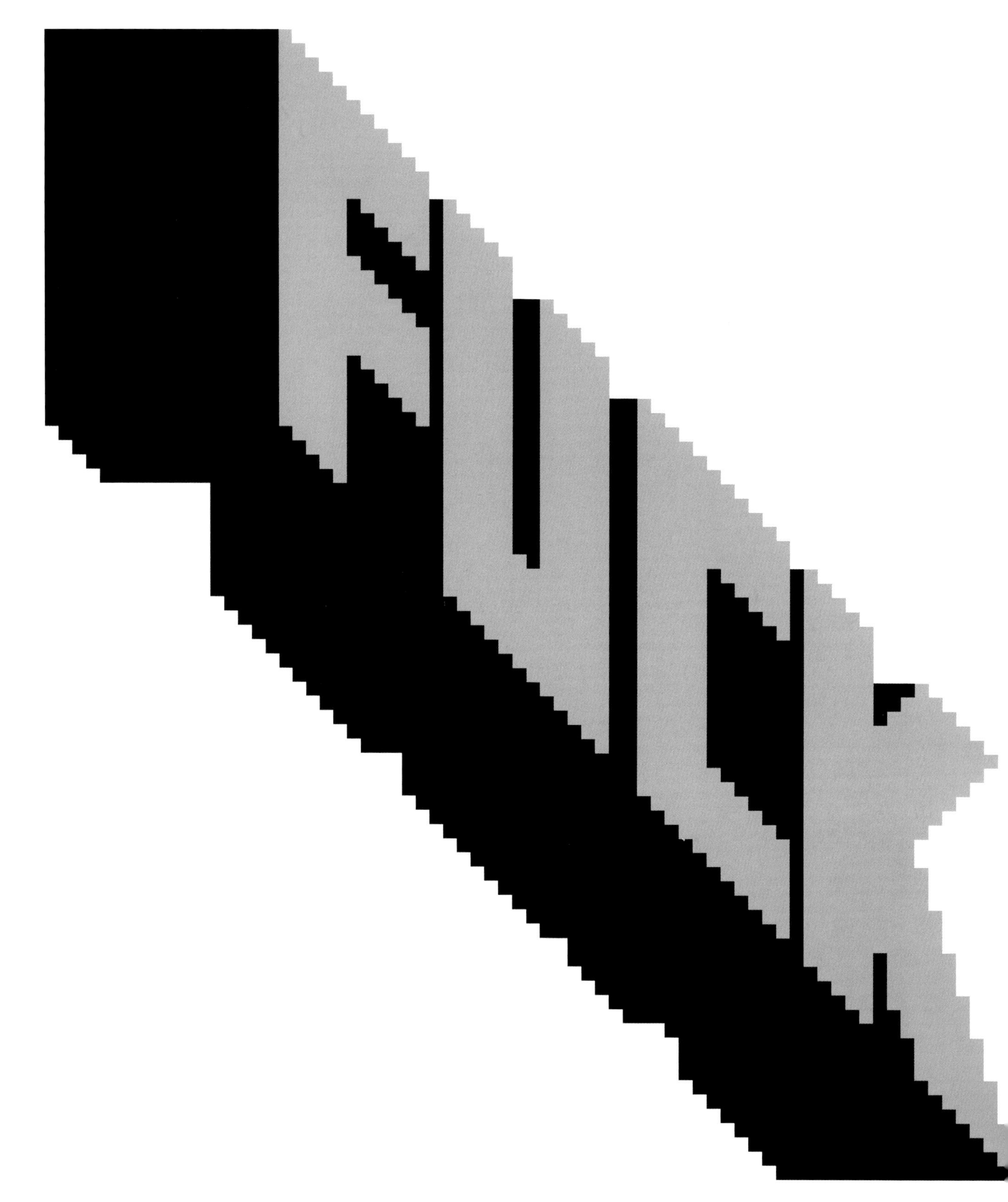

ECV_type_fuck_page.tif

DIV_part_barcode_page.tif

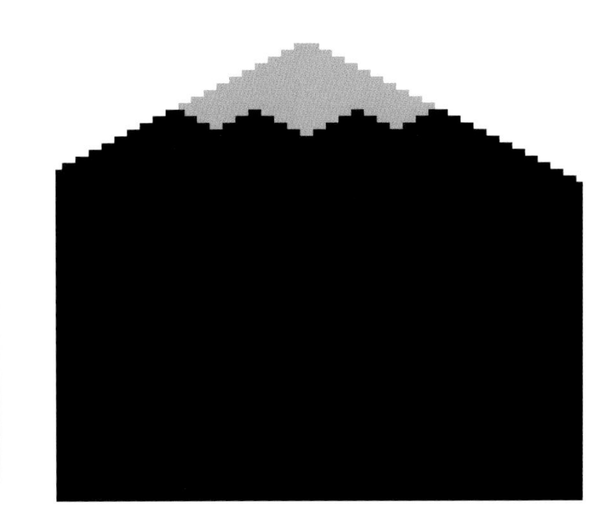

ECV_part_berg_page.tif

DIV_part_barcode2_page.tif

DIV_part_preisschild_page.tif

ECV_peop_2shooting_page.tif

EC_part_treppe_jobline.tif

DIV_part_preisschild2_page.tif

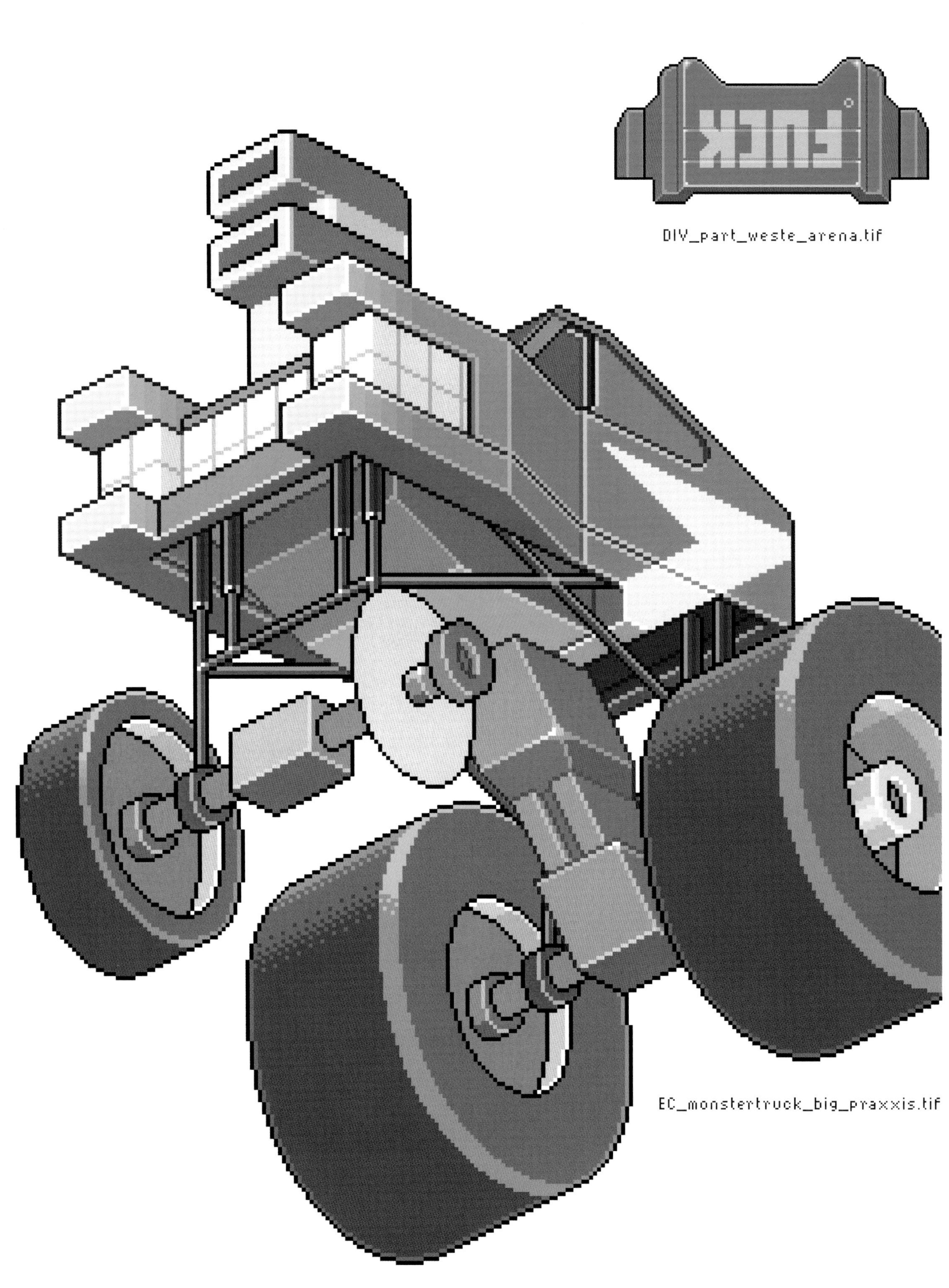

DIV_part_weste_arena.tif

EC_monstertruck_big_praxxis.tif

EHEIM
PROPERTY OF
UNITED PARCEL
SERVICE

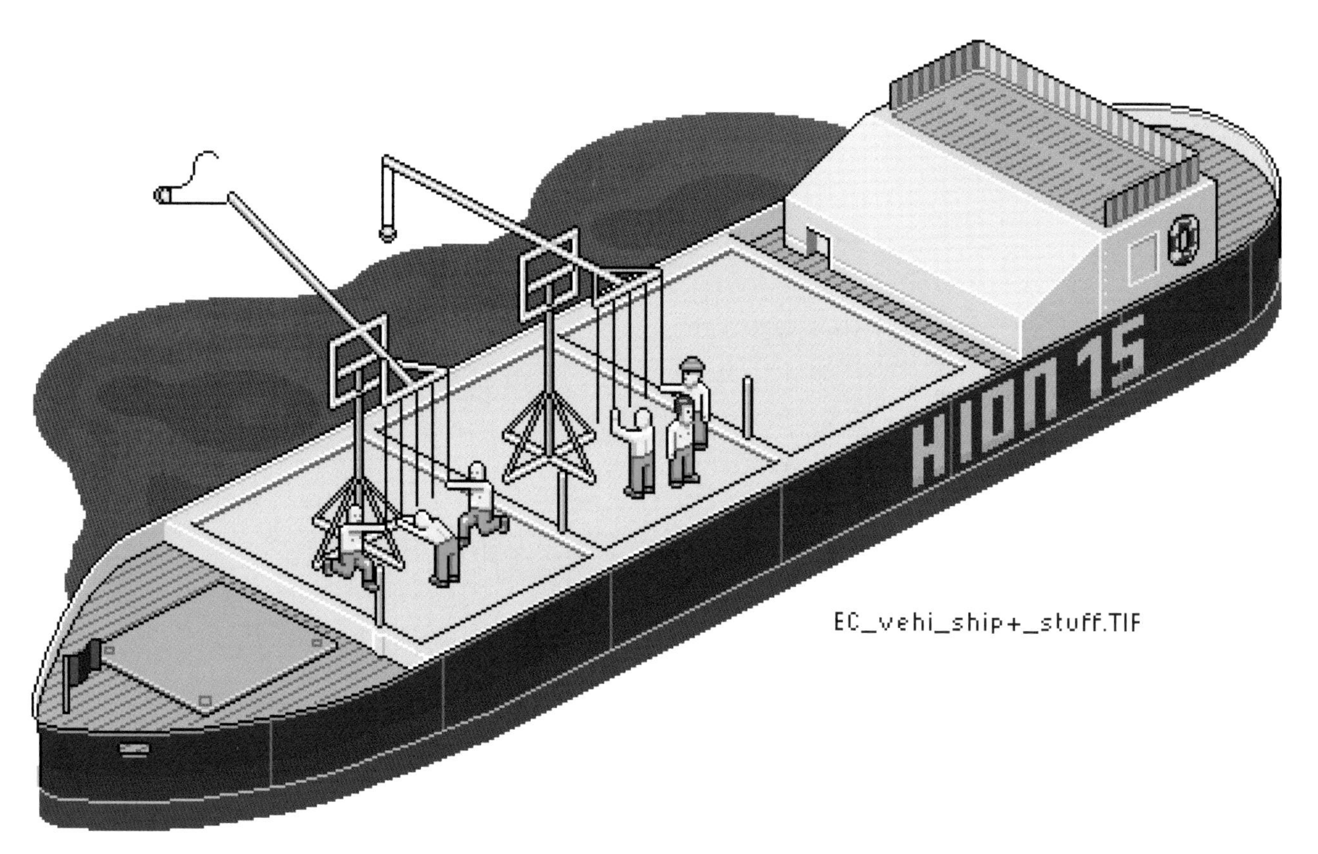

EC_vehi_ship+_stuff.TIF

EC_part_kiste01_eboy.TIF

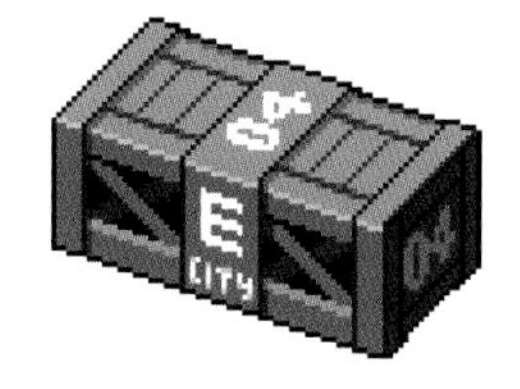

EC_part_kiste04_eboy.TIF

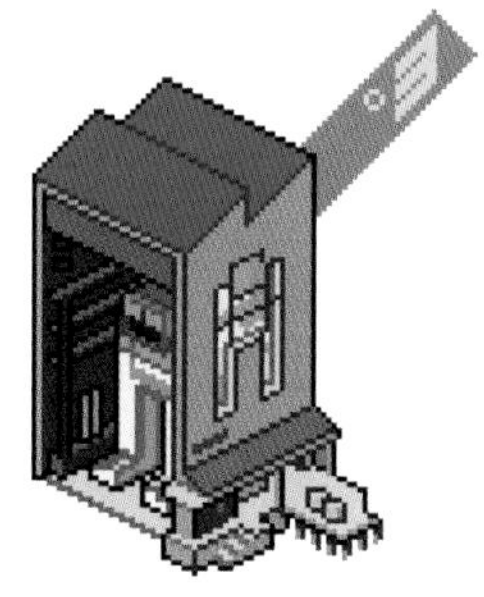

EC_icon_logzone3_eboy.TIF

EC_part_kiste06_eboy.TIF

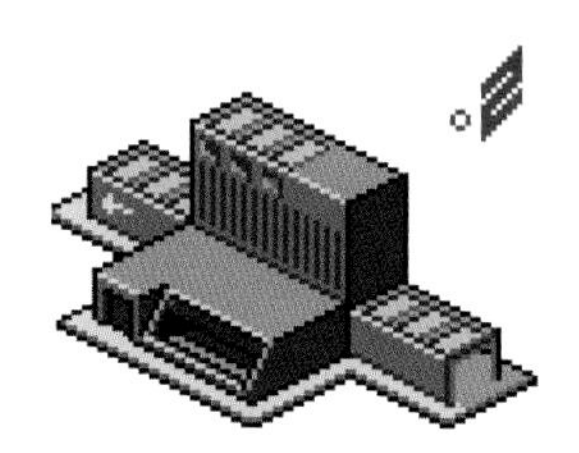

EC_icon_playbay1_eboy.TIF

EC_part_kiste05_eboy.TIF

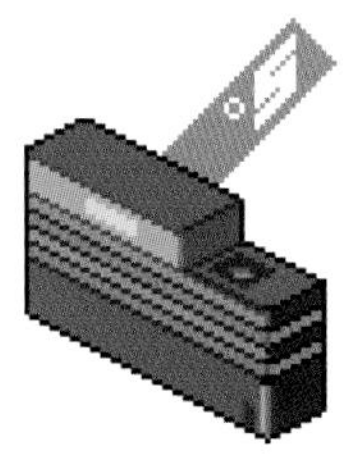

EC_icon_dragston2_eboy.TIF

EC_part_kiste11_eboy.TIF

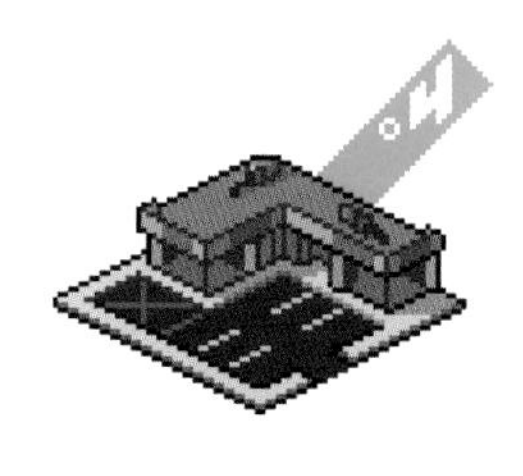

EC_icon_hood4_eboy.TIF

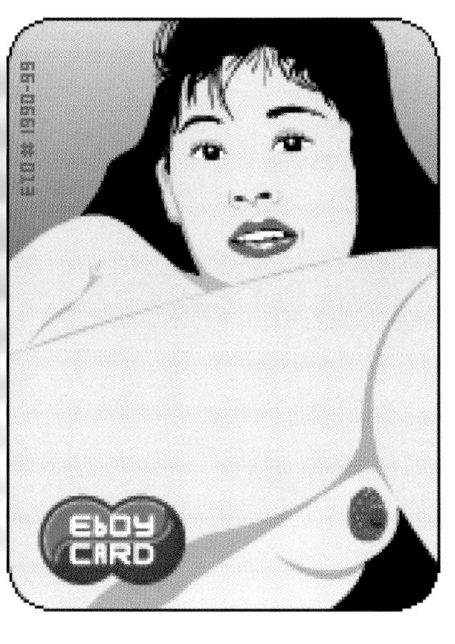

GG_oggi_01.tif

GG_Rosette_01.tif

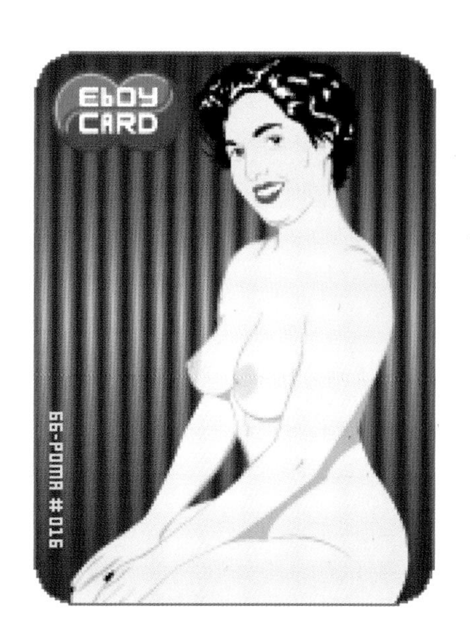

GG_Poma_01.tif

EC_icon_nopoly4_eboy.TIF

EC_buil_c&w_attenda.tif

EC_part_kiste03_eboy.TIF

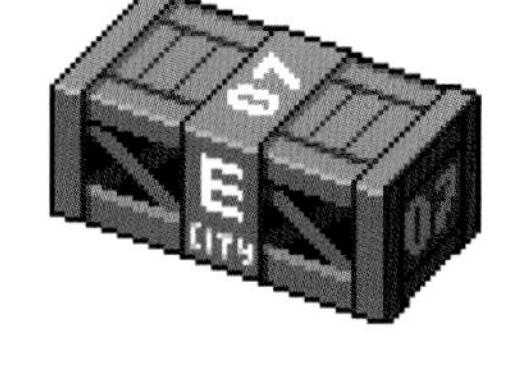

EC_part_kiste07_eboy.TIF

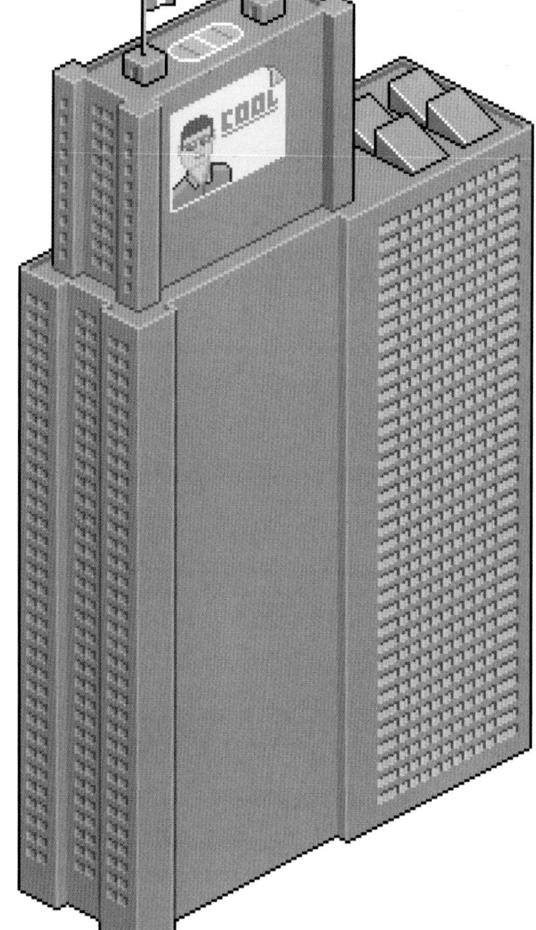

EC_buil_hockeyroof_attenda.tif

323 323 TV.BERLIN 12.07. 15 56:31
1/2
IN BERLIN
Mo - Fr
19:00-19:25
STADT-TEXT
Premieren, Partys, Prominente
Mit Angelika Neumann
E Boys - drei Berliner stellen von der
Roboterwelt bis zum Pin-Up Girl bunte
Pixelwelten ins Netz
Lilli in Puttgarden: Nico and the
Navigators präsentieren ihre neueste
Theaterproduktion in den Sophiensälen

CHAMPION
AUSTIN
BMF

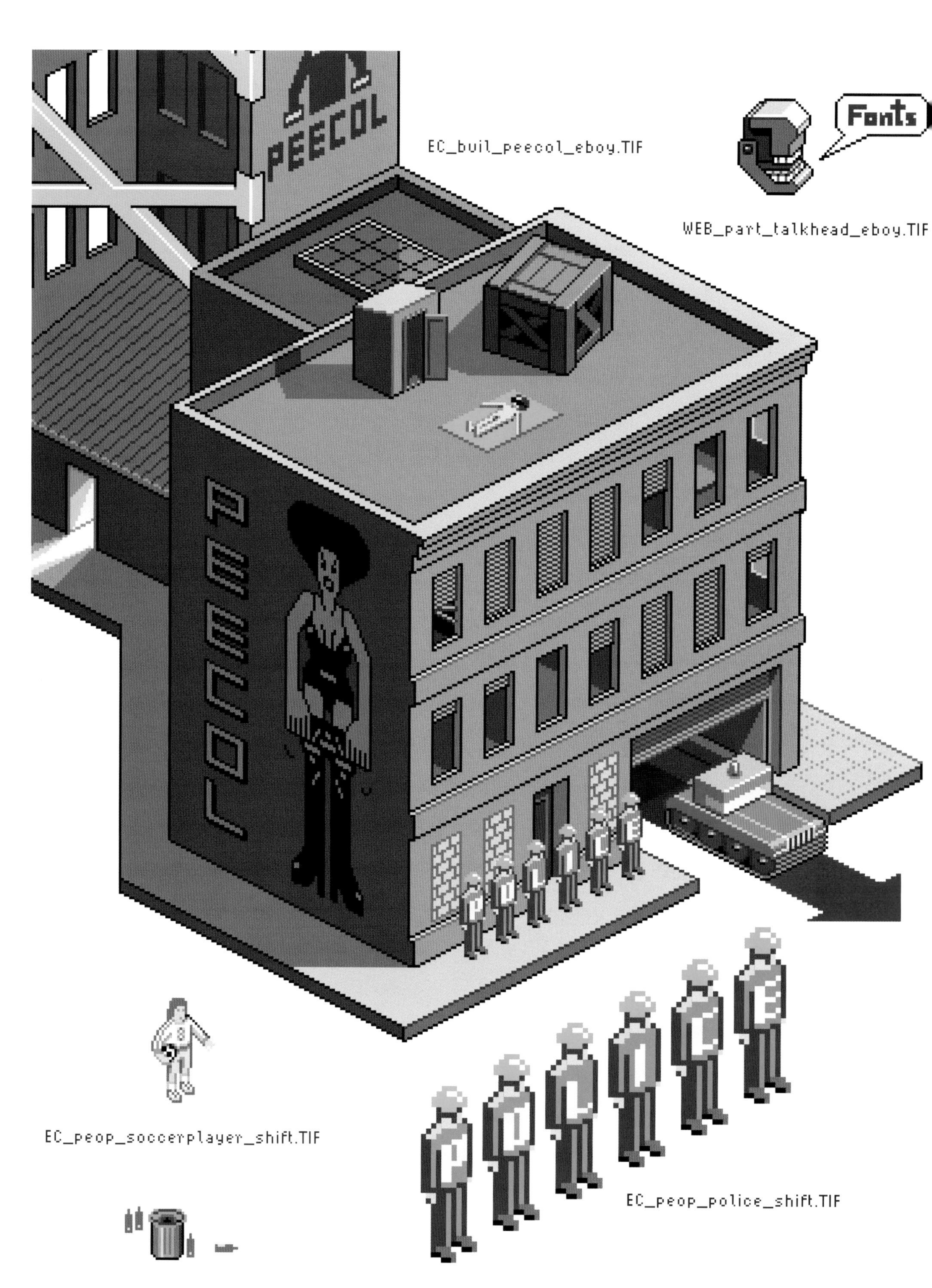
PEECOL
EC_buil_peecol_eboy.TIF
Fonts
WEB_part_talkhead_eboy.TIF
PEECOL
EC_peop_soccerplayer_shift.TIF
EC_peop_police_shift.TIF
EC_part_garbage_shift.TIF

EC_buil_mall_shift.TIF

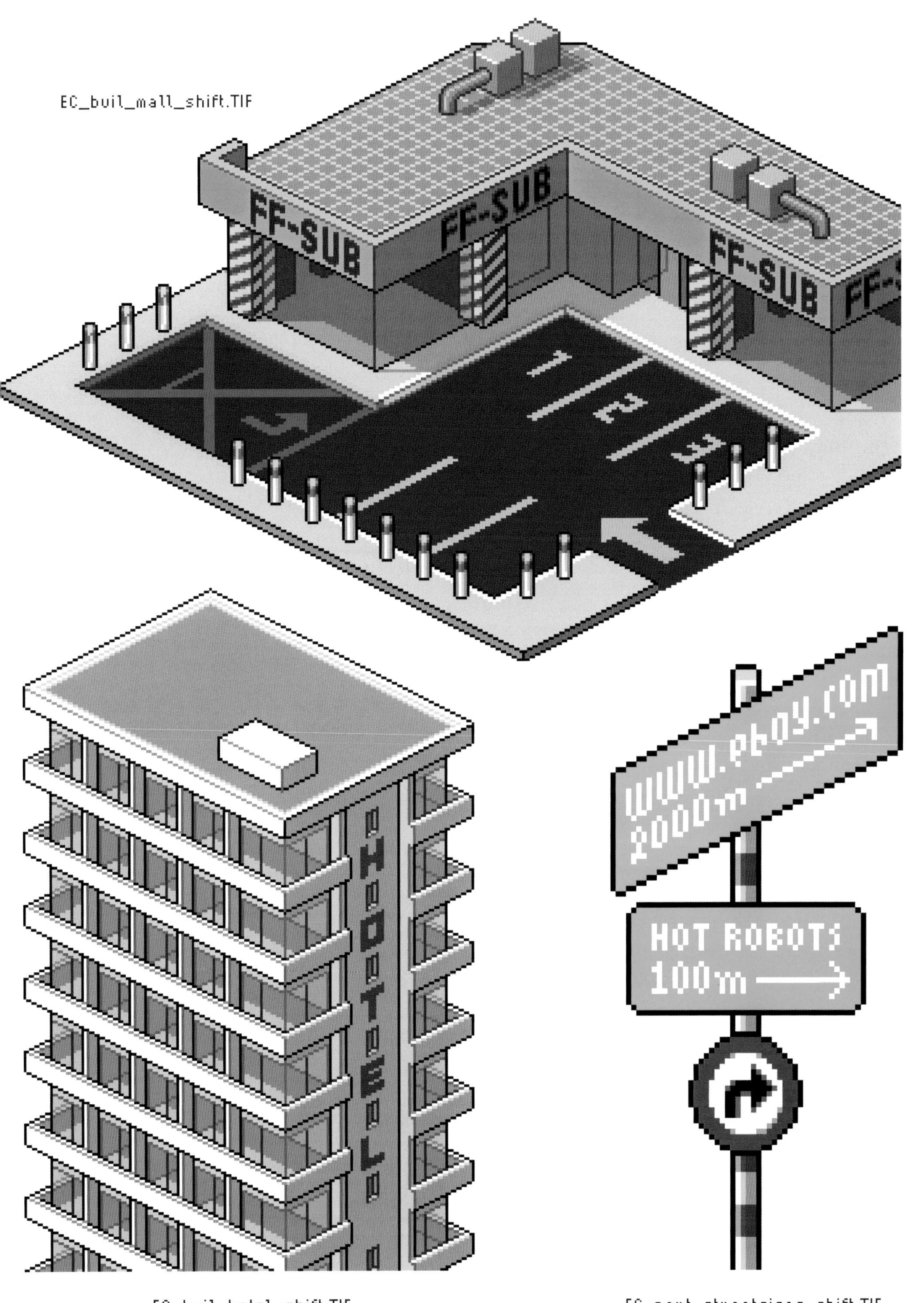

EC_buil_hotel_shift.TIF

EC_part_streetsigns_shift.TIF

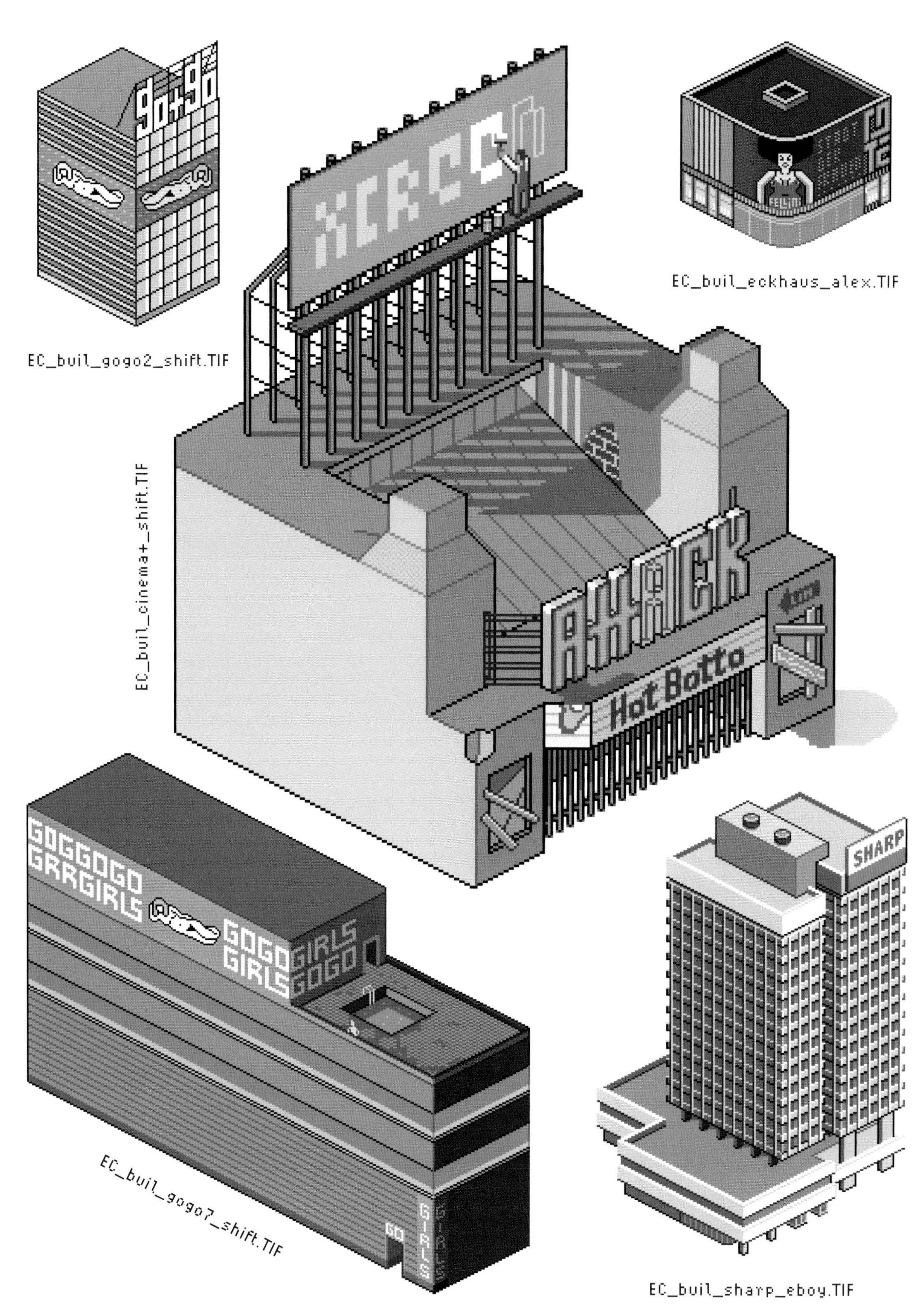

EC_buil_gogo2_shift.TIF

EC_buil_eckhaus_alex.TIF

EC_buil_cinema+_shift.TIF

EC_buil_gogo7_shift.TIF

EC_buil_sharp_eboy.TIF

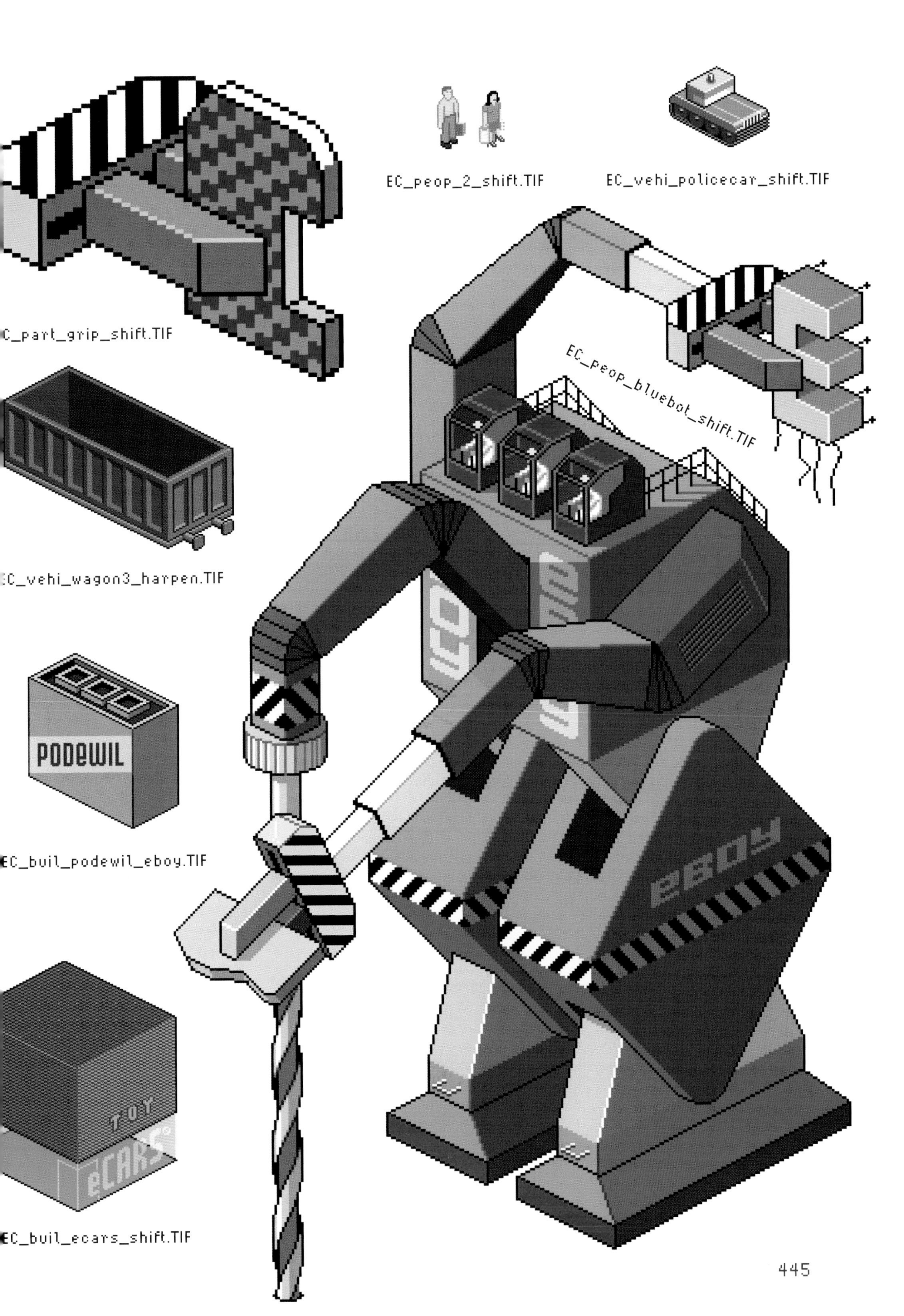
EC_peop_2_shift.TIF
EC_vehi_policecar_shift.TIF
C_part_grip_shift.TIF
EC_peop_bluebot_shift.TIF
C_vehi_wagon3_harpen.TIF
PODEWIL
EC_buil_podewil_eboy.TIF
eBOY
TOY
eCARS
EC_buil_ecars_shift.TIF

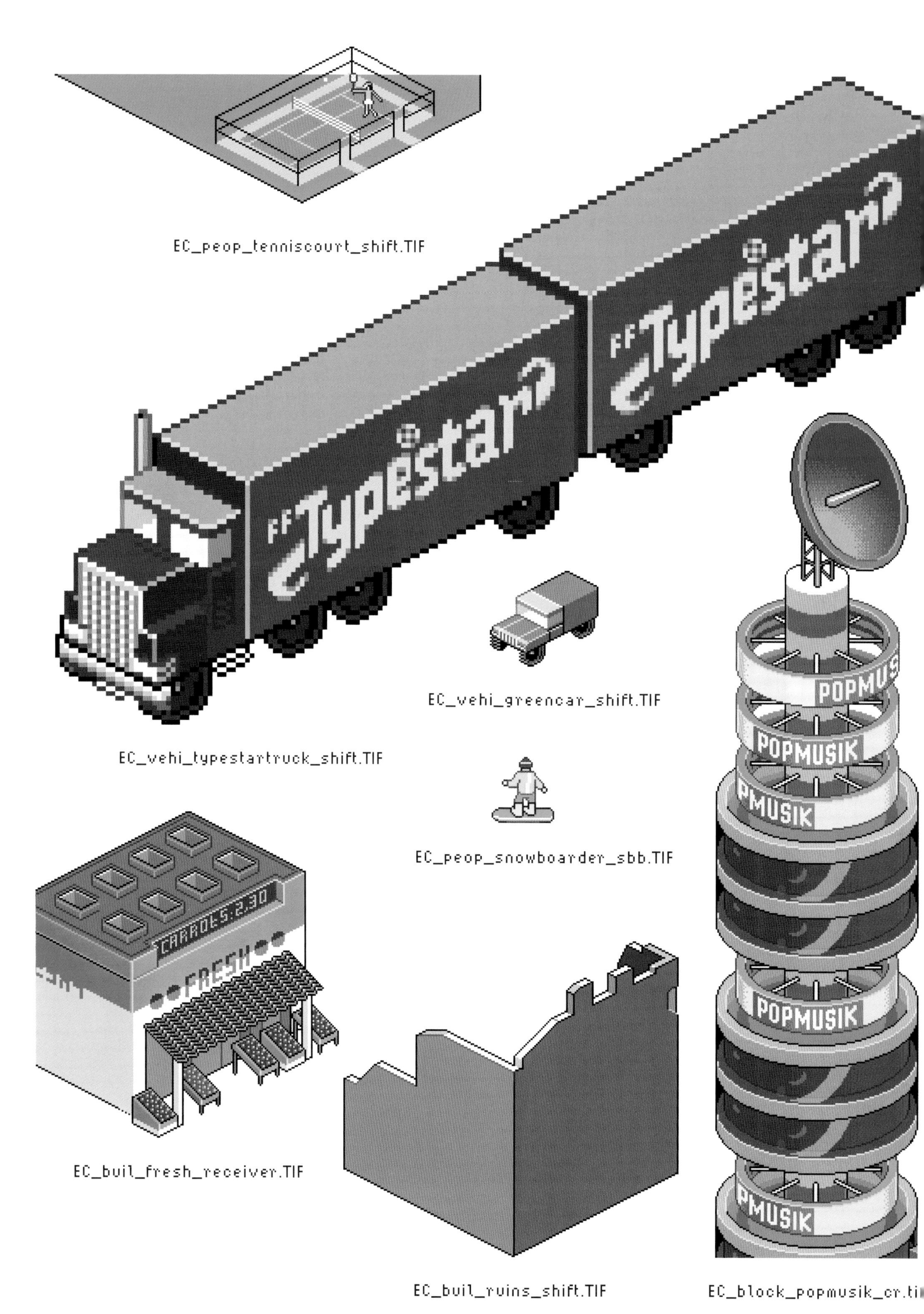

EC_peop_tenniscourt_shift.TIF

EC_vehi_typestartruck_shift.TIF

EC_vehi_greencar_shift.TIF

EC_peop_snowboarder_sbb.TIF

EC_buil_fresh_receiver.TIF

EC_buil_ruins_shift.TIF

EC_block_popmusik_cr.ti

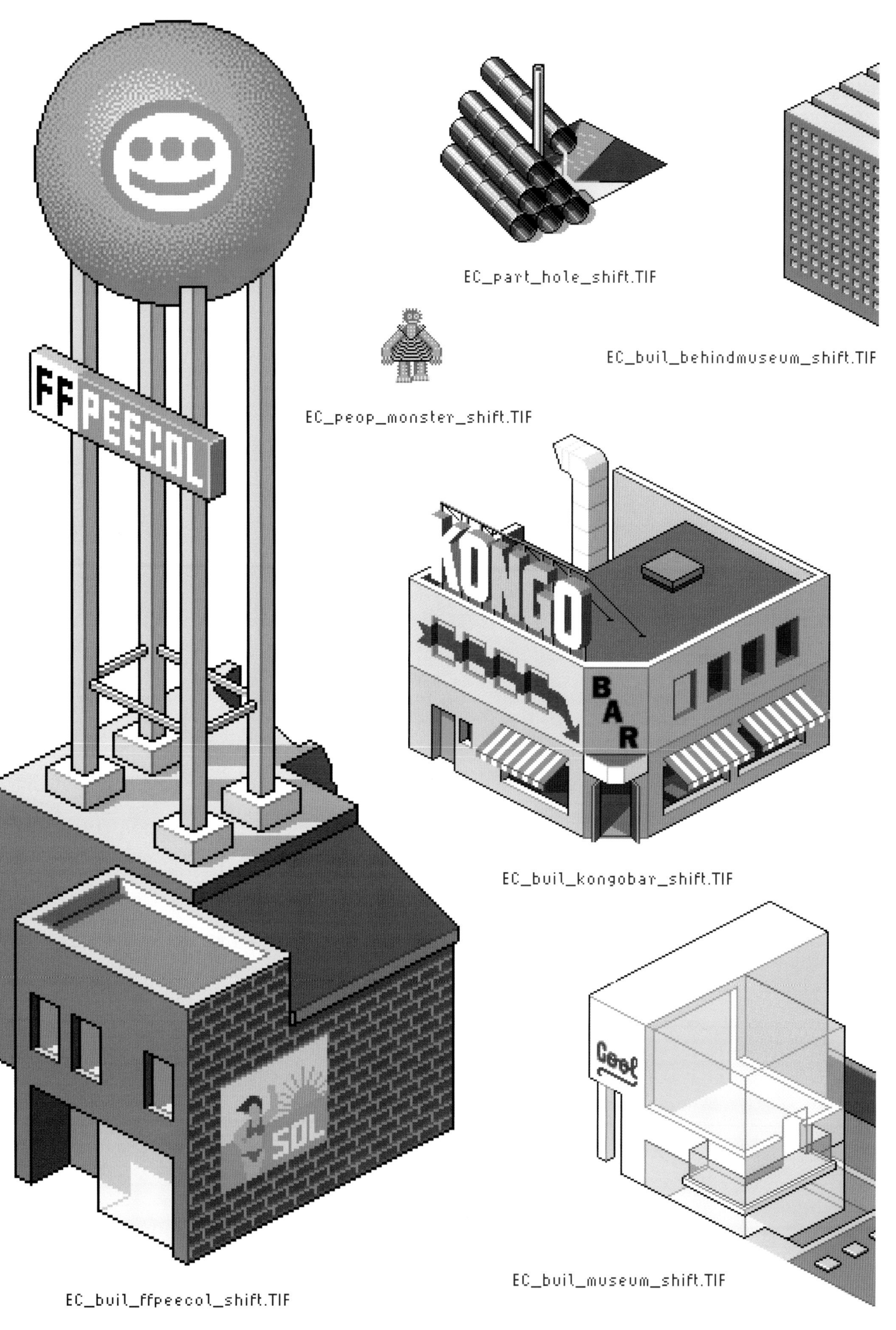

EC_part_hole_shift.TIF

EC_buil_behindmuseum_shift.TIF

EC_peop_monster_shift.TIF

EC_buil_kongobar_shift.TIF

EC_buil_museum_shift.TIF

EC_buil_ffpeecol_shift.TIF

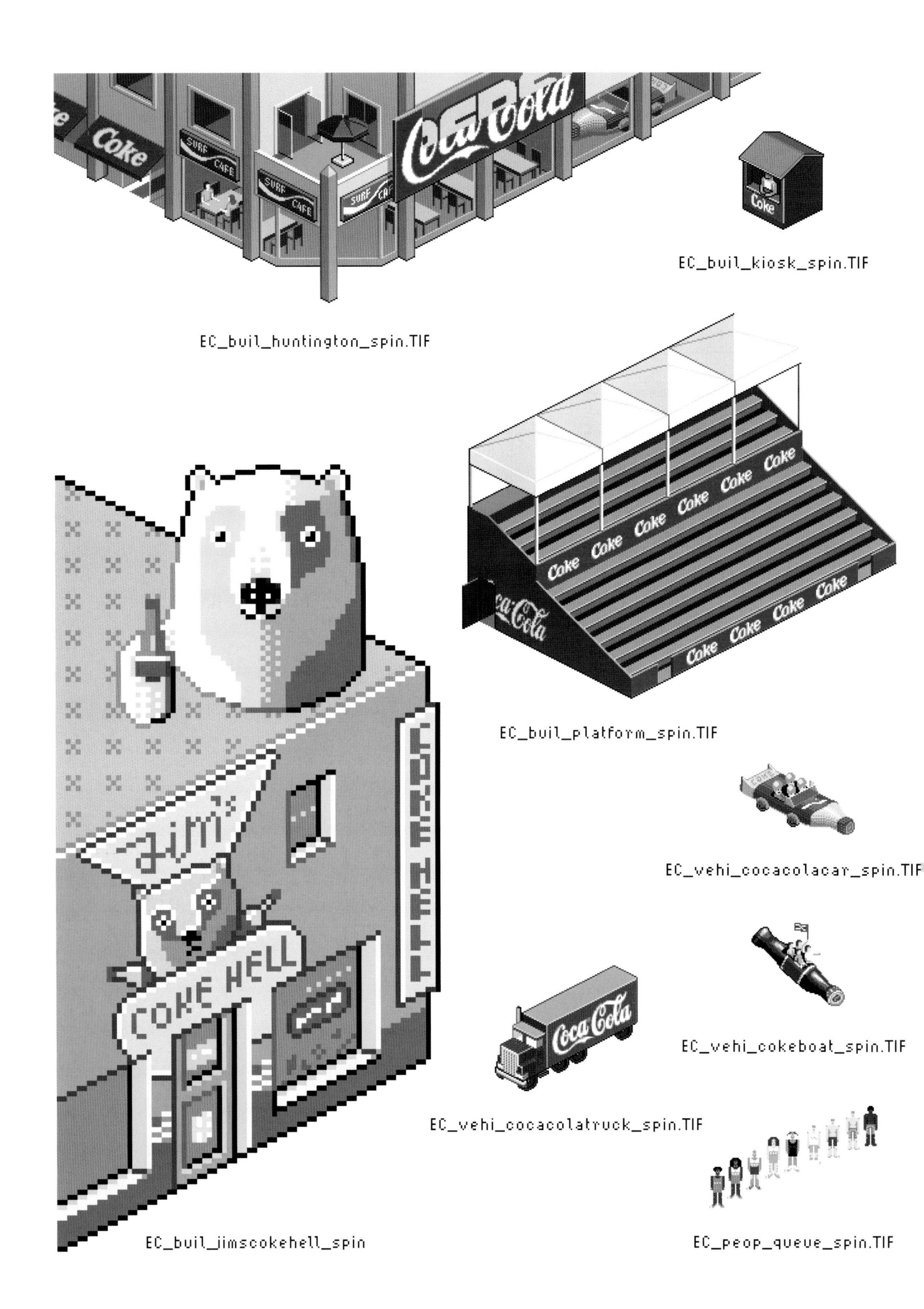

EC_buil_kiosk_spin.TIF

EC_buil_huntington_spin.TIF

EC_buil_platform_spin.TIF

EC_vehi_cocacolacar_spin.TIF

EC_vehi_cokeboat_spin.TIF

EC_vehi_cocacolatruck_spin.TIF

EC_buil_jimscokehell_spin

EC_peop_queue_spin.TIF

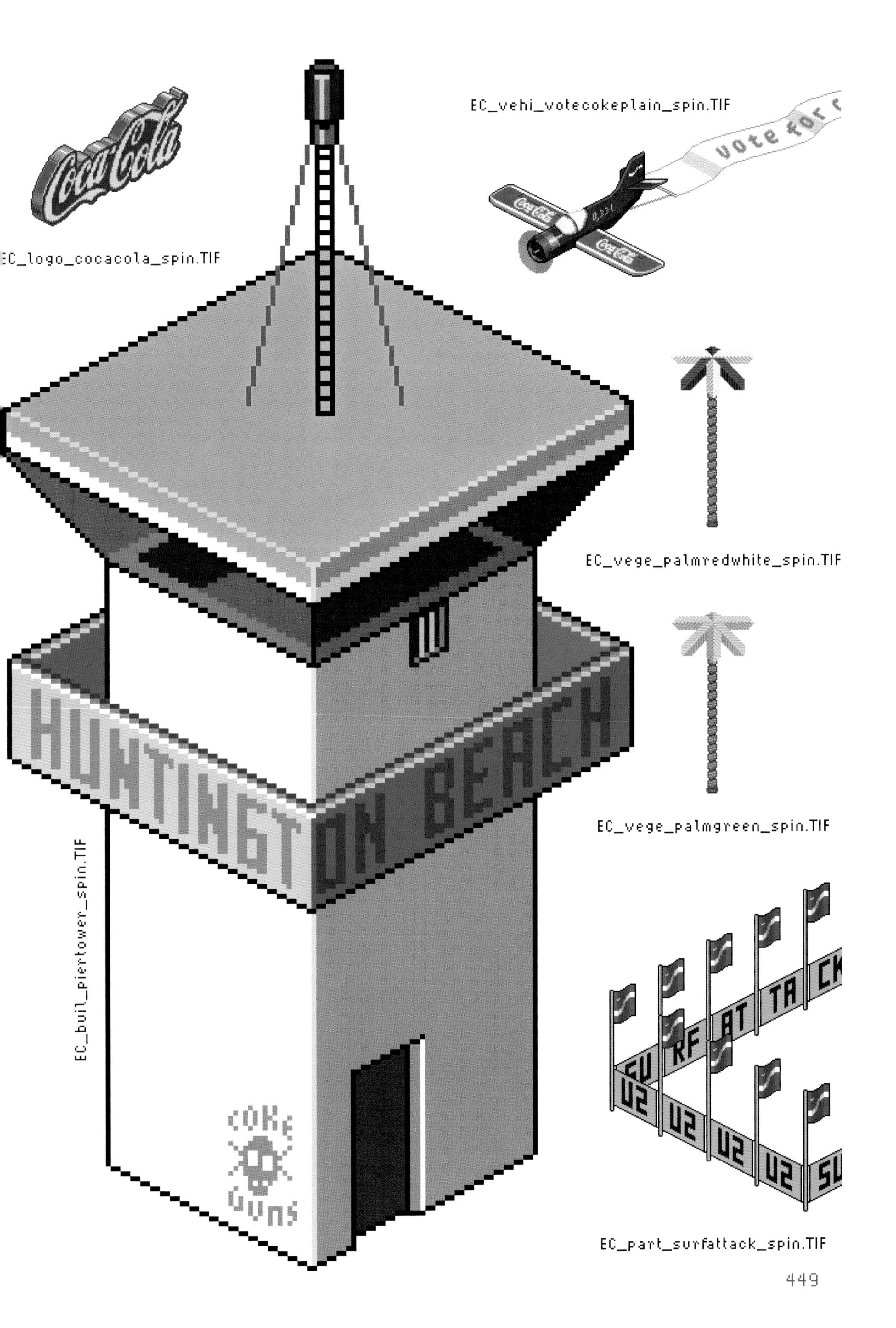
Coca-Cola
EC_logo_cocacola_spin.TIF
EC_vehi_votecokeplain_spin.TIF
vote for
EC_vege_palmredwhite_spin.TIF
EC_vege_palmgreen_spin.TIF
HUNTINGTON BEACH
COKE
GUNS
EC_buil_piertower_spin.TIF
U2
EC_part_surfattack_spin.TIF

450 <bizz_final_324dpi.tif>

eBoy
Casino
Pelican
CLOSED
BEACH ST
ONE WAY
262
GAS
JOE'S GAS
1
2
3
P

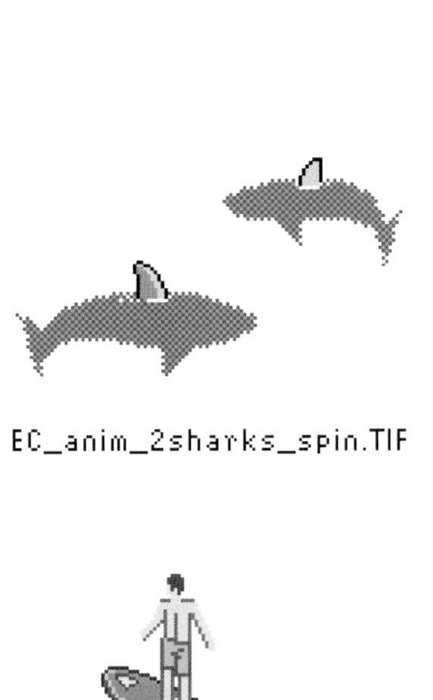

EC_anim_2sharks_spin.TIF

EC_peop_2rescuer_spin.TIF

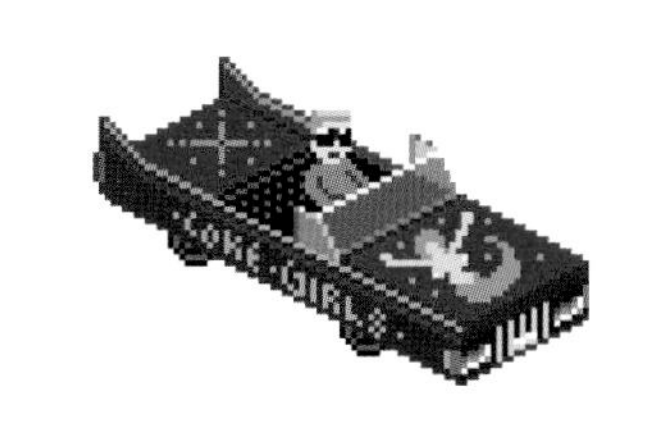

EC_vehi_cokegirls_spin.TIF

EC_peop_surfer3_spin.TIF

EC_peop_surferdead_spin.TIF

EC_peop_surfer2_spin.TIF

EC_peop_sitting_spin.TIF

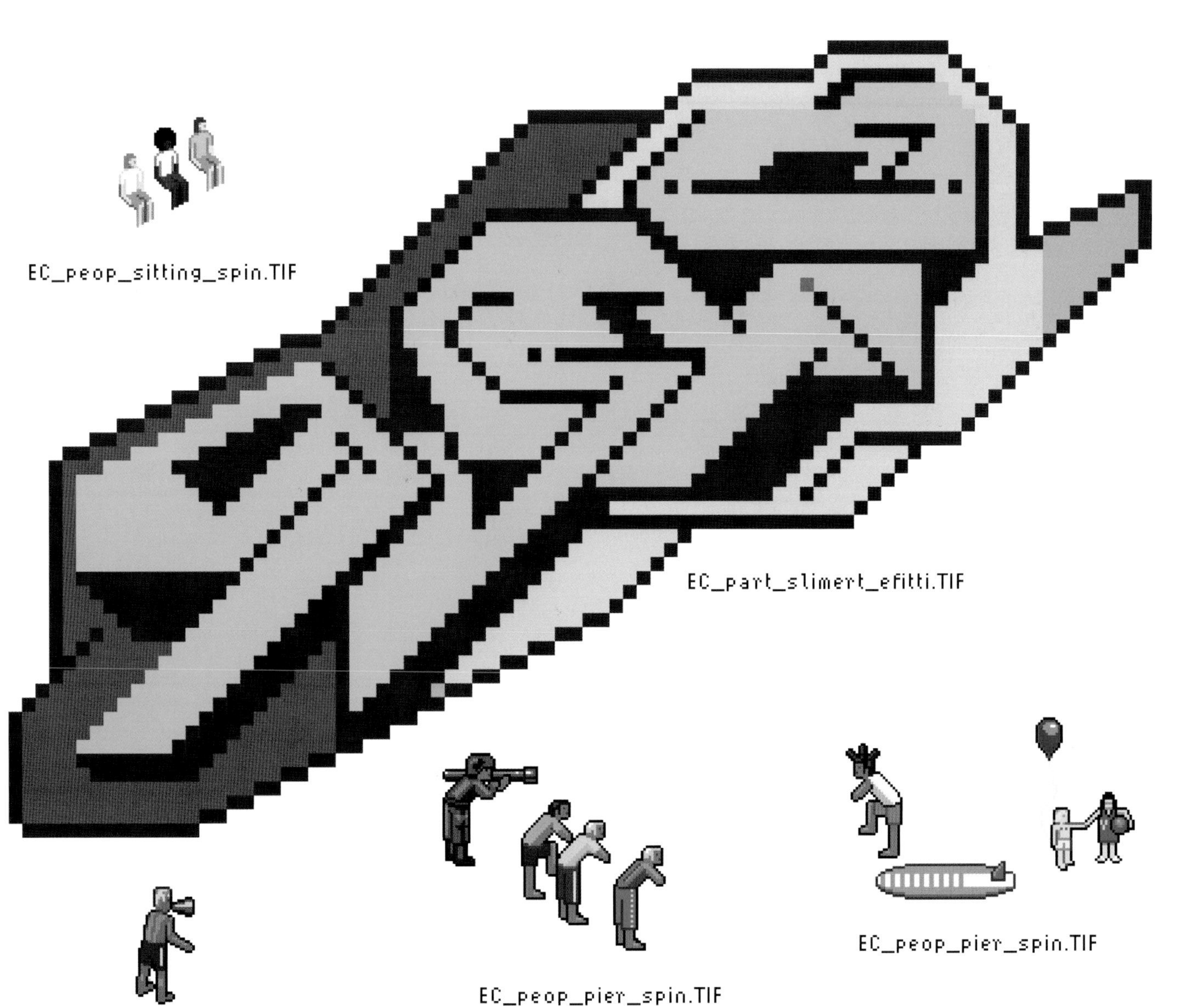

EC_part_slimert_efitti.TIF

EC_peop_pier_spin.TIF

EC_peop_pier_spin.TIF

EC_peop_2rescuer_spin.TIF

EC_peop_worker_spin.TIF

EC_peop_surfer1_spin.TIF

EC_part_angel_01_efitti.TIF

EC_buil_ghetto_receiver.TIF

EC_buil_eboyshop_receiver.TIF

eboy
yola
EC_part_yolazwei_efitti.TIF
EC_block_robot_receiver.TIF

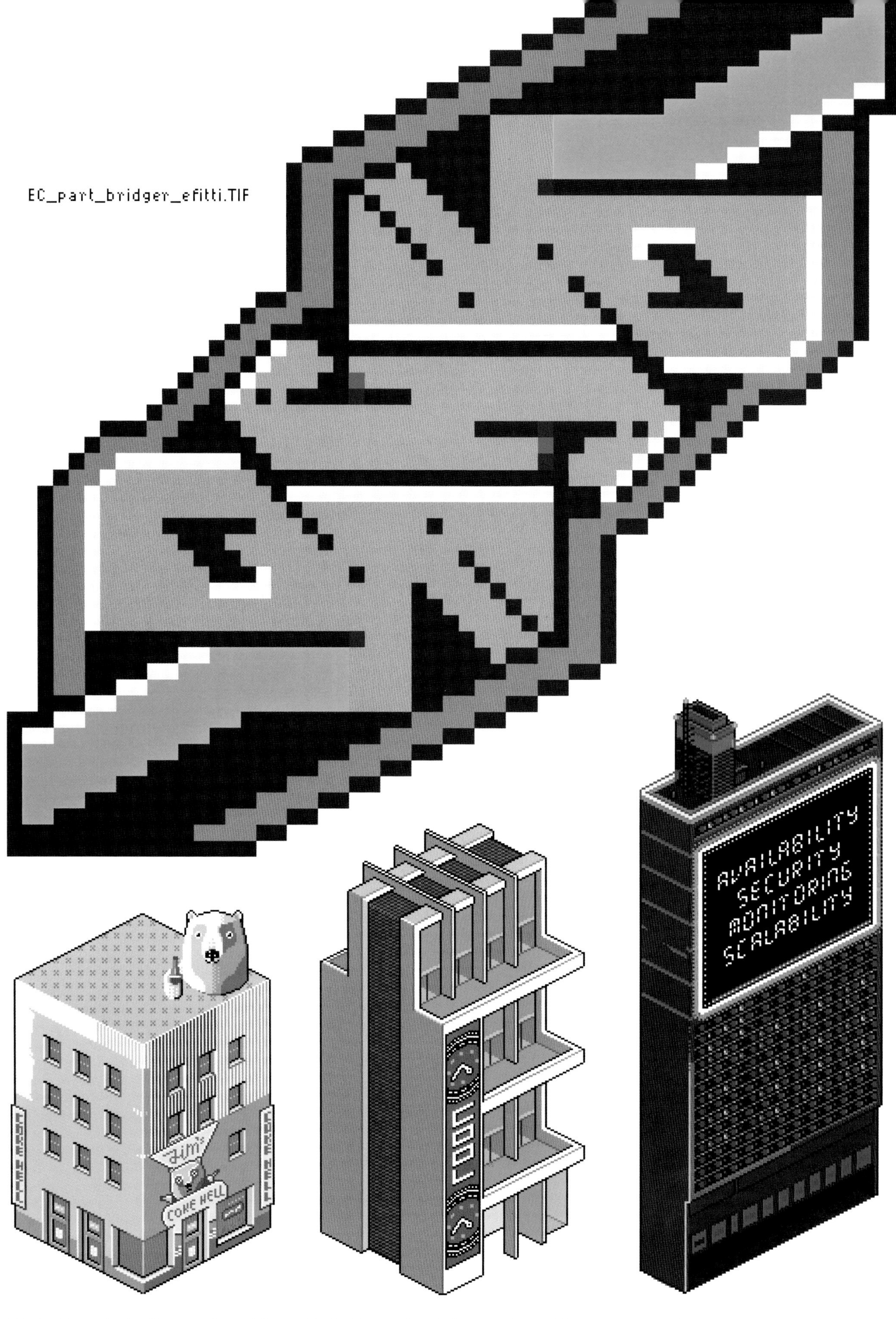

EC_part_bridger_efitti.TIF

EC_buil_cokehell_receiver.TIF

EC_buil_coolhotel_receiver.TIF

EC_buil_charcol_n_attenda.tif

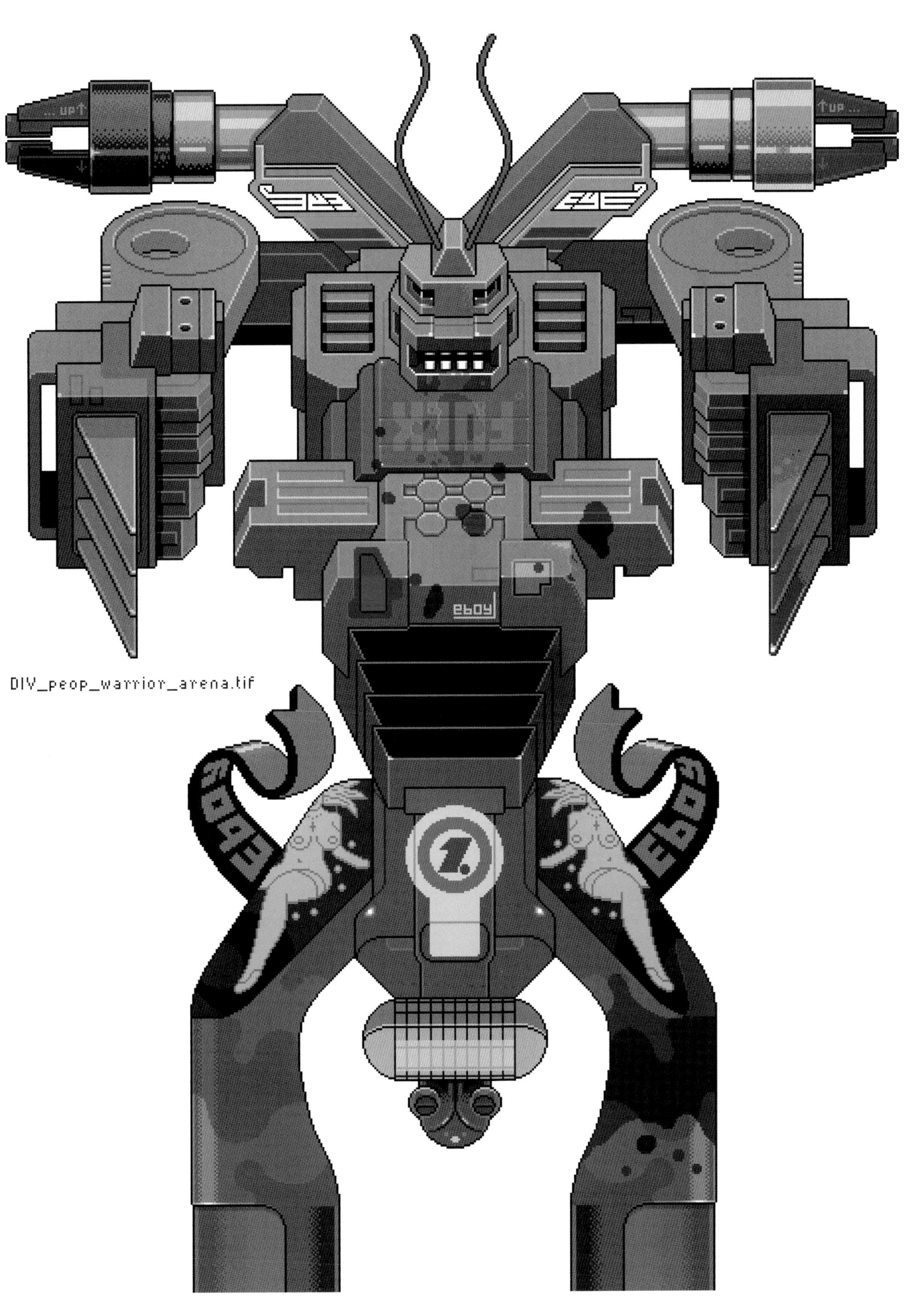

DIV_peop_warrior_arena.tif

PEE_peop_marsman2_free.TIF

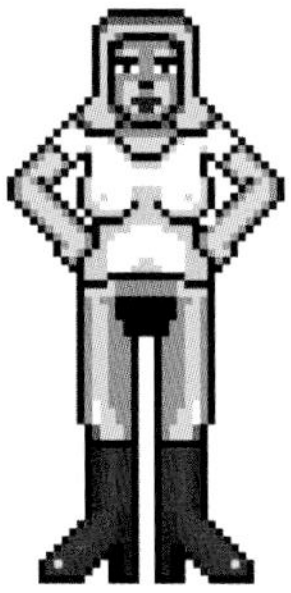

PEE_peop_womanwithout_free.TIF

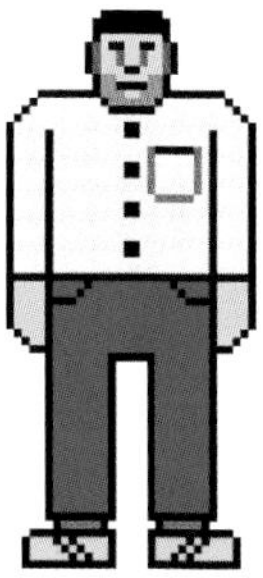

PEE_peop_worker2_free.TIF

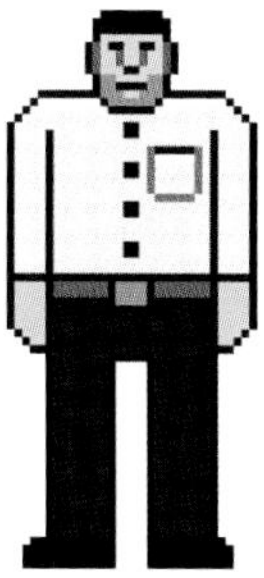

PEE_peop_worker4_free.TIF

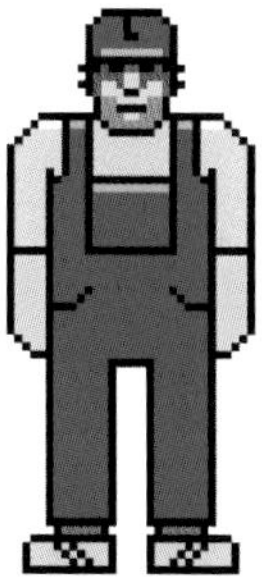

PEE_peop_worker1_free.TIF

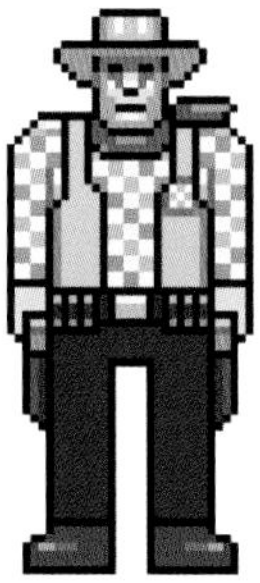

PEE_pict_wildwest_free.TIF

PEE_pict_wildwest_free.TIF

PEE_peop_mrP_free.TIF

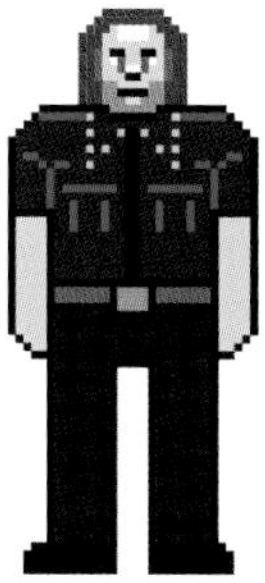

PEE_peop_worker3_free.TIF

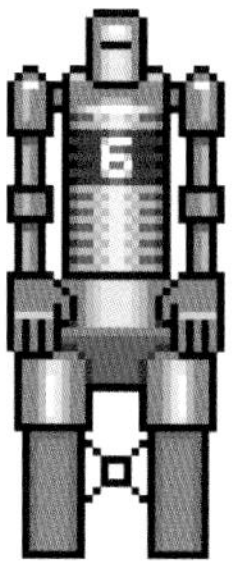

PEE_peop_6bot_free.TIF

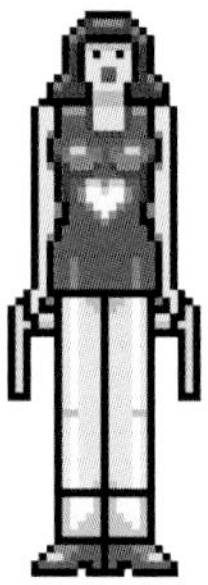

PEE_pict_wildwest_free.TIF

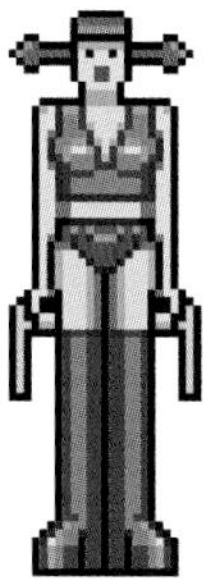

PEE_peop_2attack_free.TIF

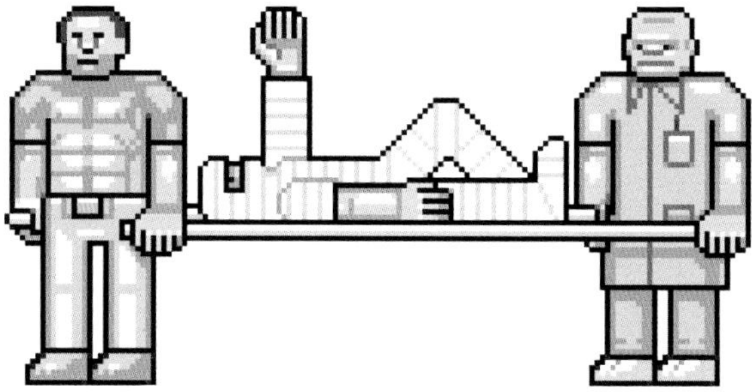

PEE_peop_3ambu_free.TIF

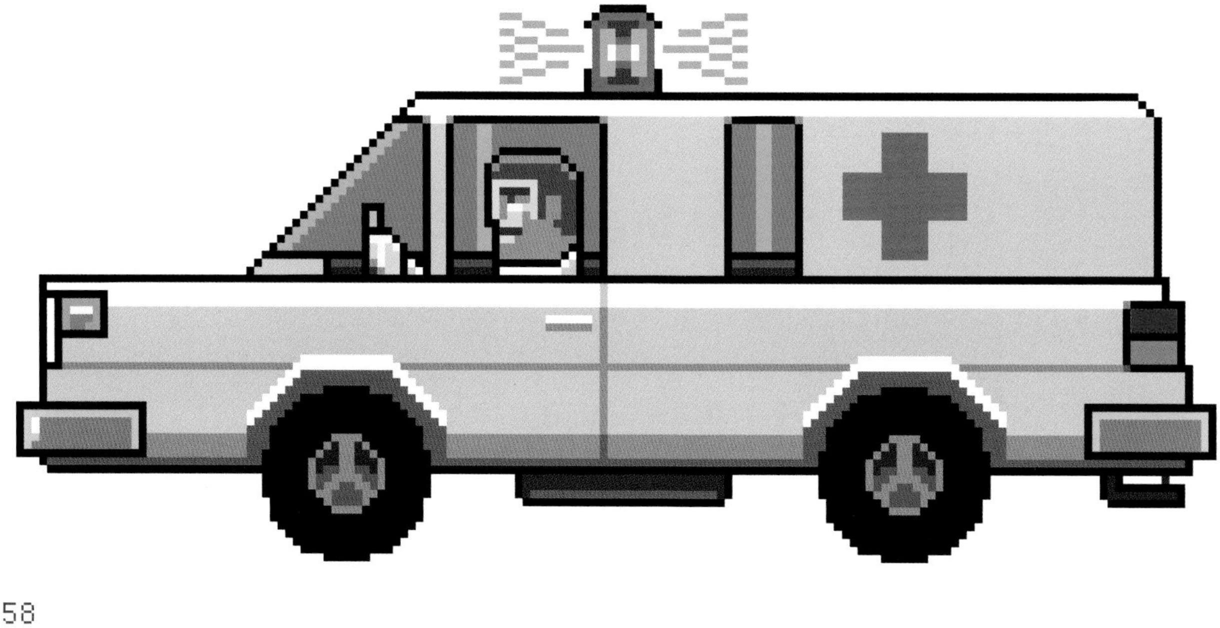

PEE_vehi_ambulancecar_free.TIF

PEE_vehi_7car_free.TIF

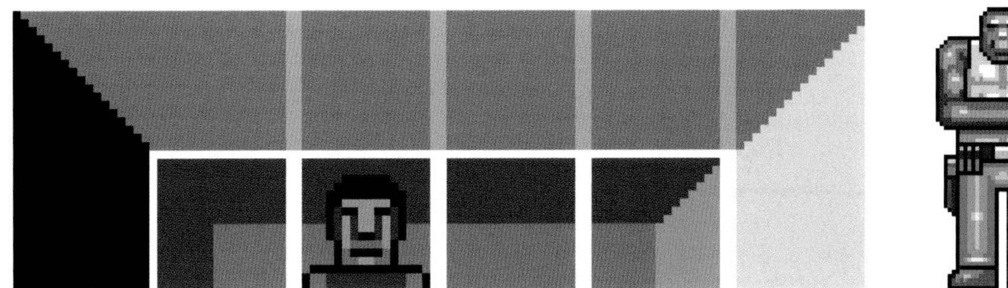

PEE_pict_manatwindow_free.TIF

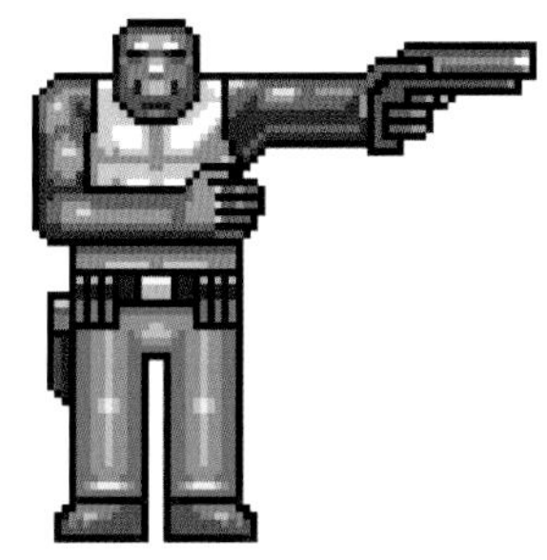

PEE_peop_mexicowboy_free.TIF

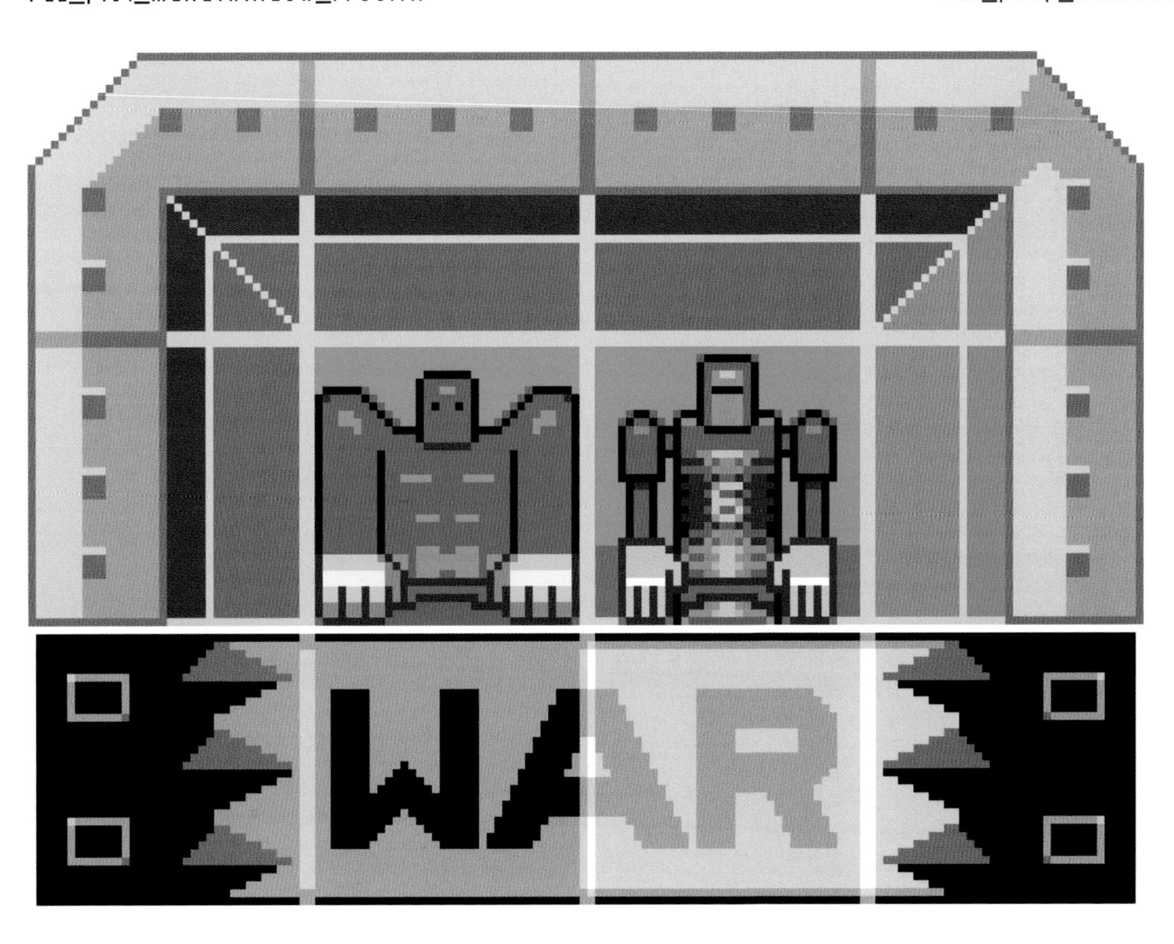

PEE_pict_war_free.TIF

LOVE

PEE_peop_hirschmanlove_free.TIF

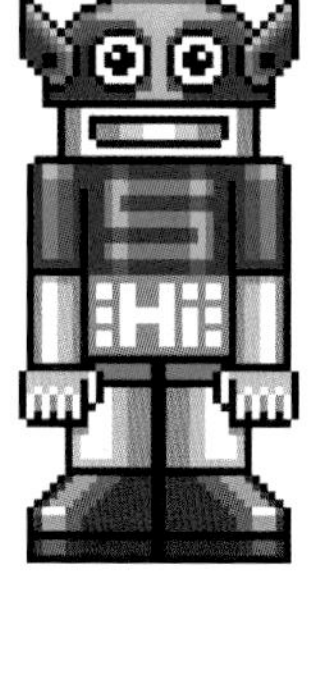

PEE_peop_hiboy_free.TIF

PEE_peop_marsman1_free.TIF

PEE_peop_jesus_free.TIF

PEE_peop_marsmango_free.TIF

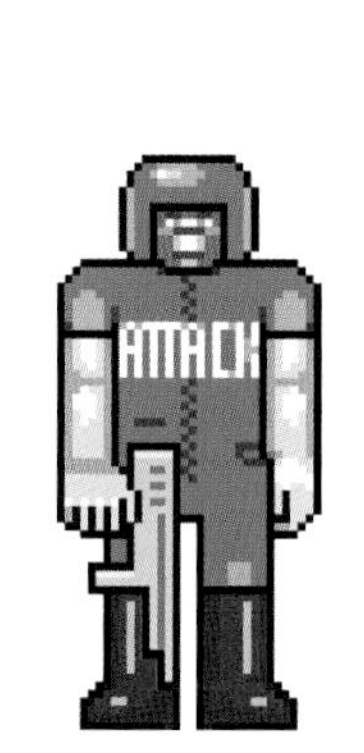

PEE_peop_attackman_free.TIF

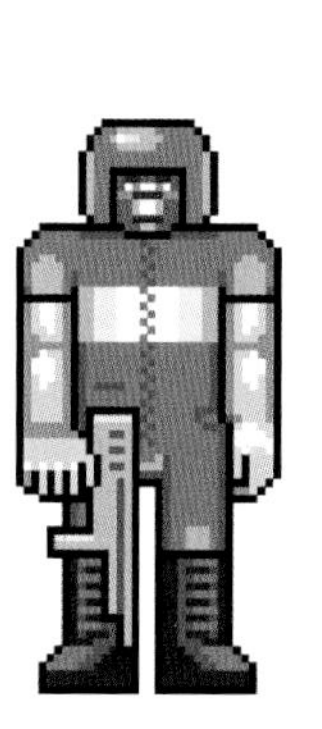

PEE_peop_actionman_free.TIF

PEE_peop_histrali_free.TIF

PEE_peop_strictwoman_free.TIF

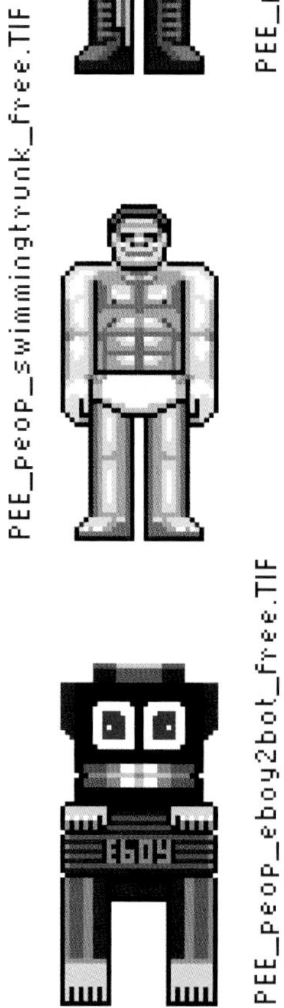

PEE_peop_swimmingtrunk_free.TIF

PEE_peop_eboy2bot_free.TIF

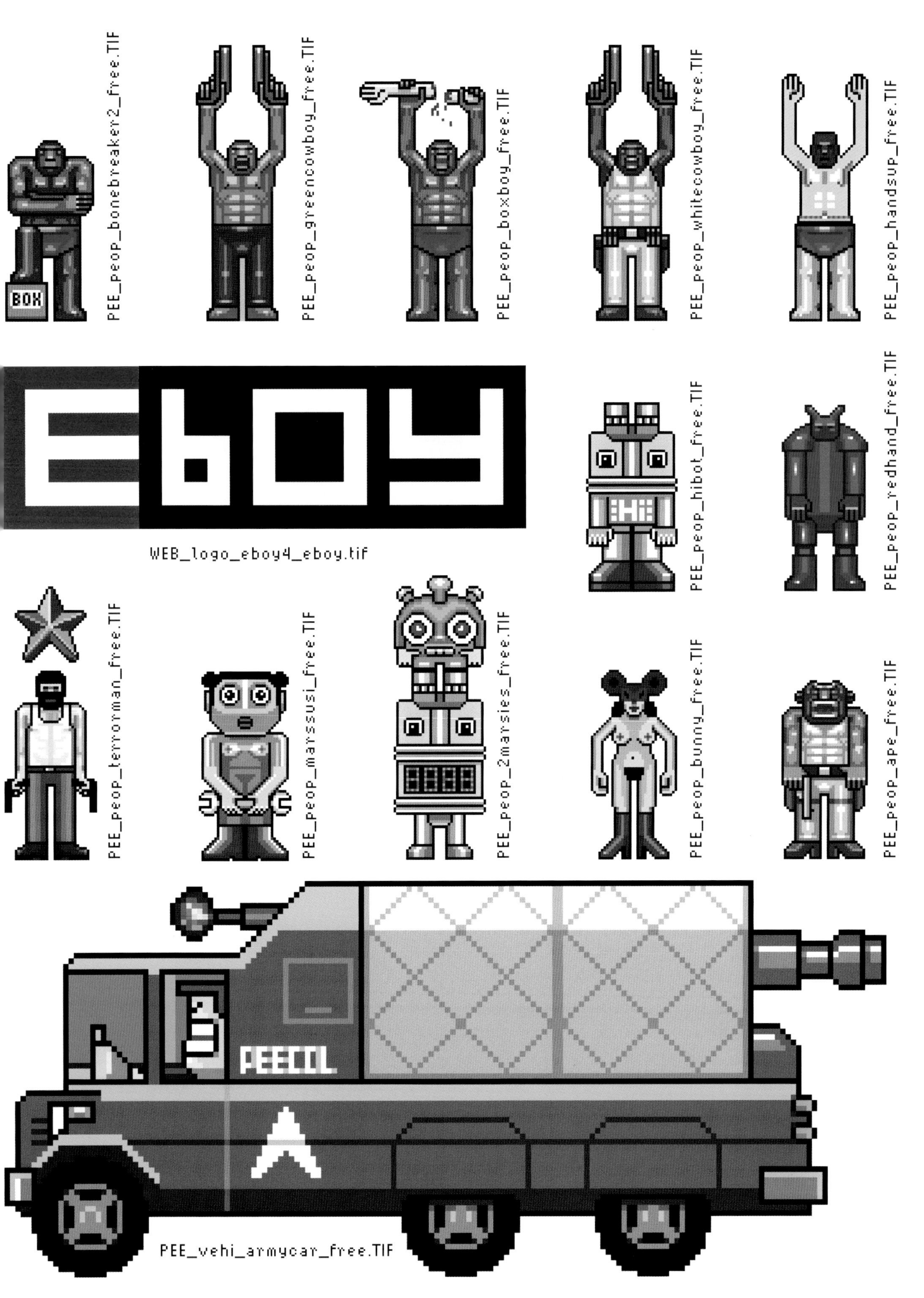
PEE_peop_bonebreaker2_free.TIF
BOX
PEE_peop_greencowboy_free.TIF
PEE_peop_boxboy_free.TIF
PEE_peop_whitecowboy_free.TIF
PEE_peop_handsup_free.TIF
eboy
WEB_logo_eboy4_eboy.tif
PEE_peop_hibot_free.TIF
HI
PEE_peop_redhand_free.TIF
PEE_peop_terrorman_free.TIF
PEE_peop_marssusi_free.TIF
PEE_peop_2marsies_free.TIF
PEE_peop_bunny_free.TIF
PEE_peop_ape_free.TIF
PEECOL
PEE_vehi_armycar_free.TIF

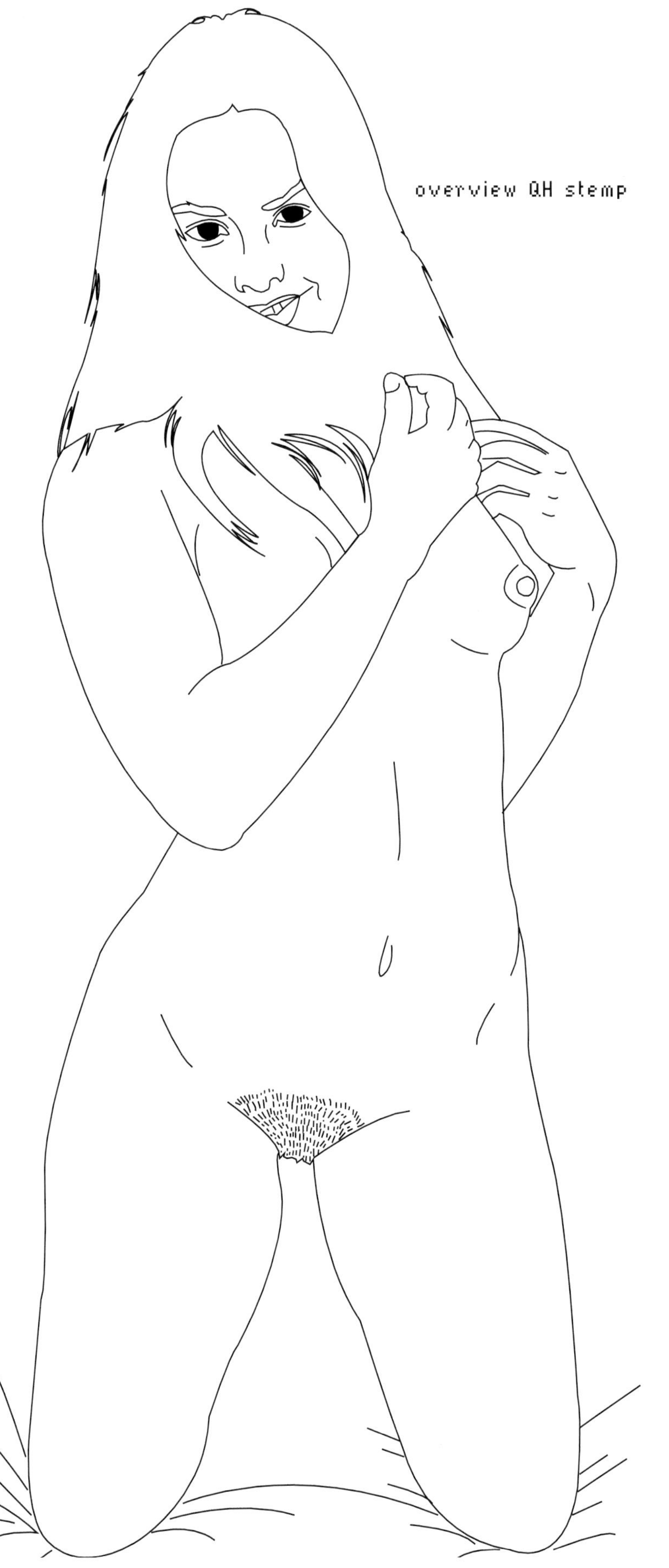

overview QH stemp

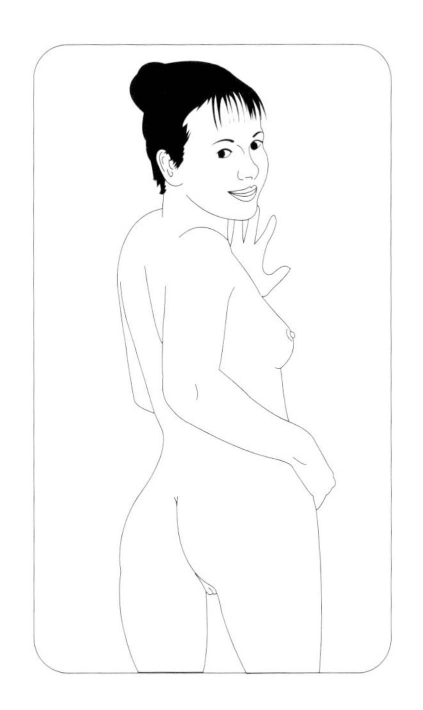

overview QH stemp

ICON_bus/opfer_hidden.TIF

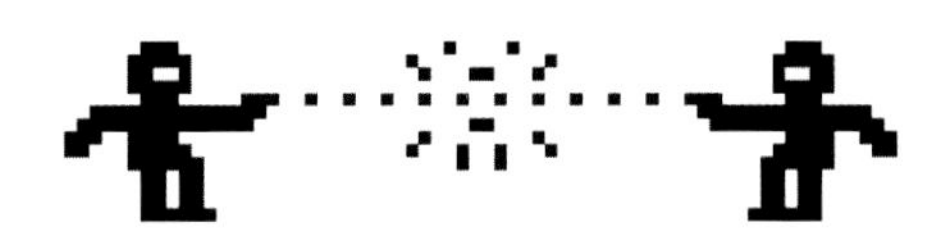

ICON_duell_hidden.TIF

ICON_strechlimo_hidden.TIF

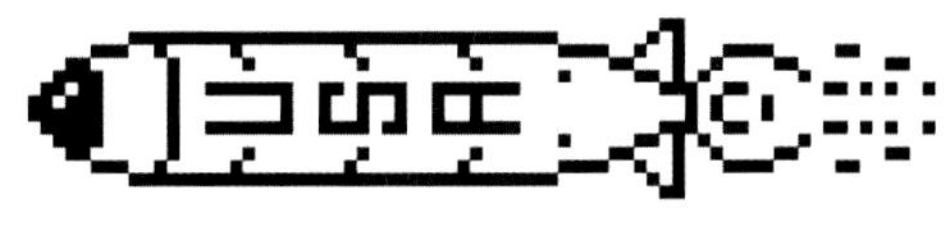

ICON_usarakete_hidden.TIF

PEE_peop_timp_upload.TIF

PEE_peop_winko_upload.TIF

PEE_icon_uploadset_upload.TIF

PEE_peop_zeffo_free.TIF

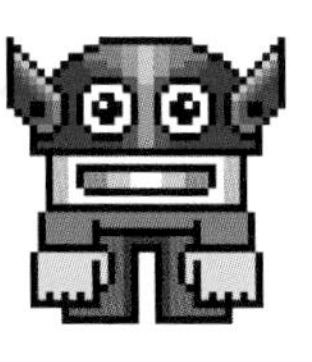

PEE_peop_strali_free.TIF

PEE_peop_rebbeck_upload.TIF

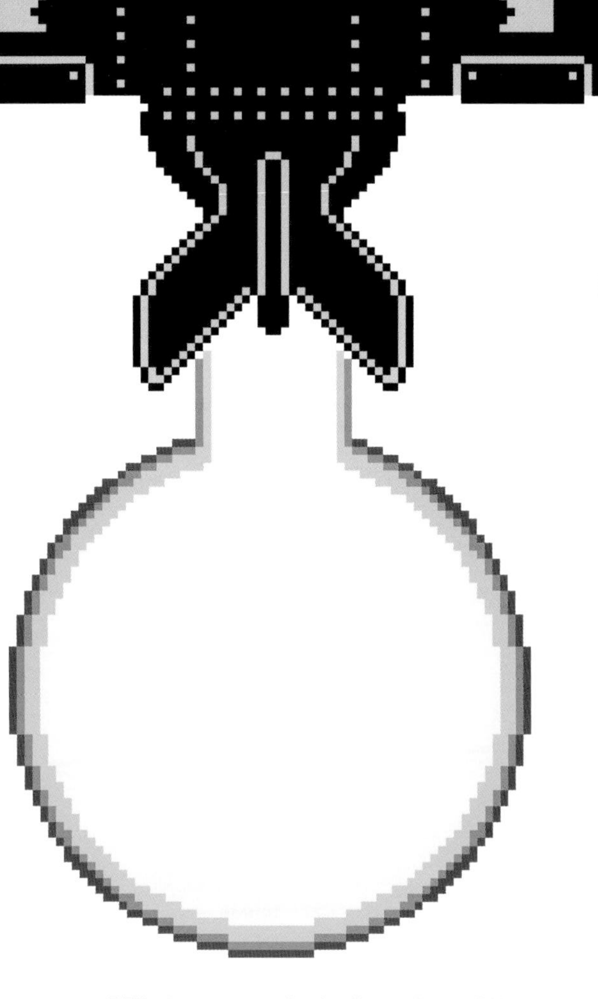

PEE_peop_ooz_upload.TIF

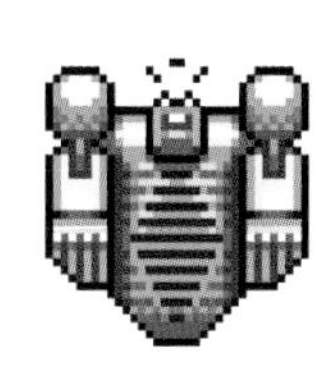

PEE_peop_tertag_upload.TIF

PEE_peop_blinky_free.TIF

PEE_peop_astor_upload.TIF

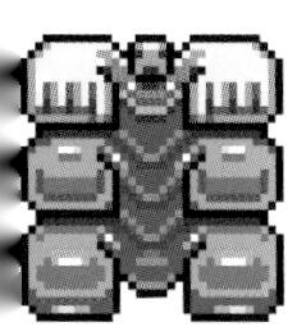

PEE_peop_elec_upload.TIF

PEE_peop_wuch_upload.TIF

PEE_peop_picky_upload.TIF

PEE_logo_rocket+fire_free.TIF

PEE_peop_buw_upload.TIF

swoop_coff_02.tif

eCars_beach_sucker_03.tif

swoop_ace_05.tif

eCars_dragg_03.tif

proot_zilla_010.tif

proot_thething_009.tif

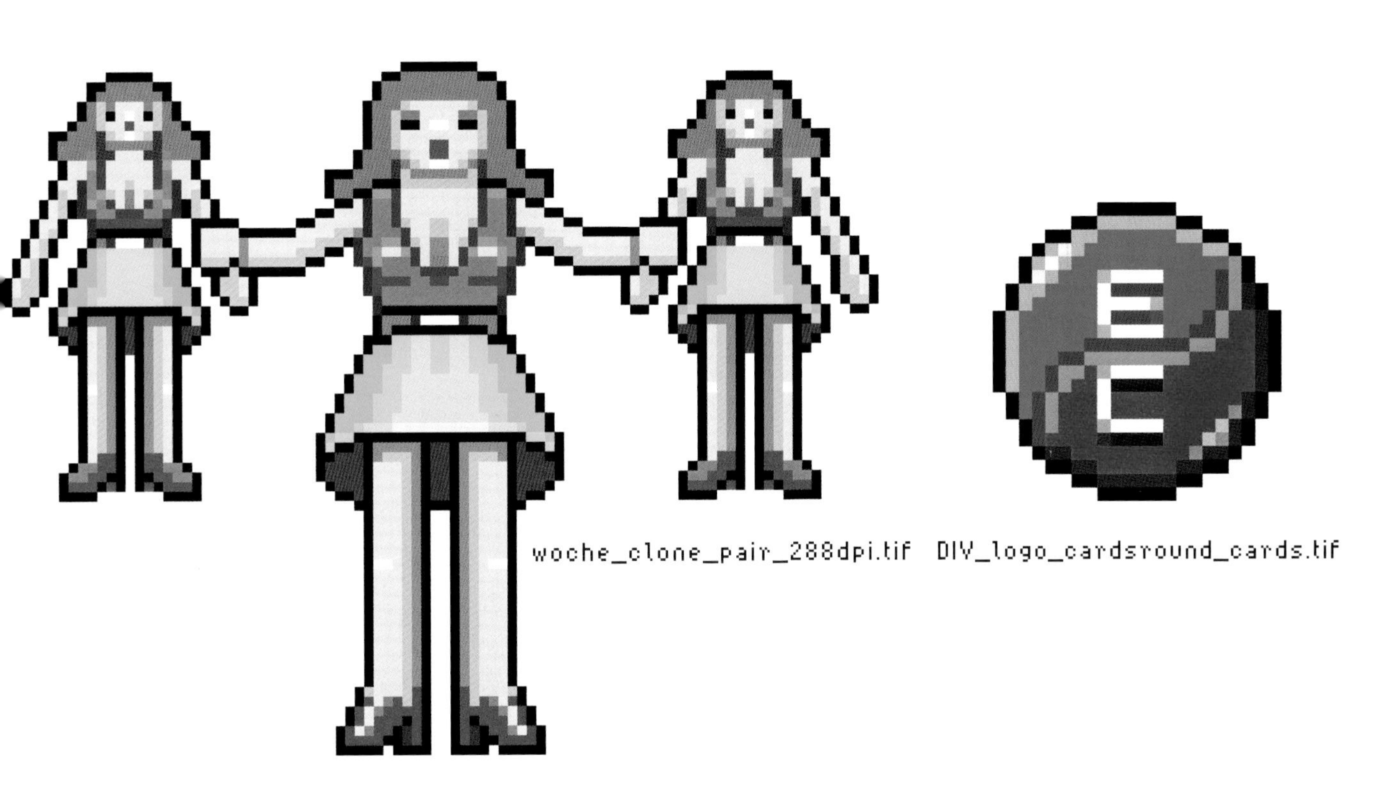

woche_clone_pair_288dpi.tif DIV_logo_cardsround_cards.tif

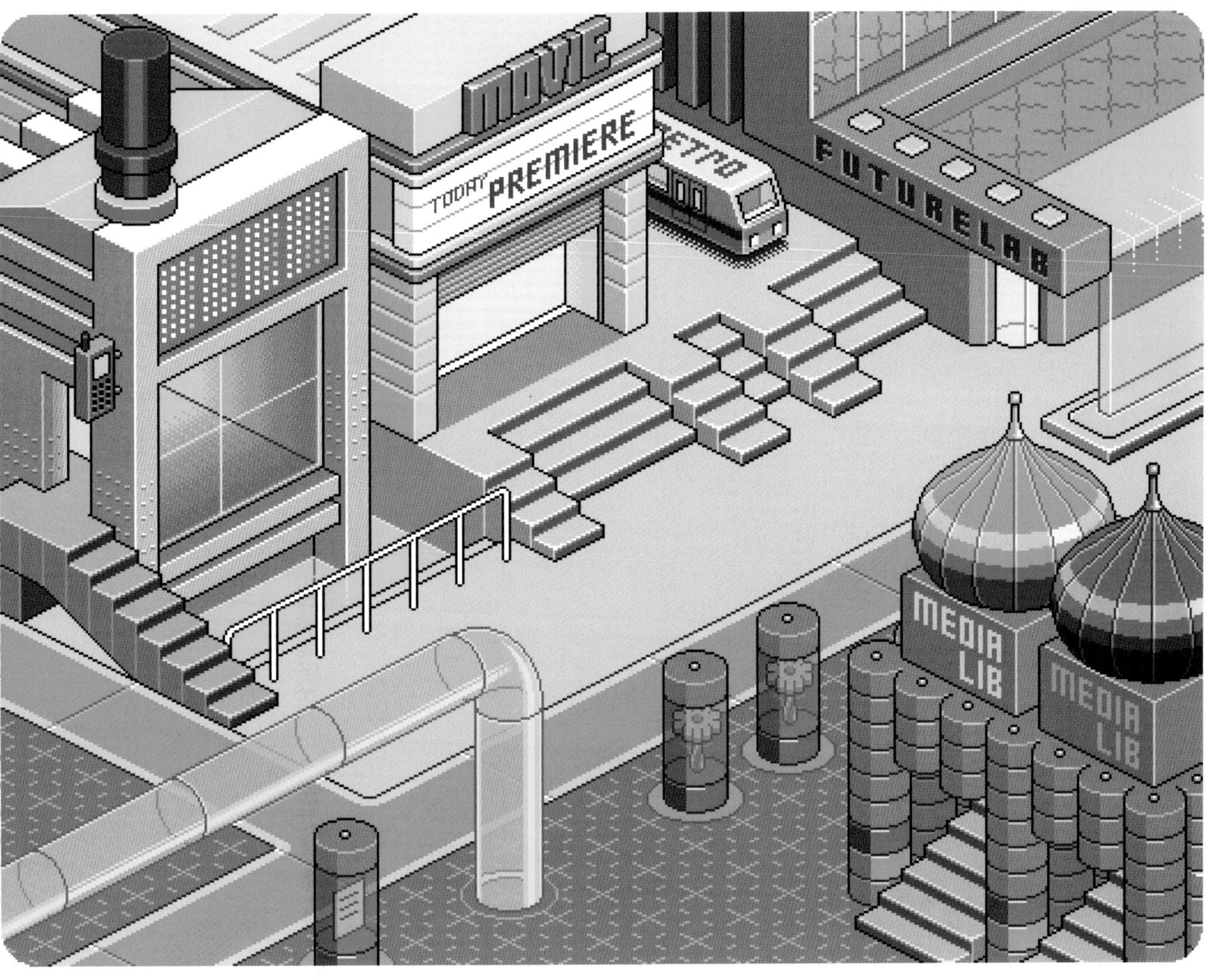

Stadtteil_A2_s19.tif

PUSA
CHAMPAGNE
Laurent-Perrier
BRUT L.P.
OMEGA
Seamaster
PROFESSIONAL
CHRONOMETER
300m / 1000ft

<schweitzerin traced> <ICH ENTSCH.CD>

 <eboy_CR_poster_300dpi.tif>

POPMUSIK
POPMUSIK
PMUSIK
POPMUSIK
PMUSIK
BABY
COME
FAR
TCO
26 CLUB
5 METER

PX-BERLIN.de
www.PX-BERLIN.de
IWC
SCHAFFHAUSEN
50
28
EBOY

quickhoney.com
<nana for ad NO FONTS 02>

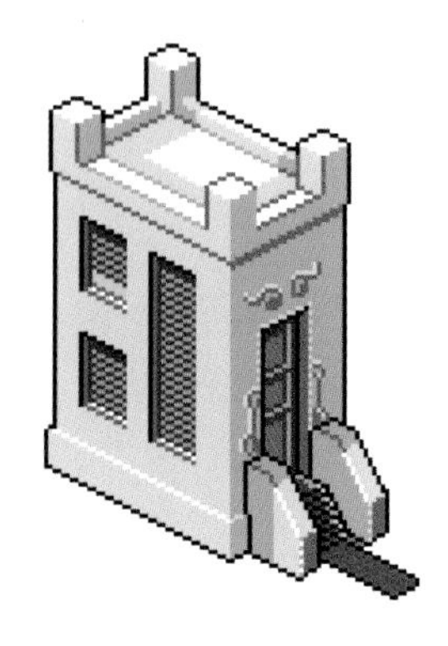

EC_buil_small2_mtv.TIF

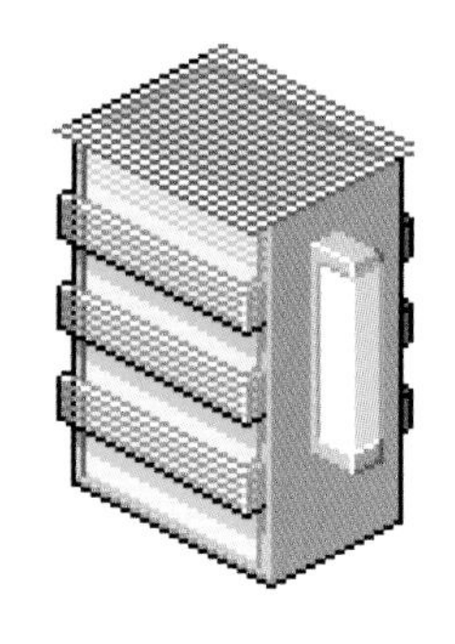

EC_buil_small3_mtv.TIF

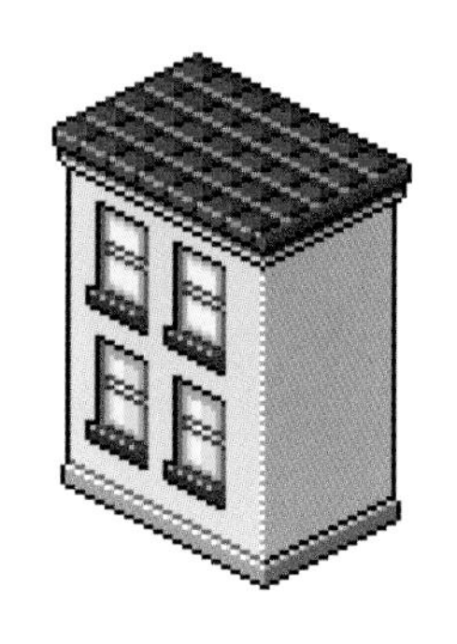

EC_buil_small4_mtv.TIF

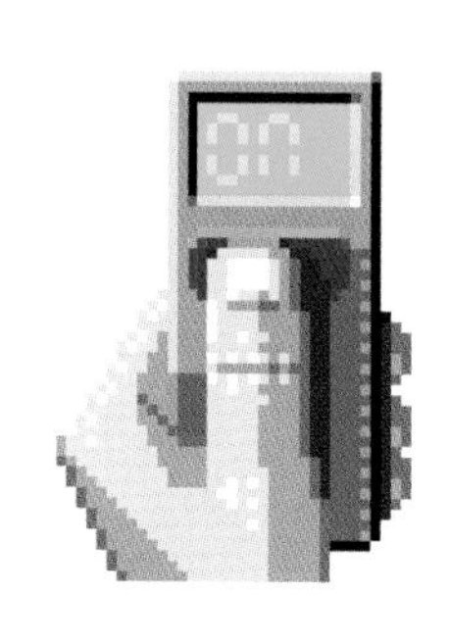

DIV_part_off_mtv.TIF

DIV_logo_thething_mtv.TIF

DIV_part_signwww>>>_mtv.TIF

DIV_anim_fish_mtv.TIF

DIV_anim_fishblue_mtv.TIF

DIV_typo_kingofworld_mtv.TIF

DIV_deco_blank_mtv.TIF

DIV_typo_youwin_mtv.TIF

DIV_deco_mtvlogo_mtv.TIF

DIV_typo_loading_mtv.TIF

ECV_buil_taqueria_mtv.TIF

DIV_deco_eye2_mtv.TIF

DIV_typo_youlose_mtv.TIF

asics
RUN BERLIN RUN
SCC BERLIN
27662

DIV_typo_japaneese1_mtv.TIF

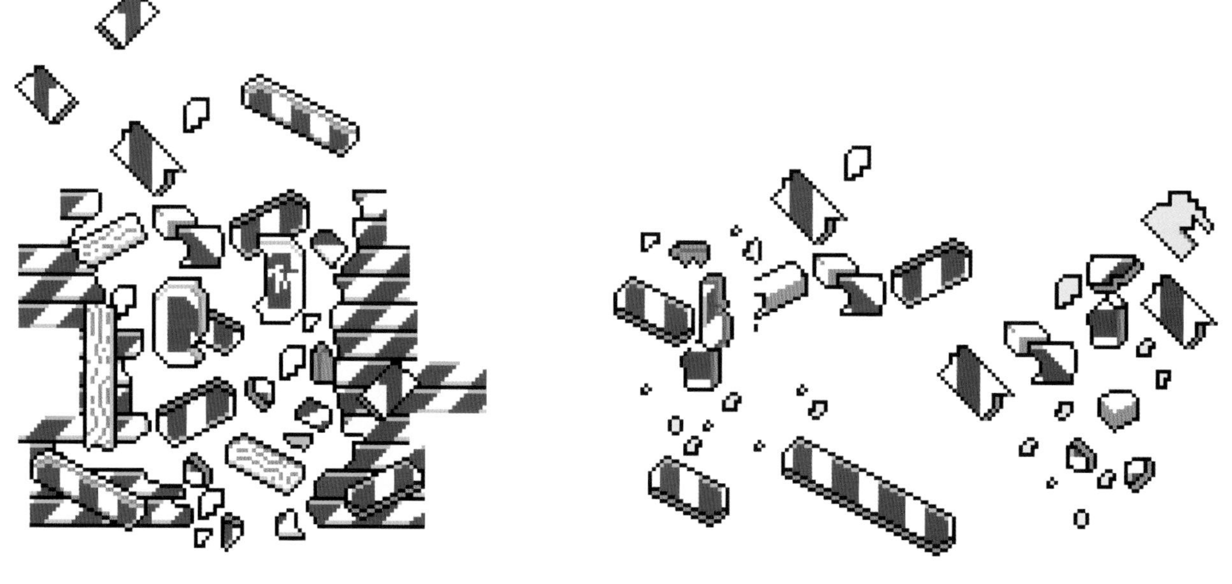

DIV_part_expoding_mtv.TIF

DIV_part_expolding_mtv.TIF

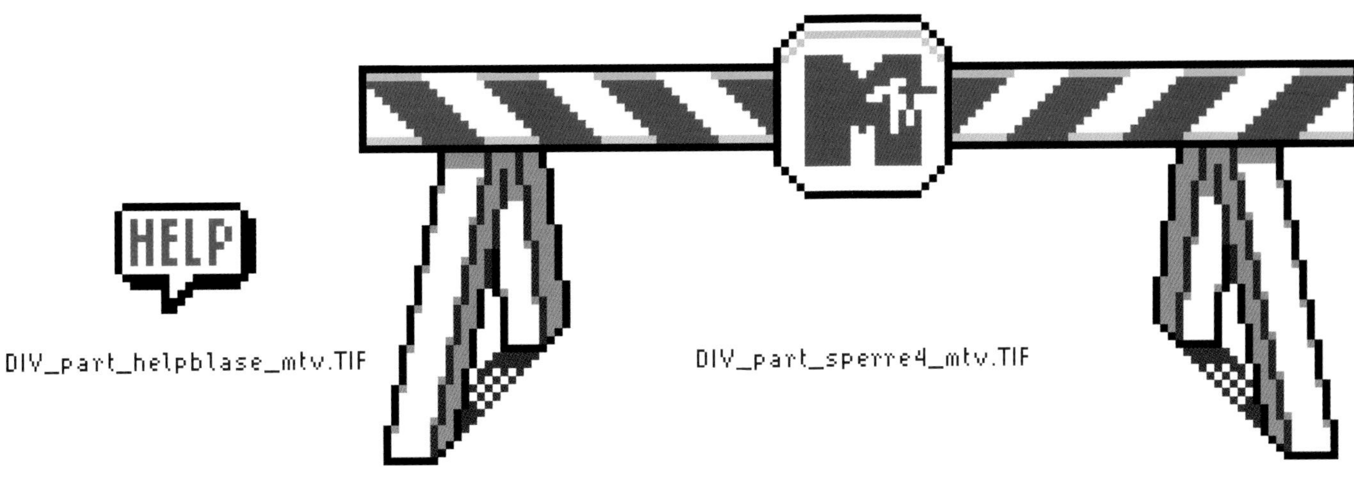

DIV_part_helpblase_mtv.TIF

DIV_part_sperre4_mtv.TIF

DIV_typo_us2_mtv.TIF

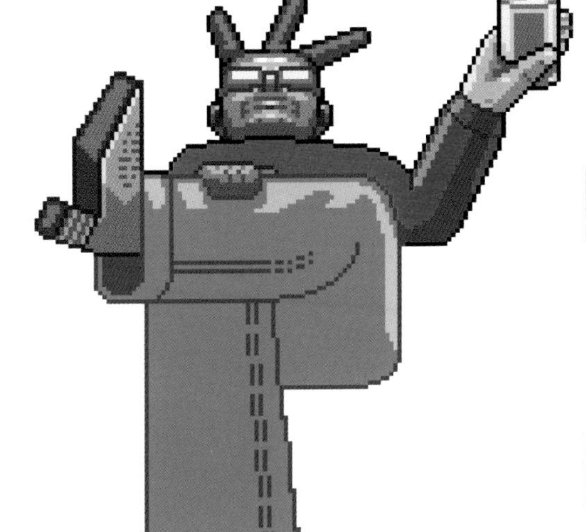

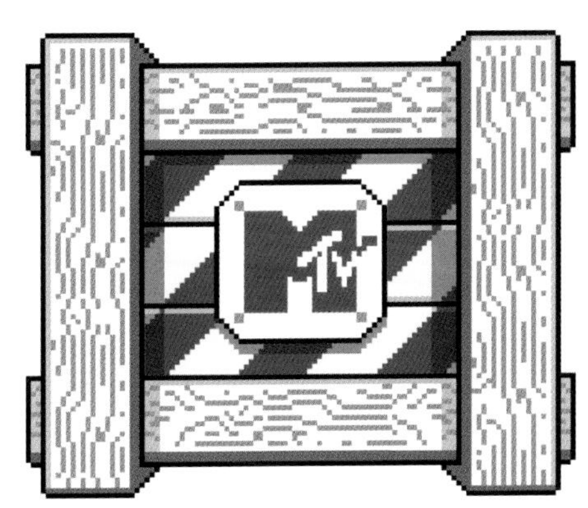

DIV_part_mtvbox1_mtv.TIF

DIV_peop_fellowlaying_mtv.TIF

DIV_part_mtvbox3_mtv.TIF

HAVE FUN

DIV_typo_havefun_mtv.TIF

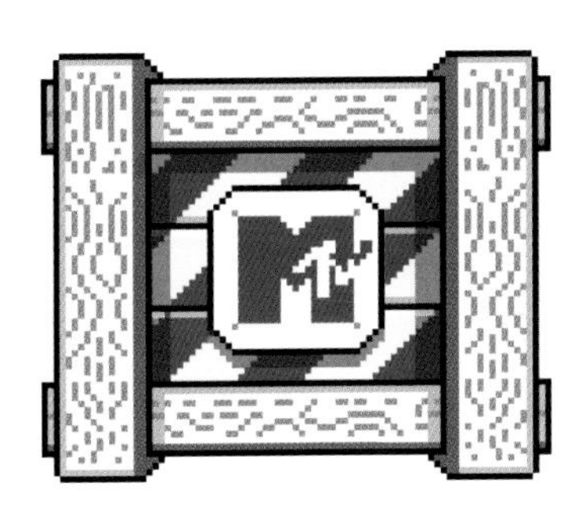

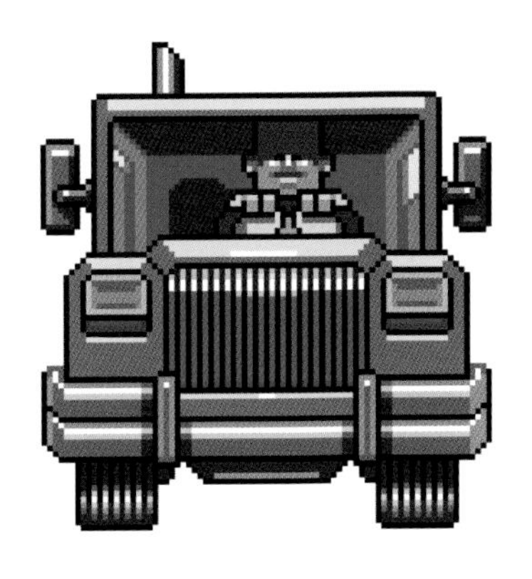

DIV_part_mtvbox2_mtv.TIF

DIV_vehi_driver_mtv.TIF

DIV_part_disco2000_mtv.TIF

ECV_part_2hocker_mtv.TIF

ECV_peop_buddyred_mtv.TIF

EC_part_sign_mtv.TIF

EC_peop_singer3_mtv.TIF

EC_peop_sleeper3_mtv.TIF

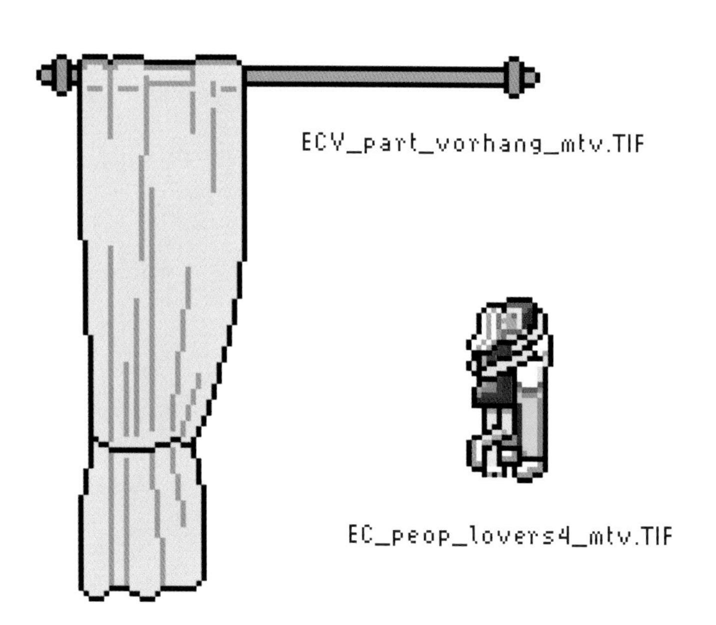

ECV_part_vorhang_mtv.TIF

EC_peop_lovers4_mtv.TIF

DIV_peop_worker4_mtv.TIF

DIV_typo_japaneese4_mtv.TIF

DIV_part_holdbox_mtv.TIF

DIV_part_getbox_mtv.TIF

DIV_typo_japaneese3_mtv.TIF

DIV_part_dropbox_mtv.TIF

DIV_typo_japaneese2_mtv.TIF

ANIM_ape_19_boo.tif

DIV_part_ship2_mtv.TIF

DIV_vehi_ufo_mtv.TIF

478 <old bw playboy repaired (p copy>

DIV_gun_smasher4_cards.TIF

DIV_gun_ili4_cards.TIF

DIV_gun_force2_cards.TIF

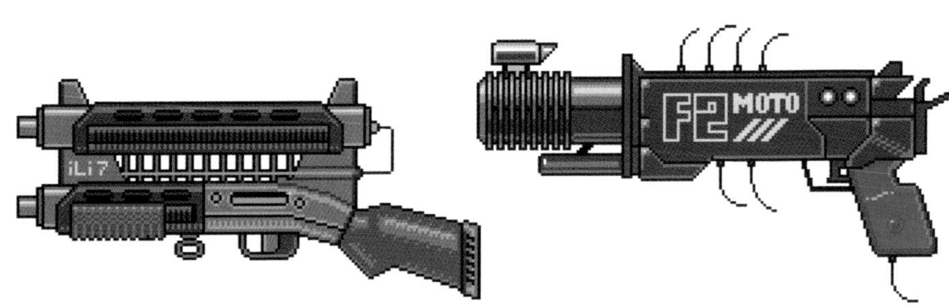

DIV_gun_ili3_cards.TIF

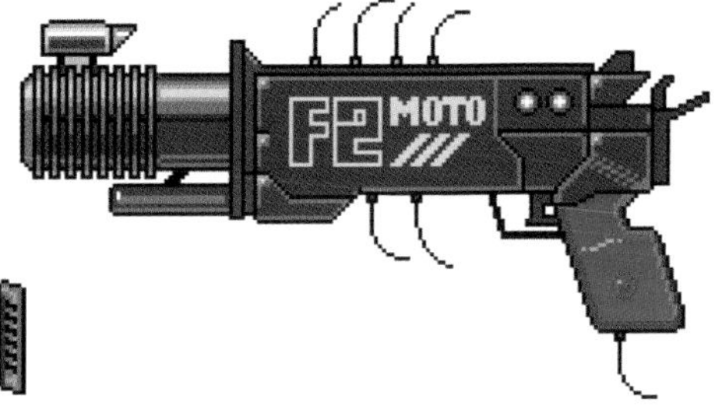

DIV_gun_force5_cards.TIF

DIV_gun_tierplower1_cards.TIF

DIV_gun_pock_cards.TIF

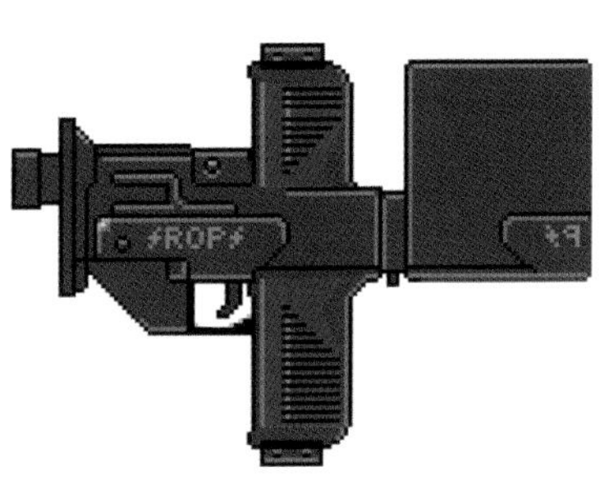

DIV_gun_rob6_2_cards.TIF

DIV_gun_dogpop2_cards.TIF

DIV_gun_peel3_cards.TIF

DIV_gun_rob6_cards.TIF

DIV_gun_ili2_cards.TIF

 <nanacar traced>

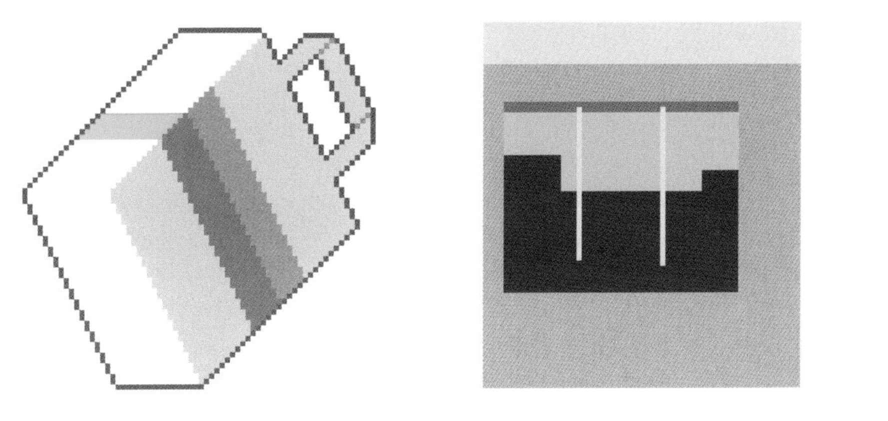

ECV_part_bag3_sportlife.TIF

ECV_buil_modern_sportlife.TIF

ECV_part_bananas1_sportlife.TIF

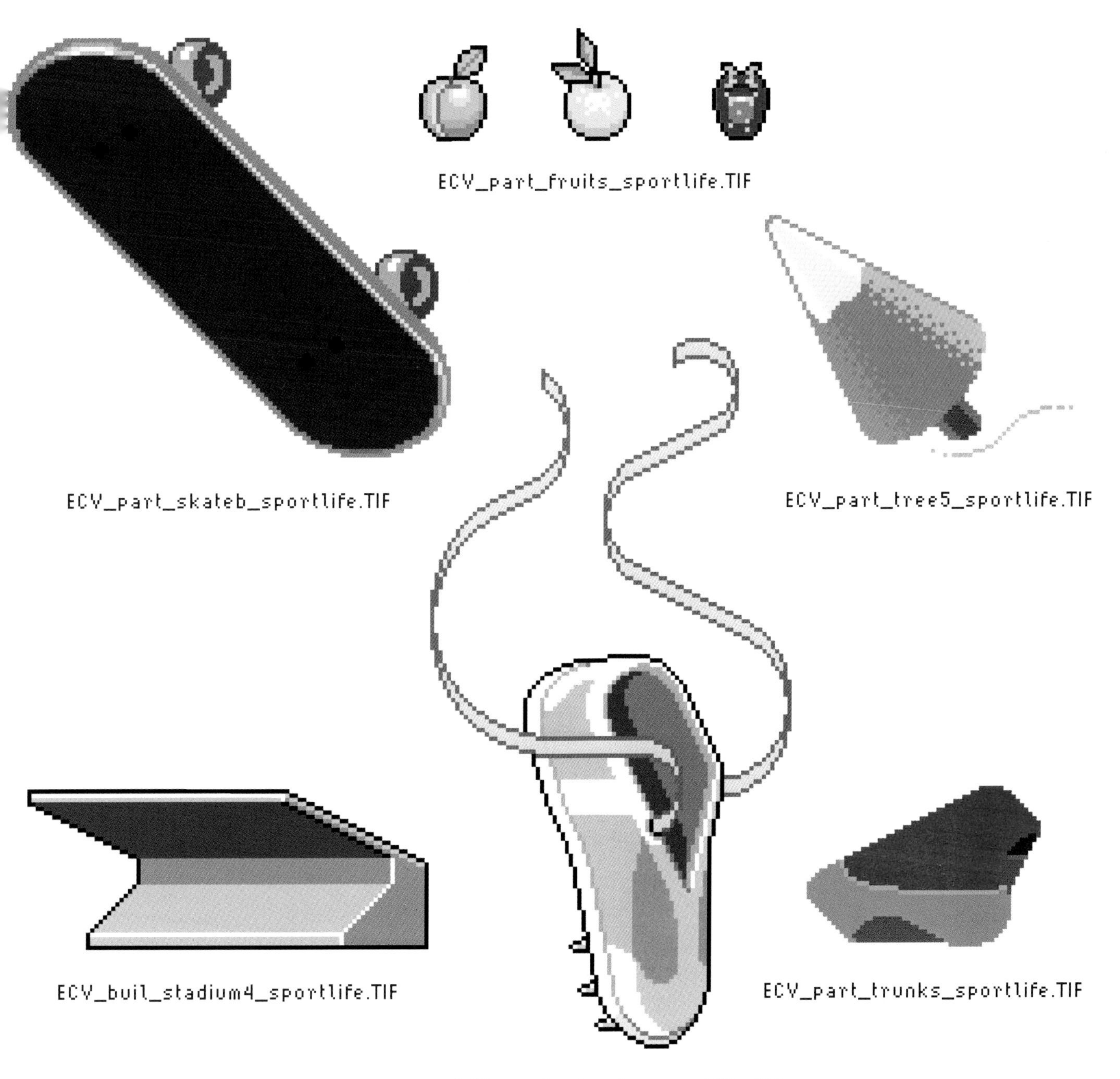

ECV_part_fruits_sportlife.TIF

ECV_part_skateb_sportlife.TIF

ECV_part_tree5_sportlife.TIF

ECV_buil_stadium4_sportlife.TIF

ECV_part_trunks_sportlife.TIF

ECV_part_shoe2+_sportlife.TIF

NALOG

HELP!
eboy

1
1
1
Shooting
Star
Shooting Star
Shooting Star
1
1

Aries

DIRT THRASHER
1/10th R/C 4WD HIGH PERFORMANCE OFF ROAD CAR
TAMIYA

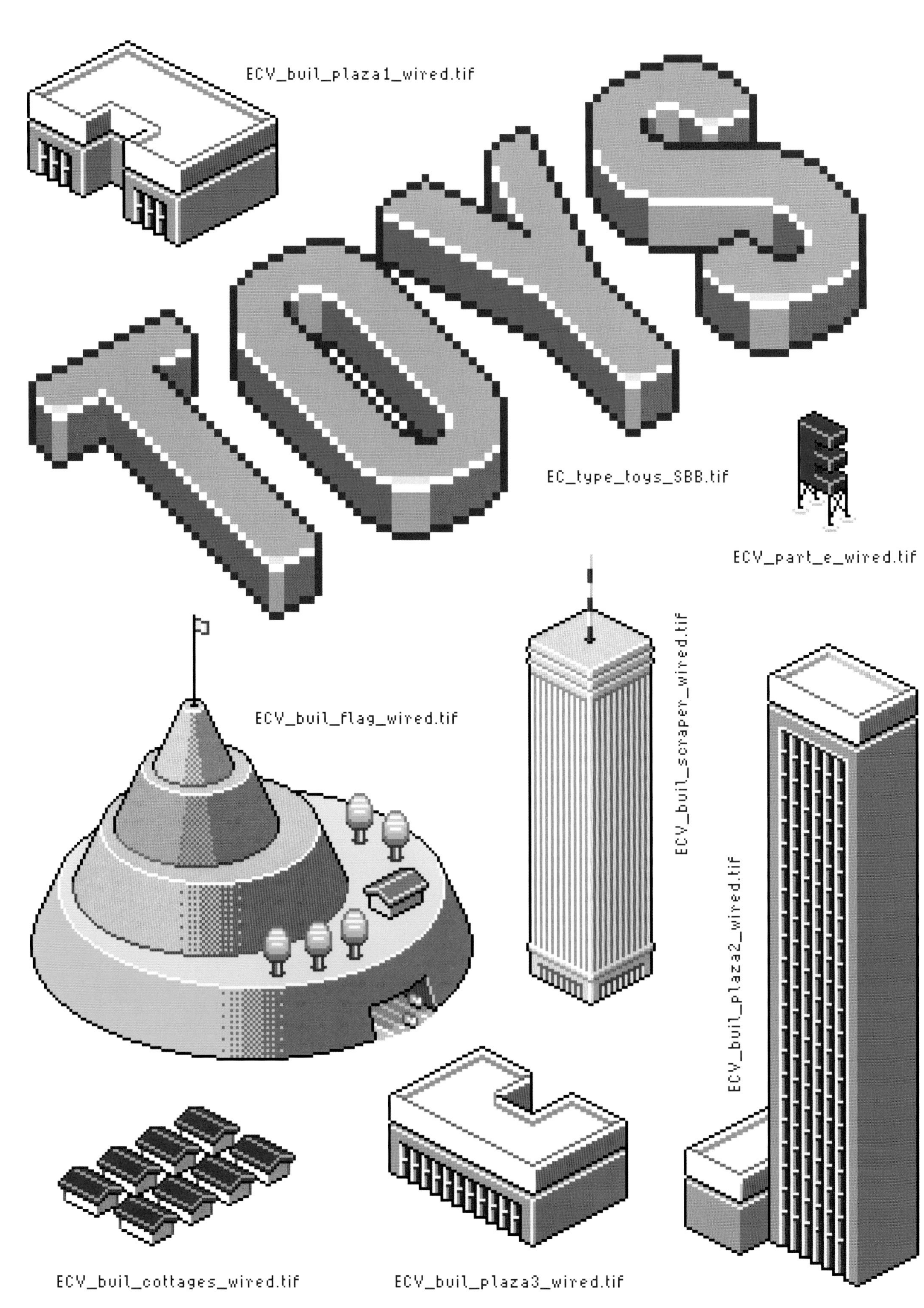
ECV_buil_plaza1_wired.tif
EC_type_toys_SBB.tif
ECV_part_e_wired.tif
ECV_buil_flag_wired.tif
ECV_buil_scraper_wired.tif
ECV_buil_plaza2_wired.tif
ECV_buil_cottages_wired.tif
ECV_buil_plaza3_wired.tif

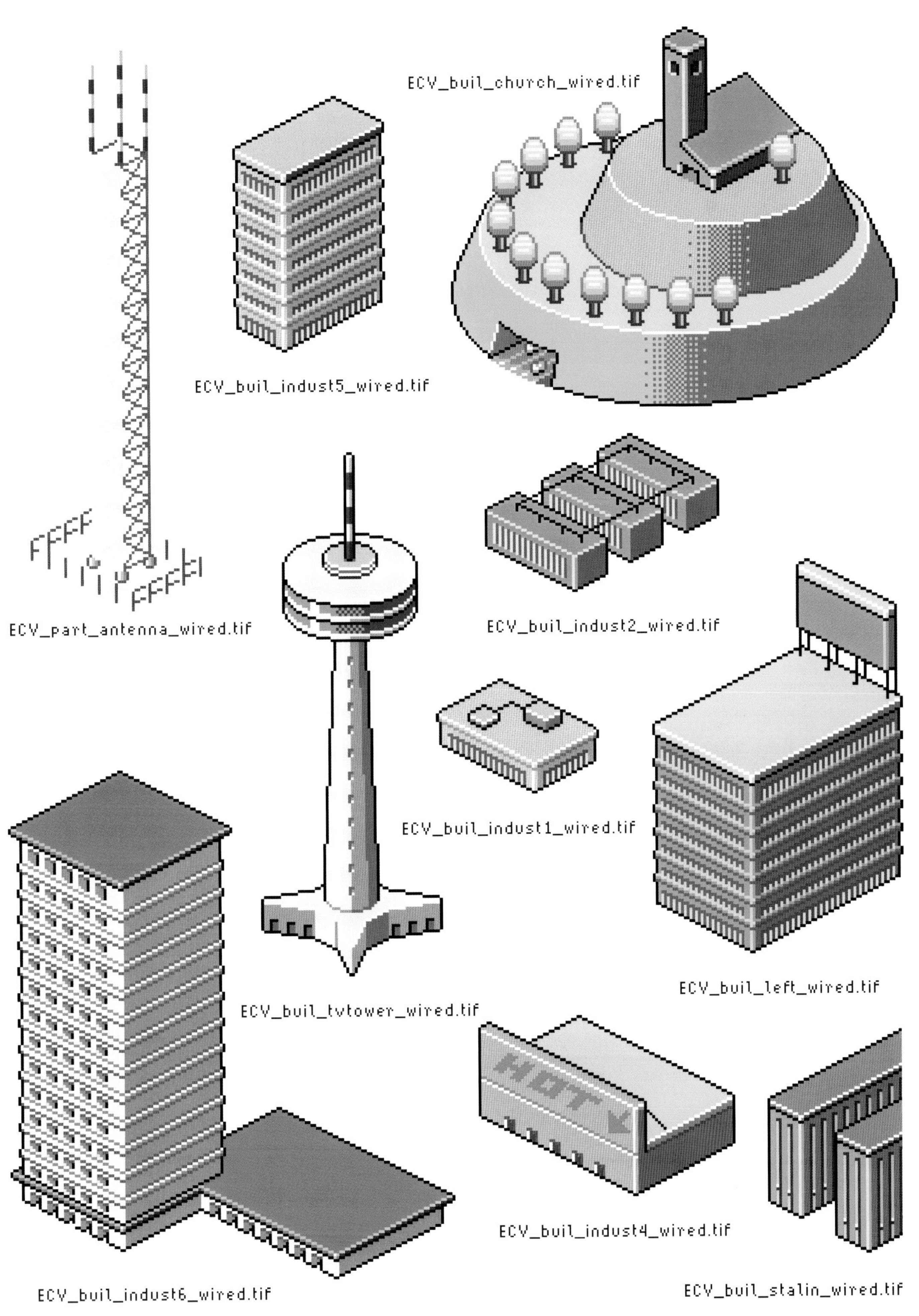
ECV_buil_church_wired.tif
ECV_buil_indust5_wired.tif
ECV_part_antenna_wired.tif
ECV_buil_indust2_wired.tif
ECV_buil_indust1_wired.tif
ECV_buil_left_wired.tif
ECV_buil_tvtower_wired.tif
HOT
ECV_buil_indust4_wired.tif
ECV_buil_indust6_wired.tif
ECV_buil_stalin_wired.tif

Microsoft
MPAQ
William
Nikon
ERICSSON
12:23
HOT
reed.co

CABLE & WIRELESS
1 2 3
FAST
DEBENHAMS
D'ARCY
BBC Worldwide

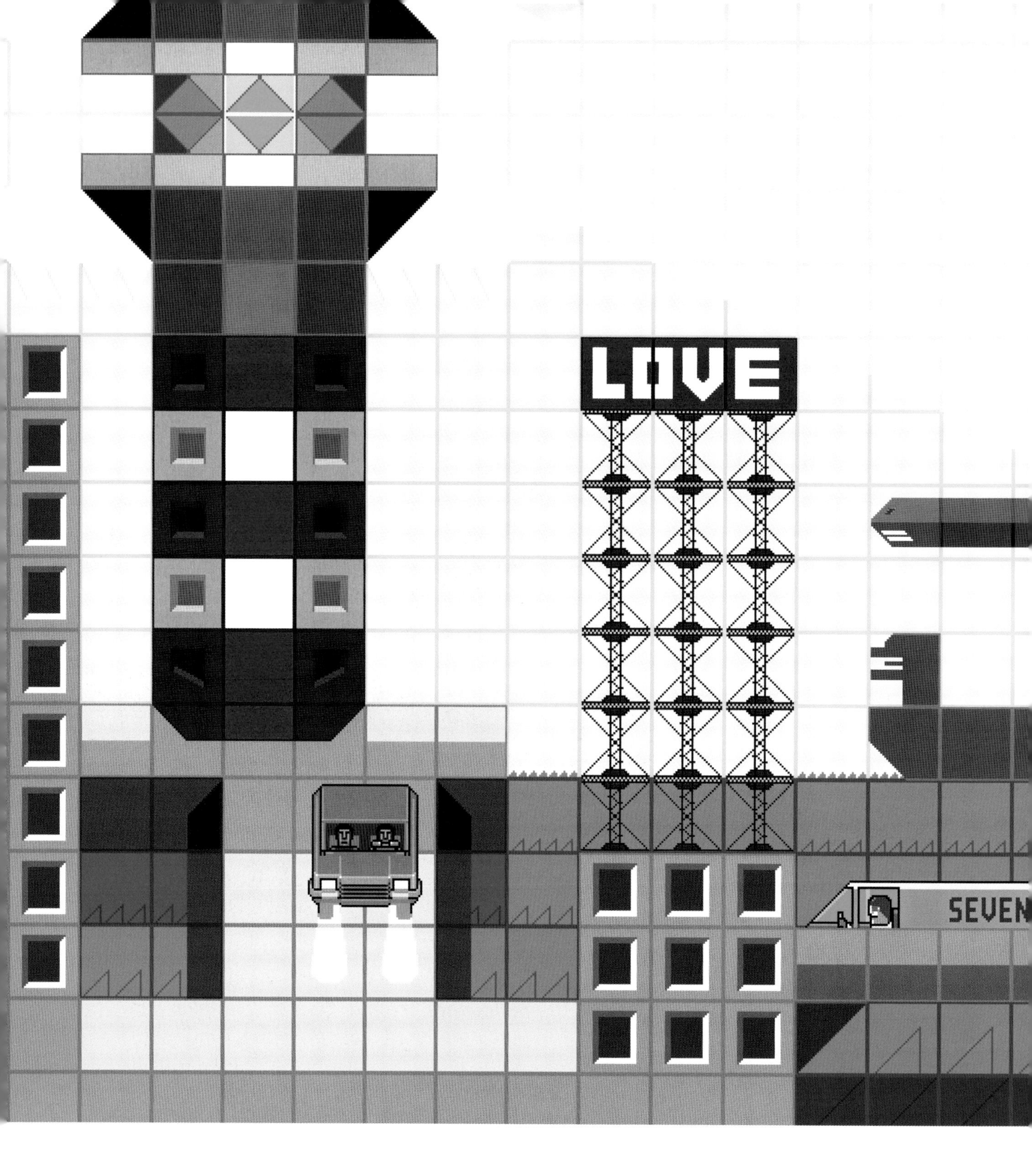

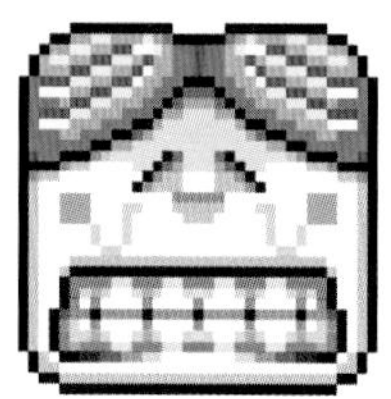

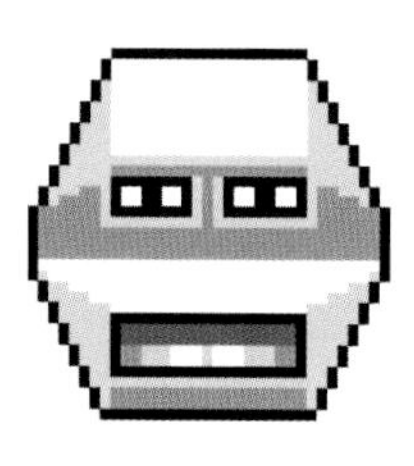

DIV_face_09.1_iturf.tif

DIV_face_01.2_iturf.tif

DIV_face_06.3_iturf.tif

DIV_face_08.2_iturf.tif

DIV_face_17_iturf.tif

DIV_face_03.1_iturf.tif

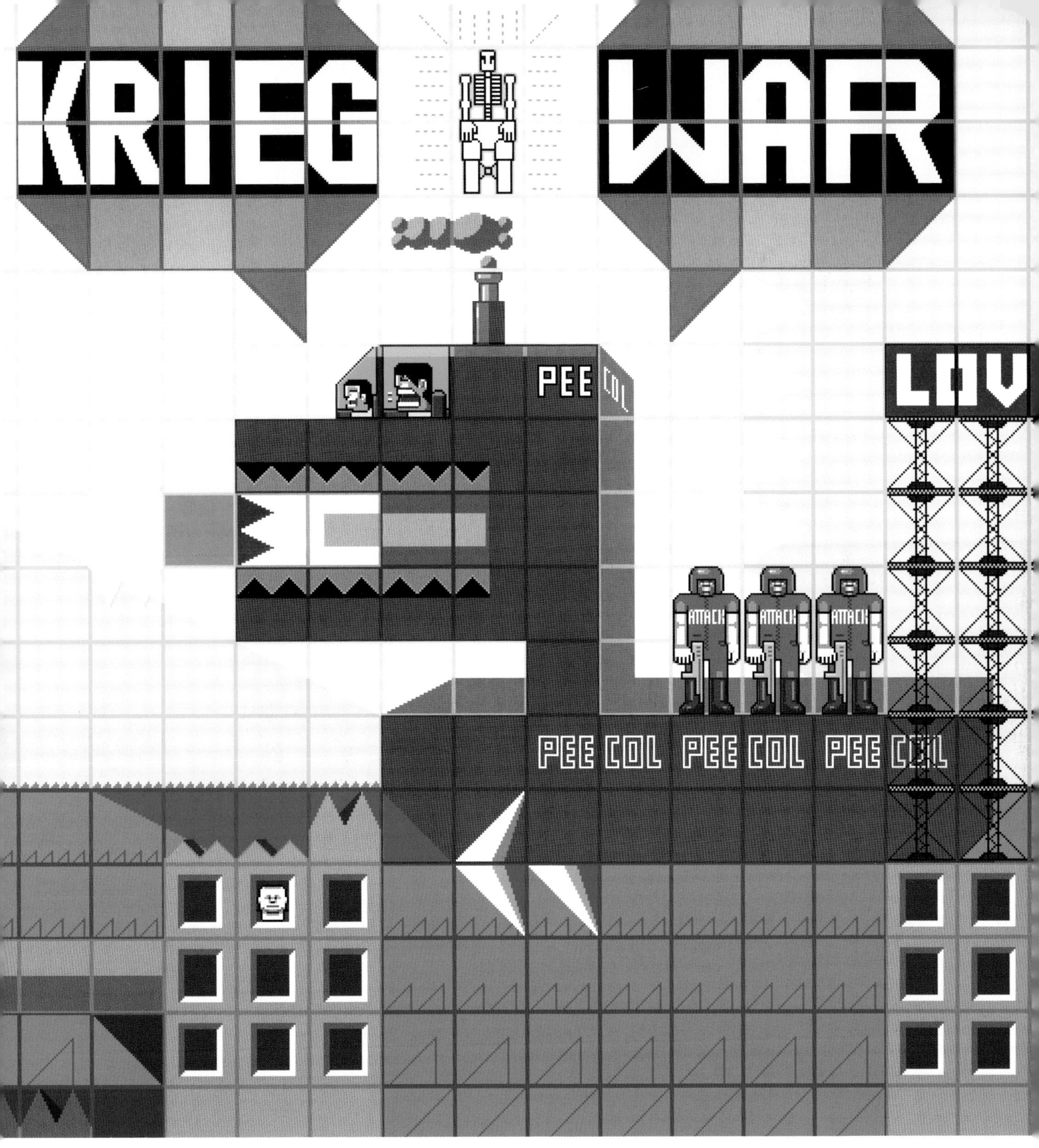

Meer_01.tif

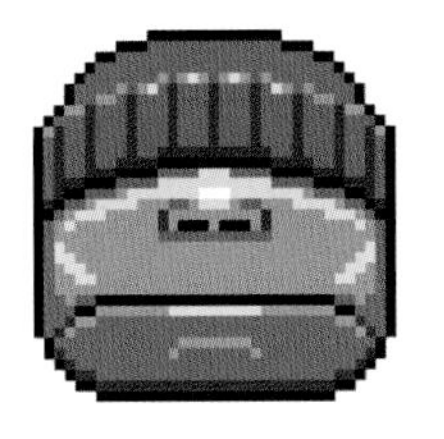

DIV_face_15_iturf.tif

DIV_face_02_iturf.tif

DIV_face_03_iturf.tif

DIV_face_01_iturf.tif

DIV_face_12.2_iturf.tif

DIV_face_12_iturf.tif

<pin #1>

<DAS VERSPRECHEN DER KELLNERIN> <ORSON><pick 1.eps> <mara traced>

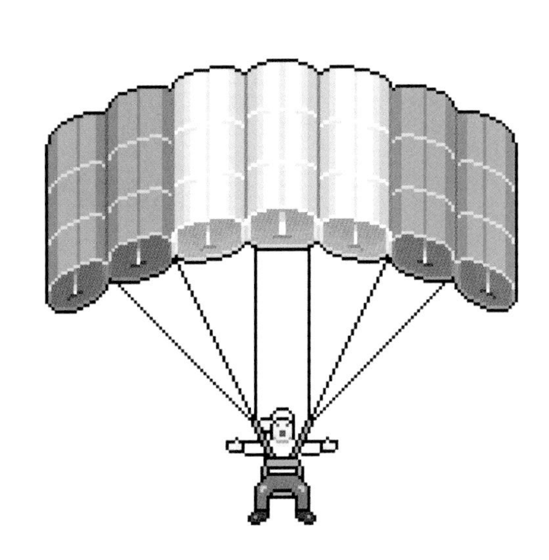

EC_vehi_Fallschirm_samoa.tif

EC_buil_Poolhaus_samoa.tif

EC_buil_Herzhaus_samoa.tif

EC_peop_polizist4_samoa.tif

EC_part_woman+suitca2_samoa.tif

EC_peop_polizist2_samoa.tif

EC_peop_polizist1_samoa.tif

<marlar.eps 1 Kopie>

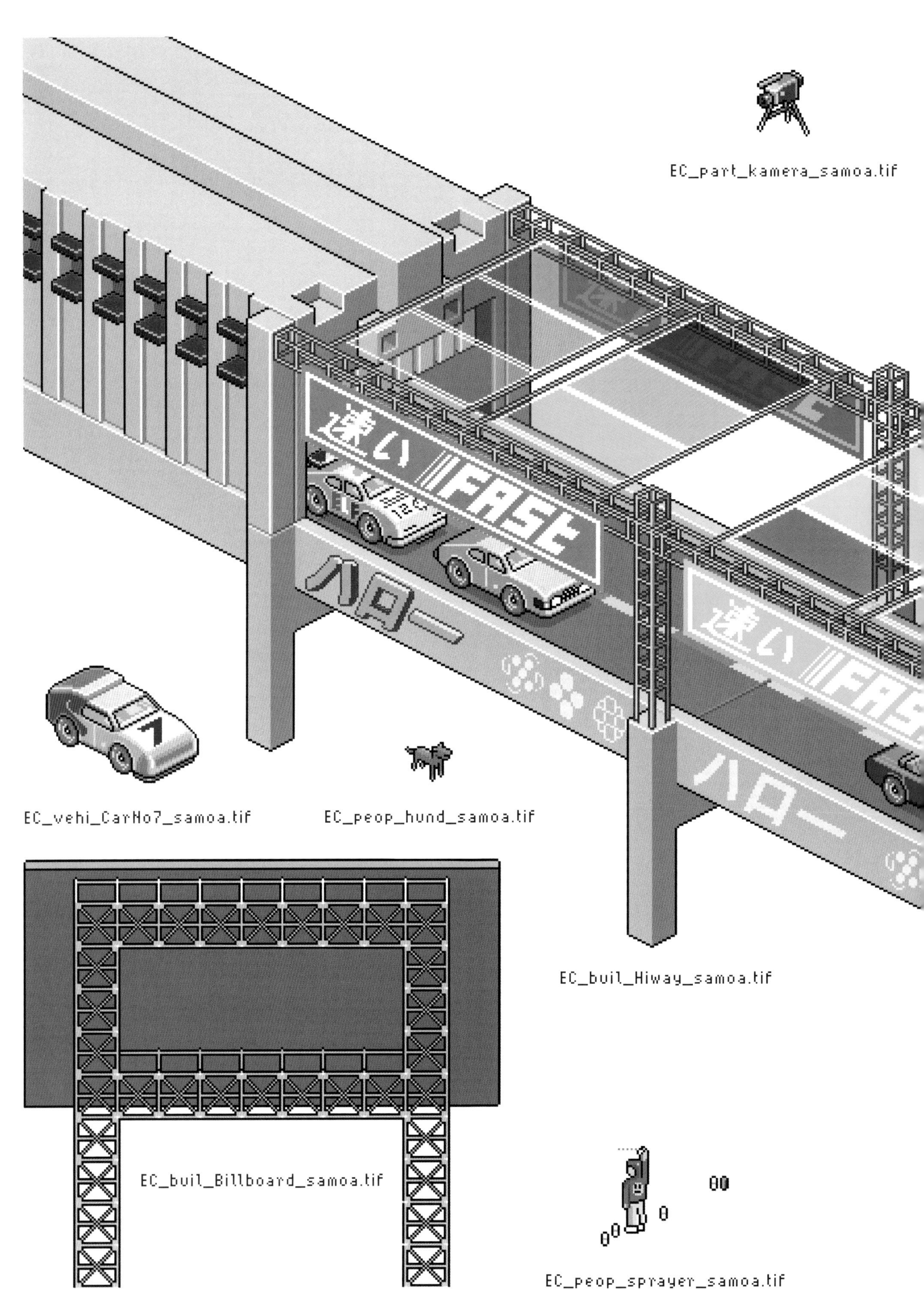

EC_part_kamera_samoa.tif

EC_vehi_CarNo7_samoa.tif

EC_peop_hund_samoa.tif

EC_buil_Hiway_samoa.tif

EC_buil_Billboard_samoa.tif

EC_peop_sprayer_samoa.tif

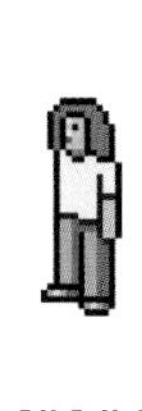

EC_part_kameramann_samoa.tif

EC_peop_amstrong_samoa.tif

EC_peop_baseballkid_samoa.tif

EC_peop_2woman_samoa.tif

EC_peop_KleineGruppe_samoa.tif

EC_peop_polizist3_samoa.tif

EC_peop_2runtergucker_samoa.tif

EC_peop_runtergucker1_samoa.tif

EC_peop_FraumitTasche_samoa.tif

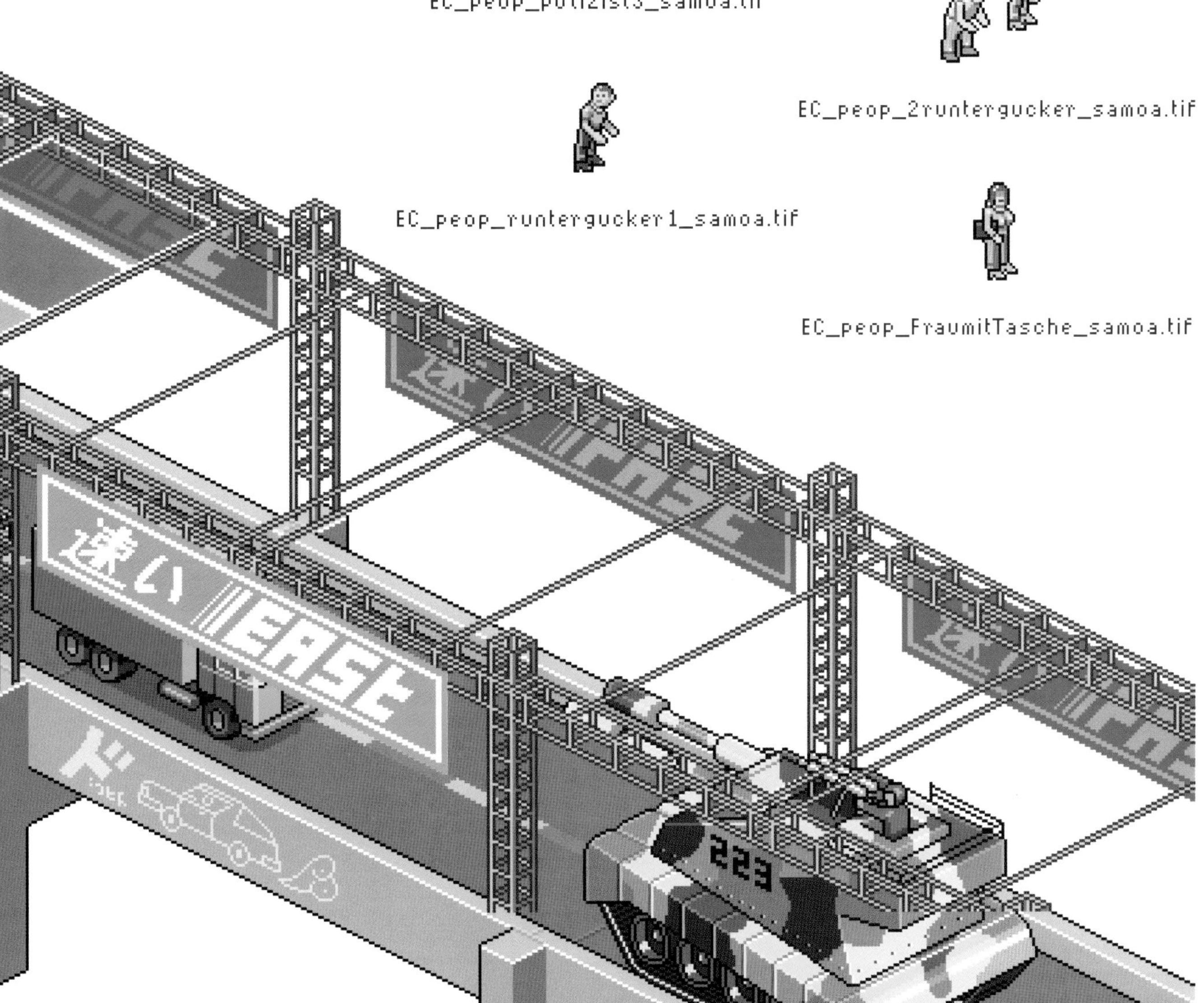

EC_peop_fotograf_samoa.tif

DIV_typo_peel_cards.TIF

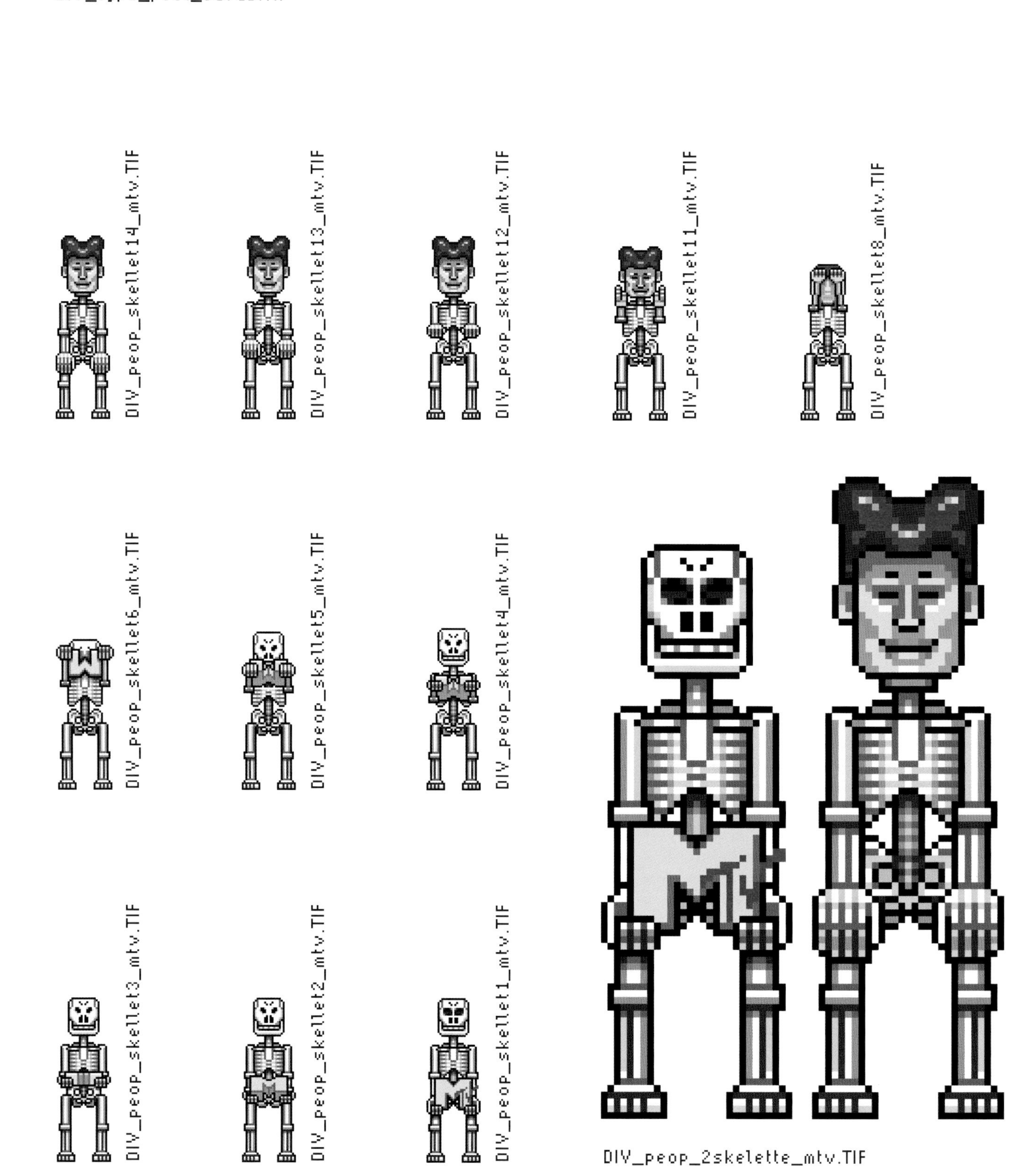

DIV_peop_skellet14_mtv.TIF

DIV_peop_skellet13_mtv.TIF

DIV_peop_skellet12_mtv.TIF

DIV_peop_skellet11_mtv.TIF

DIV_peop_skellet8_mtv.TIF

DIV_peop_skellet6_mtv.TIF

DIV_peop_skellet5_mtv.TIF

DIV_peop_skellet4_mtv.TIF

DIV_peop_skellet3_mtv.TIF

DIV_peop_skellet2_mtv.TIF

DIV_peop_skellet1_mtv.TIF

DIV_peop_2skelette_mtv.TIF

DIV_deco_zeit_eboy.tif

DIV_deco_lbb_eboy.tif

DIV_deco_newyorker_eboy.tif

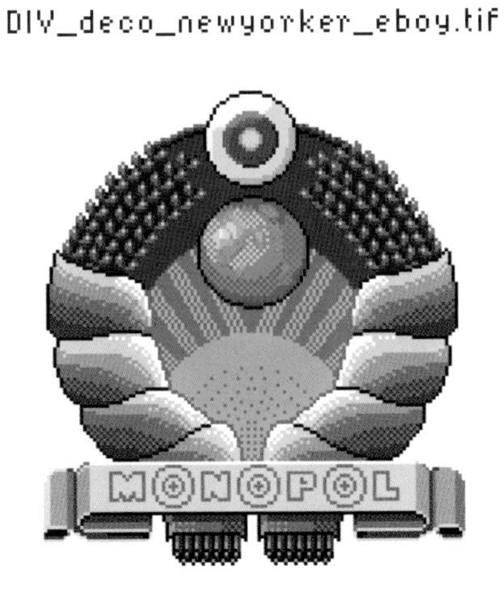

DIV_deco_monopol02_eboy.tif

DIV_deco_wired02_eboy.tif

DIV_deco_b+e_eboy.tif

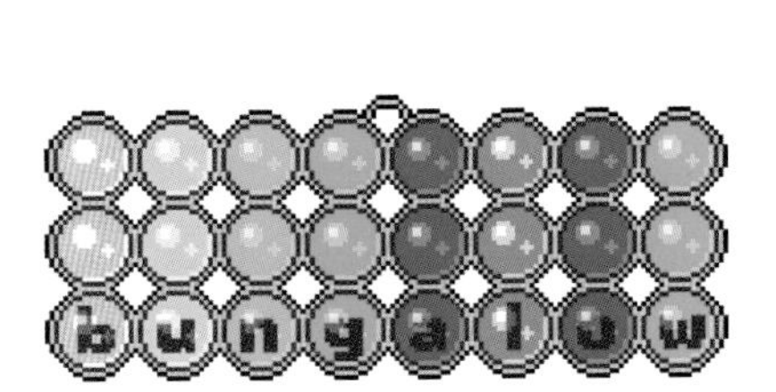

DIV_deco_bungalow_eboy.tif

DIV_deco_fontshop01_eboy.tif

DIV_deco_mtv_eboy.tif

DIV_deco_sap_eboy.tif

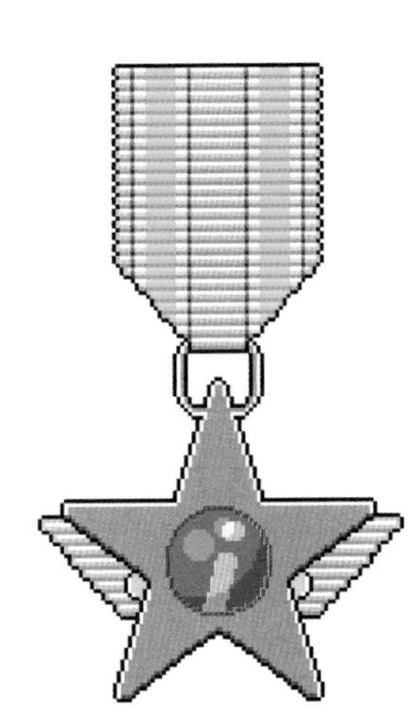

DIV_deco_iturf_eboy.tif

DIV_deco_idn_eboy.tif

DIV_deco_prater_eboy.tif

DIV_deco_theface_eboy.tif

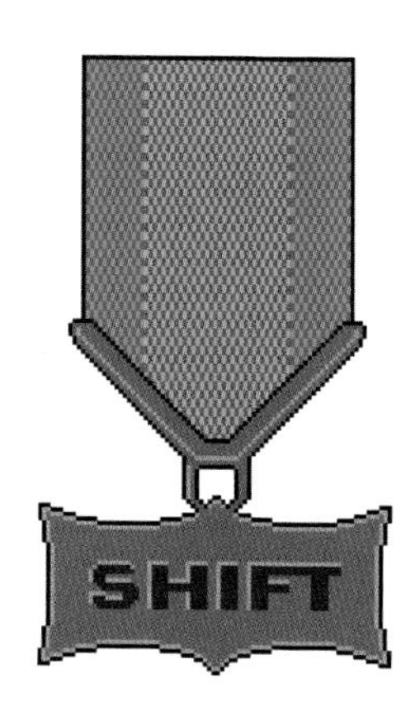

DIV_deco_shift_eboy.tif

DIV_deco_doorbreaker_eboy.tif

DIV_deco_laszlokadar01_eboy.tif

DIV_deco_spin_eboy.tif

DIV_deco_marchfirst_eboy.tif

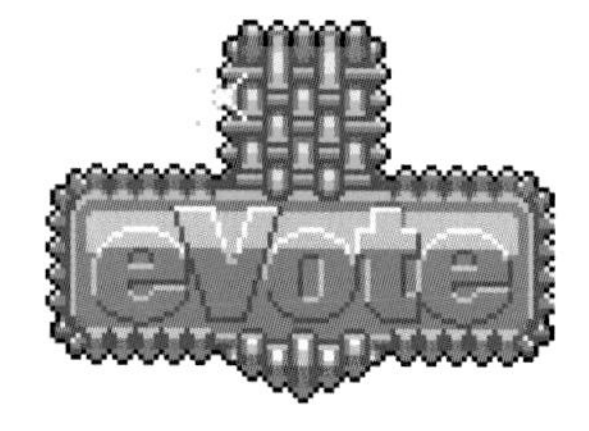

DIV_deco_evote_eboy.tif

DIV_deco_diewoche_eboy.tif

DIV_deco_boo_eboy.tif

DIV_deco_gorki_eboy.tif

DIV_deco_harpen_eboy.tif

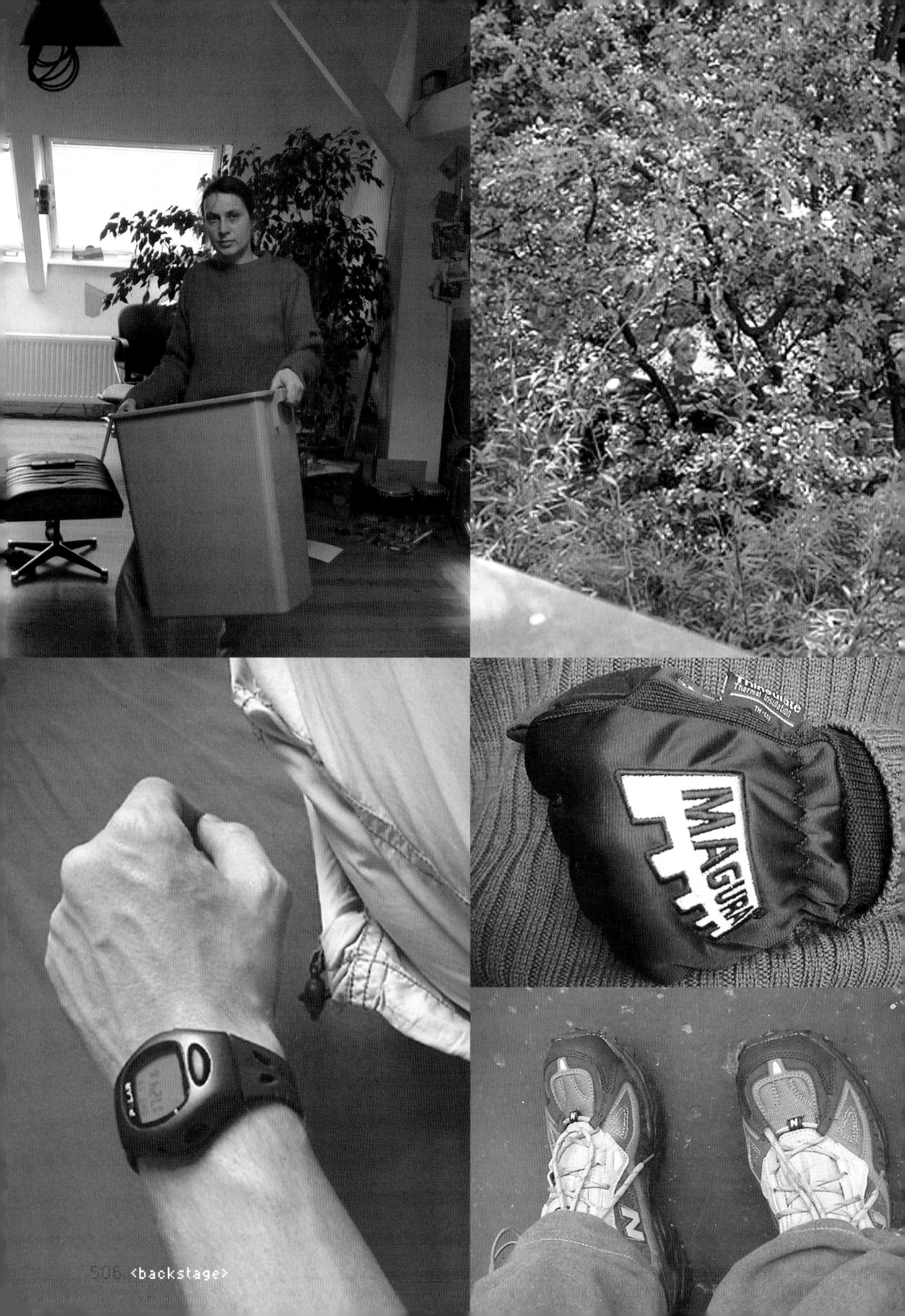
Thinsulate
Thermal Insulation
MAGURA

ESPN
STARS
VS
STARS

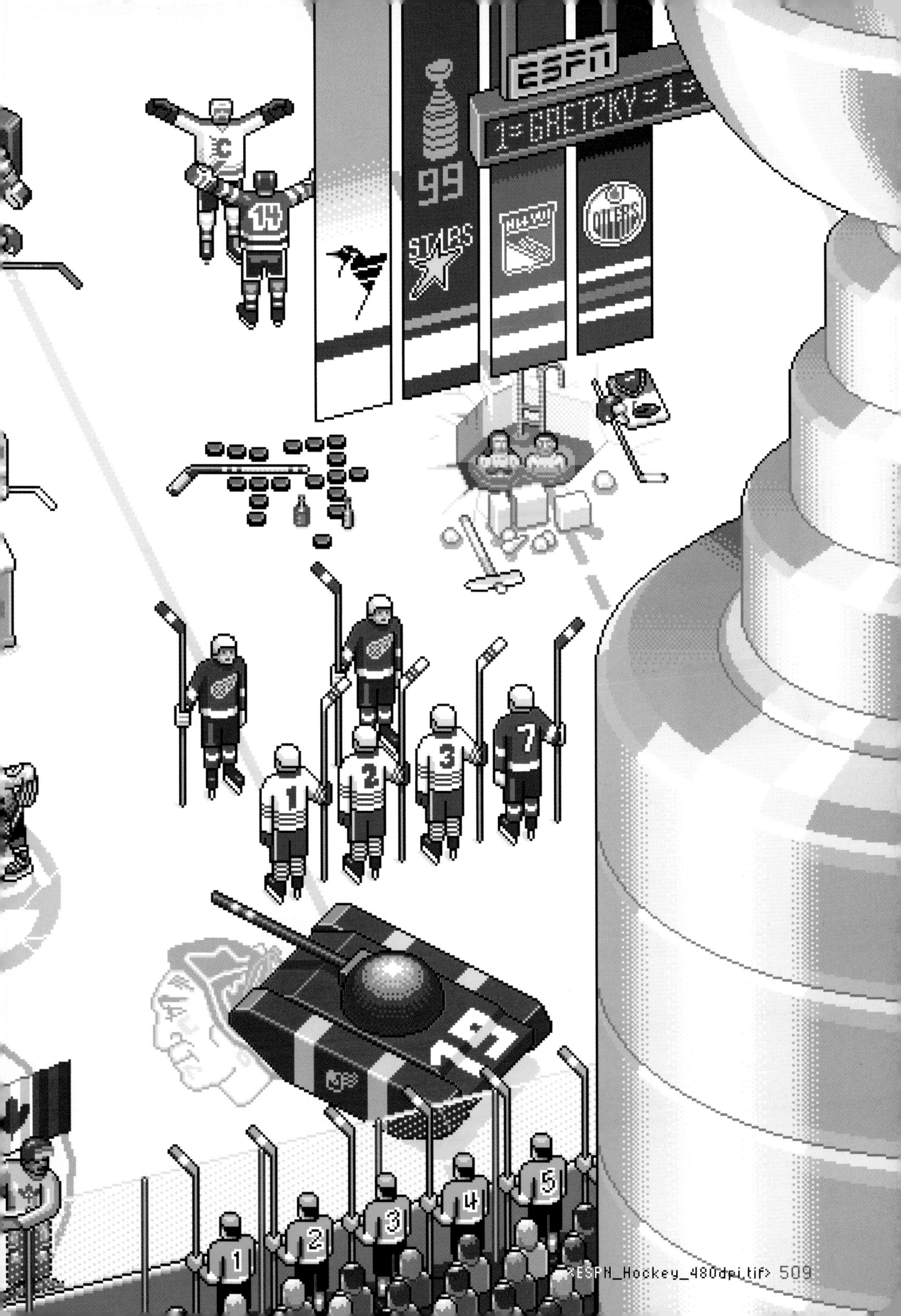
ESPN
1=GRETZKY=1=
99
STARS
OILERS

_alex art competition Berlin Alexanderplatz NBK Germany
_arena illustration Arena magazine UK
_arts cover illustration Computer Arts magazine UK
_ass advertising agency: NJU / client: ASS Germany
_attenda advertising agency: D'Arcy / client: Attenda UK
_bizz illustration BIZZ magazine Germany
_blender illustration Blender magazine USA
_bom info graphics agency: Zaudhaus / client: bom.com USA
_boo animation boo.com UK
_cards _orden _eboy _eboybook _efitti _klikk _ogdig _free _peecol freestyle eBoy Germany
_chrysler chat rooms agency: Neue Digitale / client: DaimlerChrysler Germany
_cr centerfold Creative Review magazine UK
_d_plex illustration feature about eBoy DesignPlex magazine Japan
_diesel chat rooms and character clothes design agency: Taivas Hel / client: protokid.com Finland
_diewoche illustration newspaper Germany
_diezeit screen design diezeit.de Germany
_edge illustration Edge magazine Sweden
_ernte23 game design not realized agency: Picnicindustries / client: Erne 23 Germany
_espn illustration ESPN magazine USA
_face illustrations The Face magazine UK
_focus illustration feature about eBoy focus magazine Germany
_fsi font design and animations FSI Fontshop International Germany
_gamecity screendesign agency: devarrieuxvillaret / client: game city France
_gameover exhibition gameover.net Museum für Gestaltung Zürich Swizerland
_geo illustration GEO magazine Germany
_grooves logo and cover design Grooves magazine USA
_harpen Illustration annual report and web design Harpen AG Germany
_hidden not realized hidden client
_idnmag cover design IDN magazine Hong Kong
_integris illustration agency: Devarrieux Villaret / client: Integris France
_interiors illustration interiors magazine USA
_iturf character development iturf.com USA
_J01 eBoy exhibition agency: communion w shop: J01 Hong Kong
_jobline screendesign agency: Starlet Deluxe / client: jobline.se Sweden
_jobline illustration agency: FCB Wilkens / client: jobline.de Germany
_march1 illustrations annual report agency: Kraemer / client: MarchFirst USA
_mc animations agency: banana / client: movercard Italy
_mtv animations and game design MTV.com USA
_ofapes Illustration House Magazine USA
_page illustration Page Magazine Germany
_pchome advertising agency: Paopaws / client: pchome.com.tw Taiwan
_phunk poster Utopia Transmission Project Phunk Singapore
_poptics web design poptics by eBoy, Die Gestalten Verlag and Bungalow Records Germany
_praxxiz ci and poster Praxxiz Records
_receiver illustration agency: Meso / client: Mannesmann Germany
_rinzen art/book project Rinzen Australia
_samoa advertising agency: Leagas Delaney / client: Adidas UK
_sap icons and screen design SAP Germany
_sbb illustration agency: Fischmeier / client: SBB Switzerland
_scoremore advertising agency: D-Office / client: powerplay.de Germany
_seven info graphics agency: Smallpondstudio / client: Seven USA
_shift illustration IMGSRC100 book about web design agency: Shift Japan
_spex illustration SPEX magazine Germany
_spin illustration SPIN magazine USA
_sportlife advertising agency: S-W-H / client: sportlife Netherlands
_starlet animations and game design agency: Starlet Deluxe Sweden
_stern cover illustration not realized Stern magazine Germany
_stranger cover illustration Stranger magazine USA
_stuff illustrations Stuff magazine USA
_tessloff illustrations Tessloff Verlag Germany
_wired illustrations Wired magazine USA
_xlr8r illustrations and cover design xlr8r magazine USA

EC_buil_wtc_eboy.tif